전기공사
기사·산업기사 필기
전기설비기술기준

SD에듀
㈜시대고시기획

전기공사기사 · 산업기사 필기
전기설비기술기준

Always with you

사람의 인연은 길에서 우연하게 만나거나 함께 살아가는 것만을 의미하지는 않습니다.
책을 펴내는 출판사와 그 책을 읽는 독자의 만남도 소중한 인연입니다.
SD에듀는 항상 독자의 마음을 헤아리기 위해 노력하고 있습니다.
늘 독자와 함께하겠습니다.

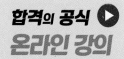

본 교재는 전기공사(산업)기사 자격증 취득을 위한 1차 필기시험 대비 수험서로서 쉽고 빠른 자격증 취득을 돕기 위해 기본이론과 중요이론, 그리고 기사, 산업기사 과년도 기출문제를 모두 장별로 분류하고 수록하였으며 이에 해설과 풀이를 통해 본 교재를 가지고 공부하시는 분들이 다른 유형의 문제도 풀 수 있도록 하였습니다.

현재 기출문제는 예전과 달리 동일한 문제가 반복적으로 출제되는 게 아니라 조금씩 변화를 주며 출제되고 있는 상황이라 이에 맞게 내용에 충실하게 교재를 준비하였습니다.

본 교재는 중요부분의 이론은 내용설명을 충실히 하였고, 가끔 출제는 되나 그 내용이 중요하지 않은 부분은 간단하게 암기할 수 있도록 만들었습니다.

끝으로 본 교재로 필기시험을 준비하시는 수험생 여러분들에게 깊은 감사를 드리며 전원 합격하시기를 기원하겠습니다.

오·탈자 및 오답이 발견될 경우 연락을 주시면 수정하여 보다 나은 수험서가 되도록 노력하겠습니다.

편저자 씀

시험안내

개 요

전기는 생산, 수송, 사용에 이르기까지의 모든 설비를 전기특성에 적합하게 시공되어야 안전하다. 이에 따라 전력시설물을 안전하게 시공하고 검사하기 위한 전문인력을 양성할 목적으로 자격제도를 제정하였다.

수행직무 및 진로

공사비의 적산, 공사공정계획의 수립, 시공과정에서 전기의 적정 여부 관리 등 주로 기술적인 직무를 수행한다. 또한, 공사현장 대리인으로서 시공자를 대리하여 현장관리를 하는 동시에 발주자에 대해서는 시공자를 대신하여 업무를 수행한다.

시험일정

구 분	필기원서접수 (인터넷)	필기시험	필기합격 (예정자) 발표	실기원서접수 (인터넷)	실기시험	최종 합격자 발표일
제1회	1.23 ~ 1.26	2.15 ~ 3.7	3.13	3.26 ~ 3.29	4.27 ~ 5.12	1차 : 5.29 / 2차 : 6.18
제2회	4.16 ~ 4.19	5.9 ~ 5.28	6.5	6.25 ~ 6.28	7.28 ~ 8.14	1차 : 8.28 / 2차 : 9.10
제3회	6.18 ~ 6.21	7.5 ~ 7.27	8.7	9.10 ~ 9.13	10.19 ~ 11.8	1차 : 11.20 / 2차 : 12.11

※ 상기 시험일정은 시행처의 사정에 따라 변경될 수 있으니, www.q-net.or.kr에서 확인하시기 바랍니다.

시험요강

❶ 시행처 : 한국산업인력공단(www.q-net.or.kr)

❷ 관련 학과 : 대학의 전기공학, 전기시스템공학, 전기제어공학 등 전기 관련 학과

❸ 시험과목

㉠ 필기 : 전기응용 및 공사재료(산업기사 제외), 전력공학, 전기기기, 회로이론 및 제어공학(산업기사 제외), 전기설비기술기준

㉡ 실기 : 전기설비 견적 및 시공

❹ 검정방법

㉠ 필기 : 객관식 4지 택일형, 과목당 20문항(과목당 30분)

㉡ 실기 : 필답형(기사 2시간 30분, 산업기사 2시간)

❺ 합격기준

㉠ 필기 : 100점을 만점으로 하여 과목당 40점 이상, 전 과목 평균 60점 이상

㉡ 실기 : 100점을 만점으로 하여 60점 이상

출제기준

필기과목명	주요항목	세부항목
전기설비 기술기준 (전기설비기술기준 및 한국전기설비규정)	1. 총 칙	1. 기술기준 총칙 및 KEC 총칙에 관한 사항 2. 일반사항 3. 전 선 4. 전로의 절연 5. 접지시스템 6. 피뢰시스템
	2. 저압 전기설비	1. 통 칙 2. 안전을 위한 보호 3. 전선로 4. 배선 및 조명설비 5. 특수설비
	3. 고압, 특고압 전기설비	1. 통 칙 2. 안전을 위한 보호 3. 접지설비 4. 전선로 5. 기계, 기구 시설 및 옥내배선 6. 발전소, 변전소, 개폐소 등의 전기설비 7. 전력보안통신설비
	4. 전기철도설비	1. 통 칙 2. 전기철도의 전기방식 3. 전기철도의 변전방식 4. 전기철도의 전차선로 5. 전기철도의 전기철도차량 설비 6. 전기철도의 설비를 위한 보호 7. 전기철도의 안전을 위한 보호
	5. 분산형 전원설비	1. 통 칙 2. 전기저장장치 3. 태양광발전설비 4. 풍력발전설비 5. 연료전지설비

구성과 특징

CHAPTER 01 총칙

한국전기설비규정(KEC ; Korea Electro-technical Code)은 전기설비기술기준 고시에서 정하는 전기설비(발전·송전·변전·배전 또는 전기사용을 위하여 설치하는 기계·기구·댐·수로·저수지·전선로·보안통신선로 및 그 밖의 설비)의 안전성능과 기술적 요구사항을 구체적으로 정하는 것을 목적으로 한다.

(1) 전기설비기술기준의 원칙

전기설비기술기준 제1장 총칙 제2조(안전원칙)에서
① 전기설비는 감전, 화재 및 그 밖에 사람에게 위해를 주거나 물건에 손상을 줄 우려가 없도록 시설하여야 한다.
② 전기설비는 사용목적에 적절하고 안전하게 작동하여야 하며, 그 손상으로 인하여 전기공급에 지장을 주지 않도록 시설하여야 한다.
③ 전기설비는 다른 전기설비, 그 밖의 물건의 기능에 전기적 또는 자기적 장해를 주지 않도록 시설하여야 한다.

(2) 전기설비기술기준의 제정근거와 제정원칙

① 제정근거
전기사업법 제67조(기술기준)에서 장관은 전기설비의 안전관리를 위하여 필요한 기술기준을 정하여 고시하여야 한다.

② 제정원칙
전기사업법시행령 제43조(기술기준의 제정)에서 다음의 기준에 적합하도록 정하여야 한다.
㉠ 사람이나 다른 물체에 위해 또는 손상을 주지 아니하도록 할 것
㉡ 내구력의 부족 또는 기기 오작동에 의하여 전기공급에 지장을 주지 아니하도록 할 것
㉢ 다른 전기설비나 그 밖의 물건의 기능에 전기적 또는 자기적 장애를 주지 아니하도록 할 것
㉣ 에너지의 효율적인 이용 및 신기술·신공법의 개발·활용 등에 지장을 주지 아니하도록 할 것

제장 총칙 /

핵 / 심 / 예 / 제

01 전기설비기술기준의 안전원칙에 관계없는 것은? [2016년 2회 산업기사]

① 에너지 절약 등에 지장을 주지 아니하도록 할 것
② 사람이나 다른 물체에 위해 손상을 주지 않도록 할 것
③ 기기의 오동작에 의한 전기 공급에 지장을 주지 않도록 할 것
④ 다른 전기설비의 기능에 전기적 또는 자기적인 장해를 주지 아니하도록 할 것

해설
•전기설비가 인체에 위해를 주거나 물체에 손상을 주지 않도록 할 것
•전기설비의 손괴에 의하여 전기 공급에 현저한 지장을 주지 아니하도록 할 것
•전기설비가 다른 전기적 설비 기타 물건의 기능에 전기적 또는 자기적인 장해를 주지 아니하도록 할 것
•전기의 합리적인 사용을 적절하도록 하기 위하여 발전, 송전, 변전, 배전 또는 전기사용을 위하여 설치하는 기계, 기구, 전선로, 보안통신선로, 기타의 공작물의 기술기준을 규정함을 목적으로 한다.

02 전기설비기술기준에서 정하는 안전원칙에 대한 내용으로 틀린 것은? [2021년 2회 기사]

① 전기설비는 감전, 화재 그 밖에 사람에게 위해를 주거나 물건에 손상을 줄 우려가 없도록 시설하여야 한다.
② 전기설비는 다른 전기설비, 그 밖의 물건의 기능에 전기적 또는 자기적인 장해를 주지 않도록 시설하여야 한다.
③ 전기설비는 경쟁과 새로운 기술 및 사업의 도입을 촉진함으로써 전기사업의 건전한 발전을 도모하도록 시설하여야 한다.
④ 전기설비는 사용목적에 적절하고 안전하게 작동하여야 하며, 그 손상으로 인하여 전기공급에 지장을 주지 않도록 시설하여야 한다.

해설 1번 해설 참조

정답 01 ① 02 ③

제장 총칙 / 17

핵심이론

철저한 출제기준 분석에 따른 전기공사기사·산업기사 합격을 위한 필수적인 핵심이론을 수록하였습니다. 시험과 관계없이 두꺼운 기본서의 복잡한 이론은 이제 그만! 시험에 꼭 나오는 이론을 중심으로 효과적으로 공부하십시오.

핵심예제

최근 7개년 기출문제와 해설을 단원별로 정리하였습니다. 핵심을 꿰뚫는 상세한 해설을 수록하여 효율적인 학습이 가능하도록 하였습니다.

최근 기출복원문제

가장 최근에 시행된 기출문제를 실제 시험과 같은 형식으로 복원하여 자신의 실력을 최종적으로 점검할 수 있도록 하였습니다.

정답 및 해설

가장 최근에 복원된 기출문제의 명쾌하고 상세한 해설을 수록하여 놓친 부분을 다시 한 번 확인할 수 있도록 하였습니다.

전기공사기사 · 산업기사 기본서 시리즈

전기공사

기사 · 산업기사 필기

SERIES **5**

전기설비기술기준

전기공사
기사 · 산업기사
필기 　 SERIES **5**

전기설비
기술기준

합격의 공식
온라인 강의

잠깐!

혼자 공부하기 힘드시다면 방법이 있습니다.
SD에듀의 동영상강의를 이용하시면 됩니다.
www.sdedu.co.kr ➜ 회원가입(로그인) ➜ 강의 살펴보기

2021년 이전 규정				2021년 변경사항(KEC)		
※ 저압·고압·특고압 기준						

	교류	직류		교류	직류
저압	600[V] 이하	750[V] 이하	저압	1[kV] 이하	1.5[kV] 이하
고압	600[V] 초과 7[kV] 이하	750[V] 초과 7[kV] 이하	고압	1[kV] 초과 7[kV] 이하	1.5[kV] 초과 7[kV] 이하
특고압	7[kV] 초과		특고압	7[kV] 초과	

※ 접지

종 별	내 용	접지저항	접지선 굵기	
제1종 접지공사	고압·특고압 설비	10[Ω] 이하	6[mm²] 이상	• 계통접지 방식 : TN, TT, IT방식 • 보호접지 : 등전위본딩 등 • 피뢰시스템접지
특별 제3종 접지공사	400[V] 이상 저압	10[Ω] 이하	25[mm²] 이상	
제3종 접지공사	400[V] 미만	100[Ω] 이하	25[mm²] 이상	
제2종 접지공사	변압기	계 산	16[mm²] 이상	변압기 중성점접지로 변경

접지선 굵기(선도체방식)
- $S \leq 16[mm^2]$인 경우 : S
- $16 < S \leq 35[mm^2]$인 경우 : $16[mm^2]$
- $35[mm^2] < S$인 경우 : $S \times \frac{1}{2}$ 또는 차단시간 5초 이내인 경우 $S = \frac{\sqrt{I^2 t}}{k}$
- S(선도체의 단면적)

※ 절연저항

전로의 사용전압 구분		절연저항[MΩ]	전로의 사용전압[V]	DC 시험전압[V]	절연저항[MΩ]
400[V] 미만	대지전압(접지식 전로는 전선과 대지 사이의 전압, 비접지식 전로는 전선 간의 전압을 말한다)이 150[V] 이하인 경우	0.1	SELV 및 PELV	250	0.5
	대지전압이 150[V] 초과 300[V] 이하	0.2	FELV, 500[V] 이하	500	1.0
	사용전압이 300[V] 초과 400[V] 미만	0.3	500[V] 초과	1,000	1.0
400[V] 이상		0.4	특별저압(Extra Low Voltage : 2차 전압이 AC 50[V], DC 120[V] 이하)으로 SELV(비접지회로 구성) 및 PELV(접지회로 구성)는 1차와 2차가 전기적으로 절연된 회로, FELV는 1차와 2차가 전기적으로 절연되지 않은 회로		

※ SELV, PELV, FELV 정리

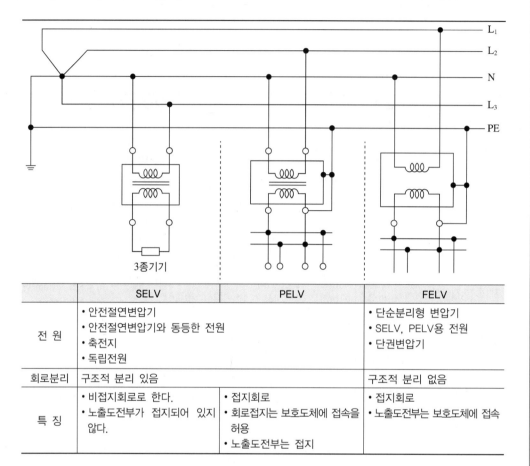

3종기기

	SELV	PELV	FELV
전 원	• 안전절연변압기 • 안전절연변압기와 동등한 전원 • 축전지 • 독립전원		• 단순분리형 변압기 • SELV, PELV용 전원 • 단권변압기
회로분리	구조적 분리 있음		구조적 분리 없음

특 징	• 비접지회로로 한다.
	• 노출도전부가 접지되어 있지
	  않다.
		• 접지회로
		• 회로접지는 보호도체에 접속을
		  허용
		• 노출도전부는 접지
			• 접지회로
			• 노출도전부는 보호도체에 접속

※ 접지방식의 문자 분류

(1) 제1문자 : 전력계통과 대지와의 관계

    ① T(Terra) : 전력계통을 대지에 직접접지

    ② I(Insulation) : 전력계통을 대지로부터 절연 또는 임피던스 삽입하여 접지

(2) 제2문자 : 설비 노출도전성 부분과 대지와의 관계

    ① T(Terra) : 설비 노출도전성 부분을 대지에 직접접지(기기 등)

    ② N(Neutral) : 설비 노출도전성 부분을 중성선에 접속

(3) 제3문자 : 중성선(N)과 보호도체(PE)의 관계

    ① S(Separator) : 중성선(N)과 보호도체(PE)를 분리

    ② C(Combine) : 중성선(N)과 보호도체(PE)를 겸용

※ 계통접지 방식

(1) TN-S 계통 : 계통 내에 별도의 중성선과 보호도체가 계통전체에 시설된 방식

    ① 별도의 PE와 N이 있는 TN-S

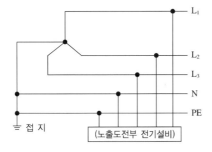

    ② 접지된 보호도체는 있으나 중성선이 없는 배선 TN-S

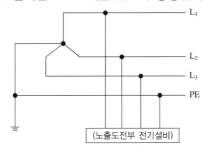

③ 별도 접지된 선도체와 보호도체가 있는 TN-S

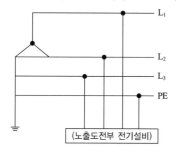

※ 설비비가 고가이나, 노이즈에 예민한 설비(전산설비, 병원 등)에 적합

(2) TN-C 계통 : 계통 전체에 대한 중성선과 보호도체의 기능을 하나의 도선으로 시설

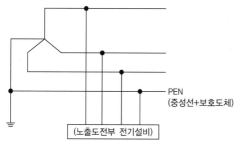

※ 노이즈에 대한 문제가 있음, 배전계통에 사용(지락보호용 과전류차단기 사용가능하나 누전차단기 설치불가)

(3) TN-C-S 계통 : 전원부는 TN-C 방식을 이용, 간선에는 중성선과 보호도체를 분리 TN-S 계통으로 사용

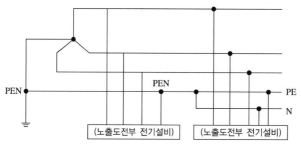

※ 수변전실이 있는 대형 건축물에 사용

(4) TT 계통 : 변압기와 전기설비측을 개별적으로 접지하는 방식

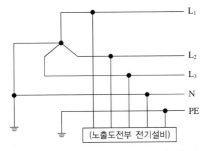

※ 주상변압기 접지선과 수용가접지선이 분리되어 있는 상태

※ 기기 자체를 단독접지할 수 있다.

※ 개별기기 접지방식으로 ELB로 보호

(5) IT 계통 : 비접지방식 또는 임피던스삽입접지하고 노출도전성 부분은 개별접지

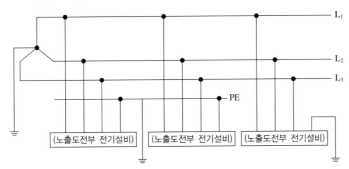

※ 노출도전부가 보호도체에 일괄접지하는 경우와 일괄 + 개별접지하는 방식이 있다.

(6) 직류계통 : 직류계통의 계통접지 방식으로 직류계통의 특정 극을 접지하고 있지만 양극
또는 음극의 어느 쪽을 접지하는가는 운전환경, 부식방지 등을 고려하여 결정하여야 한다.

① TN-S 계통 : 전원측 선도체 또는 중간도체의 한 점을 직접 접지하고, 설비의 노출도전부
는 보호도체를 통해 그 점에 접속한다. 설비 내에서 별도의 보호도체가 사용된다. 설비
내에서 보호도체를 추가로 접지할 수 있다.

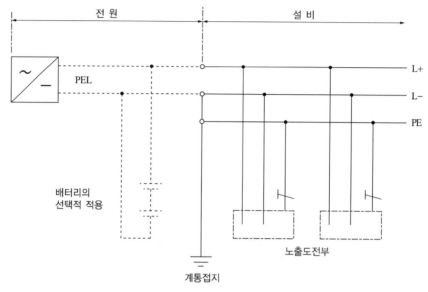

[중간도체가 없는 TN-S 직류계통]

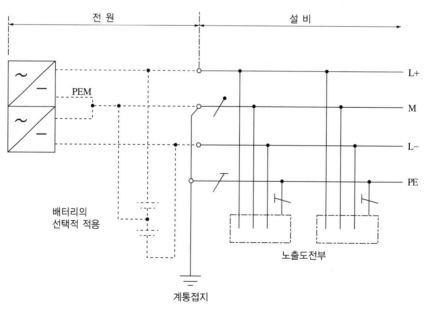

[중간도체가 있는 TN-S 직류계통]

② TN-C 계통 : 전원측 선도체 또는 중간도체의 한 점을 직접 접지하고, 설비의 노출도전
부는 보호도체를 통해 그 점에 접속한다. 설비 내에서 접지된 선도체와 보호도체의
기능을 하나의 PEL도체로 겸용하거나, 설비 내에서 접지된 중간도체와 보호도체를
하나의 PEM으로 겸용한다. 설비 내에서 PEL 또는 PEM을 추가로 접지할 수 있다.

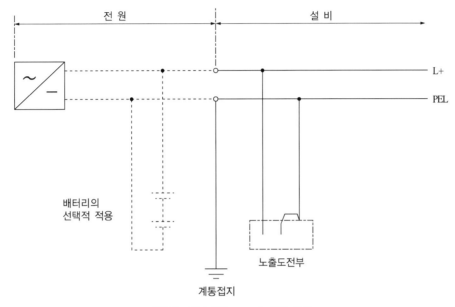

[중간도체가 없는 TN-C 직류계통]

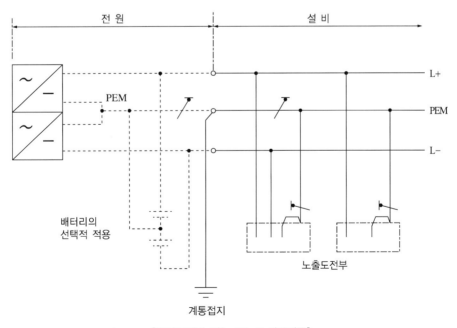

[중간도체가 있는 TN-C 직류계통]

③ TN-C-S 계통 : 전원측 선도체 또는 중간도체의 한 점을 직접 접지하고, 설비의 노출도
   전부는 보호도체를 통해 그 점에 접속한다. 설비의 일부에서 접지된 선도체와 보호도체
   의 기능을 하나의 PEL도체로 겸용하거나, 설비의 일부에서 접지된 중간도체와 보호도
   체를 하나의 PEM도체로 겸용한다. 설비 내에서 보호도체를 추가로 접지할 수 있다.

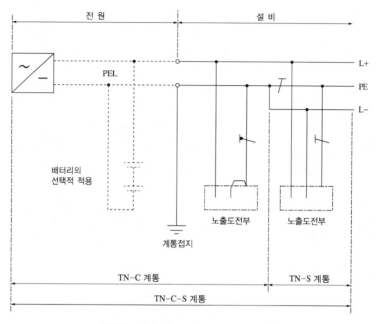

[중간도체가 없는 TN-C-S 직류계통]

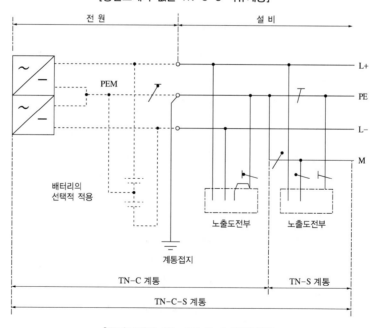

[중간도체가 있는 TN-C-S 직류계통]

④ TT 계통

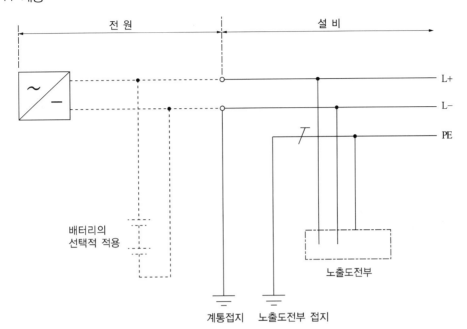

[중간도체가 없는 TT 직류계통]

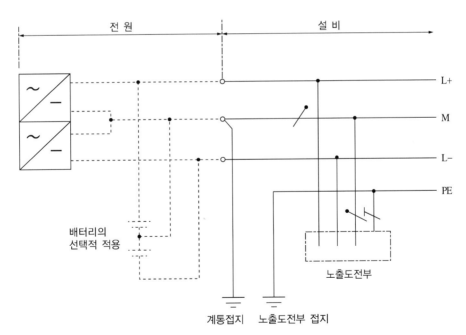

[중간도체가 있는 TT 직류계통]

⑤ IT 계통

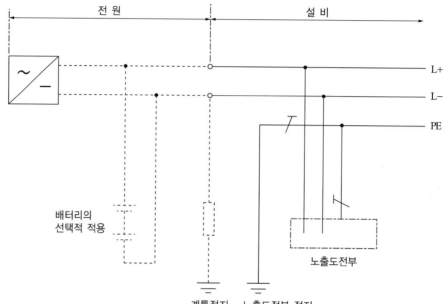

[중간도체가 없는 IT 직류계통]

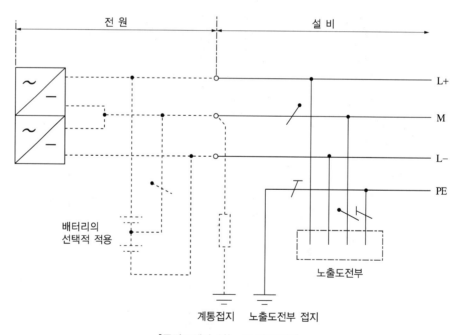

[중간도체가 있는 IT 직류계통]

한국전기설비규정(KEC ; Korea Electro-technical Code)은 전기설비기술기준 고시에서 정하는 전기설비(발전 · 송전 · 변전 · 배전 또는 전기사용을 위하여 설치하는 기계 · 기구 · 댐 · 수로 · 저수지 · 전선로 · 보안통신선로 및 그 밖의 설비)의 안전성능과 기술적 요구사항을 구체적으로 정하는 것을 목적으로 한다.

(1) 전기설비기술기준의 원칙

전기설비기술기준 제1장 총칙 제2조(안전원칙)에서
① 전기설비는 감전, 화재 및 그 밖에 사람에게 위해를 주거나 물건에 손상을 줄 우려가 없도록 시설하여야 한다.
② 전기설비는 사용목적에 적절하고 안전하게 작동하여야 하며, 그 손상으로 인하여 전기공급에 지장을 주지 않도록 시설하여야 한다.
③ 전기설비는 다른 전기설비, 그 밖의 물건의 기능에 전기적 또는 자기적 장해를 주지 않도록 시설하여야 한다.

(2) 전기설비기술기준의 제정근거와 제정원칙

① 제정근거
전기사업법 제67조(기술기준)에서 장관은 전기설비의 안전관리를 위하여 필요한 기술기준을 정하여 고시하여야 한다.

② 제정원칙
전기사업법시행령 제43조(기술기준의 제정)에서 다음의 기준에 적합하도록 정하여야 한다.
㉠ 사람이나 다른 물체에 위해 또는 손상을 주지 아니하도록 할 것
㉡ 내구력의 부족 또는 기기 오작동에 의하여 전기공급에 지장을 주지 아니하도록 할 것
㉢ 다른 전기설비나 그 밖의 물건의 기능에 전기적 또는 자기적 장애를 주지 아니하도록 할 것
㉣ 에너지의 효율적인 이용 및 신기술 · 신공법의 개발 · 활용 등에 지장을 주지 아니하도록 할 것

1. 일반사항

(1) 통 칙

① 적용범위 : 인축의 감전에 대한 보호와 전기설비 계통, 시설물, 발전용 수력설비, 발전용 화력설비, 발전설비 용접 등의 안전에 필요한 성능과 기술적인 요구사항에 대하여 적용

② 전압의 구분

크 기 ＼ 종 류	교 류	직 류
저 압	1[kV] 이하	1.5[kV] 이하
고 압	1[kV] 초과 7[kV] 이하	1.5[kV] 초과 7[kV] 이하
특고압	7[kV] 초과	

(2) 용어 정의

① 발전소 : 발전기, 원동기, 연료전지, 태양전지 등을 시설하여 전기 발생하는 곳(단, 비상용 예비전원, 휴대용 발전기 제외)

② 변전소 : 구외에서 전송된 전기를 변압기, 정류기 등에 의해 변성하여 구외로 전송하는 곳

③ 개폐소 : 발전소 상호 간, 변전소 상호 간 또는 발전소와 변전소 간 5만[V] 이상의 송전선로를 연결 또는 차단하기 위한 전기설비

④ 급전소 : 전력계통의 운용에 관한 지시를 하는 곳

⑤ 인입선 : 가공인입선 및 수용장소의 조영물의 옆면 등에 시설하는 전선으로 그 수용장소의 인입구에 이르는 부분의 전선

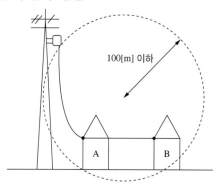

ⓐ 가공인입선 : 가공전선의 지지물에서 분기하여 지지물을 거치지 않고 다른 수용장소의 인입구에 이르는 부분의 전선(길이 : 50[m] 이하)

ⓑ 연접인입선 : 한 수용장소의 인입선에서 분기하여 지지물을 거치지 않고 다른 수용장소의 인입구에 이르는 부분의 전선

⑥ 관등회로 : 방전등용 안정기(변압기 포함)로부터 방전관까지의 전로

⑦ 리플프리직류 : 교류를 직류로 변환할 때 리플성분이 10[%](실횻값) 이하를 포함한 직류

⑧ 조상설비 : 무효전력을 조정하는 전기기계기구

⑨ 전기철도용 급전선 : 전기철도용 변전소로부터 다른 전기철도용 변전소 또는 전차선에 이르는 전선

⑩ 전기철도용 급전선로 : 전기철도용 급전선 및 이를 지지하거나 수용하는 시설물

⑪ 지지물 : 목주, 철주, 철근 콘크리트주, 철탑으로 전선, 약전류전선, 케이블을 지지

⑫ 지중관로 : 지중전선로, 지중약전류전선로, 지중광섬유케이블선로, 지중에 시설하는 수관 및 가스관과 이와 유사한 것 및 이들에 부속하는 지중함 등

⑬ 계통연계 : 둘 이상의 전력계통 사이를 전력이 상호 융통될 수 있도록 선로를 통하여 연결하는 것(전력계통 상호 간을 송전선, 변압기 또는 직류-교류변환설비 등에 연결)

⑭ 계통외도전부 : 전기설비의 일부는 아니지만 지면에 전위 등을 전해줄 위험이 있는 도전성 부분
  ㉠ 건축 구조체의 금속제 부분
  ㉡ 가스, 물, 난방 등의 금속배관설비
  ㉢ 절연되어 있지 않은 바닥과 벽

⑮ 계통접지 : 전력계통에서 돌발적으로 발생하는 이상현상에 대비하여 대지와 계통을 연결하는 것(중성점을 대지에 접속하는 것)

⑯ 기본보호(직접 접촉에 대한 보호) : 정상운전 시 기기의 충전부에 직접 접촉함으로써 발생할 수 있는 위험으로부터 인축의 보호

⑰ 고장보호(간접 접촉에 대한 보호) : 고장 시 기기의 노출도전부에 간접 접촉함으로써 발생할 수 있는 위험으로부터 인축을 보호

⑱ 노출도전부 : 충전부는 아니지만 고장 시에 충전될 위험이 있고, 사람이 쉽게 접촉할 수 있는 기기의 도전성 부분

⑲ 단독운전 : 전력계통의 일부가 전력계통의 전원과 전기적으로 분리된 상태에서 분산형 전원에 의해서만 운전되는 상태

⑳ 분산형전원 : 중앙급전 전원과 구분되는 것으로서 전력소비지역 부근에 분산하여 배치 가능한 전원(상용전원의 정전 시에만 사용하는 비상용 예비전원은 제외하며, 신재생에 너지 발전설비, 전기저장장치 등을 포함)

㉑ 단순 병렬운전 : 자가용 발전설비 또는 저압 소용량 일반용 발전설비를 배전계통에 연계 하여 운전하되, 생산한 전력의 전부를 자체적으로 소비하기 위한 것으로서 생산한 전력 이 연계계통으로 송전되지 않는 병렬 형태

㉒ 내부 피뢰시스템 : 등전위본딩 또는 외부 피뢰시스템의 전기적 절연으로 구성된 피뢰시 스템의 일부

㉓ 등전위본딩 : 등전위를 형성하기 위해 도전부 상호 간을 전기적으로 연결

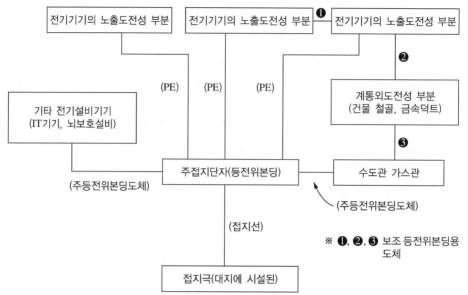

㉔ 보호등전위본딩 : 감전에 대한 보호 등과 같은 안전을 목적으로 하는 등전위본딩
㉕ 보조 등전위본딩 : 두 개의 노출도전부를 연결 또는 노출도전부와 계통외 도전부를 접속

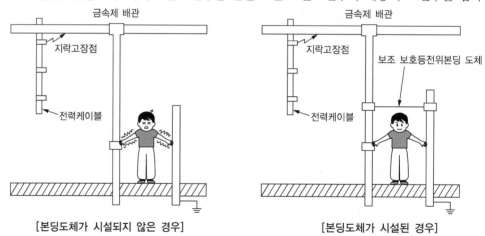

[본딩도체가 시설되지 않은 경우]   [본딩도체가 시설된 경우]

㉖ 비접지 등전위본딩 : 비전도성 장소에서 동시에 접근이 가능한 모든 노출도전부와 계통 외 도전부를 상호접속

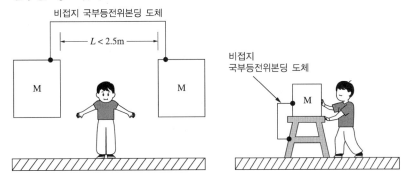

㉗ 등전위본딩망(Equipotential Bonding Network) : 구조물의 모든 도전부와 충전도체를 제외한 내부설비를 접지극에 상호 접속하는 망

㉘ 보호도체(PE ; Protective Conductor) : 감전 방지와 같은 안전을 위해 준비된 도체

　　㉠ PEN 도체(Protective Earthing Conductor and Neutral Conductor) : 교류회로에 서 중성선 겸용 보호도체

　　㉡ PEM 도체(Protective Earthing Conductor and a Mid-point Conductor) : 직류 회로에서 중간선 겸용 보호도체

　　㉢ PEL 도체(Protective Earthing Conductor and a Line Conductor) : 직류회로에서 선도체 겸용 보호도체

㉙ 보호본딩도체(Protective Bonding Conductor) : 등전위본딩을 확실하게 하기 위한 보호 도체

㉚ 보호접지(Protective Earthing) : 고장 시 감전에 대한 보호를 목적으로 기기의 한 점 또는 여러 점을 접지하는 것

㉛ 스트레스전압(Stress Voltage) : 지락고장 중에 접지 부분 또는 기기나 장치의 외함과 기기나 장치의 다른 부분 사이에 나타나는 전압

㉜ 접촉범위(Arm's Reach) : 사람이 통상적으로 서있거나 움직일 수 있는 바닥면상의 어떤 점에서라도 보조장치의 도움 없이 손을 뻗어서 접촉이 가능한 접근구역

㉝ 지락고장전류(Earth Fault Current) : 충전부에서 대지 또는 고장점(지락점)의 접지된 부분으로 흐르는 전류를 말하며, 지락에 의하여 전로의 외부로 유출되어 화재, 사람이 나 동물의 감전 또는 전로나 기기의 손상 등 사고를 일으킬 우려가 있는 전류

㉞ 충전부(Live Part) : 통상적인 운전 상태에서 전압이 걸리도록 되어 있는 도체 또는 도전부를 말한다. 중성선을 포함하나 PEN 도체, PEM 도체 및 PEL 도체는 포함하지 않는다.

㉟ 피뢰등전위본딩(Lightning Equipotential Bonding) : 뇌전류에 의한 전위차를 줄이기 위해 직접적인 도전접속 또는 서지보호장치를 통하여 분리된 금속부를 피뢰시스템에 본딩하는 것

㊱ 피뢰레벨(LPL ; Lightning Protection Level) : 자연적으로 발생하는 뇌방전을 초과하지 않는 최대, 그리고 최소 설계값에 대한 확률과 관련된 일련의 뇌격전류 매개변수(파라미터)로 정해지는 레벨

㊲ 외부피뢰시스템 : 수뢰부시스템, 인하도선시스템, 접지극시스템으로 구성된 피뢰시스템의 일종

    ㉠ 수뢰부시스템 : 낙뢰를 포착할 목적으로 돌침, 수평도체, 메시도체 등과 같은 금속 물체를 이용한 외부 피뢰시스템의 일부

    ㉡ 인하도선시스템 : 뇌전류를 수뢰시스템에서 접지극으로 흘리기 위한 외부피뢰시스템의 일부

    ㉢ 접지극시스템 : 기기나 계통을 개별적 또는 공통으로 접지하기 위하여 필요한 접속 및 장치로 구성된 설비

㊳ 서지보호장치(SPD ; Surge Protective Device) : 과도 과전압을 제한하고 서지전류를 분류시키기 위한 장치

㊴ 특별저압(ELV ; Extra Low Voltage) : 인체에 위험을 초래하지 않을 정도의 저압

    ㉠ AC 50[V] 이하 / DC 120[V] 이하

    ㉡ SELV(Safety Extra Low Voltage)는 비접지회로

    ㉢ PELV(Protective Extra Low Voltage)는 접지회로

참 고

- T(Terra : 대지)
- I(Insulation : 절연) : 대지와 완전 절연, 저항 삽입 대지와 접지
- N(Neutral : 중성)
- S(Separated : 분리) : 중성선과 보호도체를 분리한 상태로 도체에 포설
- C(Combined : 조합) : 중성선과 보호도체를 묶어 단일화로 포설
- PE(보호도체)
  - Protective : 보호하는
  - Equipotential : 등전위
  - Earthing : 접지
- F(Function : 기능)
- S(Safety : 안전)

---

⑩ 접근상태 : 제1차 접근상태 및 제2차 접근상태

　　㉠ 제1차 접근상태 : 가공전선이 다른 시설물과 접근(병행하는 경우를 포함하며 교차하는 경우 및 동일 지지물에 시설하는 경우를 제외)하는 경우에 가공전선이 다른 시설물의 위쪽 또는 옆쪽에서 수평거리로 가공전선로의 지지물의 지표상의 높이에 상당하는 거리 안에 시설(수평 거리로 3[m] 미만인 곳에 시설되는 것을 제외)됨으로써 가공전선로의 전선의 절단, 지지물의 도괴 등의 경우에 그 전선이 다른 시설물에 접촉할 우려가 있는 상태

　　㉡ 제2차 접근상태 : 가공전선이 다른 시설물과 접근하는 경우에 그 가공전선이 다른 시설물의 위쪽 또는 옆쪽에서 수평거리로 3[m] 미만인 곳에 시설되는 상태

2. 전 선

(1) 전선의 식별

① 구 분

상(문자)	색 상
L1	갈 색
L2	흑 색
L3	회 색
N	청 색
보호도체	녹색-노란색

② 색상 식별이 종단 및 연결 지점에서만 이루어지는 나도체 등은 전선 종단부에 색상이 반영구적으로 유지될 수 있는 도색, 밴드, 색 테이프 등의 방법으로 표시해야 한다.

(2) 전선의 규격

① 전선 규격의 단면적[mm^2] 표시

전선의 규격을 단심은 직경[mm], 연선은 단면적[mm^2]으로 표시하던 것을 모두에서 단면적[mm^2]으로 표시 및 제작하게 되었다.

② KEC 전선의 규격

2.5, 4.0, 6.0, 10, 16, 25, 35, 50, 70, 95, 120, 150, 185, 240, … 최대 630[mm^2]

③ 절연물의 최고허용온도

    ㉠ 일반전선

       일반전선은 절연물의 최고허용온도를 60[℃]에서 70[℃]로 성능을 향상시킴에 따라
기존의 내열전선이 일반전선으로 바뀌었다.

       예 450/750[V] 비닐절연전선

    ㉡ 내열전선

       내열전선은 절연물의 최고허용온도를 75[℃]에서 90[℃]로 성능을 향상시켰다.

       예 HFIX(절연전선), XLPE(CV케이블), EPR(EP고무절연케이블)

(3) 전선의 종류

① 저압 절연전선

    ㉠ 450/750[V] 비닐절연전선(NR)

    ㉡ 450/750[V] 저독성 난연 (가교)폴리올레핀 절연전선(HFIX)

    ㉢ 450/750[V] 고무절연전선

② 저압케이블

    ㉠ 0.6/1[kV] 연피케이블

    ㉡ 클로로프렌외장케이블

    ㉢ 비닐외장케이블

    ㉣ 폴리에틸렌외장케이블

    ㉤ 무기물 절연케이블

    ㉥ 저독성 난연 폴리올레핀외장케이블

    ㉦ 금속외장케이블

    ㉧ 300/500[V] 연질 비닐시스케이블

    ㉨ 선박용 케이블

    ㉩ 엘리베이터용 케이블

    ㉪ 용접용 케이블

③ 고압케이블

    ㉠ 클로로프렌외장케이블

    ㉡ 비닐외장케이블

    ㉢ 폴리에틸렌외장케이블

    ㉣ 콤바인덕트케이블

    ㉤ 연피케이블

    ㉥ 알루미늄피케이블

        ⊗ 저독성 난연 폴리올레핀외장케이블

        ⊚ KS에서 정한 성능 이상의 것

  ④ 특고압케이블

    ㉠ 특고압인 전로에 사용

- 절연체가 에틸렌 프로필렌고무혼합물 또는 가교폴리에틸렌 혼합물인 케이블로서 선심 위에 금속제의 전기적 차폐층을 설치한 것
- 파이프형 압력 케이블
- 금속피복을 한 케이블
- 연피케이블
- 알루미늄피케이블

    ㉡ 특고압전로의 다중접지 지중 배전계통에 사용하는 동심중성선 전력케이블

- 최대사용전압은 25.8[kV] 이하일 것
- 도체는 연동선 또는 알루미늄선을 소선으로 구성한 원형 압축연선
- 절연체는 동심원상으로 동시압출(3중 동시 압출)한 내부 반도전층, 절연층 및 외부 반도전층으로 구성하여야 하며, 건식 방식으로 가교할 것
- 중성선 수밀층은 물이 침투하면 자기부풀음성을 갖는 부풀음 테이프를 사용
- 중성선은 반도전성 부풀음 테이프 위에 형성하여야 하며, 꼬임방향은 Z 또는 S-Z 꼬임으로 할 것(피치는 중성선층 외경의 6~10배로 꼬임)

(4) 전선의 접속법

  ① 전선의 전기저항을 증가시키지 아니하도록 접속한다.

  ② 전선의 세기(인장하중)를 20[%] 이상 감소시키지 않아야 한다.

  ③ 도체에 알루미늄 전선과 동 전선을 접속하는 경우에는 접속 부분에 전기적 부식이 생기지 아니하도록 해야 한다.

  ④ 절연전선 상호·절연전선과 코드, 캡타이어케이블 또는 케이블과 접속하는 경우에는 코드 접속기나 접속함, 기타의 기구를 사용해야 한다. 다만, 공칭단면적이 10[mm²] 이상인 캡타이어케이블 상호 간을 접속하는 경우에는 그러하지 아니한다.

  ⑤ 두 개 이상의 전선을 병렬로 사용하는 경우

    ㉠ 각 전선의 굵기는 동선 50[mm²] 이상 또는 알루미늄 70[mm²] 이상으로 하고 전선은 같은 도체, 같은 재료, 같은 길이 및 같은 굵기의 것을 사용한다.

    ㉡ 병렬로 사용하는 전선에는 각각에 퓨즈를 설치하지 않아야 한다.

    ㉢ 각 극의 전선은 동일한 터미널러그에 완전히 접속(2개 이상의 리벳 또는 2개 이상의 나사로 접속)

㉣ 교류회로에서 병렬로 사용하는 전선은 금속관 안에 전자적 불평형이 생기지 않도록
시설해야 한다.

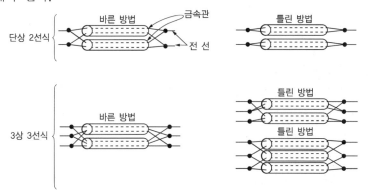

[병렬 사용 전선의 금속관 안에 전자적 불평형 방지 예]

참 고

절연전선의 단선과 연선의 구조

① 단 선
단면이 원형인 1가닥을 도체로 한다.

② 연 선
여러 가닥으로 된 소선을 꼬아 하나의 등가적인 단면적을 갖는다.
㉠ 연선을 구성하는 소선의 총수 N과 소선의 층수 n
$$N = 3n(n+1)+1$$
㉡ 연선의 바깥지름 D와 소선의 지름 d
$$D = (2n+1)d[\text{mm}]$$
㉢ 연선의 단면적 A와 소선의 단면적 a
$$A = Na[\text{mm}^2]$$
㉣ 여기서 A를 계산단면적이라 하며, 실질적으로는 공칭단면적을 사용한다.

[단선의 구조]   [연선의 구조]

핵 / 심 / 예 / 제

01 전기설비기술기준의 안전원칙에 관계없는 것은? [2016년 2회 산업기사]

① 에너지 절약 등에 지장을 주지 아니하도록 할 것
② 사람이나 다른 물체에 위해 손상을 주지 않도록 할 것
③ 기기의 오동작에 의한 전기 공급에 지장을 주지 않도록 할 것
④ 다른 전기설비의 기능에 전기적 또는 자기적인 장해를 주지 아니하도록 할 것

> **해설**
> • 전기설비가 인체에 위해를 주거나 물체에 손상을 주지 않도록 할 것
> • 전기설비의 손괴에 의하여 전기의 공급에 현저한 지장을 주지 아니하도록 할 것
> • 전기설비가 다른 전기적 설비 기타 물건의 기능에 전기적 또는 자기적인 장해를 주지 아니하도록 할 것
> • 전기의 합리적인 사용을 적절하도록 하기 위하여 발전, 송전, 변전, 배전 또는 전기사용을 위하여 설치하는 기계, 기구, 전선로, 보안통신선로, 기타의 공작물의 기술기준을 규정함을 목적으로 한다.

02 전기설비기술기준에서 정하는 안전원칙에 대한 내용으로 틀린 것은? [2021년 2회 기사]

① 전기설비는 감전, 화재 그 밖에 사람에게 위해를 주거나 물건에 손상을 줄 우려가 없도록 시설하여야 한다.
② 전기설비는 다른 전기설비, 그 밖의 물건의 기능에 전기적 또는 자기적인 장해를 주지 않도록 시설하여야 한다.
③ 전기설비는 경쟁과 새로운 기술 및 사업의 도입을 촉진함으로써 전기사업의 건전한 발전을 도모하도록 시설하여야 한다.
④ 전기설비는 사용목적에 적절하고 안전하게 작동하여야 하며, 그 손상으로 인하여 전기 공급에 지장을 주지 않도록 시설하여야 한다.

> **해설** 1번 해설 참조

정답 01 ① 02 ③

03 전로에 대한 설명 중 옳은 것은?   [2018년 1회 기사]

① 통상의 사용 상태에서 전기를 절연한 곳
② 통상의 사용 상태에서 전기를 접지한 곳
③ 통상의 사용 상태에서 전기가 통하고 있는 곳
④ 통상의 사용 상태에서 전기가 통하고 있지 않은 곳

> **해설** 전로란 통상의 사용 상태에서 전기가 통하고 있는 곳

04 다음 (   )의 ㉠, ㉡에 들어갈 내용으로 옳은 것은?   [2020년 3회 산업기사]

> "전기철도용 급전선"이란 전기철도용 (㉠)로부터 다른 전기철도용 (㉠) 또는 (㉡)에 이르는 전선을 말한다.

① ㉠ 급전소, ㉡ 개폐소   ② ㉠ 궤전선, ㉡ 변전소
③ ㉠ 변전소, ㉡ 전차선   ④ ㉠ 전차선, ㉡ 급전소

> **해설** KEC 112(용어 정의)
> 전기철도용 급전선이란 전기철도용 변전소로부터 다른 전기철도용 변전소 또는 전차선에 이르는 전선을 말한다.

05 방전등용 안정기로부터 방전관까지의 전로를 무엇이라 하는가?   [2015년 1회 산업기사]

① 가섭선   ② 가공인입선
③ 관등회로   ④ 지중관로

> **해설** KEC 112(용어 정의)
> 관등회로란 방전등용 안정기 또는 방전등용 변압기로부터 방전관까지의 전로를 말한다.

06 한 수용장소의 인입선에서 분기하여 지지물을 거치지 않고 다른 수용 장소의 인입구에 이르는 부분의 전선을 무엇이라고 하는가? [2015년 2회 산업기사]

① 가공인입선 ② 인입선

③ 연접인입선 ④ 옥측배선

> **해설** 기술기준 제3조(정의), KEC 221.1(구내인입선)
> 연접인입선 : 한 수용장소의 인입선에서 분기하여 지지물을 거치지 아니하고 다른 수용장소의 인입 구에 이르는 부분의 전선
> • 분기점 사이 거리 100[m]를 초과하지 말 것
> • 폭 5[m] 초과 도로 횡단하지 말 것
> • 옥내 관통 금지

07 전력계통의 운용에 관한 지시 및 급전조작을 하는 곳은? [2018년 3회 산업기사]

① 급전소 ② 개폐소

③ 변전소 ④ 발전소

> **해설** 급전소 : 전력계통의 운용에 관한 지시를 하는 곳이다.

08 제2차 접근상태를 바르게 설명한 것은? [2014년 3회 산업기사]

① 가공전선이 전선의 절단 또는 지지물의 도괴 등이 되는 경우에 당해 전선이 다른 시설물에 접속될 우려가 있는 상태

② 가공전선이 다른 시설물과 접근하는 경우에 당해 가공전선이 다른 시설물의 위쪽 또는 옆쪽에서 수평거리로 3[m] 미만인 곳에 시설되는 상태

③ 가공전선이 다른 시설물과 접근하는 경우에 가공전선을 다른 시설물과 수평되게 시설되는 상태

④ 가공선로에 접지공사를 하고 보호망으로 보호하여 인축의 감전상태를 방지하도록 조치하는 상태

> **해설** KEC 112(용어 정의)
> • 1차 접근상태 : 가공전선이 다른 공작물의 상방 또는 측방에서 수평이격 가공전선의 지지물의 지표상 높이에 상당하는 거리 안에 시설된 상태(수평거리로 3[m] 미만인 곳에 시설되는 것을 제외)
> • 제2차 접근상태 : 가공전선이 다른 공작물의 상방 또는 측방에서 수평이격 3[m] 미만인 곳에 시설된 상태

09 "조상설비"에 대한 용어의 정의로 옳은 것은? [2018년 2회 산업기사]

① 전압을 조정하는 설비를 말한다.
② 전류를 조정하는 설비를 말한다.
③ 유효전력을 조정하는 전기기계기구를 말한다.
④ 무효전력을 조정하는 전기기계기구를 말한다.

해설   조상설비란 무효전력을 조정하는 전기기계기구이다.

10 다음 중 국내의 전압 종별이 아닌 것은? [2014년 2회 기사]

① 저 압   ② 고 압
③ 특고압   ④ 초고압

해설   KEC 111(통칙)

크기 종류	교 류	직 류
저 압	1[kV] 이하	1.5[kV] 이하
고 압	1[kV] 초과 7[kV] 이하	1.5[kV] 초과 7[kV] 이하
특고압	7[kV] 초과	7[kV] 초과

11 전압의 종별에서 교류 600[V]는 무엇으로 분류하는가? [2016년 1회 기사 / 2021년 2회 기사]

① 저 압
② 고 압
③ 특고압
④ 초고압

해설 KEC 111(통칙)

크 기 \ 종 류	교 류	직 류
저 압	1[kV] 이하	1.5[kV] 이하
고 압	1[kV] 초과 7[kV] 이하	1.5[kV] 초과 7[kV] 이하
특고압	7[kV] 초과	7[kV] 초과

12 전압의 구분에 대한 설명으로 옳은 것은? [2022년 2회 기사]

① 직류에서의 저압은 1,000[V] 이하의 전압을 말한다.
② 교류에서의 저압은 1,500[V] 이하의 전압을 말한다.
③ 직류에서의 고압은 3,500[V]를 초과하고 7,000[V] 이하인 전압을 말한다.
④ 특고압은 7,000[V]를 초과하는 전압을 말한다.

해설 11번 해설 참조

정답 11 ① 12 ④

13 "리플프리(Ripple-free) 직류"란 교류를 직류로 변환할 때 리플성분의 실횻값이 몇 [%] 이하로 포함된 직류를 말하는가?

[2021년 1회 기사]

① 3
② 5
③ 10
④ 15

해설 리플프리 직류란 교류를 직류로 변환할 때 리플성분이 10[%](실횻값) 이하를 포함한 직류를 말한다.

14 급전선에 대한 설명으로 틀린 것은?

[2022년 1회 기사]

① 급전선은 비절연보호도체, 매설접지도체, 레일 등으로 구성하여 단권변압기 중성점과 공통접지에 접속한다.
② 가공식은 전차선의 높이 이상으로 전차선로 지지물에 병가하며, 나전선의 접속은 직선접속을 원칙으로 한다.
③ 선상승강장, 인도교, 과선교 또는 교량 하부 등에 설치할 때에는 최소 절연이격거리 이상을 확보하여야 한다.
④ 신설 터널 내 급전선을 가공으로 설계할 경우 지지물의 취부는 C찬넬 또는 매입전을 이용하여 고정하여야 한다.

해설 비절연보호도체, 매설접지도체는 귀선로에 해당되는 설명

15 저압 절연전선으로 전기용품 및 생활용품 안전관리법의 적용을 받는 것 이외에 KS에 적합한 것으로서 사용할 수 없는 것은?　　　　　　　　　　　　　　　　　　　　　　[2021년 1회 기사]

① 450/750[V] 고무절연전선

② 450/750[V] 비닐절연전선

③ 450/750[V] 알루미늄절연전선

④ 450/750[V] 저독성 난연 폴리올레핀절연전선

> **해설**　**저압 절연전선의 종류**
> • 450/750[V] 고무절연전선
> • 450/750[V] 비닐절연전선
> • 450/750[V] 저독성 난연 폴리올레핀절연전선

16 고압 지중케이블로서 직접 매설식에 의하여 견고한 트라프 기타 방호물에 넣지 않고 시설할 수 있는 케이블은?(단, 케이블을 개장(鎧裝)하지 않고 시설한 경우이다)

[2015년 1회 산업기사 / 2015년 3회 산업기사]

① 미네럴인슈레이션케이블

② 콤바인덕트케이블

③ 클로로프렌외장케이블

④ 고무외장케이블

> **해설**　KEC 223.1/334.1(지중전선로의 시설)
> • 사용전선 : 케이블트라프를 사용하지 않을 경우는 CD(콤바인덕트)케이블을 사용한다.
> • 매설방식 : 직접 매설식, 관로식, 암거식(공동구)
> • 직접 매설식의 매설 깊이 : 트라프 기타 방호물에 넣어 시설
>
> | 장 소 | 차량, 기타 중량물의 압력이 우려 | 기 타 |
> | --- | --- | --- |
> | 깊 이 | 1.0[m] 이상 | 0.6[m] 이상 |

17 전선을 접속하는 경우 전선의 세기(인장하중)는 몇 [%] 이상 감소되지 않아야 하는가?

[2018년 3회 산업기사]

① 10　　　　　　　　　　　② 15
③ 20　　　　　　　　　　　④ 25

해설　KEC 123(전선의 접속)

- 전선의 전기저항을 증가시키지 아니하도록 접속
- 전선의 세기(인장하중)를 20[%] 이상 감소시키지 아니할 것
- 도체에 알루미늄 전선과 동 전선을 접속하는 경우에는 접속 부분에 전기적 부식이 생기지 아니하도록 할 것
- 접속 부분을 그 부분의 절연전선 절연물과 동등 이상의 절연성능이 있는 것으로 충분히 피복할 것
- 두 개 이상의 전선을 병렬로 사용하는 경우 : 각 전선의 굵기는 동선 $50[\text{mm}^2]$ 이상 또는 알루미늄 $70[\text{mm}^2]$ 이상

01 전압을 구분하는 경우 교류에서 저압은 몇 [V] 이하인가?

① 440 　　　　　　　　　　　② 600

③ 1,000 　　　　　　　　　　④ 1,500

해설 KEC 111(통칙)

크 기＼종 류	교 류	직 류
저 압	1[kV] 이하	1.5[kV] 이하
고 압	1[kV] 초과 7[kV] 이하	1.5[kV] 초과 7[kV] 이하
특고압	7[kV] 초과	7[kV] 초과

02 전압 구분에서 고압에 해당되는 것은?

① 직류는 1,500[V]를, 교류는 1,000[V]를 초과하고 7[kV] 이하인 것

② 직류는 1,000[V]를, 교류는 1,500[V]를 초과하고 7[kV] 이하인 것

③ 직류는 750[V]를, 교류는 600[V]를 초과하고 9[kV] 이하인 것

④ 직류는 600[V]를, 교류는 750[V]를 초과하고 9[kV] 이하인 것

해설 1번 해설 참조

정답 01 ③ 　 02 ①

03 전선의 식별 표시가 잘못된 것은?

① L1 – 백색

② L2 – 흑색

③ L3 – 회색

④ N – 청색

해설 KEC 121.2(전선의 식별)

상(문자)	색 상
L1	갈 색
L2	흑 색
L3	회 색
N	청 색
보호도체	녹색–노란색

04 보호도체의 색상은?

① 갈 색

② 흑 색

③ 청 색

④ 녹색–노란색

해설 3번 해설 참조

05 고압케이블의 종류가 아닌 것은?

① 비닐외장케이블

② 폴리에틸렌외장케이블

③ 클로로프렌외장케이블

④ 무기물 절연케이블

해설 KEC 122.5(고압 및 특고압케이블)
  • 클로로프렌외장케이블
  • 비닐외장케이블
  • 폴리에틸렌외장케이블
  • 콤바인덕트케이블
  • 연피케이블
  • 알루미늄피케이블
  • 저독성 난연 폴리올레핀외장케이블

06 저압케이블의 종류가 아닌 것은?

① 0.6/1[kV] 연피케이블
② 클로로프렌외장케이블
③ 비닐외장케이블
④ 콤바인덕트케이블

> **해설** KEC 122.4(저압케이블)
> • 0.6/1[kV] 연피케이블
> • 클로로프렌외장케이블
> • 비닐외장케이블
> • 폴리에틸렌외장케이블
> • 무기물 절연케이블
> • 금속외장케이블
> • 선박용 케이블
> • 엘리베이터용 케이블
> • 통신용 케이블
> • 용접용 케이블
> • 발열선 접속용 케이블
> • 물밑케이블
> • 저독성 난연 폴리올레핀외장케이블
> • 300/500[V] 연질 비닐시스케이블

07 2개 이상의 전선을 병렬로 사용하는 경우 동선과 알루미늄 전선은 얼마 이상의 굵기를 사용하여야 하는가?

① 동선 25[mm^2], 알루미늄 50[mm^2]
② 동선 35[mm^2], 알루미늄 50[mm^2]
③ 동선 50[mm^2], 알루미늄 70[mm^2]
④ 동선 50[mm^2], 알루미늄 95[mm^2]

> **해설** KEC 123(전선의 접속)
> 두 개 이상의 전선을 병렬로 사용하는 경우 병렬로 사용하는 각 전선의 굵기는 동선 50[mm^2] 이상 또는 알루미늄 70[mm^2] 이상으로 하고, 전선은 같은 도체, 같은 재료, 같은 길이 및 같은 굵기의 것을 사용할 것

3. 전로의 절연

(1) 전로를 절연하지 않아도 되는 곳

전로는 다음의 경우를 제외하고는 대지로부터 절연하여야 한다.

① 저압전로에 접지공사를 하는 경우의 접지점
② 전로의 중성점에 접지공사를 하는 경우의 접지점
③ 계기용 변성기의 2차 측 전로에 접지공사를 하는 경우의 접지점
④ 저압 가공전선의 특고압 가공전선과 동일 지지물에 시설되는 부분에 접지공사를 하는 경우의 접지점
⑤ 중성점이 접지된 특고압 가공선로의 중성선에 25[kV] 이하인 특고압 가공전선로의 시설에 따라 다중접지를 하는 경우의 접지점
⑥ 파이프라인 시설에서 소구경관에 접지공사 접지점
⑦ 저압전로와 사용전압 300[V] 이하의 저압전로를 결합하는 변압기 2차 측 전로 접지공사 접지점
⑧ 직류계통에 접지공사를 하는 경우의 접지점
⑨ 시험용 변압기, 전력 반송용 결합리액터, 전기울타리 전원장치, X선 발생장치, 전기부식방지용 양극, 단선식 전기 철도의 귀선과 같이 전로의 일부를 대지로부터 절연하지 않고 사용하는 것이 부득이한 경우
⑩ 전기욕기, 전기로, 전기보일러, 전해조 등 대지부터 절연이 기술상 곤란한 경우

(2) 저압전로의 절연성능

① 전기사용장소의 사용전압이 저압인 전로의 전선 상호 간 및 전로와 대지 사이의 절연저항은 개폐기 또는 과전류차단기로 구분할 수 있는 전로마다 다음 표에서 정한 값 이상이어야 한다. 다만, 전선 상호 간의 절연저항은 기계기구를 쉽게 분리가 곤란한 분기회로의 경우 기기 접속 전에 측정할 수 있다.
② 측정 시 영향을 주거나 손상을 받을 수 있는 SPD 또는 기타 기기 등은 측정 전에 분리시켜야 하고, 부득이하게 분리가 어려운 경우에는 시험전압을 250[V] DC로 낮추어 측정할 수 있지만 절연저항값은 1[MΩ] 이상이어야 한다.

전로의 사용전압[V]	DC시험전압[V]	절연저항[MΩ]
SELV 및 PELV	250	0.5
FELV, 500[V] 이하	500	1.0
500[V] 초과	1,000	1.0

[주] 특별저압(Extra Law Voltage : 2차 전압이 AC 50[V], DC 120[V] 이하)으로 SELV(비접지회로 구성) 및 PELV(접지회로 구성)은 1차와 2차가 전기적으로 절연된 회로, FELV는 1와 2차가 전기적으로 절연되지 않은 회로

※ 사용전압이 저압인 전로에서 정전이 어려운 경우 등 절연저항 측정이 곤란한 경우에는 누설전류를 1[mA] 이하로 유지하여야 한다.

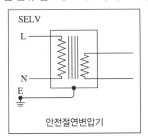
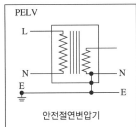
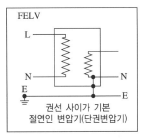

※ 특별저압(ELV ; Extra Low Voltage)

　　㉠ 인체에 위험을 초래하지 않을 정도의 저압을 말한다.

　　㉡ SELV(Safety Extra Low Voltage, 안전 특별저압) : 비접지회로에 해당

　　㉢ PELV(Protective Extra Low Voltage, 보호 특별저압) : 접지회로에 해당

　　㉣ FELV(Function Extra Low Voltage, 기능적 특별저압) : 단권변압기와 같은 단순 분리형 변압기에 의함

　　㉤ 시스템은 교류 50[V], 직류 120[V]를 초과하지 않는 시스템이다.

(3) 전로의 누설전류

전 로	단상 2선식	유희용전차
최대공급전류의 $\frac{1}{2,000}$ 이하	$\frac{1}{1,000}$ 이하	$\frac{1}{5,000}$ 이하

(4) 절연내력시험

① 절연내력시험 : 일정 전압을 가할 때 절연이 파괴되지 않은 한도로서 전선로나 기기에 일정 배수의 전압을 일정시간(10분) 동안 흘릴 때 파괴되지 않는 시험이다.

② 절연내력시험 시행 부분

　　㉠ 고압 및 특고압전로(전로와 대지 간)

　　㉡ 개폐기, 차단기, 전력용 콘덴서, 유도전압조정기, 계기용 변성기, 기타 기구의 전로, 발・변전소의 기계기구 접속선, 모선(충전 부분과 대지 간)

　　㉢ 발전기, 전동기, 조상기(권선과 대지 간)

　　㉣ 수은정류기(주 양극과 외함 간 경우 2배로 시험, 음극 및 외함과 대지 간인 경우 1배로 시험)

(5) 시험전압

종 류	시험전압	최저시험전압
최대사용전압 7[kV] 이하	최대사용전압 × 1.5	500[V]
최대사용전압 7[kV] 초과 25[kV] 이하(중성선 다중접지 방식)	최대사용전압 × 0.92	
최대사용전압 7[kV] 초과 60[kV] 이하	비접지 최대사용전압 × 1.25	10.5[kV]
최대사용전압 60[kV] 초과 비접지		
최대사용전압 60[kV] 초과 중성점 접지식	최대사용전압 × 1.1	75[kV]
최대사용전압 60[kV] 초과 중성점 직접접지	최대사용전압 × 0.72	
최대사용전압 170[kV] 초과 중성점 직접접지(발·변전소 또는 이에 준하는 장소 시설)	최대사용전압 × 0.64	

※ 전로에 케이블을 사용하는 경우에는 **직류**로 시험할 수 있으며, 시험전압은 교류의 경우 2배가 된다.

① 정 리

종 류	비접지	중성점 접지	중성점 직접접지
170[kV]	× 1.25(최저시험전압 10.5[kV])	× 1.1 (최저시험전압 75[kV])	× 0.64
60[kV]			× 0.72
7[kV]	× 1.5(최저시험전압 500[V])	25[kV] 이하 중성점 다중접지 × 0.92	

② 회전기 및 정류기(회전변류기 제외한 교류 회전기는 교류시험전압에 1.6배의 직류시험 가능)

종 류			시험전압	시험방법
회전기	발전기·전동기·조상기·기타 회전기(회전변류기를 제외한다)	최대사용전압 7[kV] 이하	최대사용전압의 1.5배의 전압(500[V] 미만으로 되는 경우에는 500[V])	권선과 대지 사이에 연속하여 10분간 가한다.
		최대사용전압 7[kV] 초과	최대사용전압의 1.25배의 전압(10.5[kV] 미만으로 되는 경우에는 10.5[kV])	
	회전변류기		직류 측의 최대사용전압의 1배의 교류전압(500[V] 미만으로 되는 경우에는 500[V])	
정류기	최대사용전압 60[kV] 이하		직류 측의 최대사용전압의 1배의 교류전압(500[V] 미만으로 되는 경우에는 500[V])	충전 부분과 외함 간에 연속하여 10분간 가한다.
	최대사용전압 60[kV] 초과		교류 측의 최대사용전압의 1.1배의 교류전압 또는 직류 측의 최대사용전압의 1.1배의 직류전압	교류 측 및 직류고전압 측 단자와 대지 사이에 연속하여 10분간 가한다.

③ 연료전지 및 태양전지 모듈의 절연내력

연료전지 및 태양전지 모듈은 최대사용전압의 1.5배의 직류전압 또는 1배의 교류전압 (500[V] 미만으로 되는 경우에는 500[V])을 충전 부분과 대지 사이에 연속하여 10분간 가하여 절연내력을 시험하였을 때에 이에 견디는 것이어야 한다.

01 전로를 대지로부터 반드시 절연하여야 하는 것은?　　　　　　　　　　　[2016년 2회 기사]

① 시험용 변압기

② 저압 가공전선로의 접지 측 전선

③ 전로의 중성점에 접지공사를 하는 경우의 접지점

④ 계기용 변성기의 2차 측 전로에 접지공사를 하는 경우의 접지점

> **해설**　KEC 131(전로의 절연 원칙)
> 전로의 절연을 생략하는 경우 : 접지점, 중성점
> • 저압전로에 접지공사를 하는 경우의 접지점
> • 전로의 중성점에 접지공사를 하는 경우의 접지점
> • 계기용 변성기의 2차 측 전로에 접지공사를 하는 경우의 접지점
> • 저압 가공전선의 특고압 가공전선과 동일 지지물에 시설되는 부분에 접지공사를 하는 경우의 접지점
> • 중성점이 접지된 특고압 가공선로의 중성선에 따라 다중접지를 하는 경우의 접지점
> • 저압전로와 사용전압이 300[V] 이하의 저압전로를 결합하는 변압기의 2차 측 전로에 접지공사를 하는 경우의 접지점
> • 직류계통에 접지공사를 하는 경우의 접지점

02 저압의 전선로 중 절연부분의 전선과 대지 간의 절연저항은 사용전압에 대한 누설전류가 최대 공급전류의 얼마를 넘지 않도록 유지하여야 하는가?　　　　　　　　　　[2020년 4회 기사]

① $\dfrac{1}{1,000}$　　　　　　　　　　　② $\dfrac{1}{2,000}$

③ $\dfrac{1}{3,000}$　　　　　　　　　　　④ $\dfrac{1}{4,000}$

> **해설**　기술기준 제27조(전선로의 전선 및 절연성능)
> 저압 전선로 중 절연 부분의 전선과 대지 간 및 전선의 심선 상호 간의 절연저항은 사용전압에 대한 누설전류가 최대공급전류의 1/2,000을 넘지 않도록 하여야 한다(단상 2선식인 경우 1/1,000).

정답　01 ②　02 ②

03 저압 전로에서 정전이 어려운 경우 등 절연저항 측정이 곤란한 경우 저항성분의 누설전류가 몇 [mA] 이하이면 그 전로의 절연성능은 적합한 것으로 보는가? [2021년 1회 기사]

① 1

② 2

③ 3

④ 4

해설 사용전압이 저압인 전로에서 정전이 어려운 경우 등 절연저항 측정이 곤란한 경우에는 누설전류를 1[mA] 이하로 유지하여야 한다.

04 최대사용전압 7[kV] 이하 전로의 절연내력을 시험할 때 시험전압을 연속하여 몇 분간 가하였을 때 이에 견디어야 하는가? [2017년 3회 기사]

① 5분

② 10분

③ 15분

④ 30분

해설 KEC 132(전로의 절연저항 및 절연내력)
시험전압을 권선과 대지 사이에 연속하여 10분간 가하여 절연내력을 시험하였을 때에 이에 견디어야 한다.

03 ① 04 ② **정답**

05 전동기의 절연내력시험은 권선과 대지 간에 계속하여 시험전압을 가할 경우, 최소 몇 분간은 견디어야 하는가?

[2016년 3회 기사]

① 5

② 10

③ 20

④ 30

해설 KEC 133(회전기 및 정류기의 절연내력)

절연내력시험 : 일정 전압을 가할 때 절연이 파괴되지 않은 한도로서 전선로나 기기에 일정 배수의 전압을 일정시간(10분) 동안 흘릴 때 파괴되지 않는 시험

종류			시험 전압	시험방법
회전기	발전기, 전동기, 조상기, 기타 회전기	7[kV] 이하	1.5배(최저 500[V])	권선과 대지 간에 연속하여 10분간
		7[kV] 초과	1.25배(최저 10.5[kV])	
	회전변류기		직류 측의 최대사용전압의 1배의 교류전압(최저 500[V])	

06 발전기, 전동기, 조상기, 기타 회전기(회전변류기 제외)의 절연내력 시험전압은 어느 곳에 가하는가?

[2020년 3회 기사]

① 권선과 대지 사이

② 외함과 권선 사이

③ 외함과 대지 사이

④ 회전자와 고정자 사이

해설 KEC 133(회전기 및 정류기의 절연내력)

종 류			시험전압	시험방법
회전기	발전기·전동기·조상기·기타 회전기(회전변류기를 제외한다)	최대사용전압 7[kV] 이하	최대사용전압의 1.5배의 전압(500[V] 미만으로 되는 경우에는 500[V])	권선과 대지 사이에 연속하여 10분간 가한다.
		최대사용전압 7[kV] 초과	최대사용전압의 1.25배의 전압(10.5[kV] 미만으로 되는 경우에는 10.5[kV])	
	회전변류기		직류 측의 최대사용전압의 1배의 교류전압(500[V] 미만으로 되는 경우에는 500[V])	
정류기	최대사용전압이 60[kV] 이하		직류 측의 최대사용전압의 1배의 교류전압(500[V] 미만으로 되는 경우에는 500[V])	충전 부분과 외함 간에 연속하여 10분간 가한다.
	최대사용전압 60[kV] 초과		교류 측의 최대사용전압의 1.1배의 교류전압 또는 직류 측의 최대사용전압의 1.1배의 직류전압	교류 측 및 직류고전압 측 단자와 대지 사이에 연속하여 10분간 가한다.

정답 05 ② 06 ①

07 최대사용전압이 3.3[kV]인 차단기 전로의 절연내력 시험전압은 몇 [V]인가? [2017년 2회 기사]

① 3,036   ② 4,125   ③ 4,950   ④ 6,600

해설   KEC 136(기구 등의 전로의 절연내력)

접지방식	최대사용전압	시험전압(최대사용전압 배수)	최저시험전압
비접지	7[kV] 이하	1.5배	500[V]
	7[kV] 초과	1.25배	10.5[kV]
중성점 접지	60[kV] 초과	1.1배	75[kV]
중성점 직접접지	170[kV] 초과	0.72배	
	170[kV] 초과(발전소, 변전소)	0.64배	
중성점 다중접지	25[kV] 이하	0.92배	

※ 전로에 케이블을 사용하는 경우에는 직류로 시험할 수 있으며, 시험전압은 교류의 경우의 2배가 된다.

∴ 7,000[V] 이하이므로 $3,300 \times 1.5 = 4,950$[V]

08 최대사용전압이 220[V]인 전동기의 절연내력 시험을 하고자 할 때 시험전압은 몇 [V]인가?

[2018년 3회 기사]

① 300   ② 330   ③ 450   ④ 500

해설   KEC 133(회전기 및 정류기의 절연내력)

종 류			시험전압(최대X)	최저시험전압	시험방법
회전기	발전기 전동기 조상기	최대사용전압 7[kV] 이하	1.5배	500[V]	권선- 대지 간
		최대사용전압 7[kV] 초과	1.25배	10.5[kV]	
	회전변류기		1배	500[V]	

시험전압 = $220 \times 1.5 = 330$[V]

최저시험전압 500[V]

09 변압기 1차 측 3,300[V], 2차 측 220[V]의 변압기 전로의 절연내력 시험전압은 각각 몇 [V]에서 10분간 견디어야 하는가? [2012년 1회 기사 / 2017년 1회 산업기사 / 2020년 1, 2회 산업기사]

① 1차 측 4,950[V], 2차 측 500[V]
② 1차 측 4,500[V], 2차 측 400[V]
③ 1차 측 4,125[V], 2차 측 500[V]
④ 1차 측 3,300[V], 2차 측 400[V]

| 해설 | KEC 132(전로의 절연저항 및 절연내력)

종 류	비접지	중성점 접지	중성점 직접접지
170[kV]	×1.25	×1.1	×0.64
60[kV]	(최저시험전압 10.5[kV])	(최저시험전압 75[kV])	×0.72
7[kV]	×1.5	25[kV] 이하 중성점 다중접지 ×0.92	

∴ 1차 측 시험전압 = 3,300 × 1.5 = 4,950[V]
2차 측 시험전압 = 220 × 1.5 = 330[V]에서 500[V] 미만이므로 500[V]가 된다.

10 기구 등의 전로의 절연내력시험에서 최대사용전압이 60[kV]를 초과하는 기구 등의 전로로서 중성점 비접지식 전로에 접속하는 것은 최대사용전압의 몇 배의 전압에 10분간 견디어야 하는가? [2020년 3회 산업기사]

① 0.72
② 0.92
③ 1.25
④ 1.5

| 해설 | KEC 132(전로의 절연저항 및 절연내력)

종 류	비접지	중성점 접지	중성점 직접접지
170[kV]	×1.25	×1.1	×0.64
60[kV]	(최저시험전압 10.5[kV])	(최저시험전압 75[kV])	×0.72
7[kV]	×1.5	25[kV] 이하 중성점 다중접지 ×0.92	

11 최대사용전압이 23,000[V]인 중성점 비접지식전로의 절연내력 시험전압은 몇 [V]인가?

[2018년 1회 산업기사 / 2022년 1회 기사]

① 16,560   ② 21,160   ③ 25,300   ④ 28,750

해설   KEC 132(전로의 절연저항 및 절연내력)

종 류	비접지	중성점 접지	중성점 직접접지
170[kV]	×1.25	×1.1	×0.64
60[kV]	(최저시험전압 10.5[kV])	(최저시험전압 75[kV])	×0.72
7[kV]	×1.5	25[kV] 이하 중성점 다중접지 ×0.92	

23,000 × 1.25 = 28,750[V]

12 중성점 직접접지식 전로에 접속되는 최대사용전압 161[kV]인 3상 변압기 권선(성형결선)의 절연내력시험을 할 때 접지시켜서는 안 되는 것은?

[2020년 1, 2회 기사]

① 철심 및 외함
② 시험되는 변압기의 부싱
③ 시험되는 권선의 중성점 단자
④ 시험되지 않는 각 권선(다른 권선이 2개 이상 있는 경우에는 각 권선)의 임의의 1단자

해설   부싱은 사기로 만들어져 있기 때문에 자체가 절연체이기 때문에 접지할 수 없다.
     ①, ③, ④번은 전기설비기술기준 법령에 규정이 되어 있다.

13 중성점 직접접지식 전로에 연결되는 최대사용전압이 69[kV]인 전로의 절연내력 시험전압은 최대사용전압의 몇 배인가?

[2015년 1회 기사]

① 1.25　　　　　② 0.92　　　　　③ 0.72　　　　　④ 1.5

해설 KEC 132(전로의 절연저항 및 절연내력)

종 류	비접지	중성점 접지	중성점 직접접지
170[kV]	×1.25	×1.1	×0.64
60[kV]	(최저시험전압 10.5[kV])	(최저시험전압 75[kV])	×0.72
7[kV]	×1.5	25[kV] 이하 중성점 다중접지 ×0.92	

14 최대사용전압이 22,900[V]인 3상 4선식 중성선 다중접지식 전로와 대지 사이의 절연내력 시험전압은 몇 [V]인가?

[2016년 1회 기사 / 2019년 1회 기사]

① 21,068　　　　　② 25,229　　　　　③ 28,752　　　　　④ 32,510

해설 KEC 132(전로의 절연저항 및 절연내력)

접지방식	최대사용전압	시험전압(최대사용전압 배수)	최저시험전압
비접지	7[kV] 이하	1.5배	
	7[kV] 초과	1.25배	10.5[kV]
중성점 접지	60[kV] 초과	1.1배	75[kV]
중성점 직접접지	60[kV] 초과 170[kV] 이하	0.72배	
	170[kV] 초과	0.64배	
중성점 다중접지	25[kV] 이하	0.92배	

※ 전로에 케이블을 사용하는 경우에는 직류로 시험할 수 있으며, 시험 전압은 교류의 경우의 2배가 된다.

∴ 시험전압 = 22,900 × 0.92 = 21,068[V]

15 22.9[kV] 3상 4선식 다중접지방식의 지중전선로의 절연내력시험을 직류로 할 경우 시험전압
은 몇 [V]인가? [2015년 2회 기사 / 2018년 3회 기사]

① 16,448 ② 21,068 ③ 32,796 ④ 42,136

해설 KEC 132(전로의 절연저항 및 절연내력)

접지방식	최대사용전압	시험전압(최대사용전압 배수)	최저시험전압
비접지	7[kV] 이하	1.5배	
	7[kV] 초과	1.25배	10.5[kV]
중성점 접지	60[kV] 초과	1.1배	75[kV]
중성점 직접접지	60[kV] 초과 170[kV] 이하	0.72배	
	170[kV] 초과	0.64배	
중성점 다중접지	25[kV] 이하	0.92배	

다중접지식 22.9[kV]일 때 0.92배하고 직류이므로 2배를 한다.
∴ 절연내력 시험전압 = 22,900×0.92×2배 = 42,136[V]

16 절연내력시험은 전로와 대지 사이에 연속하여 10분간 가하여 절연내력을 시험하였을 때에 이
에 견디어야 한다. 최대사용전압이 22.9[kV]인 중성선 다중접지식 가공전선로의 전로와 대지
사이의 절연내력 시험전압은 몇 [V]인가? [2020년 3회 산업기사]

① 16,488 ② 21,068 ③ 22,900 ④ 28,625

해설 KEC 132(전로의 절연저항 및 절연내력)

종 류	비접지	중성점 접지	중성점 직접접지
170[kV]	×1.25	×1.1	×0.64
60[kV]	(최저시험전압 10.5[kV])	(최저시험전압 75[kV])	×0.72
7[kV]	×1.5	25[kV] 이하 중성점 다중접지×0.92	

중성선 다중접지식 22.9[kV]일 때 0.92배를 한다.
∴ 절연내력 시험전압 = 22,900 × 0.92 = 21,068[V]

17 주상변압기 전로의 절연내력을 시험할 때 최대사용전압이 23,000[V]인 권선으로서 중성점 접지식 전로(중성선을 가지는 것으로서 그 중성선에 다중접지를 한 것)에 접속하는 것의 시험전압은?

[2013년 1회 산업기사 / 2018년 1회 기사 / 2018년 2회 산업기사]

① 16,560[V]　　② 21,160[V]　　③ 25,300[V]　　④ 28,750[V]

해설　KEC 132(전로의 절연저항 및 절연내력)

종 류	비접지	중성점 접지	중성점 직접접지
170[kV]	× 1.25	× 1.1	× 0.64
60[kV]	(최저시험전압 10.5[kV])	(최저시험전압 75[kV])	× 0.72
7[kV]	× 1.5	25[kV] 이하 중성점 다중접지× 0.92	

∴ 절연내력 시험전압 = 23,000 × 0.92 = 21,160[V]

18 최대사용전압이 1차 22,000[V], 2차 6,600[V]의 권선으로서 중성점 비접지식 전로에 접속하는 변압기의 특고압 측 절연내력 시험전압은?

[2021년 3회 기사]

① 24,000[V]　　　　　　　② 27,500[V]
③ 33,000[V]　　　　　　　④ 44,000[V]

해설　17번 해설 참조
∴ 시험전압 = 22,000 × 1.25 = 27,500[V]

19 전로(電路)와 대지 간 절연내력시험을 하고자 할 때 전로의 종류와 그에 따른 시험전압의 내용으로 옳은 것은?

[2015년 3회 기사]

① 7,000[V] 이하 - 2배
② 60,000[V] 초과 중성점 비접지 - 1.5배
③ 60,000[V] 초과 중성점 접지 - 1.1배
④ 170,000[V] 초과 중성점 직접접지 - 0.72배

해설　17번 해설 참조
∴ 절연내력 시험전압 = 23,000 × 0.92 = 21,160[V]

정답　17 ②　18 ②　19 ③

20 최대사용전압이 7[kV]를 초과하는 회전기의 절연내력시험은 최대사용전압의 몇 배의 전압
(10,500[V] 미만으로 되는 경우에는 10,500[V])에서 10분간 견디어야 하는가?

[2020년 4회 기사]

① 0.92　　　　　② 1　　　　　③ 1.1　　　　　④ 1.25

해설　KEC 133(회전기 및 정류기의 절연내력)

절연내력시험 : 일정 전압을 가할 때 절연이 파괴되지 않는 한도로서 전선로나 기기에 일정 배수의
전압을 일정시간(10분) 동안 흘릴 때 파괴되지 않는 시험

종류			시험 전압	시험방법
회전기	발전기, 전동기, 조상기, 기타 회전기	7[kV] 이하	1.5배(최저 500[V])	권선과 대지 간에 연속하여 10분간
		7[kV] 초과	1.25배(최저 10.5[kV])	
	회전변류기		직류 측의 최대사용전압의 1배의 교류전압(최저 500[V])	

21 최대 사용전압이 10.5[kV]를 초과하는 교류의 회전기 절연내력을 시험하고자 한다. 이때 시험
전압은 최대 사용전압의 몇 배의 전압으로 하여야 하는가?(단, 회전변류기는 제외한다)

[2022년 2회 기사]

① 1　　　　　② 1.1　　　　　③ 1.25　　　　　④ 1.5

해설　20번 해설 참조

20 ④　21 ③　**정답**

22 6.6[kV] 지중전선로의 케이블을 직류전원으로 절연내력시험을 하자면 시험전압은 직류 몇 [V]
인가?

[2019년 1회 산업기사]

① 9,900   ② 14,420   ③ 16,500   ④ 19,800

해설 KEC 132(전로의 절연저항 및 절연내력)

종 류	비접지	중성점 접지	중성점 직접접지
170[kV]	×1.25	×1.1	×0.64
60[kV]	(최저시험전압 10.5[kV])	(최저시험전압 75[kV])	×0.72
7[kV]	×1.5	25[kV] 이하 중성점 다중접지×0.92	

직류이므로 2배를 해 준다.

시험전압 = $6,600 \times 1.5 \times 2 = 19,800$

23 최대사용전압이 3,300[V]인 고압용 전동기가 있다. 이 전동기의 절연내력 시험전압은 몇 [V]
인가?

[2015년 3회 산업기사]

① 3,630   ② 4,125
③ 4,290   ④ 4,950

해설 KEC 133(회전기 및 정류기의 절연내력)

절연내력시험 : 일정 전압을 가할 때 절연이 파괴되지 않은 한도로서 전선로나 기기에 일정 배수의
전압을 일정시간(10분) 동안 흘릴 때 파괴되지 않는 시험

종류			시험 전압	시험방법
회전기	발전기, 전동기, 조상기, 기타 회전기	7[kV] 이하	1.5배(최저 500[V])	권선과 대지 간에 연속하여 10분간
		7[kV] 초과	1.25배(최저 10.5[kV])	
	회전변류기		직류 측의 최대사용전압의 1배의 교류전압(최저 500[V])	

∴ $3,300 \times 1.5 = 4,950[V]$

24 최대사용전압 440[V]인 전동기의 절연내력 시험전압은 몇 [V]인가? [2019년 2회 산업기사]

① 330

② 440

③ 500

④ 660

해설 **KEC 133(회전기 및 정류기의 절연내력)**

절연내력시험 : 일정 전압을 가할 때 절연이 파괴되지 않은 한도로서 전선로나 기기에 일정 배수의 전압을 일정시간(10분) 동안 흘릴 때 파괴되지 않는 시험

종류			시험 전압	시험방법
회전기	발전기, 전동기, 조상기, 기타 회전기	7[kV] 이하	1.5배(최저 500[V])	권선과 대지 간에 연속하여 10분간
		7[kV] 초과	1.25배(최저 10.5[kV])	
	회전변류기		직류 측의 최대사용전압의 1배의 교류전압(최저 500[V])	

∴ 440 × 1.5 = 660[V]

25 연료전지 및 태양전지 모듈의 절연내력시험을 하는 경우 충전 부분과 대지 사이에 인가하는 시험전압은 얼마인가?(단, 연속하여 10분간 가하여 견디는 것이어야 한다) [2020년 1, 2회 기사]

① 최대사용전압의 1.25배의 직류전압 또는 1배의 교류전압(500[V] 미만으로 되는 경우에는 500[V])

② 최대사용전압의 1.25배의 직류전압 또는 1.25배의 교류전압(500[V] 미만으로 되는 경우에는 500[V])

③ 최대사용전압의 1.5배의 직류전압 또는 1배의 교류전압(500[V] 미만으로 되는 경우에는 500[V])

④ 최대사용전압의 1.5배의 직류전압 또는 1.25배의 교류전압(500[V] 미만으로 되는 경우에는 500[V])

해설 **KEC 134(연료전지 및 태양전지 모듈의 절연내력)**

연료전지 및 태양전지 모듈은 최대사용전압의 1.5배의 직류전압 또는 1배의 교류전압(500[V] 미만으로 되는 경우에는 500[V])을 충전 부분과 대지 사이에 연속하여 10분간 가하여 절연내력을 시험하였을 때에 이에 견디는 것이어야 한다.

출 / 제 / 예 / 상 / 문 / 제

01 전로의 사용전압이 500[V] 이하인 옥내전로에서 분기회로의 절연저항값은 몇 [MΩ] 이상이어야 하는가?

① 0.1

② 0.5

③ 1

④ 1.5

해설 기술기준 제52조(저압전로의 절연성능)

전로의 사용전압[V]	DC시험전압[V]	절연저항[MΩ]
SELV 및 PELV	250	0.5
FELV, 500[V] 이하	500	1.0
500[V] 초과	1,000	1.0

[주] 특별저압(Extra Law Voltage : 2차 전압이 AC 50[V], DC 120[V] 이하)으로 SELV(비접지회로 구성) 및 PELV(접지회로 구성)은 1차와 2차가 전기적으로 절연된 회로, FELV는 1와 2차가 전기적으로 절연되지 않은 회로

02 사용전압이 SELV인 저압전로의 전선 상호 간의 절연저항은 몇 [MΩ] 이상이어야 하는가?

① 0.2

② 0.3

③ 0.4

④ 0.5

해설 1번 해설 참조

정답 01 ③ 02 ④

03 500[V]를 초과하는 전로의 절연저항은 몇 [MΩ] 이상인가?

① 0.1   ② 0.2

③ 0.5   ④ 1

> **해설**   기술기준 제52조(저압전로의 절연성능)
>
> | 전로의 사용전압[V] | DC시험전압[V] | 절연저항[MΩ] |
> |---|---|---|
> | SELV 및 PELV | 250 | 0.5 |
> | FELV, 500[V] 이하 | 500 | 1.0 |
> | 500[V] 초과 | 1,000 | 1.0 |
>
> [주] 특별저압(Extra Law Voltage : 2차 전압이 AC 50[V], DC 120[V] 이하)으로 SELV(비접지회로 구성) 및 PELV(접지회로 구성)은 1차와 2차가 전기적으로 절연된 회로, FELV는 1와 2차가 전기적으로 절연되지 않은 회로

04 사용전압이 FELV인 경우 절연저항 최솟값은 몇 [MΩ]인가?

① 0.1   ② 0.2

③ 0.5   ④ 1

> **해설**   3번 해설 참조

4. 접지시스템

(1) 접지시스템의 구분 및 종류

① 구 분

ㄱ 계통접지 : 전력계통의 이상현상에 대비하여 대지와 계통을 접지

ㄴ 보호접지 : 감전보호를 목적으로 기기의 한 점 이상을 접지

ㄷ 피뢰시스템접지 등 : 뇌격전류를 안전하게 대지로 방류하기 위한 접지

② 종 류

ㄱ 단독접지

ㄴ 공통접지

ㄷ 통합접지

단독접지					공통접지					통합접지				
특고	고압	저압	피뢰설비	통신	특고	고압	저압	피뢰설비	통신	특고	고압	저압	피뢰설비	통신

(2) 접지시스템의 시설

① 구성요소

ㄱ 접지극 : 대지와 전기적으로 접촉하고 있는 토양 또는 특정 도전성 매체(예 콘크리트)에 매설된 도전부

• 콘크리트에 매입된 기초접지극 : 건축물 기초 콘크리트에 매입된 접지극으로 일반적으로 폐루프를 형성

• 토양에 매설된 기초접지극 : 건축물 기초 아래의 토양에 매설된 접지극으로 일반적으로 폐루프를 형성

ㄴ 접지도체 : 계통, 설비 또는 기기 안의 한 점과 접지극 사이의 전도 경로 또는 그 경로의 일부를 제공하는 도체

ㄷ 보호도체 : 감전에 대한 보호 등 안전을 목적으로 제공하는 도체

ㄹ 주접지단자(주접지 부스바) : 접지설비의 일부이며 접지를 목적으로 여러 개의 도체가 전기적으로 결합할 수 있는 단자 또는 부스바

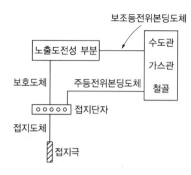

② 접지극의 시설 및 접지저항

  ㉠ 접지극의 시설은 다음 방법 중 하나 또는 복합하여 시설

- 콘크리트에 매입된 기초 접지극
- 토양에 매설된 기초 접지극
- 토양에 수직 또는 수평으로 직접 매설된 금속전극(봉, 전선, 테이프, 배관, 판 등)
- 케이블의 금속외장 및 그 밖에 금속피복
- 지중 금속구조물(배관 등)
- 대지에 매설된 철근콘크리트의 용접된 금속 보강재. 다만, 강화콘크리트는 제외한다.

  ㉡ 접지극의 매설

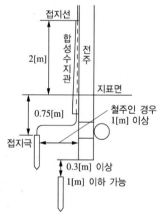

- 접지극은 지하 0.75[m] 이상 깊이 매설해야 한다.
- 접지도체을 철주 기타의 금속체를 따라서 시설하는 경우 접지극을 금속체로부터 1[m] 이상 이격해야 한다(밑 0.3[m] 이상 시는 예외).
- 접지도체 : IV절연전선(OW 제외), 케이블을 사용한다.
- 접지도체의 지하 0.75[m] ~ 지표상 2[m] 부분은 합성수지관 또는 몰드로 덮는다.

ⓒ 수도관 등을 접지극으로 사용하는 경우
- 지중에 매설되어 있고 대지와의 전기저항값이 3[Ω] 이하의 값을 유지하고 있는 금속제 수도관로가 다음에 따르는 경우 접지극으로 사용이 가능하다.
  - 접지도체와 금속제 수도관로의 접속은 안지름 75[mm] 이상인 부분 또는 여기에서 분기한 안지름 75[mm] 미만인 분기점으로부터 5[m] 이내의 부분에서 하여야 한다. 다만, 금속제 수도관로와 대지 사이의 전기저항값이 2[Ω] 이하인 경우에는 분기점으로부터의 거리는 5[m]를 넘을 수 있다.
  - 접지도체와 금속제 수도관로의 접속부를 수도계량기로부터 수도 수용가 측에 설치하는 경우에는 수도계량기를 사이에 두고 양측 수도관로를 등전위본딩하여야 한다.
  - 접지도체와 금속제 수도관로의 접속부를 사람이 접촉할 우려가 있는 곳에 설치하는 경우에는 손상을 방지하도록 방호장치를 설치하여야 한다.
  - 접지도체와 금속제 수도관로의 접속에 사용하는 금속제는 접속부에 전기적 부식이 생기지 않아야 한다.
- 건축물·구조물의 철골 기타의 금속제는 이를 비접지식 고압전로에 시설하는 기계기구의 철대 또는 금속제 외함의 접지공사 또는 비접지식 고압전로와 저압전로를 결합하는 변압기의 저압전로의 접지공사의 접지극으로 사용할 수 있다. 다만, 대지와의 사이에 전기저항값이 2[Ω] 이하인 값을 유지하는 경우에 한한다.

③ 계통접지 방식(저압)
ⓐ 분류
- TN계통
- TT계통
- IT계통
ⓑ 문자정의
- 제1문자 : 전원계통과 대지의 관계
  - T : 한 점을 대지에 직접 접속
  - I : 모든 충전부를 대지와 절연시키거나 높은 임피던스를 통하여 한 점을 대지에 직접 접속
- 제2문자 : 전기설비의 노출도전부와 대지의 관계
  - T : 노출도전부를 대지로 직접 접속, 전원계통의 접지와는 무관
  - N : 노출도전부를 전원계통의 접지점(교류계통에서는 통상적으로 중성점, 중성점이 없을 경우는 선도체)에 직접 접속

- 그 다음 문자(문자가 있을 경우) : 중성선과 보호도체의 배치
  - S : 중성선 또는 접지된 선도체 외에 별도의 도체에 의해 제공되는 보호 기능
  - C : 중성선과 보호 기능을 한 개의 도체로 겸용(PEN도체)

ⓒ 심벌 및 약호

- 심 벌

기호 설명	
	중성선(N), 중간도체(M)
	보호도체(PE)
	중성선과 보호도체 겸용(PEN)

- 약 호

T	Terra	대지(접지)
I	Isolated	절연(대지 사이에 고유임피던스 사용)
N	Neutral	중 성
S	Separate	분 리
C	Combined	결 합

ⓔ 결선도

- TN계통

  - TN-S : TN-S계통은 계통 전체에 대해 별도의 중성선 또는 PE도체를 사용한다. 배전계통에서 PE도체를 추가로 접지할 수 있다.

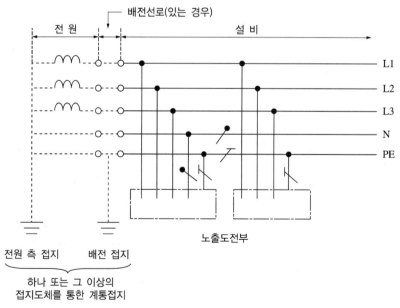

[계통 내에서 별도의 중성선과 보호도체가 있는 TN-S계통]

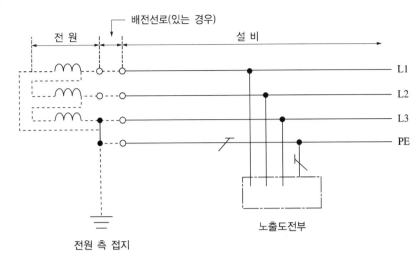

[계통 내에서 별도의 접지된 선도체와 보호도체가 있는 TN-S계통]

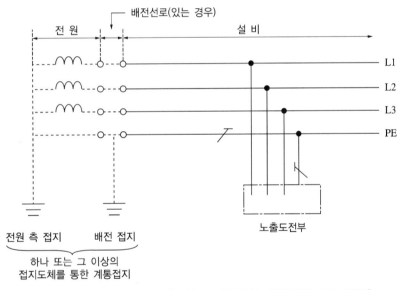

[계통 내에서 접지된 보호도체는 있으나 중성선의 배선이 없는 TN-S계통]

- TN-C : 그 계통 전체에 대해 중성선과 보호도체의 기능을 동일 도체로 겸용한 PEN도체를 사용한다. 배전계통에서 PEN도체를 추가로 접지할 수 있다.

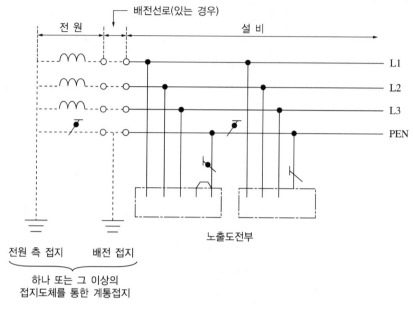

[TN-C계통]

- TN-C-S : 계통의 일부분에서 PEN도체를 사용하거나, 중성선과 별도의 PE도체를 사용하는 방식이 있다. 배전계통에서 PEN도체와 PE도체를 추가로 접지할 수 있다.

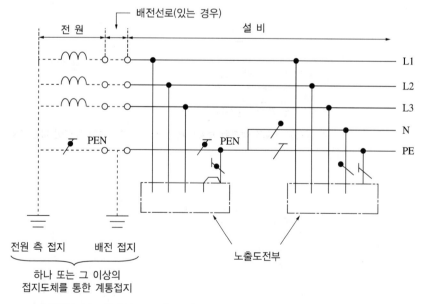

[설비의 어느 곳에서 PEN이 PE와 N으로 분리된 3상 4선식 TN-C-S계통]

• TT계통 : 전원의 한 점을 직접 접지하고 설비의 노출도전부는 전원의 접지전극과 전기적으로 독립적인 접지극에 접속시킨다. 배전계통에서 PE도체를 추가로 접지할 수 있다.

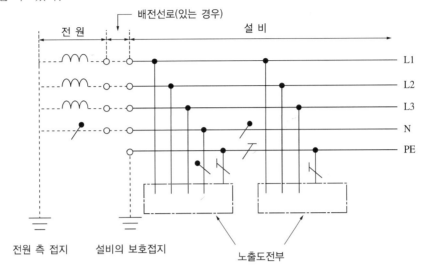

[설비 전체에서 별도의 중성선과 보호도체가 있는 TT계통]

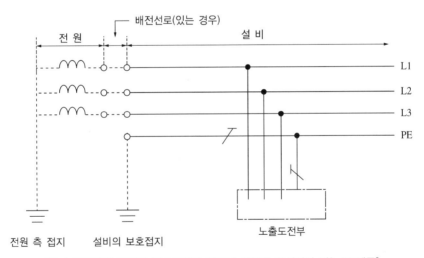

[설비 전체에서 접지된 보호도체가 있으나 배전용 중성선이 없는 TT계통]

• IT계통
  – 충전부 전체를 대지로부터 절연시키거나, 한 점을 임피던스를 통해 대지에 접속시킨다. 전기설비의 노출도전부를 단독 또는 일괄적으로 계통의 PE도체에 접속시킨다. 배전계통에서 추가접지가 가능하다.

- 계통은 충분히 높은 임피던스를 통하여 접지할 수 있다. 이 접속은 중성점, 인위적 중성점, 선도체 등에서 할 수 있다. 중성선은 배선할 수도 있고, 배선하지 않을 수도 있다.

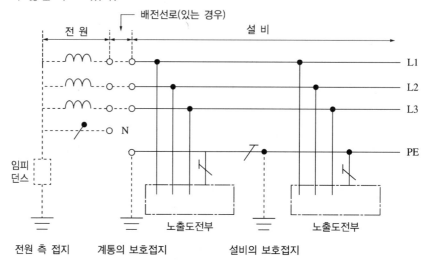

[계통 내의 모든 노출도전부가 보호도체에 의해 접속되어 일괄 접지된 IT계통]

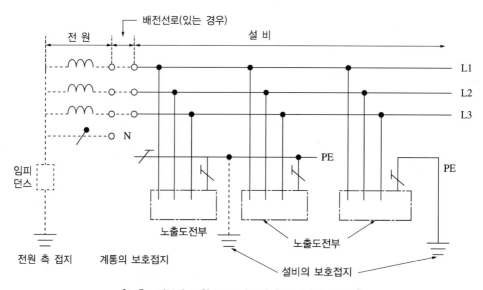

[노출도전부가 조합으로 또는 개별로 접지된 IT계통]

④ 접지도체·보호도체
  ㉠ 용어 정의
    • 보호도체 : 안전을 목적으로 설치된 도체를 말한다. 보호도체는 일반적 용어로 접지도체, 보호등전위본딩도체, 보조 보호등전위본딩도체, 회로 보호도체를 포함한다는 것을 인식하는 것이 중요하며, 구체적으로 주접지단자와 노출도전부(기기 외함 등)의 접지점을 연결하는 도체이다.
    • 접지도체 : 일반적으로 접지극과 주접지단자를 연결하는 도체로 계통, 설비 또는 기기의 1점과 접지극 간의 도전성 경로를 구성하는 도체이다.
    • 본딩도체 : 접지단자와 금속제 수도관 등 계통외도전부의 접지점을 연결하는 도체이다.
  ㉡ 등전위본딩 시설
    • 인입구 부근에서 인입 금속배관 본딩과 건축물·구조물의 철근, 철골 등을 본딩하는 보호등전위본딩
    • 고장 시 전원 자동 차단시간이 계통별 최대 차단시간을 초과하는 경우 2.5[m] 이내의 노출도전부 및 계통의 도전부를 본딩하는 보조 보호등전위본딩
    • 절연성 바닥으로 된 비접지 장소에서 2.5[m] 이내 전기설비 상호 간 및 전기설비를 지지하는 금속체를 본딩하는 비접지 국부 등전위본딩으로 구분하여 시설요건을 규정

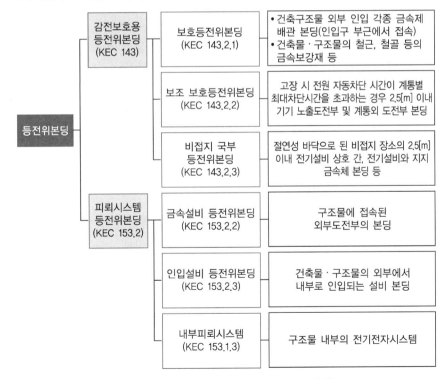

[KEC에서의 등전위본딩 분류 및 그 대상설비]

ⓒ 접지도체 최소 굵기(구리도체)

큰 고장전류가 흐르지 않는 경우(철재 50[mm²] 이상)		
고장 시 전류를 안전하게 통할 수 있는 것	특고압·고압 전기설비용	6[mm²] 이상
	중성점 접지용 중 다음 경우 • 7[kV] 이하 전로 • 25[kV] 이하 특고압 가공전선로, 중성선 다중접지식	
피뢰시스템이 접속된 경우(철재 50[mm²] 이상)		16[mm²] 이상
고장 시 전류를 안전하게 통할 수 있는 것(중성점 접지용)		
이동 사용기계기구 금속제 외함 접지시스템		
특고압·고압 전기설비용 접지도체 및 중성점 접지도체 • 클로로프렌캡타이어케이블(3종 및 4종) • 클로로설포네이트폴리에틸렌캡타이어케이블(3종 및 4종)의 1개 도체 • 다심 캡타이어케이블의 차폐 • 기타의 금속체		10[mm²]
저압 전기설비용 접지도체		
다심 코드 또는 다심 캡타이어케이블		0.75[mm²]
유연성이 있는 연동연선		1.5[mm²]

ⓓ 보호도체
- 보호도체 종류(다음 중 하나 또는 복수로 구성)
  - 다심케이블의 도체
  - 충전도체와 같은 트렁킹에 수납된 절연도체 또는 나도체
  - 고정된 절연도체 또는 나도체
  - 금속케이블 외장, 케이블 차폐, 케이블 외장, 전선묶음(편조전선), 동심도체, 금속관(구조·접속이 기계적, 화학적 또는 전기화학적 열화에 대해 보호할 수 있으며 전기적 연속성을 유지하는 경우 및 보호도체 최소굵기 조건을 충족하는 경우)
- 보호도체 또는 보호본딩도체로 사용해서는 안 되는 곳
  - 금속 수도관
  - 가스·액체·분말과 같은 잠재적인 인화성 물질을 포함하는 금속관
  - 상시 기계적 응력을 받는 지지 구조물 일부
  - 가요성 금속배관. 다만, 보호도체의 목적으로 설계된 경우는 예외
  - 가요성 금속전선관
  - 지지선, 케이블트레이 및 이와 비슷한 것
- 보호도체의 최소 단면적(단, TT계통에서 전력공급계통의 접지극과 노출도전부의 접지극이 독립한 경우 구리 25[mm²], 알루미늄 35[mm²]를 초과할 필요는 없다)

선도체의 단면적 S([mm^2], 구리)	보호도체의 최소 단면적([mm^2], 구리)	
	보호도체의 재질	
	선도체와 같은 경우	선도체와 다른 경우
$S \leq 16$	S	$(k_1/k_2) \times S$
$16 < S \leq 35$	16(a)	$(k_1/k_2) \times 16$
$S > 35$	S(a)/2	$(k_1/k_2) \times (S/2)$

- k_1 : 도체 및 절연의 재질에 따라 선정된 선도체에 대한 k값
- k_2 : KS C IEC에서 선정된 보호도체에 대한 k값
- a : PEN도체의 최소 단면적은 중성선과 동일하게 적용한다.

차단시간이 5초 이하인 경우에만 다음 계산식을 적용한다.

$$S = \frac{\sqrt{I^2 t}}{k}$$

여기서, S : 단면적[mm^2]

　　　I : 보호장치를 통해 흐를 수 있는 예상 고장전류 실횻값[A]

　　　t : 자동차단을 위한 보호장치의 동작시간[sec]

　　　k : 보호도체, 절연, 기타 부위의 재질 및 초기온도와 최종온도에 따라 정해지는 계수

• 보호도체가 케이블의 일부가 아니거나 선도체와 동일 외함에 설치되지 않으면 다음 굵기 이상으로 한다.

	구 리	알루미늄
기계적 손상에 보호되는 경우	2.5[mm^2] 이상	16[mm^2] 이상
기계적 손상에 보호되지 않는 경우	4[mm^2] 이상	16[mm^2] 이상

• 보호도체의 단면적 보강
  - 보호도체는 정상 운전상태에서 전류의 전도성 경로로 사용되지 않아야 한다.
  - 전기설비의 정상 운전상태에서 보호도체에 10[mA]를 초과하는 전류가 흐르는 경우, 보호도체를 증강하여 사용
※ 보호도체가 하나인 경우든 추가로 별도 단자 구비든 구리 10[mm^2] 이상 알루미늄 16[mm^2] 이상
ⓜ 보호도체와 계통도체 겸용
  • 겸용도체 종류
    - 중성선과 겸용(PEN)
    - 선도체와 겸용(PEL)
    - 중간도체와 겸용(PEM)

- 겸용도체는 다음에 의한다.
  - 고정된 전기설비에만 사용
  - 구리 10[mm^2], 알루미늄 16[mm^2] 이상
  - 중성선과 보호도체의 겸용도체는 전기설비의 부하 측에 시설하면 안 된다.
  - 폭발성 분위기 장소는 보호도체를 전용으로 하여야 한다.

(ㅂ) 주접지단자

- 접지시스템은 주접지단자를 설치하고, 다음의 도체들을 접속하여야 한다.
  - 등전위본딩도체
  - 접지도체
  - 보호도체
  - 기능성 접지도체
- 여러 개의 접지단자가 있는 장소는 접지단자를 상호 접속하여야 한다.
- 주접지단자에 접속하는 각 접지도체는 개별적으로 분리할 수 있어야 하며, 접지저항을 편리하게 측정할 수 있어야 한다.

⑤ 전기수용가 접지

(ㄱ) 저압수용가 인입구 접지

수용장소 인입구 부근에서 변압기 중성점 접지를 한 저압전선로의 중성선 또는 접지 측 전선에 추가로 접지공사를 할 수 있다.

접지 대상물	접지 저항값	접지선의 최소 굵기
수도관로, 철골	3[Ω] 이하	6[mm^2] 이상 연동선

(ㄴ) 주택 등 저압수용장소 접지

계통접지는 TN-C-S 방식인 경우 구리 10[mm^2] 이상 알루미늄 16[mm^2] 이상 사용

(ㄷ) 변압기 중성점접지(고압 · 특고압 변압기)

일 반	접지저항값$(R) = \dfrac{150}{I_1}$
고압 · 특고압전로	• 1초 초과 2초 이내 자동차단장치 시설 시$(R) = \dfrac{300}{I_1}$
35[kV] 이하 특고압전로가 저압 측과 혼촉 시 저압 대지전압 150[V] 초과하는 경우	• 1초 이내 자동차단장치 시설 시$(R) = \dfrac{600}{I_1}$

(ㄹ) 공통접지 및 통합접지

고압 및 특고압과 저압 전기설비의 접지극이 서로 근접하여 시설되어 있는 변전소 또는 이와 유사한 곳에서는 다음과 같이 공통접지시스템으로 할 수 있다.

- 저압 전기설비의 접지극이 고압 및 특고압 접지극의 접지저항 형성영역에 완전히 포함되어 있다면 위험전압이 발생하지 않도록 이들 접지극을 상호 접속하여야 한다.

• 접지시스템에서 고압 및 특고압 계통의 지락사고 시 저압계통에 가해지는 상용주파 과전압은 다음 표에서 정한 값을 초과해서는 안 된다.

[저압설비 허용 상용주파 과전압]

고압계통에서 지락고장시간[초]	저압설비 허용 상용주파 과전압[V]	비 고
>5	$U_0 + 250$	중성선 도체가 없는 계통에서 U_0는 선간
≤5	$U_0 + 1,200$	전압을 말한다.

[비 고]
• 순시 상용주파 과전압에 대한 저압기기의 절연 설계기준과 관련된다.
• 중성선이 변전소 변압기의 접지계통에 접속된 계통에서, 건축물외부에 설치한 외함이 접지되지 않은 기기의 절연에는 일시적 상용주파 과전압이 나타날 수 있다.

※ 통합접지시스템은 공통접지에 의한다.

※ 낙뢰에 의한 과전압 등으로부터 전기전자기기 등을 보호하기 위해 서지보호장치를 설치하여야 한다.

(3) 감전보호용 등전위본딩

①

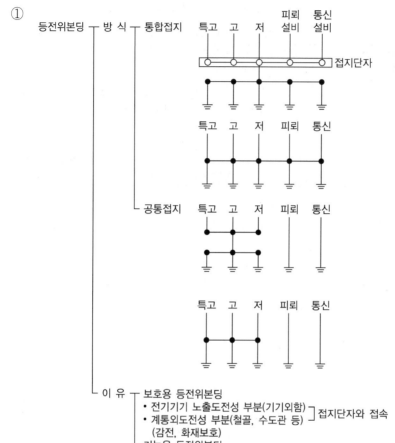

```
등전위본딩 ─ 방 식 ┬ 통합접지    특고  고  저  피뢰  통신
                                        설비  설비
           │                                        접지단자
           │
           │
           │
           │
           │
           │
           └ 공통접지    특고  고  저  피뢰  통신
           │
           │
           │
           │
           │
           │            특고  고  저  피뢰  통신
           │
           │
           │
           │
           └ 이 유 ┬ 보호용 등전위본딩
```

- 이 유 ┬ 보호용 등전위본딩
  - 전기기기 노출도전성 부분(기기외함) ┐ 접지단자와 접속
  - 계통외도전성 부분(철골, 수도관 등) ┘
    (감전, 화재보호)
  ├ 기능용 등전위본딩
  │ 서로 다른 전자기기를 연결하여 사용 시 같은 전위 기준점을
  │ 갖기 위해 사용(오작동, 측정오류 방지)
  └ 낙뢰보호용 등전위본딩
     피뢰침의 접지를 통해 전력계통, 통신설비의 위해 방지
     (접지 간 전위차에 의한 뇌전류에 대한 기기 손상 방지)

② 감전보호용 등전위본딩

등전위본딩의 적용 (건축물·구조물에서 접지도체, 주접지단자와 다음 부분)	보호등전위본딩
수도관·가스관 등 외부에서 내부로 인입되는 금속배관	수도관·가스관의 경우 내부로 인입된 최초의 밸브 후단에서 등전위본딩
건축물·구조물의 철근, 철골 등의 금속 보강재	건축물·구조물의 철근, 철골 등의 금속 보강재
일상생활에서 접촉가능한 금속제 난방 배관 및 공조설비 등 계통 외 도전부 ※ 주접지단자에 보호등전위본딩, 접지도체, 기능성 접지도체를 접속하여야 한다.	건축물·구조물의 외부에서 내부로 들어오는 금속제 배관 • 1개소에 집중하여 인입, 인입구 부근에서 서로 접속하여 등전위본딩바에 접속 • 대형 건축물 등으로 1개소에 집중하여 인입하기 어려운 경우 본딩도체를 1개의 본딩바에 연결

③ 보호등전위본딩 도체

주접지단자에 접속하기 위한 등전위본딩 도체는 설비 내 가장 큰 보호접지도체 $A \times \dfrac{1}{2}$ 이상이며 다음 단면적 이상일 것

구 리	알루미늄	강 철	보호본딩도체의 최대단면적(구리도체)
6[mm²]	16[mm²]	50[mm²]	25[mm²] 이하

④ 보조 보호등전위본딩

㉠ 보조 보호등전위본딩의 대상은 전원자동차단에 의한 감전보호방식에서 고장 시 자동차단시간이 고장 시 자동차단에서 요구하는 계통별 최대차단시간을 초과하는 경우

㉡ ㉠의 차단시간을 초과하고 2.5[m] 이내에 설치된 고정기기의 노출도전부와 계통외도전부는 보조 보호등전위본딩을 하여야 한다(보조 보호등전위본딩의 유효성에 관해 의문이 생길 경우 동시에 접근 가능한 노출도전부와 계통외도전부 사이의 저항값 (R)이 다음의 조건을 충족하는지 확인).

교류계통 : $R \le \dfrac{50[\mathrm{V}]}{I_a}[\Omega]$	직류계통 : $R \le \dfrac{120[\mathrm{V}]}{I_a}[\Omega]$

I_a : 보호장치의 동작전류[A](누전차단기의 경우 $I_{\triangle n}$(정격감도전류), 과전류보호장치의 경우 5초 이내 동작전류)

㉢ 도체의 굵기
  • 두 개의 노출도전부를 접속하는 경우 도전성은 노출도전부에 접속된 더 작은 보호도체의 도전성보다 커야 한다.
  • 노출도전부를 계통외도전부에 접속하는 경우 도전성은 같은 단면적을 갖는 보호도체의 1/2 이상이어야 한다.

- 케이블의 일부가 아닌 경우 또는 선로도체와 함께 수납되지 않은 본딩도체는 다음 값 이상 이어야 한다.

	구 리	알루미늄
기계적 보호가 된 것	2.5[mm²]	16[mm²]
기계적 보호가 없는 것	4[mm²]	16[mm²]

⑤ 비접지 국부등전위본딩

ㄱ 절연성 바닥으로 된 비접지 장소에서 다음의 경우 국부등전위본딩을 하여야 한다.
- 전기설비 상호 간이 2.5[m] 이내인 경우
- 전기설비와 이를 지지하는 금속체 사이

ㄴ 전기설비 또는 계통외도전부를 통해 대지에 접촉하지 않아야 한다.

5. 접지공사의 생략 가능한 장소

(1) 사용전압이 직류 300[V] 또는 교류 대지전압이 150[V] 이하인 기계기구를 건조한 곳에 시설하는 경우

(2) 저압용의 기계기구를 건조한 목재의 마루, 기타 이와 유사한 절연성 물건 위에서 취급하도록 시설하는 경우

(3) 저압용이나 고압용의 기계기구, 특고압 배전용 변압기의 시설에서 규정하는 특고압 전선로에 접속하는 배전용 변압기나 이에 접속하는 전선에 시설하는 기계기구 또는 333.32(25[kV] 이하인 특고압 가공전선로의 시설)의 1과 4에서 규정하는 특고압 가공전선로의 전로에 시설하는 기계기구를 사람이 쉽게 접촉할 우려가 없도록 목주, 기타 이와 유사한 것의 위에 시설하는 경우

(4) 철대 또는 외함의 주위에 적당한 절연대를 설치하는 경우

(5) 외함이 없는 계기용 변성기가 고무·합성수지 기타의 절연물로 피복한 것일 경우

(6) 전기용품 및 생활용품 안전관리법의 적용을 받는 이중절연구조로 되어 있는 기계기구를 시설하는 경우

(7) 저압용 기계기구에 전기를 공급하는 전로의 전원 측에 절연변압기(2차 전압이 300[V] 이하이며, 정격용량이 3[kVA] 이하인 것에 한한다)를 시설하고 또한 그 절연변압기의 부하 측 전로를 접지하지 않은 경우

(8) 물기 있는 장소 이외의 장소에 시설하는 저압용의 개별 기계기구에 전기를 공급하는 전로에 전기용품 및 생활용품 안전관리법의 적용을 받는 인체감전보호용 누전차단기(정격감도전류가 30[mA] 이하, 동작시간이 0.03초 이하의 전류동작형에 한한다)를 시설하는 경우

(9) 외함을 충전하여 사용하는 기계기구에 사람이 접촉할 우려가 없도록 시설하거나 절연대를 시설하는 경우

핵 / 심 / 예 / 제

01 하나 또는 복합하여 시설하여야 하는 접지극의 방법으로 틀린 것은?   [2021년 2회 기사]

① 지중 금속구조물

② 토양에 매설된 기초 접지극

③ 케이블의 금속외장 및 그 밖에 금속피복

④ 대지에 매설된 강화콘크리트의 용접된 금속보강재

> **해설**   **접지극의 시설**
> - 콘크리트에 매입된 기초 접지극
> - 토양에 매설된 기초 접지극
> - 토양에 수직 또는 수평으로 직접 매설된 금속전극(봉, 전선, 테이프, 배관, 판 등)
> - 케이블의 금속외장 및 그 밖에 금속피복
> - 지중 금속구조물(배관 등)
> - 대지에 매설된 철근콘크리트의 용접된 금속 보강재(다만, 강화콘크리트는 제외한다)

02 한국전기설비규정에 따른 용어의 정의에서 감전에 대한 보호 등 안전을 위해 제공되는 도체를 말하는 것은?   [2022년 2회 기사]

① 접지도체   ② 보호도체

③ 수평도체   ④ 접지극도체

> **해설**   **보호도체** : 감전에 대한 보호 등 안전을 목적으로 제공하는 도체

03 저압전로의 보호도체 및 중성선의 접속방식에 따른 접지계통의 분류가 아닌 것은?

[2021년 1회 기사]

① IT계통   ② TN계통

③ TT계통   ④ TC계통

> **해설**   KEC 203.1(계통접지 구성)
> 저압전로의 보호도체 및 중성선의 접속 방식에 따라 접지계통의 분류
> • TN계통
> • TT계통
> • IT계통

04 KS C IEC 60364에서 전원의 한 점을 직접 접지하고, 설비의 노출 도전성 부분을 전원계통의 접지극과 별도로 전기적으로 독립하여 접지하는 방식은?

[2015년 2회 기사]

① TT계통   ② TN-C계통

③ TN-S계통   ④ TN-CS계통

> **해설**   KEC 203.3(TT계통)
> 전원의 한 점을 직접 접지하고 설비의 노출도전부는 전원의 접지전극과 전기적으로 독립적인 접지극에 접속시킨다. 배전계통에서 PE도체를 추가로 접지할 수 있다.

05 주택 등 저압수용장소에서 고정전기설비에 TN−C−S 접지방식으로 접지공사 시 중성선 겸용 보호도체(PEN)를 알루미늄으로 사용할 경우 단면적은 몇 [mm²] 이상이어야 하는가?　　[2016년 3회 기사]

① 2.5

② 6

③ 10

④ 16

> **해설**　KEC 142.4(전기수용가 접지)
> 주택 등 저압수용장소 접지
> 중성선 겸용 보호도체(PEN)는 고정 전기설비에만 사용할 수 있고, 그 도체의 단면적이 구리는 10[mm²] 이상, 알루미늄은 16[mm²] 이상이어야 하며, 그 계통의 최고전압에 대하여 절연되어야 한다.

06 큰 고장전류가 구리 소재의 접지도체를 통하여 흐르지 않을 경우 접지도체의 최소 단면적은 몇 [mm²] 이상이어야 하는가?(단, 접지도체에 피뢰시스템이 접속되지 않는 경우이다)

　　[2021년 3회 기사]

① 0.75

② 2.5

③ 6

④ 16

> **해설**　KEC 142.3(접지도체 · 보호도체)
> • 큰 고장전류가 접지도체를 통하여 흐르지 않을 경우 접지도체의 최소 단면적
> 　− 구리 : 6[mm²] 이상
> 　− 철제 : 50[mm²] 이상
> • 접지도체에 피뢰시스템이 접속되는 경우
> 　− 구리 : 16[mm²] 이상
> 　− 철 : 50[mm²] 이상

07 공통접지공사 적용 시 선도체의 단면적이 16[mm²]인 경우 보호도체(PE)에 적합한 단면적은?
(단, 보호도체의 재질이 선도체와 같은 경우)　　[2017년 3회 기사]

① 4

② 6

③ 10

④ 16

> **해설**　KEC 142.3(접지도체 · 보호도체)
> 접지도체 최소 단면적은 기본적으로 보호도체와 동일하므로 보호도체의 최소 단면적을 참조할 것
>
> | 선도체의 단면적 S[mm²] | 보호도체의 최소 단면적[mm²] |
> |:---:|:---:|
> | $S \leq 16$ | S |
> | $16 < S \leq 35$ | 16 |
> | $S > 35$ | $S/2$ |

출 / 제 / 예 / 상 / 문 / 제

01 접지극을 시설할 때 동결 깊이를 감안하여 지하 몇 [cm] 이상의 깊이로 매설하여야 하는가?

① 60

② 75

③ 90

④ 100

> **해설** KEC 142.2(접지극의 시설 및 접지저항)
> • 접지극은 매설하는 토양을 오염시키지 않아야 하며, 가능한 다습한 부분에 설치한다.
> • 접지극은 지표면으로부터 지하 0.75[m] 이상으로 하되 동결 깊이를 감안하여 매설 깊이를 정해야 한다.
> • 접지도체를 철주, 기타의 금속체를 따라서 시설하는 경우에는 접지극을 철주의 밑면으로부터 0.3[m] 이상의 깊이에 매설하는 경우 이외에는 접지극을 지중에서 그 금속체로부터 1[m] 이상 떼어 매설하여야 한다.

02 접지선을 사람이 접촉할 우려가 있는 곳에 시설하는 경우, 전기용품 및 생활용품 안전관리법을 적용받는 합성수지관(두께 2[mm] 미만의 합성수지제 전선관 및 난연성이 없는 콤바인덕트관을 제외한다)으로 덮어야 하는 범위로 옳은 것은?

① 접지선의 지하 30[cm]로부터 지표상 1[m]까지의 부분

② 접지선의 지하 50[cm]로부터 지표상 1.2[m]까지의 부분

③ 접지선의 지하 60[cm]로부터 지표상 1.8[m]까지의 부분

④ 접지선의 지하 75[cm]로부터 지표상 2[m]까지의 부분

> **해설** KEC 142.3(접지도체 · 보호도체)
> • 접지도체는 지하 0.75[m]부터 지표상 2[m]까지 부분은 합성수지관(두께 2[mm] 미만의 합성수지제 전선관 및 가연성 콤바인덕트관은 제외한다) 또는 이와 동등 이상의 절연효과와 강도를 가지는 몰드로 덮어야 한다.
> • 접지도체는 절연전선(옥외용 비닐절연전선은 제외) 또는 케이블(통신용 케이블은 제외)을 사용하여야 한다. 다만, 접지도체를 철주, 기타의 금속체를 따라서 시설하는 경우 이외의 경우에는 접지도체의 지표상 0.6[m]를 초과하는 부분에 대하여는 절연전선을 사용하지 않을 수 있다.

03 접지저항값을 $\frac{150}{I}$[Ω]으로 정하고 있는데, 이때 I에 해당되는 것은?

① 변압기의 고압 측 또는 특고압 측 전로의 1선 지락전류의 암페어 수

② 변압기의 고압 측 또는 특고압 측 전로의 단락사고 시 고장전류의 암페어 수

③ 변압기의 1차 측과 2차 측의 혼촉에 의한 단락전류의 암페어 수

④ 변압기의 1차와 2차에 해당되는 전류의 합

해설 KEC 142.5(변압기 중성점접지)

• 일반적으로 변압기의 고압·특고압 측 전로 1선 지락전류로 150을 나눈 값과 같은 저항값 이하

• 변압기의 고압·특고압 측 전로 또는 사용전압이 35[kV] 이하의 특고압전로가 저압 측 전로와 혼촉하고 저압전로의 대지전압이 150[V]를 초과하는 경우는 저항값은 다음에 의한다.

   – 1초 초과 2초 이내에 고압·특고압전로를 자동으로 차단하는 장치를 설치할 때는 300을 나눈 값 이하

   – 1초 이내에 고압·특고압전로를 자동으로 차단하는 장치를 설치할 때는 600을 나눈 값 이하

04 변압기의 고압 측 전로의 1선 지락전류가 4[A]일 때, 일반적인 경우의 접지저항값은 몇 [Ω] 이하로 유지되어야 하는가?

① 18.75   ② 22.5   ③ 37.5   ④ 52.5

해설 3번 해설 참조

$$\therefore R = \frac{150}{I_1} = \frac{150}{4} = 37.5[\Omega]$$

05 변압기의 고압 측 1선 지락전류가 30[A]인 경우에 최대 접지저항값은 몇 [Ω]인가?(단, 고압 측 전로가 저압 측 전로와 혼촉하는 경우 1초 이내에 자동적으로 차단하는 장치가 설치되어 있다)

① 5   ② 10   ③ 15   ④ 20

해설 3번 해설 참조

$$\therefore R = \frac{600}{I_1} = \frac{600}{30} = 20[\Omega]$$

06 혼촉 사고 시에 1초를 초과하고 2초 이내에 자동 차단되는 6.6[kV] 전로에 결합된 변압기 저압 측의 전압이 220[V]인 경우 접지저항값[Ω]은?(단, 고압 측 1선 지락전류는 30[A]라 한다)

① 5   ② 10   ③ 20   ④ 30

해설   KEC 142.5(변압기 중성점접지)
• 일반적으로 변압기의 고압·특고압 측 전로 1선 지락전류로 150을 나눈 값과 같은 저항값 이하
• 변압기의 고압·특고압 측 전로 또는 사용전압이 35[kV] 이하의 특고압전로가 저압 측 전로와 혼촉하고 저압전로의 대지전압이 150[V]를 초과하는 경우는 저항값은 다음에 의한다.
  – 1초 초과 2초 이내에 고압·특고압전로를 자동으로 차단하는 장치를 설치할 때는 300을 나눈 값 이하
  – 1초 이내에 고압·특고압전로를 자동으로 차단하는 장치를 설치할 때는 600을 나눈 값 이하

$$\therefore \ R = \frac{300}{1선 \ 지락전류} = \frac{300}{30} = 10[\Omega]$$

07 변압기의 고압 측 전로와의 혼촉에 의하여 저압 측 전로의 대지전압이 150[V]를 넘는 경우에 2초 이내에 고압전로를 자동 차단하는 장치가 되어 있는 6,600/220[V] 배전선로에 있어서 1선 지락전류가 2[A]이면 접지저항값의 최대는 몇 [Ω]인가?

① 50   ② 75   ③ 150   ④ 300

해설   6번 해설 참조
$$\therefore \ R = \frac{300}{I_1} = \frac{300}{2} = 150[\Omega]$$

08 인가에 인접한 주상변압기의 접지공사에 적합한 시공은?

① 접지극은 공칭단면적 2[mm²] 연동선에 연결하여, 지하 75[cm] 이상의 깊이에 매설
② 접지극은 공칭단면적 16[mm²] 연동선에 연결하여, 지하 60[cm] 이상의 깊이에 매설
③ 접지극은 공칭단면적 6[mm²] 연동선에 연결하여, 지하 60[cm] 이상의 깊이에 매설
④ 접지극은 공칭단면적 6[mm²] 연동선에 연결하여, 지하 75[cm] 이상의 깊이에 매설

> **해설** KEC 142.2(접지극의 시설 및 접지저항), 142.3(접지도체·보호도체)
> • 접지극은 매설하는 토양을 오염시키지 않아야 하며, 가능한 다습한 부분에 설치한다.
> • 접지극은 지표면으로부터 지하 0.75[m] 이상으로 하되 동결 깊이를 감안하여 매설 깊이를 정해야 한다.
> • 접지도체를 철주 기타의 금속체를 따라서 시설하는 경우에는 접지극을 철주의 밑면으로부터 0.3[m] 이상의 깊이에 매설하는 경우 이외에는 접지극을 지중에서 그 금속체로부터 1[m] 이상 떼어 매설하여야 한다.
> • 접지도체는 지하 0.75[m]부터 지표상 2[m]까지 부분은 합성수지관(두께 2[mm] 미만의 합성수지제 전선관 및 가연성 콤바인덕트관은 제외한다) 또는 이와 동등 이상의 절연효과와 강도를 가지는 몰드로 덮어야 한다.
> • 특고압·고압 전기설비용 접지도체는 단면적 6[mm²] 이상의 연동선 또는 동등 이상의 단면적 및 강도를 가져야 한다.

09 지중에 매설되어 있는 금속제 수도관로를 접지극으로 사용하려면 대지와의 전기저항값이 몇 [Ω] 이하의 값을 유지하여야 하는가?

① 1 　　　 ② 2 　　　 ③ 3 　　　 ④ 5

> **해설** KEC 142.2(접지극의 시설 및 접지저항)
> • 저항이 3[Ω] 이하
> – 각종 접지극 사용 가능(관내경 75[mm] 이상, 분기길이 5[m] 이내 경우만 가능)
> • 저항이 2[Ω] 이하 건물의 철골 기타 금속체 : 분기길이 5[m] 넘을 수 있다.
> – 고압 비접지 전로에 시설하는 기계기구 등의 접지공사의 접지극 사용 가능

10 비접지식 고압전로에 접속되는 변압기의 외함에 실시하는 접지공사의 접지극으로 사용할 수 있는 건물철골의 대지전기저항은 몇 [Ω] 이하인가?

① 2 　　　 ② 3 　　　 ③ 5 　　　 ④ 10

> **해설** 9번 해설 참조

11 접지공사에 사용하는 접지선을 사람이 접촉할 우려가 있는 곳에 철주 기타의 금속체를 따라서 시설하는 경우에는 접지극을 그 금속체로부터 지중에서 몇 [m] 이상 이격시켜야 하는가?(단, 접지극을 철주의 밑면으로부터 30[cm] 이상의 깊이에 매설하는 경우는 제외한다)

① 1   ② 2

③ 3   ④ 4

해설 KEC 142.2(접지극의 시설 및 접지저항)
- 접지극은 매설하는 토양을 오염시키지 않아야 하며, 가능한 다습한 부분에 설치한다.
- 접지극은 지표면으로부터 지하 0.75[m] 이상으로 하되 동결 깊이를 감안하여 매설 깊이를 정해야 한다.
- 접지도체를 철주 기타의 금속체를 따라서 시설하는 경우에는 접지극을 철주의 밑면으로부터 0.3[m] 이상의 깊이에 매설하는 경우 이외에는 접지극을 지중에서 그 금속체로부터 1[m] 이상 떼어 매설하여야 한다.

12 다음 그림의 접지 종류는?

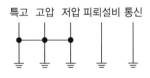

특고 고압 저압 피뢰설비 통신

① 단독접지   ② 전원접지

③ 공통접지   ④ 통합접지

해설	단독접지	공통접지	통합접지
	특고 고압 저압 피뢰설비 통신	특고 고압 저압 피뢰설비 통신	특고 고압 저압 피뢰설비 통신

13 다음 접지시스템 구성회로 중 ( )에 해당하는 설비로 알맞은 것은?

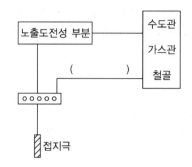

① 보호도체
② 보조등전위본딩도체
③ 접지도체
④ 주등전위본딩도체

해설

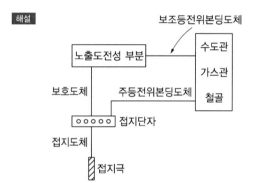

14 접지시스템의 구성요소에 해당되지 않는 것은?

① 접지극
② 접지도체
③ 보호도체
④ 계통도체

해설 KEC 142.1(접지시스템의 구성요소 및 요구사항)
접지시스템 구성요소
• 접지시스템은 접지극, 접지도체, 보호도체 및 기타 설비로 구성
• 접지극은 접지도체를 사용하여 주접지단자에 연결하여야 한다.

15 접지도체로 구리를 사용 시 큰 고장전류가 접지도체를 통하여 흐르지 않는 경우 접지도체의 최소 단면적[mm²]은?

① 6   ② 16

③ 25   ④ 50

해설   KEC 142.3(접지도체 · 보호도체)
- 큰 고장전류가 접지도체를 통하여 흐르지 않을 경우 접지도체의 최소 단면적
  - 구리 : 6[mm²] 이상
  - 철제 : 50[mm²] 이상
- 접지도체에 피뢰시스템이 접속되는 경우
  - 구리 : 16[mm²] 이상
  - 철 : 50[mm²] 이상

16 접지도체에 피뢰시스템이 접속된 경우, 접지도체의 최소 단면적[mm²]은?(단, 구리도체를 사용하는 경우에 한한다)

① 6   ② 10

③ 16   ④ 50

해설   15번 해설 참조

17 특고압·고압 전기설비용 접지도체는 연동선 사용 시 최소굵기[mm²]는?

① 2.5 　　　　　　　　　　　② 4

③ 6 　　　　　　　　　　　　④ 10

> **해설** KEC 142.3(접지도체·보호도체)
> - 특고압·고압 전기설비용 접지도체는 단면적 6[mm²] 이상의 연동선 또는 동등 이상의 단면적 및 강도를 가져야 한다.
> - 중성점접지용 접지도체는 공칭단면적 16[mm²] 이상의 연동선 또는 동등 이상의 단면적 및 세기를 가져야 한다. 다만, 다음의 경우에는 공칭단면적 6[mm²] 이상의 연동선 또는 동등 이상의 단면적 및 강도를 가져야 한다.
>   - 7[kV] 이하의 전로
>   - 사용전압이 25[kV] 이하인 특고압 가공전선로(단, 중성선 다중접지식의 것으로서 전로에 지락이 생겼을 때 2초 이내에 자동적으로 이를 전로로부터 차단하는 장치가 되어 있는 것)

18 중성점 접지용 접지도체의 최소 공칭단면적[mm²]은?

① 10 　　　　　　　　　　　② 16

③ 25 　　　　　　　　　　　④ 50

> **해설** 17번 해설 참조

19 보호도체의 종류에 해당되지 않는 것은?

① 다심케이블의 도체
② 충전도체와 같은 트렁킹에 수납된 절연도체 또는 나도체
③ 고정된 절연도체 또는 나도체
④ 철 골

> **해설** KEC 142.3(접지도체 · 보호도체)
> 보호도체의 종류
> • 다심케이블의 도체
> • 충전도체와 같은 트렁킹에 수납된 절연도체 또는 나도체
> • 고정된 절연도체 또는 나도체
> • 금속케이블 외장, 케이블 차폐, 케이블 외장, 전선묶음(편조전선), 동심도체, 금속관

20 선도체의 단면적이 10[mm²]일 때 보호도체의 최소 단면적[mm²]은?(단, 선도체와 보호도체의 재질이 구리로 같은 경우)

① 6
② 10
③ 16
④ 25

> **해설** KEC 142.3(접지도체 · 보호도체)

선도체의 단면적 S ([mm²], 구리)	보호도체의 최소 단면적([mm²], 구리)	
	보호도체의 재질	
	선도체와 같은 경우	선도체와 다른 경우
$S \leq 16$	S	$(k_1/k_2) \times S$
$16 < S \leq 35$	16(a)	$(k_1/k_2) \times 16$
$S > 35$	S(a)/2	$(k_1/k_2) \times (S/2)$

> • k_1 : 선도체에 대한 k값
> • k_2 : 보호도체에 대한 k값
> • a : PEN도체의 최소 단면적은 중성선과 동일하게 적용

21 선도체의 단면적이 16[mm²]일 때 보호도체의 최소 단면적[mm²]은?(단, 선도체와 보호도체의 재질이 구리로 같은 경우)

① 6

② 16

③ 25

④ 50

> **해설** KEC 142.3(접지도체 · 보호도체)
>
> | 선도체의 단면적 S ([mm²], 구리) | 보호도체의 최소 단면적([mm²], 구리) | |
> | --- | --- | --- |
> | | 보호도체의 재질 | |
> | | 선도체와 같은 경우 | 선도체와 다른 경우 |
> | $S \leq 16$ | S | $(k_1/k_2) \times S$ |
> | $16 < S \leq 35$ | 16(a) | $(k_1/k_2) \times 16$ |
> | $S > 35$ | S(a)/2 | $(k_1/k_2) \times (S/2)$ |
>
> • k_1 : 선도체에 대한 k값
> • k_2 : 보호도체에 대한 k값
> • a : PEN도체의 최소 단면적은 중성선과 동일하게 적용

22 선도체의 단면적이 25[mm²]일 때 보호도체의 최소 단면적[mm²]은?(단, 선도체와 보호도체의 재질이 구리로 같은 경우)

① 6

② 16

③ 25

④ 50

> **해설** 21번 해설 참조

23 보호도체와 계통도체 겸용에 대한 설명으로 잘못된 것은?

① 겸용도체 종류에는 PEN, PEL, PEM이 있다.
② 고정된 전기설비만 사용한다.
③ 도체 굵기는 구리인 경우 10[mm²] 이상이어야 한다.
④ 중성선과 보호도체의 겸용도체는 전기설비의 부하 측에 시설한다.

> **해설** KEC 142.3(접지도체 · 보호도체)
> 보호도체와 계통도체 겸용
> • 보호도체와 계통도체를 겸용하는 겸용도체(중성선과 겸용, 선도체와 겸용, 중간도체와 겸용 등)는 해당하는 계통의 기능에 대한 조건을 만족하여야 한다.
> • 겸용도체는 고정된 전기설비에서만 사용할 수 있으며 다음에 의한다.
> – 단면적은 구리 10[mm²] 또는 알루미늄 16[mm²] 이상이어야 한다.
> – 중성선과 보호도체의 겸용도체는 전기설비의 부하 측으로 시설하여서는 안 된다.
> – 폭발성 분위기 장소는 보호도체를 전용으로 하여야 한다.

24 감전보호용 등전위본딩의 이유에 해당하지 않는 것은?

① 보호용 　　　　　② 기능용
③ 낙뢰보호용 　　　④ 국부보호용

> **해설** 감전보호용 등전위본딩 이유
> • 보호용 등전위본딩
> • 기능용 등전위본딩
> • 낙뢰보호용 등전위본딩

25 감전보호용 등전위본딩 적용에 해당되지 않는 것은?

① 일상생활에서 접촉이 가능한 금속제 난방배관 및 공조설비 등 계통외도전부
② 건축물 · 구조물의 철근, 철골 등 금속보강재
③ 수도관 · 가스관 등 외부에서 내부로 인입되는 금속배관
④ 수도관 · 가스관 등 외부에서 내부로 인입되는 최초 밸브 후단

> **해설** KEC 143(감전보호용 등전위본딩)
> 등전위본딩의 적용
> • 수도관 · 가스관 등 외부에서 내부로 인입되는 금속배관
> • 건축물 · 구조물의 철근, 철골 등 금속보강재
> • 일상생활에서 접촉이 가능한 금속제 난방배관 및 공조설비 등 계통외도전부

26 보호등전위본딩도체는 설비 내 가장 큰 보호도체 단면적에 얼마 이상이어야 하는가?

① $A \times 1$ ② $A \times 2$

③ $A \times \dfrac{1}{2}$ ④ $A \times \dfrac{1}{4}$

해설 KEC 143.3(등전위본딩도체)
보호등전위본딩도체
주접지단자에 접속하기 위한 등전위본딩도체는 설비 내에 있는 가장 큰 보호접지도체 단면적의
1/2 이상의 단면적을 가져야 하고 다음의 단면적 이상이어야 한다.
- 구리도체 : 6[mm²]
- 알루미늄도체 : 16[mm²]
- 강철도체 : 50[mm²]

27 다음 (   )의 보조 보호등전위본딩도체의 단면적[mm²]은?

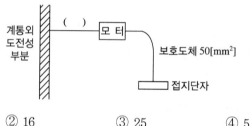

① 6   ② 16   ③ 25   ④ 50

해설 26번 해설 참조

28 주접지단자에 접속하기 위한 등전위본딩도체는 설비 내 가장 큰 보호도체 $A \times \dfrac{1}{2}$ 이상이며
구리도체인 경우 최소 단면적[mm²]은?

① 6   ② 16   ③ 50   ④ 25

해설 26번 해설 참조

29 비접지 국부등전위본딩은 절연성 바닥으로 된 비접지 장소에서 전기설비 상호 간 이격거리[m]가 얼마 이하인 경우여야 하는가?

① 1.5 ② 2

③ 2.5 ④ 3

해설 KEC 143.2(등전위본딩 시설)

비접지 국부등전위본딩

• 절연성 바닥으로 된 비접지 장소에서 다음의 경우 국부등전위본딩을 하여야 한다.
  – 전기설비 상호 간이 2.5[m] 이내인 경우
  – 전기설비와 이를 지지하는 금속체 사이
• 전기설비 또는 계통외도전부를 통해 대지에 접촉하지 않아야 한다.

30 주접지단자에 접속하기 위한 보호등전위본딩도체로 강철도체 사용 시 굵기[mm²]는 얼마 이상이어야 하는가?

① 25 ② 35

③ 50 ④ 70

해설 KEC 143.3(등전위본딩도체)

보호등전위본딩도체

• 주접지단자에 접속하기 위한 등전위본딩도체는 설비 내에 있는 가장 큰 보호접지도체 단면적의 1/2 이상의 단면적을 가져야 하고 다음의 단면적 이상이어야 한다.
  – 구리도체 : 6[mm²]
  – 알루미늄도체 : 16[mm²]
  – 강철도체 : 50[mm²]
• 주접지단자에 접속하기 위한 보호본딩도체의 단면적은 구리도체 25[mm²] 또는 다른 재질의 동등한 단면적을 초과할 필요는 없다.

31 저압수용가 인입구접지에 사용되는 접지선의 굵기[mm²]는?

① 6

② 10

③ 16

④ 25

> **해설** KEC 142.4(전기수용가 접지)
>
> 저압수용가 인입구 접지
>
> 접지도체는 공칭단면적 6[mm²] 이상의 연동선 또는 이와 동등 이상의 세기 및 굵기의 쉽게 부식하지
> 않는 금속선으로서 고장 시 흐르는 전류를 안전하게 통할 수 있는 것이어야 한다.

32 저압 계통접지 방식 분류에 속하지 않는 것은?

① TN계통

② TT계통

③ IT계통

④ II계통

> **해설** KEC 203.1(계통접지 구성)
>
> 저압전로의 보호도체 및 중성선의 접속 방식에 따라 접지계통의 분류
> • TN계통
> • TT계통
> • IT계통

33 계통 전체에 대해 별도의 중성선 또는 PE도체를 사용하는 방식은?

① TN-C계통

② TN-S계통

③ TN-C-S계통

④ TT계통

> **해설** KEC 203.2(TN계통)
>
> TN-S계통은 계통 전체에 대해 별도의 중성선 또는 PE도체를 사용한다. 배전계통에서 PE도체를
> 추가로 접지할 수 있다.

34 다음 접지계통은 어떤 접지계통인가?

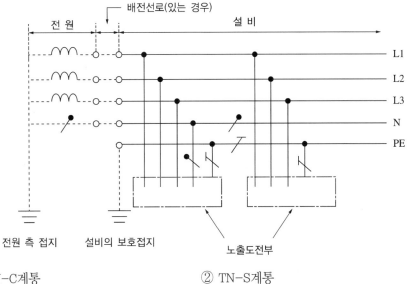

① TN-C계통   ② TN-S계통
③ TN-C-S계통   ④ TT계통

35 충전부 전체를 대지로부터 절연시키거나, 한 점을 임피던스를 통해 대지에 접속시키며 전기설비의 노출도전부를 단독 또는 일괄적으로 계통의 PE도체에 접속시키는 방식은 어떤 방식인가?

① TN-C계통
② TN-S계통
③ TT계통
④ IT계통

> 해설   **KEC 203.4(IT계통)**
> • 충전부 전체를 대지로부터 절연시키거나, 한 점을 임피던스를 통해 대지에 접속시킨다. 전기설비의 노출도전부를 단독 또는 일괄적으로 계통의 PE도체에 접속시킨다. 배전계통에서 추가접지가 가능하다.
> • 계통은 충분히 높은 임피던스를 통하여 접지할 수 있다. 이 접속은 중성점, 인위적 중성점, 선도체 등에서 할 수 있다. 중성선은 배선할 수도 있고, 배선하지 않을 수도 있다.

6. 피뢰시스템(LPS ; Lightning Protection System)

구조물 뇌격으로 인한 물리적 손상을 줄이기 위해 사용되는 전체 시스템

(1) 용어 정의

① 수뢰부시스템(Air-termination System) : 낙뢰를 포착할 목적으로 돌침, 수평도체, 메시 도체 등과 같은 금속물체를 이용한 외부피뢰시스템의 일부

② 인하도선시스템(Down-conductor System) : 뇌전류를 수뢰부시스템에서 접지극으로 흘리기 위한 외부피뢰시스템의 일부

③ 피뢰레벨(LPL ; Lightning Protection Level) : 자연적으로 발생하는 뇌 방전을 초과하지 않는 최대 그리고 최소 설계값에 대한 확률과 관련된 일련의 뇌격전류 매개변수(파라미터)로 정해지는 레벨

④ 피뢰구역(LPZ ; Lightning Protection Zone) : 뇌전자 환경이 정의된 구역을 말하며, LPZ OA, LPZ OB, LPZ 1, LPZ 2 등으로 분할됨

⑤ 절연인터페이스(Isolating Interface) : 피뢰구역(LPZ) 내로 인입되는 선로상의 전도서지를 감소시킬 수 있는 장치

⑥ 공간차폐(Space Shield) : 기기에 직접 영향을 주는 방사전자계의 영향으로부터 보호하기 위해 구조물 전체나 일부 혹은 단일 차폐실 기기 외함으로 보호되는 구역

⑦ 뇌전자기 임펄스(LEMP ; Lightning Electromagnetic Impulse) : 서지 및 방사상 전자계를 발생시키는 저항성, 유도성 및 용량성 결합을 통한 뇌전류에 의한 모든 전자기 영향

⑧ 피뢰 등전위본딩(Lightning Equipotential Bonding) : 뇌전류에 의한 전위차를 줄이기 위해 직접적인 도전접속 또는 서지보호장치를 통해 분리된 금속부를 피뢰시스템에 본딩하는 것

⑨ 환상도체(Ring Conductor) : 뇌전류의 균일한 분산을 위해 인하도선을 서로 접속할 수 있도록 구조물 둘레의 루프를 형성하는 도체

⑩ 접지극 시스템(Earth-termination System) : 뇌전류를 대지로 흘려 방출시키기 위한 외부 피뢰시스템의 일부

⑪ 접지극(Earthing Electrode) : 대지와 직접 전기적으로 접속하고, 뇌전류를 대지로 방류시키는 접지시스템의 일부분 또는 그 집합

⑫ 환상접지극(Ring Earthing Electrode) : 구조물 둘레의 대지면 또는 지중에서 폐루프를 형성하는 접지극

⑬ 기초접지극(Foundation Earthing Electrode) : 구조물의 기초콘크리트에 매설된 철근 또는 철골의 접지극

⑭ 피뢰시스템의 자연적 구성부재(Natural Component of LPS) : 피뢰의 목적으로 특별히 설치하지는 않았으나 추가로 피뢰시스템으로 사용될 수 있거나 피뢰시스템의 하나 이상의 기능을 제공하는 도전성 구성부재

(2) 적용범위

① 전기전자설비가 설치된 건축물·구조물로서 낙뢰로부터 보호가 필요한 것 또는 지상으로부터 높이가 20[m] 이상인 것
② 전기설비 및 전자설비 중 낙뢰로부터 보호가 필요한 설비
③ 고압 및 특고압 전기설비

(3) 구 성

① 직격뢰로부터 대상물을 보호하기 위한 외부피뢰시스템
② 간접뢰 및 유도뢰로부터 대상물을 보호하기 위한 내부피뢰시스템

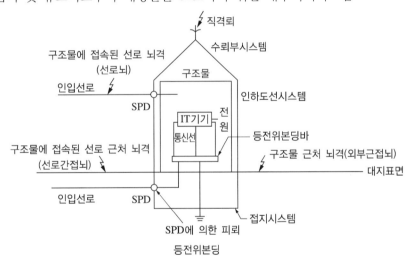

(SPD ; Surge Protective Device[서지보호기])

(4) 외부피뢰시스템

① 수뢰부시스템

수뢰부시스템 방식	배 치
돌침, 수평도체, 메시도체 요소 중 한 가지 또는 조합 사용	• 보호각법, 회전구체법, 메시법 중 한 가지 또는 조합 사용 • 건축물·구조물의 뾰족한 부분, 모서리 등에 우선

㉠ 60[m]를 초과하는 건축물·구조물의 측격뢰 보호용 수뢰부시스템

60[m]를 초과하는 건축물·구조물의 최상부로부터 20[%] 부분에 한하며, 피뢰시스템 등급 IV의 요구사항에 따른다.

㉡ 건축물·구조물과 분리되지 않은 수뢰부시스템의 시설은 다음에 따른다.

• 지붕 마감재가 불연성 재료로 된 경우 지붕표면에 시설할 수 있다.

• 지붕 마감재가 높은 가연성 재료로 된 경우 지붕재료와 다음과 같이 이격하여 시설한다.

　– 초가지붕 또는 이와 유사한 경우 0.15[m] 이상

　– 다른 재료의 가연성 재료인 경우 0.1[m] 이상

보호각법	회전구체법	메시법
일반적 건물에 적용	뇌격거리 개념 도입(회전구체와 접촉하는 모든 부분 설치)	구조물 표면이 평평하고 넓은 지붕 형태

피뢰레벨	20[m]	30[m]	45[m]	60[m]
I	25	–	–	–
II	35	25	–	–
III	45	35	25	–
IV	55	45	35	25

등급	R(회전구체의 반경)
I	20[m]
II	30[m]
III	45[m]
IV	60[m]

등급	메시 치수[m]
I	5×5
II	10×10
III	15×15
IV	20×20

보호레벨	R[m]	h[m] 20	30	45	60	폭
		보호각($\alpha°$)				
I	20	25	–	–	–	5
II	30	35	25	–	–	10
III	45	45	35	25	–	15
IV	60	55	45	35	25	20

② 인하도선시스템

㉠ 수뢰부시스템과 접지시스템을 전기적으로 연결하는 것으로 다음에 의한다.

• 복수의 인하도선을 병렬로 구성해야 한다. 다만, 건축물·구조물과 분리된 피뢰시스템인 경우 예외로 한다.

• 도선경로의 길이가 최소가 되도록 한다.

• 인하도선의 재료는 구리, 주석도금한 구리로 테이프형, 원형단선, 연선의 형상으로 최소 단면적 50[mm²] 이상이어야 한다.

※ 수뢰부시스템과 접지극시스템 사이에 전기적 연속성이 형성되도록 다음에 따라 시설

- 경로는 가능한 한 루프 형성이 되지 않도록 하고, 최단거리로 곧게 수직으로 시설하여야 하며, 처마 또는 수직으로 설치된 홈통 내부에 시설하지 않아야 한다.
- 전기적 연속성이 보장되어야 한다(전기적 연속성 적합성은 해당하는 금속부재의 최상단부와 지표레벨 사이의 직류전기저항 0.2[Ω] 이하).
- 시험용 접속점을 접지극시스템과 가까운 인하도선과 접지극시스템의 연결부분에 시설하고, 이 접속점은 항상 폐로되어야 하며 측정 시에 공구 등으로만 개방할 수 있어야 한다. 다만, 자연적 구성부재를 이용하거나, 자연적 구성부재 등과 본딩을 하는 경우에는 예외로 한다.

ⓛ 배치방법

- 건축물·구조물과 분리된 피뢰시스템
  - 뇌전류의 경로가 보호대상물에 접촉하지 않도록 하여야 한다.
  - 별개의 지주에 설치되어 있는 경우 각 지주마다 1가닥 이상의 인하도선을 시설
  - 수평도체 또는 메시도체인 경우 지지 구조물마다 1가닥 이상의 인하도선을 시설
- 건축물·구조물과 분리되지 않은 피뢰시스템
  - 벽이 불연성 재료로 된 경우에는 벽의 표면 또는 내부에 시설할 수 있다. 다만, 벽이 가연성 재료인 경우에는 0.1[m] 이상 이격하고, 이격이 불가능한 경우에는 도체의 단면적을 100[mm^2] 이상으로 한다.
  - 인하도선의 수는 2가닥 이상으로 한다.
  - 보호대상 건축물·구조물의 투영에 따른 둘레에 가능한 한 균등한 간격으로 배치한다. 다만, 노출된 모서리 부분에 우선하여 설치한다.
  - 병렬 인하도선의 최대 간격은 피뢰시스템 등급에 따라 I·II등급은 10[m], III등급은 15[m], IV등급은 20[m]로 한다.

※ 자연적 구성부재

- 전기적 연속성이 있는 구조물 등의 금속제 구조체(철골, 철근 등)
- 구조물 등의 상호 접속된 강제 구조체
- 건축물 외벽 등을 구성하는 금속 구조재의 크기가 인하도선에 대한 요구사항에 부합하고 또한 두께가 0.5[mm] 이상인 금속판 또는 금속관
- 인하도선을 구조물 등의 상호 접속된 철근·철골 등과 본딩하거나, 철근·철골 등을 인하도선으로 사용하는 경우 수평 환상도체는 설치하지 않아도 된다.

③ 접지극시스템

방 식	수평 또는 수직접지극(A형)	환상도체접지극 또는 기초접지극(B형)
배 치	A형은 2개 이상을 동일 간격 배치	B형은 접지극 면적을 환산한 평균반지름이 등급별 접지극 최소길이 이상(단, 미만인 경우 수직·수평접지극 2개 이상 추가 시설)
접지저항	10[Ω] 이하인 경우 접지극 최소길이 이하로 시설할 수 있다.	
접지극	• 지표 하 0.75[m] 이상 • 암반지역(대지저항 큰 곳), 전자통신시스템이 많은 곳은 환상도체접지극 또는 기초접지극 사용 • 재료는 환경오염 및 부식 우려가 없어야 한다. • 철근 또는 금속제 지하구조물 등 자연적 구성부재는 접지극으로 사용가능	

(5) 내부피뢰시스템

① 전기전자설비 보호용 피뢰시스템

　㉠ 전기적 절연

　　수뢰부 또는 인하도선과 건축물·구조물의 금속 부분, 내부시스템 사이의 전기적인 절연은 외부피뢰시스템의 전기적 절연에 의한 이격거리

　㉡ 접지와 본딩

　　• 뇌서지전류를 대지로 방류시키기 위한 접지를 시설

　　• 전위차를 해소하고 자계를 감소시키기 위한 본딩을 구성

　　※ 접지극은 접지시스템 규정 이외에는 환상도체접지극 또는 기초접지극으로 한다. 또한, 개별 접지시스템으로 된 복수의 건축물·구조물 등을 연결하는 콘크리트 덕트·금속제 배관의 내부에 케이블(또는 같은 경로로 배치된 복수의 케이블)이 있는 경우 각각의 접지 상호 간은 병행 설치된 도체로 연결(다만, 차폐케이블인 경우는 차폐선을 양끝에서 각각의 접지시스템에 등전위본딩하는 것으로 한다)

　　• 전자·통신설비에서 위험한 전위차를 해소하고 자계를 감소시킬 경우 등전위본딩 망 시설

　　　– 건축물·구조물의 도전성 부분 또는 내부설비 일부분을 통합

　　　– 등전위본딩망은 메시 폭이 5[m] 이내, 구조물과 구조물 내부의 금속 부분은 다중으로 접속(다만, 금속 부분이나 도전성 설비가 피뢰구역의 경계를 지나가는 경우에는 직접 또는 서지보호장치를 통하여 본딩한다)

　　　– 도전성 부분의 등전위본딩은 방사형, 메시형 또는 이들의 조합형

　㉢ 서지보호장치 시설

　　• 전기전자설비 등에 연결된 전선로를 통하여 서지가 유입되는 경우, 해당 선로에는 서지보호장치를 설치하여 한다.

　　• 지중 저압수전의 경우 내부 전기전자기기의 과전압범주별 임펄스내전압이 규정값에 충족하는 경우 서지보호장치를 생략할 수 있다.

② 피뢰등전위본딩

　ⓐ 일반사항

　　피뢰시스템의 등전위화는 다음과 같은 설비들을 서로 접속함으로써 이루어진다.

　　• 금속제 설비

　　• 구조물에 접속된 외부 도전성 부분

　　• 내부시스템

　ⓑ 등전위본딩 상호접속

　　• 자연적 구성부재로 인한 본딩으로 전기적 연속성을 확보할 수 없는 장소는 본딩도체로 연결

　　• 본딩도체로 직접 접속할 수 없는 장소의 경우에는 서지보호장치를 이용한다.

　　• 본딩도체로 직접 접속이 허용되지 않는 장소는 절연방전갭을 사용

　ⓒ 금속제설비의 등전위본딩

건축물·구조물과 분리된 외부피뢰시스템의 경우	건축물·구조물과 접속된 외부피뢰시스템의 경우
지표면 부근에 시설	• 지표면 부근 시설(기초 부분) – 등전위본딩도체는 등전위본딩바에 접속 – 등전위본딩바는 접지시스템에 접속 – 쉽게 점검 가능 • 절연 요구조건에 따른 안전이격거리 미확보 시 피뢰시스템과 건조물, 내부설비 도전성 부분은 등전위본딩하여 직접 접속 또는 충전부인 경우 서지보호장치 설치(서지보호장치 시설 시 보호레벨은 기기 임펄스내전압보다 낮을 것)

　　• 건조물 등전위본딩

　　　건축물·구조물에는 지하 0.5[m]와 높이 20[m]마다 환상도체를 설치한다. 다만 철근콘크리트, 철골구조물의 구조체에 인하도선을 등전위본딩하는 경우 환상도체는 설치하지 않아도 된다.

　ⓓ 인입설비의 등전위본딩

　　• 건축물·구조물의 외부에서 내부로 인입되는 설비의 도전성 부분은 인입구 부근에서 등전위본딩

　　• 전원선은 서지보호장치를 사용하여 등전위본딩

　　• 통신 및 제어선은 내부와의 위험한 전위차 발생을 방지하기 위해 직접 또는 서지보호장치를 통해 등전위본딩

　ⓔ 등전위본딩바

　　• 설치위치는 짧은 도전성경로로 접지시스템에 접속할 수 있는 위치

　　• 접지시스템(환상접지전극, 기초접지전극, 구조물의 접지보강재 등)에 짧은 경로로 접속하여야 한다.

- 외부 도전성 부분, 전원선과 통신선의 인입점이 다른 경우 여러 개의 등전위본딩바를 설치할 수 있다.

(6) 측면 낙뢰에 대한 수뢰부시스템

① 높이 20[m] 미만 건축물의 수직면은 측면 낙뢰의 입사 가능성이 매우 낮아 일반적으로 피뢰설비를 고려할 필요는 없다.

② 높이 20[m] 이상인 건축물의 상층부(대체로 건축물 높이의 최상부 20[%])와 이부분에 설치한 설비를 보호하기 위한 수뢰부시스템을 설치한다.

③ 측면 낙뢰를 방지하기 위하여 높이가 60[m]를 초과하는 건축물 등에는 지면에서 건축물 높이의 4/5가 되는 지점부터 최상단 부분까지의 측면에 수뢰부를 설치하여야 하며, 지표레벨에서 최상단부의 높이가 150[m]를 초과하는 건축물은 120[m] 지점부터 최상단 부분까지의 측면에 수뢰부를 설치할 것. 다만, 건축물의 외벽이 금속부재로 마감되고, 금속부재 상호 간에 전기적 연속성이 보장되며 피뢰시스템레벨 등급에 적합하게 설치하여 인하도선에 연결한 경우에는 측면 수뢰부가 설치된 것으로 본다.

④ 건축물 상층부 수뢰부시스템 배치는 모퉁이, 모서리 및 중요한 돌출부(발코니, 전망대 등)에 수뢰장치를 위치시키며 최소한 피뢰시스템 레벨 IV의 요건을 충족해야 한다.

(7) 종합적인 피뢰시스템의 설계

① 뇌로 인한 피해방지대책은 건축물의 물리적 손상과 인명을 보호하는 건축물 피뢰시스템(LPS)과 건축물 내부의 전기·전자시스템을 뇌서지로부터 보호하는 뇌전자임펄스 보호대책(LPM)으로 구성된다.

② 피뢰시스템의 구성요소와 상호관계

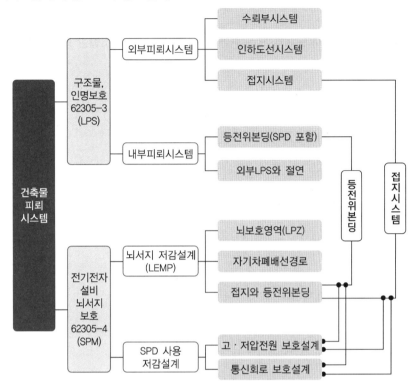

[피뢰시스템의 구성요소와 표준과의 관계]

01 돌침, 수평도체, 메시도체의 요소 중에 한 가지 또는 이를 조합한 형식으로 시설하는 것은?

[2021년 2회 기사]

① 접지극시스템
② 수뢰부시스템
③ 내부피뢰시스템
④ 인하도선시스템

해설 KEC 152.1(수뢰부시스템)
돌침, 수평도체, 메시도체의 요소 중에 한 가지 또는 이를 조합한 형식으로 시설

01 ② 정답

출 / 제 / 예 / 상 / 문 / 제

01 피뢰시스템의 적용범위에서 전기전자설비가 설치된 건축물·구조물로서 낙뢰로부터 보호가 필요한 것 또는 지상으로부터 높이가 몇 [m] 이상인가?

① 5 ② 10 ③ 20 ④ 25

> **해설** KEC 151(피뢰시스템의 적용범위 및 구성)
> 적용범위
> • 전기전자설비가 설치된 건축물·구조물로서 낙뢰로부터 보호가 필요한 것 또는 지상으로부터 높이가 20[m] 이상인 것
> • 전기설비 및 전자설비 중 낙뢰로부터 보호가 필요한 설비

02 수뢰부시스템과 접지극시스템 사이에 전기적 연속성의 적합성은 해당하는 금속부재의 최상단부와 지표레벨 사이의 직류전기저항은 몇 [Ω] 이하이어야 하는가?

① 0.1 ② 0.2 ③ 0.3 ④ 0.4

> **해설** KEC 152.2(인하도선시스템)
> 수뢰부시스템과 접지극시스템 사이에 전기적 연속성이 형성되도록 다음에 따라 시설하여야 한다.
> • 경로는 가능한 한 루프 형성이 되지 않도록 하고, 최단거리로 곧게 수직으로 시설하여야 하며, 처마 또는 수직으로 설치된 홈통 내부에 시설하지 않아야 한다.
> • 철근콘크리트 구조물의 철근을 자연적 구성부재의 인하도선으로 사용하기 위해서는 해당 철근 전체 길이의 전기저항값은 0.2[Ω] 이하가 되어야 하다.
> • 시험용 접속점을 접지극시스템과 가까운 인하도선과 접지극시스템의 연결 부분에 시설하고, 이 접속점은 항상 폐로되어야 하며 측정 시에 공구 등으로만 개방할 수 있어야 한다. 다만, 자연적 구성부재를 이용하거나, 자연적 구성부재 등과 본딩을 하는 경우에는 예외로 한다.

03 건축물·구조물과 분리되지 않은 피뢰시스템에서 벽이 가연성 재료인 경우에는 0.1[m] 이상 이격하고, 이격이 불가능한 경우에는 도체의 단면적을 몇 [mm²] 이상으로 하여야 하는가?

① 50　　　　　② 100　　　　　③ 150　　　　　④ 200

해설　KEC 152.2(인하도선시스템)

건축물·구조물과 분리되지 않은 피뢰시스템인 경우
- 벽이 불연성 재료로 된 경우에는 벽의 표면 또는 내부에 시설할 수 있다. 다만, 벽이 가연성 재료인 경우에는 0.1[m] 이상 이격하고, 이격이 불가능한 경우에는 도체의 단면적을 100[mm²] 이상으로 한다.
- 인하도선의 수는 2가닥 이상으로 한다.
- 보호대상 건축물·구조물의 투영에 따른 둘레에 가능한 한 균등한 간격으로 배치한다. 다만, 노출된 모서리 부분에 우선하여 설치한다.
- 병렬 인하도선의 최대 간격은 피뢰시스템 등급에 따라 I, II등급은 10[m], III등급은 15[m], IV등급은 20[m]로 한다.

04 외부피뢰시스템의 도체 부분은 금속성 부분과 등전위본딩을 하여야 한다. 다음 중 아닌 것은?

① 금속제 설비
② 구조물에 접속된 외부 도전성 부분
③ 내부시스템
④ 구조물에 접속된 내부 도전성 부분

해설　KEC 153.2(피뢰등전위본딩)

피뢰시스템의 등전위화는 다음과 같은 설비들을 서로 접속함으로써 이루어진다.
- 금속제 설비
- 구조물에 접속된 외부 도전성 부분
- 내부시스템

05 구조물 등전위본딩은 몇 [m]마다 환상도체 설치를 하여야 하는가?

① 10 ② 15

③ 20 ④ 30

> **해설** KEC 153.2(피뢰등전위본딩)
> 금속제 설비의 등전위본딩
> 건축물·구조물에는 지하 0.5[m]와 높이 20[m]마다 환상도체를 설치한다. 다만 철근콘크리트, 철골구조물의 구조체에 인하도선을 등전위본딩하는 경우 환상도체는 설치하지 않아도 된다.

06 외부피뢰시스템에 해당하지 않는 것은?

① 수뢰부시스템 ② 인하도선시스템

③ 접지극시스템 ④ 서지보호시스템

> **해설** KEC 152(외부피뢰시스템)
> • 수뢰부시스템
> • 인하도선시스템
> • 접지극시스템

07 수뢰부시스템 방식이 아닌 것은?

① 돌 침   ② 수평도체

③ 메시도체   ④ 인하도선도체

> **해설**   KEC 152.1(수뢰부시스템)
> 돌침, 수평도체, 메시도체의 요소 중에 한 가지 또는 이를 조합한 형식으로 시설

08 수뢰부시스템의 배치방식이 아닌 것은?

① 보호각법   ② 보호구체법

③ 메시법   ④ 회전구체법

> **해설**   KEC 152.1(수뢰부시스템)
> 보호각법, 회전구체법, 메시법 중 하나 또는 조합된 방법으로 배치

09 수뢰부시스템에서 건축물·구조물의 측격뢰 보호는 건물 높이 (ⓐ)[m] 초과하는 경우 최상부로부터 (ⓑ)[%] 부분에 한해서 시설하는가?

① ⓐ 20   ⓑ 10

② ⓐ 50   ⓑ 20

③ ⓐ 60   ⓑ 10

④ ⓐ 60   ⓑ 20

> **해설**   KEC 152.1(수뢰부시스템)
> 전체 높이 60[m]를 초과하는 건축물·구조물의 최상부로부터 20[%] 부분에 한하며, 피뢰시스템 등급 IV의 요구사항에 따른다.

         07 ④   08 ②   09 ④   **정답**

10 인하도선으로 구리 사용 시 원형단선 형상인 경우 최소 단면적은 몇 [mm²] 이상인가?

① 35

② 50

③ 70

④ 95

> **해설** KEC 152.2(인하도선시스템)
> • 복수의 인하도선을 병렬로 구성해야 한다. 다만, 건축물·구조물과 분리된 피뢰시스템인 경우 예외로 한다.
> • 경로의 길이가 최소가 되도록 한다.
> • 인하도선의 재료는 구리, 주석도금한 구리로 테이프형, 원형단선, 연선의 형상으로 최소 단면적 50[mm²] 이상이어야 한다.

11 전기전자설비 등에 연결된 전선로를 통하여 서지가 유입되는 경우, 해당 선로에는 무엇을 설치하여야 하는가?

① 접지극

② 본딩설비

③ 서지보호장치

④ 자기차폐설비

> **해설** KEC 153.1(전기전자설비 보호)
> 전기전자설비 등에 연결된 전선로를 통하여 서지가 유입되는 경우, 해당 선로에는 서지보호장치를 설치하여 한다.

12 뇌서지전류를 대지로 방류시키기 위한 시설과 전위차를 해소하고 자계를 감소시키기 위한 설비는 무엇을 하여야 하는가?

① 접지·피뢰등전위본딩으로 보호

② 수뢰시스템

③ 금속체 도전성 부분 절연

④ 내부시스템 자기차폐

> **해설** KEC 153.1(전기전자설비 보호)
> 전기전자설비를 보호하는 접지·피뢰등전위본딩은 다음에 따른다.
> • 뇌서지전류를 대지로 방류시키기 위한 접지를 시설하여야 한다.
> • 전위차를 해소하고 자계를 감소시키기 위한 본딩을 구성하여야 한다.

13 등전위본딩의 본딩도체로 직접 접속이 적합하지 않거나 허용되지 않는 장소는 무엇으로 연결하여야 하는가?

① 접지선
② 본딩도체
③ 금속체 도전성 부분
④ 서지보호장치

> **해설** KEC 153.2(피뢰등전위본딩)
> 등전위본딩의 상호 접속
> • 자연적 구성부재로 인한 본딩으로 전기적 연속성을 확보할 수 없는 장소는 본딩도체로 연결
> • 본딩도체로 직접 접속할 수 없는 장소의 경우에는 서지보호장치를 이용
> • 본딩도체로 직접 접속이 허용되지 않는 장소의 경우에는 절연방전갭(ISG)을 이용

14 인하도선의 접속 방법으로 사용되지 않는 방식은?

① 용 접
② 클립접속법
③ 나사 조임 및 볼트 조임
④ 압 착

> **해설** KEC 152.4(부품 및 접속)
> 도체의 접속부 수는 최소한으로 하여야 하며, 접속은 용접, 압착, 봉합, 나사 조임, 볼트 조임 등의 방법으로 확실하게 하여야 한다.

15 접지극은 지표하 몇 [m] 이상 매설하여야 하는가?

① 0.5
② 0.75
③ 1
④ 1.25

> **해설** KEC 142.2(접지극의 시설 및 접지저항)
> 접지극의 매설
> • 접지극은 매설하는 토양을 오염시키지 않아야 하며, 가능한 다습한 부분에 설치한다.
> • 접지극은 지표면으로부터 지하 0.75[m] 이상으로 하되 동결 깊이를 감안하여 매설 깊이를 정해야 한다.
> • 접지도체를 철주 기타의 금속체를 따라서 시설하는 경우에는 접지극을 철주의 밑면으로부터 0.3[m] 이상의 깊이에 매설하는 경우 이외에는 접지극을 지중에서 그 금속체로부터 1[m] 이상 떼어 매설하여야 한다.

13 ④ 14 ② 15 ② **정답**

16 회전구체법 사용 시 Ⅲ등급 반경은 몇 [m]인가?

① 20   ② 30

③ 40   ④ 45

해설

등 급	R(회전구체의 반경)
Ⅰ	20[m]
Ⅱ	30[m]
Ⅲ	45[m]
Ⅳ	60[m]

17 메시법 사용 시 Ⅰ등급 방식인 경우 메시 치수는 얼마인가?

① 2[m] × 2[m]

② 5[m] × 5[m]

③ 10[m] × 10[m]

④ 20[m] × 20[m]

해설

등 급	메시 치수[m]
Ⅰ	5 × 5
Ⅱ	10 × 10
Ⅲ	15 × 15
Ⅳ	20 × 20

1. 가공전선로 지지물 및 전선에 가해지는 풍압하중

(1) 갑종 풍압하중 : 고온계(봄, 여름, 가을)에 풍속 40[m/sec] 이상일 때의 하중

※ 표에 정한 구성재의 수직 투영면적 1[m^2]에 대한 풍압을 기초로 하여 계산한 것이다.

풍압을 받는 구분			구성재의 수직 투영면적 1[m^2]에 대한 풍압
지지물	목주, 철주, 철근 콘크리트주, 철탑의 원형		588[Pa]
	철 주	삼각형 또는 마름모형의 것	1,412[Pa]
		강관에 의하여 구성되는 4각형의 것	1,117[Pa]
		기타의 것	복재(腹材)가 전·후면에 겹치는 경우에는 1,627[Pa], 기타의 경우에는 1,784[Pa]
	철근 콘크리트주	원형 이외의 것	882[Pa]
	철 탑	단주 원형 이외의 것 (완철류는 제외함)	1,117[Pa]
		강관으로 구성되는 것	1,255[Pa]
전선, 기타 가섭선	다도체(구성하는 전선이 2가닥마다 수평으로 배열되고 또한 그 전선 상호 간의 거리가 전선의 바깥지름의 20배 이하인 것)		666[Pa]
	단도체		745[Pa]
특고압 애자장치			1,039[Pa]
목주·철주(원형의 것에 한한다) 및 철근 콘크리트주의 완금류(특고압 전선로용의 것에 한한다)			단일재 1,196[Pa]
			기타 1,627[Pa]

(2) 을종 풍압하중

전선 기타의 가섭선 주위에 두께 6[mm], 비중 0.9의 빙설이 부착된 상태에서 수직 투영면적 372[Pa](다도체를 구성하는 전선은 333[Pa]), 갑종 풍압하중의 2분의 1을 기초로 하여 계산한 것이다.

(3) 병종 풍압하중

빙설이 적은 지역으로 인가 밀집한 장소이며 35[kV] 이하의 가공전선로, 갑종 풍압하중의 2분의 1을 기초로 하여 계산한 것이다.

(4) 풍압하중의 적용

지 역		고온계절	저온계절
빙설이 많은 지방 이외의 지방		갑 종	병 종
빙설이 많은 지방	일반지역	갑 종	을 종
	해안지방, 기타 저온의 계절에 최대풍압이 생기는 지역	갑 종	갑종과 을종 중 큰 값 선정
인가가 많이 연접되어 있는 장소		병 종	병 종

01 가공전선로의 지지물이 원형 철근 콘크리트주인 경우 갑종 풍압하중은 몇 [Pa]를 기초로 하여 계산하는가?

[2017년 2회 산업기사]

① 294   ② 588

③ 627   ④ 1,078

해설   KEC 331.6(풍압하중의 종별과 적용)

갑종 : 고온계에서의 구성재의 수직 투영면적 1[m²]에 대한 풍압을 기초로 계산

풍압을 받는 구분			풍압하중
지지물	목주, 철주, 철근 콘크리트주	원 형	588[Pa]
	철 주	3각	1,412[Pa]
		4각	1,117[Pa]
	철 탑	단주(원형)	588[Pa]
		단주(기타)	1,117[Pa]
		강 관	1,255[Pa]
전선, 기타 가섭선	다도체		666[Pa]
	단도체		745[Pa]
특고압 애자장치			1,039[Pa]

02 가공전선로에 사용하는 지지물의 강도 계산 시 구성재의 수직 투영면적 1[m²]에 대한 풍압을 기초로 적용하는 갑종 풍압하중값의 기준이 잘못된 것은?

[2013년 1회 산업기사 / 2014년 3회 산업기사 / 2016년 3회 기사 / 2017년 3회 기사 / 2018년 3회 기사]

① 목주 : 588[Pa]

② 원형 철주 : 588[Pa]

③ 철근 콘크리트주 : 1,117[Pa]

④ 강관으로 구성된 철탑 : 1,255[Pa]

해설   1번 해설 참조

03 강관으로 구성된 철탑의 갑종 풍압하중은 수직 투영면적 1[m²]에 대한 풍압을 기초로 하여 계산한 값이 몇 [Pa]인가?(단, 단주는 제외한다) [2022년 2회 기사]

① 1,255 ② 1,412

③ 1,627 ④ 2,157

해설 KEC 331.6(풍압하중의 종별과 적용)

갑종 : 고온계에서의 구성재의 수직 투영면적 1[m²]에 대한 풍압을 기초로 계산

풍압을 받는 구분			풍압하중
지지물	목주, 철주, 철근 콘크리트주	원 형	588[Pa]
	철 주	3각	1,412[Pa]
		4각	1,117[Pa]
	철 탑	단주(원형)	588[Pa]
		단주(기타)	1,117[Pa]
		강 관	1,255[Pa]
전선, 기타 가섭선	다도체		666[Pa]
	단도체		745[Pa]
특고압 애자장치			1,039[Pa]

04 갑종 풍압하중을 계산할 때 강관에 의하여 구성된 철탑에서 구성재의 수직 투영면적 1[m²]에 대한 풍압하중은 몇 [Pa]를 기초로 하여 계산한 것인가?(단, 단주는 제외한다)

[2012년 2회 기사 / 2016년 2회 기사]

① 588 ② 1,117

③ 1,255 ④ 2,157

해설 3번 해설 참조

05 특고압 전선로에 사용되는 애자장치에 대한 갑종 풍압하중은 그 구성재의 수직 투영면적 1[m²]에 대한 풍압하중을 몇 [Pa]를 기초로 하여 계산한 것인가? [2013년 1회 기사 / 2019년 3회 산업기사]

① 592 ② 668

③ 946 ④ 1,039

해설 3번 해설 참조

정답 03 ① 04 ③ 05 ④

06 빙설의 정도에 따라 풍압하중을 적용하도록 규정하고 있는 내용 중 옳은 것은?(단, 빙설이 많은 지방 중 해안지방, 기타 저온계절에 최대풍압이 생기는 지방은 제외한다) [2019년 2회 기사]

① 빙설이 많은 지방에서는 고온계절에는 갑종 풍압하중, 저온계절에는 을종 풍압하중을 적용한다.

② 빙설이 많은 지방에서는 고온계절에는 을종 풍압하중, 저온계절에는 갑종 풍압하중을 적용한다.

③ 빙설이 적은 지방에서는 고온계절에는 갑종 풍압하중, 저온계절에는 을종 풍압하중을 적용한다.

④ 빙설이 적은 지방에서는 고온계절에는 을종 풍압하중, 저온계절에는 갑종 풍압하중을 적용한다.

해설 KEC 331.6(풍압하중의 종별과 적용)
- 갑종 : 고온계에서의 구성재의 수직 투영면적 1[m²]에 대한 풍압을 기초로 계산
- 을종 : 빙설이 많은 지역(비중 0.9의 빙설이 두께 6[mm] 얼어붙어 있을 경우), 갑종 풍압하중의 $\frac{1}{2}$을 기초

- 병종 : 빙설이 적은 지역(인가 밀집한 도시, 35[kV] 이하의 가공전선로), 갑종 풍압하중의 $\frac{1}{2}$을 기초

지 역		고온계절	저온계절
빙설이 많은 지방 이외의 지방		갑 종	병 종
빙설이 많은 지방	일반지역	갑 종	을 종
	해안지방, 기타 저온의 계절에 최대풍압이 생기는 지역	갑 종	갑종과 을종 중 큰 값 선정
인가가 많이 연접되어 있는 장소		병 종	병 종

07 가공전선로의 지지물의 강도계산에 적용하는 풍압하중은 빙설이 많은 지방 이외의 지방에서 저온계절에는 어떤 풍압하중을 적용하는가?(단, 인가가 연접되어 있지 않다고 한다)

[2020년 1, 2회 기사]

① 갑종 풍압하중
② 을종 풍압하중
③ 병종 풍압하중
④ 을종과 병종 풍압하중을 혼용

해설 6번 해설 참조

08 인가가 많이 연접되어 있는 장소에 시설하는 가공전선로의 구성재에 병종 풍압하중을 적용할 수 없는 경우는?

[2018년 3회 산업기사]

① 저압 또는 고압 가공전선로의 지지물
② 저압 또는 고압 가공전선로의 가섭선
③ 사용전압이 35[kV] 이상의 전선에 특고압 가공전선로에 사용하는 케이블 및 지지물
④ 사용전압이 35[kV] 이하의 전선에 특고압 절연전선을 사용하는 특고압 가공전선로의 지지물

해설 KEC 331.6(풍압하중의 종별과 적용)
- 갑종 : 고온계에서의 구성재의 수직 투영면적 1[m²]에 대한 풍압을 기초로 계산
- 을종 : 빙설이 많은 지역(비중 0.9의 빙설이 두께 6[mm] 얼어붙어 있을 경우), 갑종 풍압하중의 $\frac{1}{2}$을 기초
- 병종 : 빙설이 적은 지역(인가 밀집한 도시, 35[kV] 이하의 가공전선로), 갑종 풍압하중의 $\frac{1}{2}$을 기초

지 역		고온계절	저온계절
빙설이 많은 지방 이외의 지방		갑 종	병 종
빙설이 많은 지방	일반지역	갑 종	을 종
	해안지방, 기타 저온의 계절에 최대풍압이 생기는 지역	갑 종	갑종과 을종 중 큰 값 선정
인가가 많이 연접되어 있는 장소		병 종	병 종

09 가공전선로에 사용하는 지지물의 강도 계산에 적용하는 병종 풍압하중은 갑종 풍압하중의 몇 [%]를 기초로 하여 계산한 것인가?

[2015년 1회 산업기사]

① 30
② 50
③ 80
④ 110

해설 KEC 331.6(풍압하중의 종별과 적용)
- 갑종 : 고온계에서의 구성재의 수직 투영면적 1[m²]에 대한 풍압을 기초로 계산
- 병종 : 갑종 풍압하중의 $\frac{1}{2}$ 기초

정답 08 ③ 09 ②

2. 지지물의 종류와 안전율, 매설깊이

(1) 지지물의 기초 안전율 : 2 이상(이상 시 철탑에 대한 안전율 : 1.33 이상)

① 목주 : 풍압하중에 대한 안전율(저압 : 1.2, 고압 : 1.3, 특고압 : 1.5)
② 철주 : A종과 B종으로 구분
③ 철근 콘크리트주 : A종과 B종으로 구분
④ 철탑 : 지선이 필요없음

(2) 철근 콘크리트주 매설깊이

설계하중	전주길이		매설깊이
6.8[kN] 이하	15[m] 이하		l＝전장×1/6[m] 이상
	15[m] 초과 16[m] 이하		2.5[m]
	16[m] 초과 20[m] 이하		2.8[m]
6.8[kN] 초과 9.8[kN] 이하	14[m] 이상 20[m] 이하	15[m] 이하	l＋30[cm]
		15[m] 초과	2.8[m]
9.81[kN] 초과 14.72[kN] 이하	14[m] 이상 20[m] 이하	15[m] 이하	l＋0.5[m]
		15[m] 초과 18[m] 이하	3[m] 이상
		18[m] 초과	3.2[m] 이상

(3) 특고압 가공전선로용 지지물(B종 및 철탑)

① 직선형 : 전선로의 직선 부분(3° 이하인 수평각도를 이루는 곳을 포함)
② 각도형 : 전선로 중 3°를 초과하는 수평각도를 이루는 곳
③ 인류형 : 전가섭선을 인류(맨 끝)하는 곳에 사용하는 것
④ 내장형 : 전선로의 지지물 양쪽의 경간의 차가 큰 곳에 사용하는 것
⑤ 보강형 : 전선로의 직선 부분에 그 보강을 위하여 사용하는 것
　※ 직선주는 목주, A종 철근 콘크리트주 5° 이하, B종 철근 콘크리트주 철탑은 3° 이하,
　　이를 넘는 경우는 각도형을 사용

(4) 가공전선로 지지물의 철탑오름 및 전주오름 방지

가공전선로의 지지물에 취급자가 오르고 내리는 데 사용하는 발판 볼트 등을 지표상 1.8[m] 미만에 시설하여서는 아니 된다. 다만, 다음의 어느 하나에 해당되는 경우에는 그러하지 아니하다.

① 발판 볼트 등을 내부에 넣을 수 있는 구조로 되어 있는 지지물에 시설하는 경우
② 지지물에 철탑오름 및 전주오름 방지장치를 시설하는 경우
③ 지지물 주위에 취급자 이외의 사람이 출입할 수 없도록 울타리·담 등의 시설을 하는 경우
④ 지지물이 산간(山間) 등에 있으며 사람이 쉽게 접근할 우려가 없는 곳에 시설하는 경우

핵 / 심 / 예 / 제

01 가공전선로의 지지물에 하중이 가해지는 경우에 그 하중을 받는 지지물의 기초 안전율은 몇 이상이어야 하는가? [2012년 3회 기사 / 2014년 2회 기사 / 2015년 1회 기사, 산업기사]

① 0.5 　　　　② 1 　　　　③ 1.5 　　　　④ 2

해설 　KEC 331.7(가공전선로 지지물의 기초의 안전율)
- 지지물의 기초 안전율 2 이상
- 상정하중에 대한 철탑의 기초 안전율 1.33 이상

02 가공전선로 지지물 기초의 안전율은 일반적으로 얼마 이상인가? [2017년 3회 기사]

① 1.5 　　　　② 2 　　　　③ 2.2 　　　　④ 2.5

해설 　1번 해설 참조

03 가공전선로의 지지물에 하중이 가하여지는 경우에 그 하중을 받는 지지물의 기초 안전율은 특별한 경우를 제외하고 최소 얼마 이상인가? [2019년 3회 기사 / 2020년 4회 기사]

① 1.5 　　　　② 2 　　　　③ 2.5 　　　　④ 3

해설 　1번 해설 참조

04 철탑의 강도계산에 사용하는 이상 시 상정하중이 가하여지는 경우의 그 이상 시 상정하중에 대한 철탑의 기초에 대한 안전율은 얼마 이상이어야 하는가? [2013년 2회 기사 / 2016년 3회 기사]

① 1.2　　　　　② 1.33　　　　　③ 1.5　　　　　④ 2.5

해설　KEC 331.7(가공전선로 지지물의 기초의 안전율)
　　　• 지지물의 기초 안전율 2 이상
　　　• 상정하중에 대한 철탑의 기초 안전율 1.33 이상

05 철탑의 강도계산을 할 때 이상 시 상정하중이 가하여지는 경우 철탑의 기초에 대한 안전율은 얼마 이상이어야 하는가? [2018년 2회 기사]

① 1.33　　　　　② 1.83　　　　　③ 2.25　　　　　④ 2.75

해설　4번 해설 참조

06 저압 가공전선로의 지지물이 목주인 경우 풍압하중의 몇 배의 하중에 견디는 강도를 가지는 것이어야 하는가? [2022년 1회 기사]

① 1.2　　　　　② 1.5　　　　　③ 2　　　　　④ 3

해설　KEC 222.8/332.7(저·고압 가공전선로의 지지물의 강도), 333.10(특고압 가공전선로의 목주 시설)
　　　목주 : 풍압하중에 대한 안전율(저압 : 1.2, 고압 : 1.3, 특고압 : 1.5)

07 고압 가공전선로의 지지물로서 사용하는 목주의 풍압하중에 대한 안전율은 얼마 이상이어야 하는가?

[2018년 3회 기사]

① 1.2   ② 1.3   ③ 2.2   ④ 2.5

> **해설** KEC 222.8/332.7(저·고압 가공전선로의 지지물의 강도), 333.10(특고압 가공전선로의 목주 시설)
> 목주 : 풍압하중에 대한 안전율(저압 : 1.2, 고압 : 1.3, 특고압 : 1.5)

08 특고압 가공전선로의 지지물로 사용하는 목주의 풍압하중에 대한 안전율은 얼마 이상이어야 하는가?

[2016년 3회 산업기사]

① 1.2   ② 1.5   ③ 2.0   ④ 2.5

> **해설** KEC 222.8/332.7(저·고압 가공전선로의 지지물의 강도), 333.10(특고압 가공전선로의 목주 시설)
> • 목주 : 풍압하중에 대한 안전율(저압 : 1.2, 고압 : 1.3, 특고압 : 1.5)
> • 철주 : A종과 B종으로 구분
> • 철근 콘크리트주 : A종과 B종으로 구분
> • 철탑 : 지선이 필요 없음

09 철탑의 강도 계산에 사용하는 이상 시 상정하중의 종류가 아닌 것은?

[2012년 2회 기사 / 2016년 2회 산업기사 / 2019년 2회 산업기사]

① 수직하중   ② 좌굴하중   ③ 수평 횡하중   ④ 수평 종하중

> **해설** KEC 333.14(이상 시 상정하중)
> • 수직하중 : 가섭선·애자장치·지지물 부재(철근 콘크리트주에 대하여는 완금류를 포함한다) 등의 중량에 의한 하중
> • 수평 횡하중 : 전선로에 수평각도가 있는 경우의 가섭선의 상정 최대장력에 의하여 생기는 수평 횡분력에 의한 하중 및 가섭선의 절단에 의하여 생기는 비틀림 힘에 의한 하중
> • 수평 종하중 : 가섭선의 절단에 의하여 생기는 불평균 장력의 수평 종분력에 의한 하중 및 비틀림 힘에 의한 하중

10 철탑의 강도계산에 사용하는 이상 시 상정하중을 계산하는 데 사용되는 것은?

[2019년 1회 기사]

① 미진에 의한 요동과 철구조물의 인장하중
② 뇌가 철탑에 가하여졌을 경우의 충격하중
③ 이상전압이 전선로에 내습하였을 때 생기는 충격하중
④ 풍압이 전선로에 직각방향으로 가하여지는 경우의 하중

> 해설 **KEC 333.14(이상 시 상정하중)**
> 이상 시 상정하중은 풍압하중을 말하며 풍압하중은 풍압이 전선로에 직각방향으로 가하여지는 경우의 하중이다.

11 특고압 가공전선로의 지지물로 사용하는 B종 철주에서 각도형은 전선로 중 몇 도를 넘는 수평각도를 이루는 곳에 사용되는가?

[2019년 2회 기사]

① 1   ② 2
③ 3   ④ 5

> 해설 **KEC 333.11(특고압 가공전선로의 철주·철근 콘크리트주 또는 철탑의 종류)**
> • 직선형 : 전선로의 직선 부분(3° 이하인 수평각도를 이루는 곳을 포함)
> • 각도형 : 전선로 중 3°를 초과하는 수평각도를 이루는 곳
> • 인류형 : 전가섭선을 인류(맨 끝)하는 곳에 사용하는 것
> • 내장형 : 전선로의 지지물 양쪽의 경간의 차가 큰 곳에 사용하는 것
> • 보강형 : 전선로의 직선 부분에 그 보강을 위하여 사용하는 것

12 특고압 가공전선로의 지지물로 사용하는 B종 철주, B종 철근 콘크리트주 또는 철탑의 종류에서 전선로 지지물의 양쪽 경간의 차가 큰 곳에 사용하는 것은? [2014년 1회 기사 / 2021년 2회 기사]

① 각도형   ② 인류형
③ 내장형   ④ 보강형

> 해설 11번 해설 참조

정답 10 ④ 11 ③ 12 ③

13 특고압 가공전선로에 사용하는 철탑 중에서 전선로의 지지물 양쪽의 경간의 차가 큰 곳에 사용하는 철탑의 종류는? [2014년 2회 기사 / 2014년 3회 산업기사 / 2018년 2회 산업기사]

① 각도형   ② 인류형
③ 보강형   ④ 내장형

> **해설** KEC 333.11(특고압 가공전선로의 철주·철근 콘크리트주 또는 철탑의 종류)
> • 직선형 : 전선로의 직선 부분(3° 이하인 수평각도를 이루는 곳을 포함)
> • 각도형 : 전선로 중 3°를 초과하는 수평각도를 이루는 곳
> • 인류형 : 전가섭선을 인류(맨 끝)하는 곳에 사용하는 것
> • 내장형 : 전선로의 지지물 양쪽의 경간의 차가 큰 곳에 사용하는 것
> • 보강형 : 전선로의 직선 부분에 그 보강을 위하여 사용하는 것

14 특고압 가공전선로의 지지물 양쪽의 경간의 차가 큰 곳에 사용되는 철탑은? [2012년 3회 기사 / 2015년 2회 산업기사 / 2016년 2회 산업기사 / 2019년 2회 산업기사]

① 내장형 철탑   ② 인류형 철탑
③ 각도형 철탑   ④ 보강형 철탑

> **해설** 13번 해설 참조

15 특고압 가공전선로의 지지물 중 전선로의 지지물 양쪽의 경간의 차가 큰 곳에 사용하는 철탑은? [2017년 2회 산업기사]

① 내장형 철탑   ② 인류형 철탑
③ 보강형 철탑   ④ 각도형 철탑

> **해설** 13번 해설 참조

16 특고압 가공전선로의 지지물 양측의 경간의 차가 큰 곳에 사용하는 철탑의 종류는?

[2022년 1회 기사]

① 내장형　　　　　　　　　② 보강형
③ 직선형　　　　　　　　　④ 인류형

해설　KEC 333.11(특고압 가공전선로의 철주·철근 콘크리트주 또는 철탑의 종류)
　　• 직선형 : 전선로의 직선 부분(3° 이하인 수평각도를 이루는 곳을 포함)
　　• 각도형 : 전선로 중 3°를 초과하는 수평각도를 이루는 곳
　　• 인류형 : 전가섭선을 인류(맨 끝)하는 곳에 사용하는 것
　　• 내장형 : 전선로의 지지물 양쪽의 경간의 차가 큰 곳에 사용하는 것
　　• 보강형 : 전선로의 직선 부분에 그 보강을 위하여 사용하는 것

17 전가섭선에 관하여 각 가섭선의 상정 최대장력의 33[%]와 같은 불평균 장력의 수평 종분력에 의한 하중을 더 고려하여야 할 철탑의 유형은?

[2018년 1회 산업기사]

① 직선형　　　　　　　　　② 각도형
③ 내장형　　　　　　　　　④ 인류형

해설　KEC 333.13(상시 상정하중)
　　인류형, 내장형, 보강형의 철탑은 가섭선의 불평균 장력에 의한 수평 종하중을 가산하는 것이며,
　　인류형은 상정 최대장력과 같은 불평균 장력의 수평 종분력에 의한 하중, 내장형·보강형은 33[%]

18 가공전선로의 지지물로서 길이 9[m], 설계하중이 6.8[kN] 이하인 철근 콘크리트주를 시설할 때 땅에 묻히는 깊이는 몇 [m] 이상으로 하여야 하는가? [2015년 3회 산업기사]

① 1.2   ② 1.5   ③ 2   ④ 2.5

해설 KEC 331.7(가공전선로 지지물의 기초의 안전율) – 철근 콘크리트주 매설깊이

설계하중	전주길이		매설깊이
6.8[kN] 이하	15[m] 이하		$l=$전장$\times 1/6$[m] 이상
	15[m] 초과 16[m] 이하		2.5[m]
	16[m] 초과 20[m] 이하		2.8[m]
6.8[kN] 초과 9.8[kN] 이하	14[m] 이상 20[m] 이하	15[m] 이하	$l+30$[cm]
		15[m] 초과	2.8[m]
9.81[kN] 초과 14.72[kN] 이하	14[m] 이상 20[m] 이하	15[m] 이하	$l+0.5$[m]
		15[m] 초과 18[m] 이하	3[m] 이상
		18[m] 초과	3.2[m] 이상

19 전체의 길이가 16[m]이고 설계하중이 6.8[kN] 초과 9.8[kN] 이하인 철근 콘크리트주를 논, 기타 지반이 연약한 곳 이외의 곳에 시설할 때, 묻히는 깊이를 2.5[m] 보다 몇 [cm] 가산하여 시설하는 경우에는 기초의 안전율에 대한 고려 없이 시설하여도 되는가? [2015년 2회 기사 / 2019년 2회 산업기사]

① 10   ② 20   ③ 30   ④ 40

해설 18번 해설 참조

20 철근 콘크리트주로서 전장이 15[m]이고, 설계하중이 8.2[kN]이다. 이 지지물을 논이나 기타 지반이 연약한 곳 이외에 기초 안전율의 고려 없이 시설하는 경우에 그 묻히는 깊이는 기준보다 몇 [cm]를 가산하여 시설하여야 하는가? [2018년 1회 산업기사]

① 10 ② 30 ③ 50 ④ 70

해설 KEC 331.7(가공전선로 지지물의 기초의 안전율) - 철근 콘크리트주 매설깊이

설계하중	전주길이		매설깊이
6.8[kN] 이하	15[m] 이하		$l =$ 전장 $\times$ 1/6[m] 이상
	15[m] 초과 16[m] 이하		2.5[m]
	16[m] 초과 20[m] 이하		2.8[m]
6.8[kN] 초과 9.8[kN] 이하	14[m] 이상 20[m] 이하	15[m] 이하	$l +$ 30[cm]
		15[m] 초과	2.8[m]
9.81[kN] 초과 14.72[kN] 이하	14[m] 이상 20[m] 이하	15[m] 이하	$l +$ 0.5[m]
		15[m] 초과 18[m] 이하	3[m] 이상
		18[m] 초과	3.2[m] 이상

21 설계하중이 6.8[kN]인 철근 콘크리트주의 길이가 17[m]라 한다. 이 지지물을 지반이 연약한 곳 이외의 곳에서 안전율을 고려하지 않고 시설하려고 하면 땅에 묻히는 깊이는 몇 [m] 이상으로 하여야 하는가? [2016년 2회 기사]

① 2.0 ② 2.3 ③ 2.5 ④ 2.8

해설 20번 해설 참조

22 전체의 길이가 18[m]이고, 설계하중이 6.8[kN]인 철근 콘크리트주를 지반이 튼튼한 곳에 시설하려고 한다. 기초 안전율을 고려하지 않기 위해서는 묻히는 깊이를 몇 [m] 이상으로 시설하여야 하는가? [2017년 3회 산업기사]

① 2.5 ② 2.8 ③ 3 ④ 3.2

해설 20번 해설 참조

정답 20 ② 21 ④ 22 ②

3. 지선의 시방세목

(1) **지선은 지지물의 강도를 보강하고, 전선로의 안전성을 증가시키며, 불평형 장력을 줄이기 위해 시설한다.**

① 가공전선로 지지물로 사용하는 철탑은 지선을 사용하여 그 강도를 분담시켜서는 아니된다.

② 가공전선로의 지지물로 사용하는 철주 또는 철근 콘크리트주는 지선을 사용하지 아니하는 상태에서 2분의 1 이상의 풍압하중에 견디는 강도를 가지는 경우 이외에는 지선을 사용하여 그 강도를 분담시켜서는 아니 된다.

③ 가공전선로의 지지물에 시설하는 지선은 다음에 따라야 한다.

　㉠ 지선의 안전율은 2.5 이상일 것. 이 경우에 허용 인장하중의 최저는 4.31[kN]으로 한다.

　㉡ 지선에 연선을 사용할 경우에는 다음에 의할 것

　　• 지름 2.6[mm] 이상인 소선 3가닥 이상의 연선을 사용한 것이어야 한다. 다만, 소선의 지름이 2[mm] 이상인 아연도강연선으로서 소선의 인장강도가 0.68[kN/mm^2] 이상인 것을 사용하는 경우에는 그러하지 아니하다.

　　• 지중 부분 및 지표상 0.3[m]까지의 부분에는 내식성이 있는 것 또는 아연도금을 한 철봉을 사용해야 한다.

　㉢ 지선근가는 지선의 인장하중에 충분히 견디도록 시설해야 한다.

④ 도로를 횡단하여 시설하는 지선의 높이는 지표상 5[m] 이상으로 하여야 한다. 다만, 기술상 부득이한 경우로서 교통에 지장을 초래할 우려가 없는 경우에는 지표상 4.5[m] 이상, 보도의 경우에는 2.5[m] 이상으로 할 수 있다.

(2) **시설목적**

① 지지물의 강도 보강
② 전선로의 안전성 증가
③ 불평형 장력이 큰 개소에 시설
④ 가공전선로가 건물과 접근하는 경우에 접근하는 측의 반대편에 보안을 위해 시설

(3) 고압·특고압 가공전선로의 지지물에 지선 시설

① 목주, A종 철주, A종 콘크리트주(5° 이하, 직선형)

ⓐ 5기 이하마다, 직각 방향 양쪽 시설

ⓑ 15기 이하마다, 전선로 방향으로 양쪽 지선 시설

② B종 철주, B종 콘크리트주(3° 이하, 직선형)

ⓐ 10기 이하마다 장력에 견디는 형태 1기(수평각도 5° 넘는 것)

ⓑ 5기 이하마다 보강형 1기

③ 철탑 : 직선부분에 10기 이하마다 내장애자장치를 갖는 철탑 1기 시설

01 가공전선로의 지지물 중 지선을 사용하여 그 강도를 분담시켜서는 안 되는 것은?

[2014년 1회 기사 / 2018년 2회 산업기사]

① 철 탑　　　　② 목 주　　　　③ 철 주　　　　④ 철근 콘크리트주

해설 KEC 222.2/331.11(지선의 시설)
- 가공전선로의 지지물로 사용하는 철탑은 지선을 사용하여 그 강도를 분담시켜서는 아니 된다.
- 지선의 설치 목적은 지지물의 강도를 보강, 전선로의 안전성을 증가, 불평형 장력의 감소에 있다.

02 지선을 사용하여 그 강도를 분담시켜서는 아니 되는 가공전선로 지지물은?

[2017년 2회 산업기사 / 2017년 3회 산업기사]

① 목 주　　　　② 철 주　　　　③ 철 탑　　　　④ 철근 콘크리트주

해설 1번 해설 참조

03 가공전선로의 지지물로 볼 수 없는 것은?　　　　[2015년 3회 기사 / 2021년 3회 기사]

① 철 주　　　　② 지 선　　　　③ 철 탑　　　　④ 철근 콘크리트주

해설 기술기준 제3조(정의)
지지물 : 목주, 철주, 철근 콘크리트주, 철탑

04 가공전선로의 지지물에 시설하는 지선에 관한 사항으로 옳은 것은? [2017년 2회 기사]

① 소선은 지름 2.0[mm] 이상인 금속선을 사용한다.

② 도로를 횡단하여 시설하는 지선의 높이는 지표상 6.0[m] 이상이다.

③ 지선의 안전율은 1.2 이상이고 허용인장하중의 최저는 4.31[kN]으로 한다.

④ 지선에 연선을 사용할 경우에는 소선은 3가닥 이상의 연선을 사용한다.

해설 KEC 222.2/331.11(지선의 시설)

안전율	2.5 이상(목주나 A종 : 1.5 이상)
구 조	4.31[kN] 이상, 3가닥 이상의 연선
금속선	2.6[mm] 이상(아연도강연선 2.0[mm] 이상)
아연도금철봉	지중 및 지표상 0.3[m]까지
도로횡단	5[m] 이상(교통 지장 없는 장소 : 4.5[m])
기 타	철탑은 지선으로 그 강도를 분담시키지 않을 것

05 가공전선로의 지지물에 시설하는 지선의 시방세목을 설명한 것 중 옳은 것은?

[2016년 3회 기사]

① 안전율은 1.2 이상일 것

② 허용인장하중의 최저는 5.26[kN]으로 할 것

③ 소선은 지름 1.6[mm] 이상인 금속선을 사용할 것

④ 지선에 연선을 사용할 경우 소선 3가닥 이상의 연선일 것

해설 4번 해설 참조

정답 04 ④ 05 ④

06 가공전선로의 지지물에 시설하는 지선의 시설 기준으로 옳은 것은? [2019년 2회 기사]

① 지선의 안전율은 2.2 이상이어야 한다.

② 연선을 사용할 경우에는 소선(素線) 3가닥 이상이어야 한다.

③ 도로를 횡단하여 시설하는 지선의 높이는 지표상 4[m] 이상으로 하여야 한다.

④ 지중 부분 및 지표상 20[cm]까지의 부분에는 내식성이 있는 것 또는 아연도금을 한다.

해설 KEC 222.2/331.11(지선의 시설)

안전율	2.5 이상(목주나 A종 : 1.5 이상)
구 조	4.31[kN] 이상, 3가닥 이상의 연선
금속선	2.6[mm] 이상(아연도강연선 2.0[mm] 이상)
아연도금철봉	지중 및 지표상 0.3[m]까지
도로횡단	5[m] 이상(교통 지장 없는 장소 : 4.5[m])
기 타	철탑은 지선으로 그 강도를 분담시키지 않을 것

07 가공전선로의 지지물에 사용하는 지선의 시설기준과 관련된 내용으로 틀린 것은?

[2020년 3회 산업기사]

① 지선에 연선을 사용하는 경우 소선(素線) 3가닥 이상의 연선일 것

② 지선의 안전율은 2.5 이상, 허용 인장하중의 최저는 3.31[kN]으로 할 것

③ 지선에 연선을 사용하는 경우 소선의 지름이 2.6[mm] 이상의 금속선을 사용한 것일 것

④ 가공전선로의 지지물로 사용하는 철탑은 지선을 사용하여 그 강도를 분담시키지 않을 것

해설 6번 해설 참조

08 가공전선로의 지지물에 시설하는 지선의 시설기준으로 옳은 것은? [2017년 3회 기사]

① 지선의 안전율은 1.2 이상일 것

② 소선은 최소 5가닥 이상의 연선일 것

③ 도로를 횡단하여 시설하는 지선의 높이는 일반적으로 지표상 5[m] 이상으로 할 것

④ 지중 부분 및 지표상 60[cm]까지의 부분은 아연도금을 한 철봉 등 부식하기 어려운 재료를 사용할 것

해설 6번 해설 참조

09 가공전선로의 지지물에 시설하는 지선의 시설기준으로 틀린 것은?　　　　[2020년 3회 기사]

① 지선의 안전율을 2.5 이상으로 할 것
② 소선은 최소 5가닥 이상의 강심알루미늄연선을 사용할 것
③ 도로를 횡단하여 시설하는 지선의 높이는 지표상 5[m] 이상으로 할 것
④ 지중 부분 및 지표상 30[cm]까지의 부분에는 내식성이 있는 것을 사용할 것

해설　KEC 222.2/331.11(지선의 시설)

안전율	2.5 이상(목주나 A종 : 1.5 이상)
구 조	4.31[kN] 이상, 3가닥 이상의 연선
금속선	2.6[mm] 이상(아연도강연선 2.0[mm] 이상)
아연도금철봉	지중 및 지표상 0.3[m]까지
도로횡단	5[m] 이상(교통 지장 없는 장소 : 4.5[m])
기 타	철탑은 지선으로 그 강도를 분담시키지 않을 것

10 가공전선로의 지지물에 지선을 시설하려고 한다. 이 지선의 기준으로 옳은 것은?

[2012년 3회 기사 / 2019년 1회 산업기사]

① 소선지름 : 2.0[mm], 안전율 : 2.5, 허용인장하중 : 2.11[kN]
② 소선지름 : 2.6[mm], 안전율 : 2.5, 허용인장하중 : 4.31[kN]
③ 소선지름 : 1.6[mm], 안전율 : 2.0, 허용인장하중 : 4.31[kN]
④ 소선지름 : 2.6[mm], 안전율 : 1.5, 허용인장하중 : 3.21[kN]

해설　9번 해설 참조

11 가공전선로의 지지물에 시설하는 지선의 안전율과 허용 인장하중의 최저값은?

[2019년 3회 산업기사]

① 안전율은 2.0 이상, 허용 인장하중 최저값은 4[kN]
② 안전율은 2.5 이상, 허용 인장하중 최저값은 4[kN]
③ 안전율은 2.0 이상, 허용 인장하중 최저값은 4.4[kN]
④ 안전율은 2.5 이상, 허용 인장하중 최저값은 4.31[kN]

해설　9번 해설 참조

12 가공전선로의 지지물에 지선을 시설하려는 경우 이 지선의 최저 기준으로 옳은 것은?

 [2020년 1, 2회 산업기사]

① 허용인장하중 : 2.11[kN], 소선지름 : 2.0[mm], 안전율 : 3.0
② 허용인장하중 : 3.21[kN], 소선지름 : 2.6[mm], 안전율 : 1.5
③ 허용인장하중 : 4.31[kN], 소선지름 : 1.6[mm], 안전율 : 2.0
④ 허용인장하중 : 4.31[kN], 소선지름 : 2.6[mm], 안전율 : 2.5

해설 KEC 222.2/331.11(지선의 시설)

안전율	2.5 이상(목주나 A종 : 1.5 이상)
구 조	4.31[kN] 이상, 3가닥 이상의 연선
금속선	2.6[mm] 이상(아연도강연선 2.0[mm] 이상)
아연도금철봉	지중 및 지표상 0.3[m]까지
도로횡단	5[m] 이상(교통 지장 없는 장소 : 4.5[m])
기 타	철탑은 지선으로 그 강도를 분담시키지 않을 것

13 가공전선로의 지지물에 시설하는 지선으로 연선을 사용할 경우 소선은 최소 몇 가닥 이상이어야 하는가?

[2015년 1회 기사 / 2015년 3회 기사 / 2017년 1회 기사 / 2020년 1, 2회 기사]

① 3   ② 5
③ 7   ④ 9

해설 12번 해설 참조

14 가공전선로의 지지물에 시설하는 지선으로 연선을 사용할 경우, 소선(素線)은 몇 가닥 이상이어야 하는가?

[2021년 1회 기사]

① 2   ② 3
③ 5   ④ 9

해설 12번 해설 참조

12 ④   13 ①   14 ②   **정답**

15 가공전선로의 지지물에 취급자가 오르고 내리는 데 사용하는 발판 볼트 등은 지표상 몇 [m] 미만에 시설하여서는 아니 되는가?

[2016년 2회 산업기사 / 2017년 1회 기사, 산업기사 / 2018년 1회 기사 / 2018년 3회 산업기사 / 2019년 2회 기사]

① 1.2   ② 1.8
③ 2.2   ④ 2.5

해설 KEC 331.4(가공전선로 지지물의 철탑오름 및 전주오름 방지)

가공전선로 지지물에 취급자가 오르고 내리는 데 사용하는 발판 볼트 등 : 지지물의 발판 볼트는 특별한 경우를 제외하고 지표상 1.8[m] 미만에 시설하여서는 아니 된다.

16 가공전선로의 지지물에는 취급자가 오르고 내리는 데 사용하는 발판볼트 등은 특별한 경우를 제외하고 지표상 몇 [m] 미만에는 시설하지 않아야 하는가?   [2020년 1, 2회 산업기사]

① 1.5   ② 1.8
③ 2.0   ④ 2.2

해설 15번 해설 참조

17 직선형의 철탑을 사용한 특고압 가공전선로가 연속하여 10기 이상 사용하는 부분에는 몇 기 이하마다 내장 애자장치가 되어 있는 철탑 1기를 시설하여야 하는가?   [2017년 1회 기사]

① 5   ② 10
③ 15   ④ 20

해설 KEC 333.16(특고압 가공전선로의 내장형 등의 지지물 시설)

특고압 가공전선로 중 지지물로 직선형의 철탑을 연속하여 10기 이상 사용하는 부분에는 10기 이하마다 장력에 견디는 애자장치가 되어 있는 철탑 또는 이와 동등 이상의 강도를 가지는 철탑 1기를 시설하여야 한다.

18 특고압 가공전선로 중 지지물로서 직선형의 철탑을 연속하여 10기 이상 사용하는 부분에는 몇
기 이하마다 내장 애자장치가 되어 있는 철탑 또는 이와 동등 이상의 강도를 가지는 철탑 1기를
시설하여야 하는가?

[2020년 3회 기사]

① 3 ② 5 ③ 7 ④ 10

해설 KEC 333.16(특고압 가공전선로의 내장형 등의 지지물 시설)
특고압 가공전선로 중 지지물로 직선형의 철탑을 연속하여 10기 이상 사용하는 부분에는 10기 이하
마다 장력에 견디는 애자장치가 되어 있는 철탑 또는 이와 동등 이상의 강도를 가지는 철탑 1기를
시설하여야 한다.

4. 가공전선의 굵기 · 안전율 · 높이

(1) 전선 굵기

구 분	전선 굵기	보안공사
저압 400[V] 이하	3.2[mm] 경동선(2.6[mm] 절연전선)	4.0[mm]
400[V] 초과 저압 또는 고압	시가지 5.0[mm] 경동선 시가지 외 4.0[mm] 경동선	5.0[mm]
특고압 가공전선	22[mm²] 경동연선 이상 시가지 내 : 100[kV] 미만 − 55[mm²] 100[kV] 이상 − 150[mm²]	

※ 동복강선 : 3.5[mm]

(2) 안전율

① 경동선 및 내열 동합금선 : 2.2 이상
② ACSR(기타) : 2.5 이상

(3) 저압 · 고압 · 특고압 가공전선의 높이

장 소	저 압	고 압	특고압[kV]		
			35[kV] 이하	~160[kV] 이하	160[kV] 초과
횡단보도교	3.5[m] (절연전선인 경우 3[m])	3.5[m]	절연 또는 케이블 4[m]	케이블 5[m]	불 가
일 반	5(교통지장 없음 4)[m]	5[m]	5[m]	6[m]	6[m] + 단수×0.12
도로 횡단	6[m]			−	불 가
철도 횡단	6.5[m]				6.5[m] + 단수×0.12
산 지	−	−	5[m]		5[m] + 단수×0.12

※ 일반(도로 방향 포함), (케이블), 단수＝160[kV] 초과/10[kV](반드시 절상 후 계산)

(4) 시가지에서 특고압 가공전선로 높이(지지물에 위험을 표시하고, 목주 사용불가)

① 35[kV] 이하 : 10[m](절연전선 : 8[m])
② 35[kV] 초과 : 10+(1단수×0.12[m])
　　　　　　　　 8+(1단수×0.12[m])

핵 / 심 / 예 / 제

01 고압 가공전선이 경동선 또는 내열 동합금선인 경우 안전율의 최솟값은? [2019년 2회 산업기사]

① 2.0   ② 2.2   ③ 2.5   ④ 4.0

해설   KEC 222.6/332.4(저·고압 가공전선의 안전율) – 고압 가공전선의 안전율
- 경동선, 내열 동합금선 : 2.2 이상
- 기타 전선 : 2.5 이상

02 고압 가공전선으로 경동선을 사용하는 경우 안전율은 얼마 이상이 되는 이도(弛度)로 시설하여야 하는가?

[2017년 3회 기사 / 2018년 1회 기사 / 2022년 1회 기사]

① 2.0   ② 2.2   ③ 2.5   ④ 4.0

해설   1번 해설 참조

03 ACSR 전선을 사용전압 직류 1,500[V]의 가공급전선으로 사용할 경우 안전율은 얼마 이상이 되는 이도로 시설하여야 하는가? [2016년 2회 기사]

① 2.0   ② 2.1   ③ 2.2   ④ 2.5

해설   1번 해설 참조

04 ACSR을 사용한 고압 가공전선의 이도계산에 적용되는 안전율은?

[2013년 2회 산업기사 / 2013년 3회 산업기사 / 2016년 2회 기사 / 2016년 3회 산업기사]

① 2.0   ② 2.2   ③ 2.5   ④ 3.0

해설   KEC 222.6/332.4(저·고압 가공전선의 안전율) – 고압 가공전선의 안전율
• 경동선, 내열 동합금선 : 2.2 이상
• 기타 전선 : 2.5 이상

05 고압 가공전선으로 ACSR(강심알루미늄연선)을 사용할 때의 안전율은 얼마 이상이 되는 이도(弛度)로 시설하여야 하는가?

[2020년 3회 산업기사]

① 1.38   ② 2.1   ③ 2.5   ④ 4.01

해설   4번 해설 참조

06 사용전압이 220[V]인 가공전선을 절연전선으로 사용하는 경우 그 최소 굵기는 지름 몇 [mm]인가?

[2015년 3회 산업기사]

① 2   ② 2.6   ③ 3.2   ④ 4

해설   KEC 222.5(저압 가공전선의 굵기 및 종류), 333.4(특고압 가공전선의 굵기 및 종류)

전 압		조 건	인장강도	경동선의 굵기
저 압	400[V] 이하	절연전선	2.3[kN] 이상	2.6[mm] 이상
		나전선	3.43[kN] 이상	3.2[mm] 이상
	400[V] 초과	시가지	8.01[kN] 이상	5.0[mm] 이상
		시가지 외	5.26[kN] 이상	4.0[mm] 이상
특고압		일 반	8.71[kN] 이상	22[mm^2] 이상

07 사용전압이 400[V] 이하인 저압 가공전선은 케이블인 경우를 제외하고는 지름이 몇 [mm] 이상이어야 하는가?(단, 절연전선은 제외한다) [2020년 3회 기사]

① 3.2 ② 3.6 ③ 4.0 ④ 5.0

해설 KEC 222.5(저압 가공전선의 굵기 및 종류), 333.4(특고압 가공전선의 굵기 및 종류)

전 압		조 건	인장강도	경동선의 굵기
저 압	400[V] 이하	절연전선	2.3[kN] 이상	2.6[mm] 이상
		나전선	3.43[kN] 이상	3.2[mm] 이상
	400[V] 초과	시가지	8.01[kN] 이상	5.0[mm] 이상
		시가지 외	5.26[kN] 이상	4.0[mm] 이상
특고압		일 반	8.71[kN] 이상	22[mm^2] 이상

08 특고압 가공전선은 케이블인 경우 이외에는 단면적이 몇 [mm^2] 이상의 경동연선이어야 하는가? [2018년 1회 산업기사]

① 8 ② 14 ③ 22 ④ 30

해설 7번 해설 참조

09 저압 및 고압 가공전선의 높이에 대한 기준으로 틀린 것은? [2016년 1회 기사 / 2019년 2회 산업기사]

① 철도를 횡단하는 경우는 레일면상 6.5[m] 이상이다.
② 횡단보도교 위에 시설하는 경우는 저압의 경우는 그 노면상에서 3[m] 이상이다.
③ 횡단보도교 위에 시설하는 경우는 고압의 경우는 그 노면상에서 3.5[m] 이상이다.
④ 다리의 하부 기타 이와 유사한 장소에 시설하는 저압의 전기철도용 급전선은 지표상 3.5[m]까지로 감할 수 있다.

해설 KEC 222.7/332.5(저 · 고압 가공전선의 높이)

설치장소		가공전선의 높이
도로횡단		지표상 6[m] 이상
철도 또는 궤도 횡단		레일면상 6.5[m] 이상
횡단보도교 위	저 압	노면상 3.5[m] 이상(단, 절연전선의 경우 3[m] 이상)
	고 압	노면상 3.5[m] 이상

10 교통이 번잡한 도로를 횡단하여 저압 가공전선을 시설하는 경우 지표상 높이는 몇 [m] 이상으로 하여야 하는가? [2018년 3회 기사]

① 4.0　　　　　② 5.0　　　　　③ 6.0　　　　　④ 6.5

해설 KEC 222.7/332.5(저·고압 가공전선의 높이)

설치장소		가공전선의 높이
도로횡단		지표상 6[m] 이상
철도 또는 궤도 횡단		레일면상 6.5[m] 이상
횡단보도교 위	저 압	노면상 3.5[m] 이상(단, 절연전선의 경우 3[m] 이상)
	고 압	노면상 3.5[m] 이상

11 저압 가공전선 또는 고압 가공전선이 도로를 횡단할 때 지표상의 높이는 몇 [m] 이상으로 하여야 하는가?(단, 농로 기타 교통이 번잡하지 않은 도로 및 횡단보도교는 제외한다) [2013년 2회 기사 / 2017년 1회 산업기사]

① 4　　　　　② 5　　　　　③ 6　　　　　④ 7

해설 10번 해설 참조

12 사용전압이 22.9[kV]인 특고압 가공전선이 도로를 횡단하는 경우, 지표상 높이는 최소 몇 [m] 이상 인가? [2016년 1회 기사]

① 4.5　　　　　② 5　　　　　③ 5.5　　　　　④ 6

해설 KEC 333.7(특고압 가공전선의 높이)

사용전압의 구분	지표상의 높이
35[kV] 이하	5[m] (철도 또는 궤도를 횡단하는 경우에는 6.5[m], 도로를 횡단하는 경우에는 6[m], 횡단보도교의 위에 시설하는 경우로서 전선이 특고압 절연전선 또는 케이블인 경우에는 4[m])
35[kV] 초과 160[kV] 이하	6[m] (철도 또는 궤도를 횡단하는 경우에는 6.5[m], 산지 등에서 사람이 쉽게 들어갈 수 없는 장소에 시설하는 경우에는 5[m], 횡단보도교의 위에 시설하는 경우 전선이 케이블인 때는 5[m])
160[kV] 초과	6[m] (철도 또는 궤도를 횡단하는 경우에는 6.5[m], 산지 등에서 사람이 쉽게 들어갈 수 없는 장소를 시설하는 경우에는 5[m])에 160[kV]를 초과하는 10[kV] 또는 그 단수마다 0.12[m]를 더한 값

13 교량 위에 시설하는 조명용 저압 가공전선로에 사용되는 경동선의 최소굵기는 몇 [mm]인가?

[2014년 2회 기사 / 2018년 2회 기사]

① 1.6 ② 2.0 ③ 2.6 ④ 3.2

해설 KEC 224.6/335.6(교량에 시설하는 전선로)

구 분	저 압	고 압
공사방법	• 교량 위 : 케이블 • 교량 아래 : 합성수지관, 금속관, 가요전선관, 케이블	
전 선	2.30[kN] 이상의 것 / 지름 2.6[mm] 이상 경동선 절연전선	5.26[kN] 이상의 것 / 지름 4[mm] 이상의 경동선
전선의 높이	노면상 높이 5[m] 이상	노면상 높이 5[m] 이상
조영재와 이격거리	0.3[m] (케이블 0.15[m]) 이상	0.6[m] (케이블 0.3[m]) 이상

14 사용전압 22.9[kV]의 가공전선이 철도를 횡단하는 경우, 전선의 레일면상의 높이는 몇 [m] 이상인가?

[2015년 2회 기사 / 2018년 3회 기사 / 2022년 2회 기사]

① 5 ② 5.5 ③ 6 ④ 6.5

해설 KEC 333.7(특고압 가공전선의 높이)

사용전압의 구분	지표상의 높이
35[kV] 이하	5[m] (철도 또는 궤도를 횡단하는 경우에는 6.5[m], 도로를 횡단하는 경우에는 6[m], 횡단보도교의 위에 시설하는 경우로서 전선이 특고압 절연전선 또는 케이블인 경우에는 4[m])
35[kV] 초과 160[kV] 이하	6[m] (철도 또는 궤도를 횡단하는 경우에는 6.5[m], 산지 등에서 사람이 쉽게 들어갈 수 없는 장소에 시설하는 경우에는 5[m], 횡단보도교의 위에 시설하는 경우 전선이 케이블인 때는 5[m])
160[kV] 초과	6[m] (철도 또는 궤도를 횡단하는 경우에는 6.5[m], 산지 등에서 사람이 쉽게 들어갈 수 없는 장소를 시설하는 경우에는 5[m])에 160[kV]를 초과하는 10[kV] 또는 그 단수마다 0.12[m]를 더한 값

13 ③ 14 ④ 정답

15 가공전선로의 지지물에 시설하는 통신선 또는 이에 직접 접속하는 가공통신선이 철도 또는 궤도를 횡단하는 경우 그 높이는 레일면상 몇 [m] 이상으로 하여야 하는가? [2022년 2회 기사]

① 3   ② 3.5   ③ 5   ④ 6.5

해설 KEC 222.7/332.5(저·고압 가공전선의 높이)

설치장소		가공전선의 높이
도로횡단		지표상 6[m] 이상
철도 또는 궤도 횡단		레일면상 6.5[m] 이상
횡단보도교 위	저 압	노면상 3.5[m] 이상(단, 절연전선의 경우 3[m] 이상)
	고 압	노면상 3.5[m] 이상

16 옥외용 비닐절연전선을 사용한 저압 가공전선이 횡단보도교 위에 시설되는 경우에 그 전선의 노면상 높이는 몇 [m] 이상으로 하여야 하는가? [2017년 1회 기사]

① 2.5   ② 3.0   ③ 3.5   ④ 4.0

해설 15번 해설 참조

17 저압 및 고압 가공전선의 최소 높이는 도로를 횡단하는 경우와 철도를 횡단하는 경우에 각각 몇 [m] 이상이어야 하는가? [2013년 1회 산업기사 / 2018년 2회 기사]

① 도로 : 지표상 6[m], 철도 : 레일면상 6.5[m]
② 도로 : 지표상 6[m], 철도 : 레일면상 6[m]
③ 도로 : 지표상 5[m], 철도 : 레일면상 6.5[m]
④ 도로 : 지표상 5[m], 철도 : 레일면상 6[m]

해설 15번 해설 참조

18 철도 또는 궤도를 횡단하는 저·고압 가공전선의 높이는 레일면상 몇 [m] 이상이어야 하는가?

[2012년 2회 산업기사 / 2014년 1회 산업기사 / 2016년 2회 기사, 산업기사]

① 5.5

② 6.5

③ 7.5

④ 8.5

해설 KEC 222.7/332.5(저·고압 가공전선의 높이)

설치장소		가공전선의 높이
도로횡단		지표상 6[m] 이상
철도 또는 궤도 횡단		레일면상 6.5[m] 이상
횡단보도교 위	저 압	노면상 3.5[m] 이상(단, 절연전선의 경우 3[m] 이상)
	고 압	노면상 3.5[m] 이상

19 345[kV] 가공송전선로를 평야에 시설할 때, 전선의 지표상의 높이는 몇 [m] 이상으로 하여야 하는가?

[2018년 2회 산업기사]

① 6.12

② 7.36

③ 8.28

④ 9.48

해설 KEC 222.7/332.5(저·고압 가공전선의 높이), 333.7(특고압 가공전선의 높이)

장 소	저 압	고 압	특고압[kV]		
			35[kV] 이하	~160[kV] 이하	160[kV] 초과
횡단보도교	3.5(3)[m]	3.5[m]	절연 또는 케이블 4[m]	케이블 5[m]	불 가
일 반	5(교통지장 없음 4)[m]	5[m]	5[m]	6[m]	6[m] + 단수× 0.12
도로 횡단	6[m]	6[m]	–		불 가
철도 횡단	6.5[m]	6.5[m]	6.5[m]	6.5[m]	6.5[m]+단수× 0.12
산 지	–	–		5[m]	5[m] + 단수× 0.12

※ 일반(도로 방향 포함), (케이블), 단수＝160[kV] 초과/10[kV](반드시 절상 후 계산)

$$단수 = \frac{160[kV] \ 초과}{10[kV]} = \frac{345 - 160}{10} = 18.5 에서 \ 절상하면 \ 19가 \ 된다.$$

$N = 단수 \times 0.12 = 0.12 \times 19 = 2.28$

∴ 평야의 가공전선 높이는 $6 + N = 6 + 2.28 = 8.28[m]$

20 154[kV]의 특고압 가공전선을 사람이 쉽게 들어갈 수 없는 산지(山地) 등에 시설하는 경우 지표상의 높이는 몇 [m] 이상으로 하여야 하는가? [2012년 1회 산업기사 / 2018년 3회 산업기사]

① 4　　　　　　　　　　　　　② 5

③ 6.5　　　　　　　　　　　　④ 8

해설　KEC 222.7/332.5(저·고압 가공전선의 높이), 333.7(특고압 가공전선의 높이)

장 소	저 압	고 압	특고압[kV]		
			35[kV] 이하	~160[kV] 이하	160[kV] 초과
횡단보도교	3.5(3)[m]	3.5[m]	절연 또는 케이블 4[m]	케이블 5[m]	불 가
일 반	5(교통지장 없음 4)[m]	5[m]	5[m]	6[m]	6[m] + 단수 × 0.12
도로 횡단	6[m]		6[m]	−	불 가
철도 횡단	6.5[m]		6.5[m]	6.5[m]	6.5[m] + 단수 × 0.12
산 지	−	−		5[m]	5[m] + 단수 × 0.12

21 345[kV] 특고압 가공전선로를 사람이 쉽게 들어갈 수 없는 산지에 시설할 때 지표상의 높이는 몇 [m] 이상인가? [2015년 3회 산업기사 / 2020년 3회 기사]

① 7.28　　　　　　　　　　　② 7.85

③ 8.28　　　　　　　　　　　④ 9.28

해설　20번 해설 참조

단수$=\dfrac{160[kV]\ 초과}{10[kV]}=\dfrac{345-160}{10}=18.5$에서 절상하면 19가 된다.

N=단수 × 0.12=0.12×19=2.28

∴ 산지의 가공전선 높이는 5 + N = 5 + 2.28 = 7.28[m]

22 사용전압이 22.9[kV]인 가공전선로를 시가지에 시설하는 경우 전선의 지표상 높이는 몇 [m] 이상인가?(단, 전선은 특고압 절연전선을 사용한다) [2021년 1회 기사]

① 6　　　　　　　　　　　　　　　　② 7

③ 8　　　　　　　　　　　　　　　　④ 10

> **해설** KEC 333.1(시가지 등에서 특고압 가공전선로의 시설)

종 류	특 성		
지지물 (목주 불가)	A 종	B 종	철 탑
경 간	75[m] 이하	150[m] 이하	400[m] 이하 (도체 수평이격거리 4[m] 미만 : 250[m])
사용전선	100[kV] 미만		100[kV] 이상
	55[mm²] 이상		150[mm²] 이상
전선로의 높이	35[kV] 이하		35[kV] 초과
	10[m] 이상 (특고압 절연전선 8[m] 이상)		10[m] + 단수 × 0.12[m]
애자장치	애자는 50[%] 충격섬락전압이 타 부분의 110[%] 이상일 것(130[kV] 초과에서는 105[%] 이상), 아크혼 붙은 2련 이상		
보호장치	지기발생 시 100[kV] 초과의 경우 1[sec] 이내에 자동 차단하는 장치를 시설할 것		

23 사용전압 66[kV]의 가공전선을 시가지에 시설할 경우 전선의 지표상 최소높이는 몇 [m]인가?

[2014년 2회 산업기사 / 2019년 2회 기사]

① 6.48　　　　　　　　　　　　　　② 8.36

③ 10.48　　　　　　　　　　　　　　④ 12.36

> **해설** KEC 333.1(시가지 등에서 특고압 가공전선로의 시설)

사용전압의 구분	지표상의 높이
35[kV] 이하	10[m](전선이 특고압 절연전선인 경우에는 8[m])
35[kV] 초과	10[m]에 35[kV] 초과하는 10[kV] 또는 그 단수마다 0.12[m]를 더한 값

단수 $= \dfrac{66-35}{10} = 3.1 \doteqdot 4$

∴ 높이 $= (4 \times 0.12) + 10 = 10.48$

24 사용전압 154[kV]의 특고압 가공전선로를 시가지에 시설하는 경우 지표상 몇 [m] 이상에 시설하여야 하는가? [2017년 3회 기사]

① 7

② 8

③ 9.44

④ 11.44

해설 KEC 333.1(시가지 등에서 특고압 가공전선로의 시설)

사용전압의 구분	지표상의 높이
35[kV] 이하	10[m](전선이 특고압 절연전선인 경우에는 8[m])
35[kV] 초과	10[m]에 35[kV] 초과하는 10[kV] 또는 그 단수마다 0.12[m]를 더한 값

단수 $= \dfrac{154-35}{10} = 11.9 \to 12$단

∴ 높이 $= 10 + 12 \times 0.12 = 11.44$[m]

25 사용전압 154[kV] 가공전선을 시가지에 시설하는 경우 지표상의 높이는 최소 몇 [m] 이상이어야 하는가?(단, 발전소·변전소 또는 이에 준하는 곳의 구내와 구외를 연결하는 1경간 가공전선은 제외한다) [2019년 3회 산업기사]

① 7.44

② 9.44

③ 11.44

④ 13.44

해설 24번 해설 참조

단수 $= \dfrac{154-35}{10} = 11.9 \to 12$단

∴ 이격거리 $= 10 + 12 \times 0.12 = 11.44$[m]

26 고압 가공전선로의 가공지선으로 나경동선을 사용하는 경우의 지름은 몇 [mm] 이상이어야 하는가? [2012년 3회 산업기사 / 2013년 2회 기사 / 2017년 1회 산업기사 / 2017년 3회 산업기사 / 2019년 2회 기사]

① 3.2
② 4.0
③ 5.5
④ 6.0

> **해설** KEC 332.6(고압 가공전선로의 가공지선), 332.4(고압 가공전선의 안전율), 333.6(특고압 가공전선의 안전율), 333.8(특고압 가공전선로의 가공지선)
> 가공지선 : 직격뢰로부터 가공전선로를 보호하기 위한 설비

구 분		특 징
지 선	고 압	5.26[kN] 이상, 4.0[mm] 이상 나경동선
	특고압	8.01[kN] 이상, 5.0[mm] 이상 나경동선, 22[mm²] 이상의 나경동연선, 아연도강연선 또는 OPGW전선
안전율		경동선 2.2 이상, 기타 2.5

27 고압 가공전선로의 가공지선에 나경동선을 사용하려면 지름 몇 [mm] 이상의 것을 사용하여야 하는가? [2021년 2회 기사 / 2022년 2회 기사]

① 2.0
② 3.0
③ 4.0
④ 5.0

> **해설** 26번 해설 참조

28 고압 가공전선로에 사용하는 가공지선은 인장강도 5.26[kN] 이상의 것 또는 지름이 몇 [mm] 이상의 나경동선을 사용하여야 하는가? [2018년 1회 산업기사]

① 2.6
② 3.2
③ 4.0
④ 5.0

> **해설** 26번 해설 참조

26 ②   27 ③   28 ③   **정답**

29 고압 가공전선로에 사용하는 가공지선은 지름 몇 [mm] 이상의 나경동선을 사용하여야 하는 가?

[2020년 4회 기사]

① 2.6 ② 3.0
③ 4.0 ④ 5.0

해설 KEC 332.6(고압 가공전선로의 가공지선), 332.4(고압 가공전선의 안전율), 333.6(특고압 가공전선의 안전율), 333.8(특고압 가공전선로의 가공지선)

가공지선 : 직격뢰로부터 가공전선로를 보호하기 위한 설비

구 분		특 징
지 선	고 압	5.26[kN] 이상, 4.0[mm] 이상 나경동선
	특고압	8.01[kN] 이상, 5.0[mm] 이상 나경동선, 22[mm²] 이상의 나경동연선, 아연도강연선 또는 OPGW전선
안전율		경동선 2.2 이상, 기타 2.5

30 특고압 가공전선로에 사용하는 가공지선에는 지름 몇 [mm] 이상의 나경동선을 사용하여야 하는가?

[2019년 3회 산업기사]

① 2.6 ② 3.5
③ 4 ④ 5

해설 29번 해설 참조

31 154[kV] 가공전선과 가공약전류전선이 교차하는 경우에 시설하는 보호망을 구성하는 금속선 중 가공전선의 바로 아래에 시설되는 것 이외의 다른 부분에 시설되는 금속선은 지름 몇 [mm] 이상의 아연도철선이어야 하는가?

[2016년 2회 기사]

① 2.6 ② 3.2
③ 4.0 ④ 5.0

해설 KEC 333.26(특고압 가공전선과 저고압 가공전선 등의 접근 또는 교차)

보호망을 구성하는 금속선은 그 외주 및 특고압 가공전선의 바로 아래에 시설하는 금속선에 인장강도 8.01[kN] 이상의 것 또는 지름 5[mm] 이상의 경동선을 사용하고 기타 부분에 시설하는 금속선에 인장강도 3.64[kN] 이상 또는 지름 4[mm] 이상의 아연도철선을 사용할 것

5. 케이블에 의한 가공전선로 시설

조가용선	인장강도	굵기	접지	간격	
				행거	금속제테이프
저·고압	5.93[kN] 이상	22[mm²] 이상 아연도강연선	케이블 피복의 금속체 140(접지시스템)의 규정에 준하여 접지공사	0.5[m] 이하	0.2[m] 이하, 나선형
특고압	13.93[kN] 이상				

※ 100[kV] 초과의 경우로 지기발생, 단락 시 1초 이내 자동차단 장치시설

6. 특고압 가공전선과 지지물과의 이격거리

특고압 가공전선(케이블은 제외한다)과 그 지지물·완금류·지주 또는 지선 사이의 이격거리는 표에서 정한 값 이상이어야 한다. 다만, 기술상 부득이한 경우에 위험의 우려가 없도록 시설한 때에는 표에서 정한 값의 0.8배까지 감할 수 있다.

사용전압	이격거리[m]	사용전압	이격거리[m]
15[kV] 미만	0.15	70[kV] 이상 80[kV] 미만	0.45
15[kV] 이상 25[kV] 미만	0.2	80[kV] 이상 130[kV] 미만	0.65
25[kV] 이상 35[kV] 미만	0.25	130[kV] 이상 160[kV] 미만	0.9
35[kV] 이상 50[kV] 미만	0.3	160[kV] 이상 200[kV] 미만	1.1
50[kV] 이상 60[kV] 미만	0.35	200[kV] 이상 230[kV] 미만	1.3
60[kV] 이상 70[kV] 미만	0.4	230[kV] 이상	1.6

핵 / 심 / 예 / 제

01 고압 가공전선에 케이블을 사용하는 경우 케이블을 조가용선에 행거로 시설하고자 할 때 행거의 간격은 몇 [cm] 이하로 하여야 하는가? [2017년 2회 기사 / 2018년 1회 산업기사]

① 30

② 50

③ 80

④ 100

해설 KEC 222.4/332.2(가공케이블의 시설), 333.3(특고압 가공케이블의 시설)

조가용선	인장강도	굵 기	접 지	간 격	
				행 거	금속제테이프
저·고압	5.93[kN] 이상	22[mm²] 이상 아연도강연선	케이블 피복의 금속체 140(접지시스템)의 규정에 준하여 접지공사	0.5[m] 이하	0.2[m] 이하, 나선형
특고압	13.93[kN] 이상				

02 사용전압이 22.9[kV]인 가공전선과 그 지지물 사이의 이격거리는 일반적으로 몇 [cm] 이상이어야 하는가? [2013년 1회 기사 / 2016년 3회 기사 / 2018년 3회 산업기사]

① 5

② 10

③ 15

④ 20

해설 KEC 333.5(특고압 가공전선과 지지물 등의 이격거리)

사용전압	이격거리[m]	사용전압	이격거리[m]
15[kV] 미만	0.15	70[kV] 이상 80[kV] 미만	0.45
15[kV] 이상 25[kV] 미만	0.2	80[kV] 이상 130[kV] 미만	0.65
25[kV] 이상 35[kV] 미만	0.25	130[kV] 이상 160[kV] 미만	0.9
35[kV] 이상 50[kV] 미만	0.3	160[kV] 이상 200[kV] 미만	1.1
50[kV] 이상 60[kV] 미만	0.35	200[kV] 이상 230[kV] 미만	1.3
60[kV] 이상 70[kV] 미만	0.4	230[kV] 이상	1.6

03 사용전압이 22.9[kV]인 특고압 가공전선과 그 지지물·완금류·지주 또는 지선 사이의 이격
거리는 몇 [cm] 이상이어야 하는가?   [2017년 2회 기사 / 2022년 1회 기사]

① 15   ② 20
③ 25   ④ 30

해설   KEC 333.5(특고압 가공전선과 지지물 등의 이격거리)

사용전압	이격거리[m]	사용전압	이격거리[m]
15[kV] 미만	0.15	70[kV] 이상 80[kV] 미만	0.45
15[kV] 이상 25[kV] 미만	0.2	80[kV] 이상 130[kV] 미만	0.65
25[kV] 이상 35[kV] 미만	0.25	130[kV] 이상 160[kV] 미만	0.9
35[kV] 이상 50[kV] 미만	0.3	160[kV] 이상 200[kV] 미만	1.1
50[kV] 이상 60[kV] 미만	0.35	200[kV] 이상 230[kV] 미만	1.3
60[kV] 이상 70[kV] 미만	0.4	230[kV] 이상	1.6

04 사용전압 60,000[V]인 특고압 가공전선과 그 지지물·지주·완금류 또는 지선 사이의 이격거
리는 몇 [cm] 이상이어야 하는가?   [2019년 2회 산업기사]

① 35   ② 40
③ 45   ④ 65

해설   3번 해설 참조

7. 가공전선로 경간의 제한

(1) 가공전선로 경간의 제한(KEC 332.9(고압), 333.1(시가지), 333.21(특고압))

구 분	표준경간	전선굵기에 따른 장경간 사용		시가지
		고압 22[mm²]	특고압 50[mm²]	
목주·A종	150[m]	300[m] 이하		75[m](목주사용불가)
B종	250[m]	500[m] 이하		150[m]
철 탑	600[m]	−		400[m]

(2) KEC 222.10(저압 보안), 332.10(고압 보안), 333.22(특고압 보안)

구 분	보안공사			사용전선 굵기에 따른 표준경간 사용할 수 있는 경우				
	저·고압	제1종 특고압	제2,3종 특고압	저 압	고 압	제1종 특고압	제2종 특고압	제3종 특고압
				22[mm²]	38[mm²]	150[mm²]	95[mm²]	목주, A종 38[mm²] B종, 철탑 55[mm²]
목주, A종	100[m]	사용 불가	100[m]	150[m]	150[m]	−	100[m]	150[m]
B종	150[m]	150[m]	200[m]	250[m]	250[m]	250[m]	250[m]	250[m]
철 탑	400[m]	400[m](단주 300[m])		600[m]	600[m]	600[m]	600[m]	600[m]

(3) 보안공사 : 목주 안전율 및 보안공사 전선굵기

	저 압	고 압	특고압	
일반공사 목주안전율	1.2	1.3	1.5	
보안공사 목주안전율	1.5	1.5	• 제1종 특고압 : 사용불가 • 제2종 특고압 보안공사 : 2	
보안공사 전선굵기	• 400[V] 이하 : 5.26[kN] 이상, 지름 4[mm] 이상 경동선 • 400[V]~고압 : 8.01[kN], 지름 5[mm] 이상 경동선 • 동복강선 : 3.5[mm]		제1종 특고압 보안공사(시가지)	제2종, 3종 특고압 보안공사
			100[kV] 미만 : 인장강도 21.67[kN] 이상, 55[mm²] 이상 경동연선	인장강도 8.7[kN] 이상 또는 22[mm²] 이상 경동선
			100~300[kV] 미만 : 인장강도 58.84[kN] 이상, 150[mm²] 이상 경동연선	
			300[kV] 이상 : 인장강도 77.47[kN] 이상, 200[mm²] 이상 경동연선	

※ 제1, 2, 3종 특고압 보안공사 구분

제1종 특고압 보안공사	제2종 특고압 보안공사	제3종 특고압 보안공사
2차 접근 상태		1차 접근 상태
35[kV] 초과	35[kV] 이하	

※ 제1종 특고압 보안공사
- 지락 또는 단락 시 3초(100[kV] 이상 2초) 이내 차단하는 장치를 시설
- 애자는 1련으로 하는 경우는 50[%] 충격섬락전압이 타 부분의 110[%] 이상일 것(사용전압이 130[kV]를 넘는 경우 105[%] 이상이거나, 아크혼 붙은 2련 이상)

01 지지물이 A종 철근 콘크리트주일 때 고압 가공전선로의 경간은 몇 [m] 이하인가?

[2015년 1회 기사]

① 150   ② 250   ③ 400   ④ 600

해설   KEC 222.10/332.9/332.10/333.1/333.21/333.22(가공전선로 및 보안공사 경간)

구 분	표준경간	특고압 시가지	보안공사		
			저 · 고압	제1종 특고압	제2, 3종 특고압
목주 / A종	150[m]	75[m](목주 X)	100[m]	목주 불가	100[m]
B종	250[m]	150[m]	150[m]	150[m]	200[m]
철 탑	600[m]	400[m]	400[m]	400[m], 단주 300[m]	

02 고압 가공전선로의 경간은 B종 철근 콘크리트주로 시설하는 경우 몇 [m] 이하로 하여야 하는가?

[2013년 3회 산업기사 / 2018년 2회 산업기사]

① 100   ② 150   ③ 200   ④ 250

해설   1번 해설 참조

03 B종 철주 또는 B종 철근 콘크리트주를 사용하는 특고압 가공전선로의 경간은 몇 [m] 이하이어야 하는가?　　　　　　　　　　　　　　　　　　　　　　　　　　　　[2017년 1회 산업기사]

① 150　　　　　　② 250　　　　　　③ 400　　　　　　④ 600

해설 　KEC 222.10/332.9/332.10/333.1/333.21/333.22(가공전선로 및 보안공사 경간)

지지물의 종류	표준경간	저·고압 보안공사	1종 특고압 보안공사	2종 특고압 보안공사	특고압 시가지
목주 / A종	150	100	x	100	75(목주 X)
B종	250	150	150	200	150
철 탑	600	400	400	400	400

04 단면적 55[mm²]인 경동연선을 사용하는 특고압 가공전선로의 지지물로 장력에 견디는 형태의 B종 철근 콘크리트주를 사용하는 경우, 허용 최대 경간은 몇 [m]인가?　　[2021년 3회 기사]

① 150　　　　　　② 250　　　　　　③ 300　　　　　　④ 500

해설 　KEC 222.10/332.9/332.10/333.1/333.21/333.22(가공전선로 및 보안공사 경간)

구 분	표준경간	특고압 시가지	보안공사		
			저·고압	제1종 특고압	제2, 3종 특고압
목주 / A종	150[m]	75[m](목주 ×)	100[m]	목주 불가	100[m]
B종	250[m]	150[m]	150[m]	150[m]	200[m]
철 탑	600[m]	400[m]	400[m]	400[m], 단주 300[m]	
표준경간 적용	• 저압 보안공사 : 22[mm²]인 경우 • 고압 보안공사 : 38[mm²]인 경우 • 제1종 특고압 보안공사 : 150[mm²]인 경우 • 제2, 3종 특고압 보안공사 : 95[mm²]인 경우 　- 목주/A종 : 제2종(100[m]), 제3종(150[m])					
기 타	• 고압(22[mm²]), 특고압(50[mm²])인 경우 　- 목주/A종 : 300[m] 이하 　- B종 : 500[m] 이하					

05 고압 가공전선로의 지지물로 철탑을 사용한 경우 최대경간은 몇 [m] 이하이어야 하는가?

[2016년 3회 산업기사 / 2019년 3회 기사]

① 300   ② 400   ③ 500   ④ 600

해설 KEC 332.9(고압), 333.1(시가지), 333.21(특고압)(가공전선로 경간의 제한)

구 분	표준경간	전선굵기에 따른 장경간 사용		시가지
		고압 22[mm^2]	특고압 50[mm^2]	
목주 / A종	150[m]	300[m] 이하		75[m](목주사용불가)
B종	250[m]	500[m] 이하		150[m]
철 탑	600[m]	−		400[m]

06 특고압 가공전선로의 경간은 지지물이 철탑인 경우 몇 [m] 이하이어야 하는가?(단, 단주가 아닌 경우이다)

[2013년 1회 기사 / 2018년 2회 산업기사]

① 400   ② 500   ③ 600   ④ 700

해설 5번 해설 참조

07 특고압 가공전선로에서 철탑(단주 제외)의 경간은 몇 [m] 이하로 하여야 하는가?

[2019년 3회 산업기사]

① 400   ② 500   ③ 600   ④ 700

해설 5번 해설 참조

08 고압 보안공사 시에 지지물로 A종 철근 콘크리트주를 사용할 경우 경간은 몇 [m] 이하이어야 하는가?

[2018년 3회 산업기사]

① 50 　　　　　② 100 　　　　　③ 150 　　　　　④ 400

해설 KEC 222.10/332.9/332.10/333.1/333.21/333.22(가공전선로 및 보안공사 경간)

구 분	표준경간	특고압 시가지	보안공사		
			저·고압	제1종 특고압	제2, 3종 특고압
목주 / A종	150[m]	75[m](목주 X)	100[m]	목주 불가	100[m]
B종	250[m]	150[m]	150[m]	150[m]	200[m]
철 탑	600[m]	400[m]	400[m]	400[m], 단주 300[m]	

09 고압 보안공사에서 지지물이 A종 철주인 경우 경간은 몇 [m] 이하인가?

[2012년 2회 산업기사 / 2013년 3회 산업기사 / 2018년 1회 기사]

① 100 　　　　　② 150 　　　　　③ 250 　　　　　④ 400

해설 8번 해설 참조

10 고압 보안공사에 철탑을 지지물로 사용하는 경우 경간은 몇 [m] 이하이어야 하는가?

[2014년 3회 산업기사]

① 100 　　　　　② 150 　　　　　③ 400 　　　　　④ 600

해설 8번 해설 참조

정답 08 ② 　09 ① 　10 ③

11 제2종 특고압 보안공사 시 B종 철주를 지지물로 사용하는 경우 경간은 몇 [m] 이하인가?

[2017년 3회 산업기사]

① 100　　　　　② 200　　　　　③ 400　　　　　④ 500

해설　KEC 222.10/332.9/332.10/333.1/333.21/333.22(가공전선로 및 보안공사 경간)

구 분	표준경간	특고압 시가지	보안공사		
			저·고압	제1종 특고압	제2, 3종 특고압
목주 / A종	150[m]	75[m](목주 X)	100[m]	목주 불가	100[m]
B종	250[m]	150[m]	150[m]	150[m]	200[m]
철 탑	600[m]	400[m]	400[m]	400[m], 단주 300[m]	

12 사용전압이 400[V] 미만인 경우의 저압 보안공사에 전선으로 경동선을 사용할 경우 지름은 몇 [mm] 이상인가?

[2015년 2회 기사]

① 2.6　　　　　② 3.5　　　　　③ 4.0　　　　　④ 5.0

해설　KEC 222.10/332.10(저·고압 보안공사)

구 분	전 선
저압 보안공사	인장강도 5.26[kN] 이상, 지름 4[mm] 이상 경동선(400[V] 이하)
고압 보안공사	인장강도 8.01[kN] 이상, 지름 5[mm] 이상 경동선 목주의 안전율 : 1.5 이상

13 22.9[kV] 전선로를 제1종 특고압 보안공사로 시설할 경우 전선으로 경동연선을 사용한다면 그 단면적은 몇 [mm²] 이상의 것을 사용하여야 하는가? [2017년 1회 산업기사]

① 38 ② 55 ③ 80 ④ 100

해설 KEC 333.22(특고압 보안공사)

제1종 특고압 보안공사의 전선 굵기

사용전압	전 선
100[kV] 미만	인장강도 21.67[kN] 이상의 연선 또는 단면적 55[mm²] 이상의 경동연선
100[kV] 이상 300[kV] 미만	인장강도 58.84[kN] 이상의 연선 또는 단면적 150[mm²] 이상의 경동연선
300[kV] 이상	인장강도 77.47[kN] 이상의 연선 또는 단면적 200[mm²] 이상의 경동연선

14 154[kV] 전선로를 제1종 특고압 보안공사로 시설할 때 경동연선의 최소굵기는 몇 [mm²]이어 야 하는가? [2012년 3회 산업기사 / 2017년 2회 기사 / 2021년 2회 기사]

① 55 ② 100 ③ 150 ④ 200

해설 13번 해설 참조

15 154[kV] 가공전선로를 제1종 특고압 보안공사에 의하여 시설하는 경우 사용전선의 단면적은 몇 [mm²] 이상의 경동연선이어야 하는가? [2018년 3회 산업기사]

① 35 ② 50 ③ 95 ④ 150

해설 13번 해설 참조

16 사용전압이 154[kV]인 가공전선로를 제1종 특고압 보안공사로 시설할 때 사용되는 경동연선의 단면적은 몇 [mm²] 이상이어야 하는가?

[2020년 3회 기사]

① 55 　　　② 100 　　　③ 150 　　　④ 200

해설 KEC 333.22(특고압 보안공사)

제1종 특고압 보안공사의 전선 굵기

사용전압	전 선
100[kV] 미만	인장강도 21.67[kN] 이상의 연선 또는 단면적 55[mm²] 이상의 경동연선
100[kV] 이상 300[kV] 미만	인장강도 58.84[kN] 이상의 연선 또는 단면적 150[mm²] 이상의 경동연선
300[kV] 이상	인장강도 77.47[kN] 이상의 연선 또는 단면적 200[mm²] 이상의 경동연선

17 사용전압이 154[kV]인 전선로를 제1종 특고압 보안공사로 시설할 경우, 여기에 사용되는 경동연선의 단면적은 몇 [mm²] 이상이어야 하는가?

[2022년 2회 기사]

① 100 　　　② 125 　　　③ 150 　　　④ 200

해설 16번 해설 참조

18 345[kV] 가공전선로를 제1종 특고압 보안공사에 의하여 시설할 때 사용되는 경동연선의 굵기는 몇 [mm²] 이상이어야 하는가?

[2015년 2회 산업기사 / 2016년 1회 산업기사]

① 100 　　　② 125 　　　③ 150 　　　④ 200

해설 16번 해설 참조

19 100[kV] 미만인 특고압 가공전선로를 인가가 밀집한 지역에 시설할 경우 전선로에 사용되는 전선의 단면적이 몇 [mm²] 이상의 경동연선이어야 하는가? [2017년 2회 산업기사]

① 38

② 55

③ 100

④ 150

해설 KEC 333.1(시가지 등에서 특고압 가공전선로의 시설)

특고압 가공전선로를 시가지 그 밖에 인가가 밀집한 지역에 시설할 수 있는 경우

사용전압의 구분	전선의 단면적
100[kV] 미만	인장강도 21.67[kN] 이상의 연선 또는 단면적 55[mm²] 이상의 경동연선 또는 동등 이상의 인장강도를 갖는 알루미늄 전선이나 절연전선
100[kV] 이상	인장강도 58.84[kN] 이상의 연선 또는 단면적 150[mm²] 이상의 경동연선 또는 동등 이상의 인장강도를 갖는 알루미늄 전선이나 절연전선

20 제1종 특고압 보안공사로 시설하는 전선로의 지지물로 사용할 수 없는 것은?

[2020년 3회 산업기사]

① 목 주

② 철 탑

③ B종 철주

④ B종 철근콘크리트주

해설 KEC 333.22(특고압 보안공사)

제1종 특고압 보안공사

• 전선로의 지지물에는 B종 철주·B종 철근 콘크리트주 또는 철탑을 사용할 것
• 전선에는 압축 접속에 의한 경우 이외에는 경간의 도중에 접속점을 시설하지 아니할 것
• 지락 또는 단락 시 3초(100[kV] 이상 2초) 이내 차단하는 장치를 시설
• 애자는 1련으로 하는 경우는 50[%] 충격섬락전압이 타 부분의 110[%] 이상일 것(사용전압 130[kV]를 넘는 경우 105[%] 이상이거나, 아크혼 붙은 2련 이상)

21 목주, A종 철주 및 A종 철근 콘크리트주를 사용할 수 없는 보안공사는?

[2015년 3회 산업기사 / 2016년 3회 산업기사 / 2018년 2회 산업기사]

① 고압 보안공사

② 제1종 특고압 보안공사

③ 제2종 특고압 보안공사

④ 제3종 특고압 보안공사

> 해설 KEC 333.22(특고압 보안공사)
>
> 제1종 특고압 보안공사
> • 전선로의 지지물에는 B종 철주 · B종 철근 콘크리트주 또는 철탑을 사용할 것
> • 전선에는 압축 접속에 의한 경우 이외에는 경간의 도중에 접속점을 시설하지 아니할 것
> • 지락 또는 단락 시 3초(100[kV] 이상 2초) 이내 차단하는 장치를 시설
> • 애자는 1련으로 하는 경우는 50[%] 충격섬락전압이 타 부분의 110[%] 이상일 것(사용전압 130[kV] 를 넘는 경우 105[%] 이상이거나, 아크혼 붙은 2련 이상)

22 시가지에 시설하는 특고압 가공전선로용 지지물로 사용될 수 없는 것은?(단, 사용전압이 170[kV] 이하의 전선로인 경우이다) [2014년 2회 산업기사 / 2015년 3회 기사 / 2019년 1회 산업기사]

① 철근 콘크리트주

② 목 주

③ 철 탑

④ 철 주

> 해설 KEC 332.9(고압), 333.1(시가지), 333.21(특고압)(가공전선로 경간의 제한)

구 분	표준경간	전선굵기에 따른 장경간 사용		시가지
		고압 22[mm²]	특고압 50[mm²]	
목주 / A종	150[m]	300[m] 이하		75[m](목주사용불가)
B종	250[m]	500[m] 이하		150[m]
철 탑	600[m]	–		400[m]

23 특고압 가공전선이 도로, 횡단보도교, 철도와 제1차 접근상태로 시설되는 경우 특고압 가공전선로는 제 몇 종 보안공사를 하여야 하는가? [2014년 3회 기사 / 2016년 3회 산업기사]

① 제1종 특고압 보안공사
② 제2종 특고압 보안공사
③ 제3종 특고압 보안공사
④ 특별 제3종 특고압 보안공사

> **해설** KEC 333.19(특고압 가공전선과 가공약전류전선 등의 공용설치), 333.24(특고압 가공전선과 도로 등의 접근 또는 교차)
> • 건조물과 제1차 접근상태로 시설 : 제3종 특고압 보안공사
> • 건조물과 제2차 접근상태로 시설 : 제2종 특고압 보안공사
> • 도로 등과 교차하여 시설 : 제2종 특고압 보안공사
> • 가공약전류선과 공용설치 : 제2종 특고압 보안공사

24 특고압 가공전선이 삭도와 제2차 접근상태로 시설할 경우 특고압 가공전선로는 어느 보안공사를 하여야 하는가? [2012년 1회 산업기사 / 2016년 2회 기사, 산업기사]

① 고압 보안공사
② 제1종 특고압 보안공사
③ 제2종 특고압 보안공사
④ 제3종 특고압 보안공사

> **해설** KEC 333.25(특고압 가공전선과 삭도의 접근 또는 교차)
> • 1차 접근상태 : 제3종 특고압 보안공사
> • 2차 접근상태 : 제2종 특고압 보안공사

25 사용전압이 22,900[V]인 가공전선이 건조물과 제2차 접근상태로 시설되는 경우에 이 특고압 가공전선로의 보안공사는 어떤 종류의 보안공사로 하여야 하는가? [2016년 1회 산업기사]

① 고압 보안공사
② 제1종 특고압 보안공사
③ 제2종 특고압 보안공사
④ 제3종 특고압 보안공사

> **해설** KEC 333.23(특고압 가공전선과 건조물의 접근)

제1종 특고압 보안공사	제2종 특고압 보안공사	제3종 특고압 보안공사
2차 접근상태		1차 접근상태
35[kV] 초과	35[kV] 이하	

26 전선의 단면적이 38[mm²]인 경동연선을 사용하고 지지물로는 B종 철주 또는 B종 철근 콘크리트주를 사용하는 특고압 가공전선로를 제3종 특고압 보안공사에 의하여 시설하는 경우 경간은 몇 [m] 이하이어야 하는가? [2021년 1회 기사]

① 100 ② 150

③ 200 ④ 250

해설 KEC 222.10/332.9/332.10/333.1/333.21/333.22(가공전선로 및 보안공사 경간)

구 분	표준경간	특고압 시가지	보안공사		
			저·고압	제1종 특고압	제2, 3종 특고압
목주 / A종	150[m]	75[m](목주 ×)	100[m]	목주 불가	100[m]
B종	250[m]	150[m]	150[m]	150[m]	200[m]
철 탑	600[m]	400[m]	400[m]	400[m], 단주 300[m]	
표준경간 적용	• 저압 보안공사 : 22[mm²]인 경우 • 고압 보안공사 : 38[mm²]인 경우 • 제1종 특고압 보안공사 : 150[mm²]인 경우 • 제2, 3종 특고압 보안공사 : 95[mm²]인 경우 – 목주 / A종 : 제2종(100[m]), 제3종(150[m])					

기 타	• 고압(22[mm²]), 특고압(50[mm²])인 경우
	  – 목주 / A종 : 300[m] 이하
	  – B종 : 500[m] 이하					

27 154[kV] 가공전선로를 시가지에 시설하는 경우 특고압 가공전선에 지락 또는 단락이 생기면 몇 초 이내에 자동적으로 이를 전로로부터 차단하는 장치를 시설하는가?

[2012년 1회 기사 / 2013년 1회 기사]

① 1 ② 2

③ 3 ④ 5

해설 KEC 333.1(시가지 등에서 특고압 가공전선로의 시설)
사용전압이 100[kV]를 초과하는 특고압 가공전선에 지락 또는 단락이 생겼을 때에는 1초 이내에 자동적으로 이를 전로로부터 차단하는 장치를 시설할 것

28 시가지 등에서 특고압 가공전선로의 시설에 대한 내용 중 틀린 것은? [2016년 1회 산업기사]

① A종 철주를 지지물로 사용하는 경우의 경간은 75[m] 이하이다.

② 사용전압이 170[kV] 이하인 전선로를 지지하는 애자장치는 2련 이상의 현수애자 또는 장간애자를 사용한다.

③ 사용전압이 100[kV]를 초과하는 특고압 가공전선에 지락 또는 단락이 생겼을 때에는 1초 이내에 자동적으로 이를 전로로부터 차단하는 장치를 시설한다.

④ 사용전압이 170[kV] 이하인 전선로를 지지하는 애자장치는 50[%] 충격섬락전압값이 그 전선의 근접한 다른 부분을 지지하는 애자장치값의 100[%] 이상인 것을 사용한다.

> **해설** KEC 333.1(시가지 등에서 특고압 가공전선로의 시설)
> 사용전압이 170[kV] 이하인 전선로를 지지하는 애자장치는 50[%] 충격섬락전압값이 그 전선의 근접한 다른 부분을 지지하는 애자장치값의 110[%] 이상인 것을 사용한다.

29 시가지에 시설하는 사용전압 170[kV] 이하인 특고압 가공전선로의 지지물이 철탑이고 전선이 수평으로 2 이상 있는 경우에 전선 상호 간의 간격이 4[m] 미만인 때에는 특고압 가공전선로의 경간은 몇 [m] 이하이어야 하는가? [2021년 2회 기사]

① 100 ② 150
③ 200 ④ 250

> **해설** KEC 222.10/332.9/332.10/333.1/333.21/333.22(가공전선로 및 보안공사 경간)
>
> | 구 분 | 표준경간 | 특고압 시가지 | 보안공사 | | |
> |---|---|---|---|---|---|
> | | | | 저·고압 | 제1종 특고압 | 제2, 3종 특고압 |
> | 목주 / A종 | 150[m] | 75[m](목주 ×) | 100[m] | 목주 불가 | 100[m] |
> | B종 | 250[m] | 150[m] | 150[m] | 150[m] | 200[m] |
> | 철 탑 | 600[m] | 400[m] | 400[m] | 400[m], 단주 300[m] | |

30 시가지 또는 그 밖에 인가가 밀집한 지역에 154[kV] 가공전선로의 전선을 케이블로 시설하고 자 한다. 이때 가공전선을 지지하는 애자장치의 50[%] 충격섬락전압값이 그 전선의 근접한 다른 부분을 지지하는 애자장치값의 몇 [%] 이상이어야 하는가? [2020년 3회 산업기사]

① 75   ② 100

③ 105   ④ 110

> **해설**   KEC 333.1(시가지 등에서 특고압 가공전선로의 시설)

종 류	특 성		
지지물 (목주 불가)	A종	B종	철탑
경 간	75[m] 이하	150[m] 이하	400[m] 이하 (도체 수평이격거리 4[m] 미만 : 250[m])
사용전선	100[kV] 미만		100[kV] 이상
	55[mm²] 이상		150[mm²] 이상
전선로의 높이	35[kV] 이하		35[kV] 초과
	10[m] 이상 (특고압 절연전선 8[m] 이상)		10[m] + 단수 × 0.12[m]
애자장치	애자는 50[%] 충격섬락전압이 타 부분의 110[%] 이상일 것(130[kV] 초과에서는 105[%] 이상), 아크혼 붙은 2련 이상		
보호장치	지기발생 시 100[kV] 초과의 경우 1[sec] 이내에 자동 차단하는 장치를 시설할 것		

31 특수장소에 시설하는 전선로의 기준으로 틀린 것은? [2017년 3회 기사]

① 교량의 윗면에 시설하는 저압 전선로는 교량 노면상 5[m] 이상으로 할 것

② 교량에 시설하는 고압 전선로에서 전선과 조영재 사이의 이격거리는 20[cm] 이상일 것

③ 저압 전선로와 고압 전선로를 같은 벼랑에 시설하는 경우 고압 전선과 저압 전선 사이의 이격거리는 50[cm] 이상일 것

④ 벼랑과 같은 수직 부분에 시설하는 전선로는 부득이한 경우에 시설하며, 이때 전선의 지지점 간의 거리는 15[m] 이하로 할 것

> **해설**   KEC 224.6/335.6(특수 장소의 전선로[교량에 시설하는 전선로])

구 분	저 압	고 압
공사방법	교량 위 : 케이블 교량 아래 : 합성수지관, 금속관, 가요전선관, 케이블	
전 선	2.30[kN] 이상, 2.6[mm] 이상 경동선 절연전선	5.26[kN] 이상의 것, 4[mm] 이상의 경동선
전선의 높이	노면상 높이 5[m] 이상	노면상 높이 5[m] 이상
조영재와 이격거리	0.3[m](케이블 0.15[m]) 이상	0.6[m](케이블 0.3[m]) 이상

32 교량의 윗면에 시설하는 고압 전선로는 전선의 높이를 교량의 노면상 몇 [m] 이상으로 하여야 하는가?

[2020년 4회 기사]

① 3

② 4

③ 5

④ 6

해설 KEC 224.6/335.6(특수 장소의 전선로[교량에 시설하는 전선로])

구 분	저 압	고 압
공사방법	교량 위 : 케이블 교량 아래 : 합성수지관, 금속관, 가요전선관, 케이블	
전 선	2.30[kN] 이상, 2.6[mm] 이상 경동선 절연전선	5.26[kN] 이상의 것, 4[mm] 이상의 경동선
전선의 높이	노면상 높이 5[m] 이상	노면상 높이 5[m] 이상
조영재와 이격거리	0.3[m](케이블 0.15[m]) 이상	0.6[m](케이블 0.3[m]) 이상

8. 가공전선의 병행설치, 공용설치, 첨가 통신선 : 동일 지지물 시설

(1) 병행설치 : 동일 지지물(별개 완금류)에 전력선과 전력선을 동시에 시설하는 것이다(KEC 222.9/332.8, 333.17).

구 분	고 압	35[kV] 이하	~60[kV] 이하	60[kV] 초과
저압·고압 (케이블)	0.5[m] 이상 (0.3[m])	1.2[m] 이상 (0.5[m])	2[m] 이상 (1[m])	2[m](1[m]) + 단수 × 0.12[m]

기 타	* 35[kV] 이하
	  – 상부에 고압 측을 시설하며 별도의 완금류에 시설할 것
	* 35~100[kV] 이하의 특고압
	  – 단수= $\dfrac{60[kV] 초과}{10[kV]}$(반드시 절상하여 계산)
	  – 21.67[kN] 금속선, 50[mm²] 이상의 경동연선
	  – 특고압 가공전선로는 제2종 특고압 보안공사 시설			

(2) 공용설치 : 동일 지지물(별개 완금류)에 전력선과 약전선을 동시에 시설하는 것이다(KEC 222.21/332.21, 333.19).

구 분	저 압	고 압	특고압
약전선(케이블)	0.75[m] 이상(0.3[m])	1.5[m] 이상(0.5[m])	2[m] 이상(0.5[m])

기 타	* 저·고압
	  – 전선로의 지지물로서 사용하는 목주의 풍압하중에 대한 안전율은 1.5 이상일 것
	  – 상부에 가공전선을 시설하며 별도의 완금류에 시설할 것
	* 특고압
	  – 제2종 특고압 보안공사에 의할 것
	  – 사용전압 35[kV] 이하에서만 시설
	  – 21.67[kN] 이상의 연선, 50[mm²] 이상인 경동연선 사용		

(3) 첨가 : 가공전선로의 지지물에 통신선을 동시에 시설하는 것이다.

구 분	저·고압		특고압		22.9[kV-Y]
	나전선	절연·케이블	나전선	절연·케이블	
통신선	0.6[m] 이상	0.3[m] 이상	1.2[m] 이상	0.3[m] 이상	0.75[m] 이상 중성선 0.6[m] 이상

9. 가공전선과 약전선(안테나)의 접근교차 시 이격거리

KEC 222.13/332.13, 222.14/332.14(저·고압 가공전선과 약전선(안테나)의 접근 또는 교차)

구 분	저 압			고 압			※ 추가 : 25[kV] 이하 특고압 가공전선		
	일반	고압절연	케이블	일반	고압절연	케이블	일반	특고압절연	케이블
접근, 교차, 안테나	0.6[m]	0.3[m]	0.3[m]	0.8[m]	–	0.4[m]	1.5[m]	1.0[m]	0.5[m]

10. 가공약전류전선로의 유도장해 방지

저압 또는 고압 가공전선로와 기설 가공약전류전선로가 병행하는 경우에는 유도작용에 의하여 통신상의 장해가 생기지 아니하도록 전선과 기설 약전류전선 간의 이격거리는 2[m] 이상이어야 한다.

11. 유도장해의 방지

(1) 특고압 가공전선로는 기설가공전화선로에 대하여 상시 정전유도 작용에 의한 통신상의 장해가 없도록 시설하고 유도전류를 다음과 같이 제한한다.

① 사용전압이 60[kV] 이하인 경우에는 전화선로의 길이 12[km]마다 유도전류가 2[μA]를 넘지 아니하도록 해야 한다.

② 사용전압이 60[kV]를 초과하는 경우에는 전화선로의 길이 40[km]마다 유도전류가 3[μA]를 넘지 아니하도록 해야 한다.

> **참조**
>
> **유도장해 방지(기술기준 제17조)**
> • 교류 특고압 가공전선로에서 발생하는 극저주파 전자계는 지표상 1[m]에서 전계가 3.5[kV/m] 이하, 자계가 83.3[μT] 이하가 되도록 시설하고, 직류 특고압 가공전선로에서 발생하는 직류전계는 지표면에서 25[kV/m] 이하, 직류자계는 지표상 1[m]에서 400,000[μT] 이하가 되도록 시설하는 등 상시 정전유도 및 전자유도 작용에 의하여 사람에게 위험을 줄 우려가 없도록 시설하여야 한다. 다만, 논밭, 산림 그 밖에 사람의 왕래가 적은 곳에서 사람에 위험을 줄 우려가 없도록 시설하는 경우에는 그러하지 아니하다.
> • 특고압의 가공전선로는 전자유도작용이 약전류전선로(전력보안통신설비는 제외한다)를 통하여 사람에 위험을 줄 우려가 없도록 시설하여야 한다.
> • 전력보안통신설비는 가공전선로로부터의 정전유도작용 또는 전자유도작용에 의하여 사람에 위험을 줄 우려가 없도록 시설하여야 한다.

핵 / 심 / 예 / 제

01 동일 지지물에 저압 가공전선(다중접지된 중성선은 제외)과 고압 가공전선을 시설하는 경우 저압 가공전선은?

[2015년 3회 기사 / 2019년 2회 산업기사]

① 고압 가공전선의 위로 하고 동일 완금류에 시설
② 고압 가공전선과 나란하게 하고 동일 완금류에 시설
③ 고압 가공전선의 아래로 하고 별개의 완금류에 시설
④ 고압 가공전선과 나란하게 하고 별개의 완금류에 시설

해설 KEC 222.9/332.8(저·고압 가공전선 등의 병행설치), 333.17(특고압 가공전선과 저·고압 가공전선의 병행설치)

구 분	고 압	35[kV] 이하	~60[kV] 이하	60[kV] 초과
저압·고압 (케이블)	0.5[m] 이상 (0.3[m])	1.2[m] 이상 (0.5[m])	2[m] 이상 (1[m])	2[m](1[m]) + 단수 × 0.12[m]
기 타	• 35[kV] 이하 　- 상부에 고압 측을 시설하며 별도의 완금류에 시설할 것 • 35~100[kV] 이하의 특고압 　- 단수 = $\dfrac{60[kV] \text{ 초과}}{10[kV]}$(반드시 절상하여 계산) 　- 21.67[kN] 금속선, 50[mm^2] 이상의 경동연선			

01 ③ **정답**

02 저 · 고압 가공전선과 가공약전류전선 등을 동일 지지물에 시설하는 경우로 틀린 것은?

[2015년 3회 기사 / 2019년 1회 기사]

① 가공전선을 가공약전류전선 등의 위로하고 별개의 완금류에 시설할 것
② 전선로의 지지물로 사용하는 목주의 풍압하중에 대한 안전율은 1.5 이상일 것
③ 가공전선과 가공약전류전선 등 사이의 이격거리는 저압과 고압 모두 75[cm] 이상일 것
④ 가공전선이 가공약전류전선에 대하여 유도작용에 의한 통신상의 장해를 줄 우려가 있는 경우에는 가공전선을 적당한 거리에서 연가할 것

해설 KEC 222.21/332.21(저 · 고압 가공전선과 가공약전류전선 등의 공용설치), 333.19(저 · 고압 가공전선과 가공약전류전선 등의 공용설치)

구 분	저 압	고 압	특고압
약전선(케이블)	0.75[m] 이상(0.3[m])	1.5[m] 이상(0.5[m])	2[m] 이상(0.5[m])
기 타	• 저 · 고압 　- 전선로의 지지물로서 사용하는 목주의 풍압하중에 대한 안전율은 1.5 이상일 것 　- 상부에 가공전선을 시설하며 별도의 완금류에 시설할 것 • 특고압 　- 제2종 특고압 보안공사에 의할 것 　- 사용전압 35[kV] 이하에서만 시설 　- 21.67[kN] 이상의 연선, 50[mm²] 이상인 경동연선 사용		

03 사용전압이 35[kV] 이하인 특고압 가공전선과 가공약전류전선 등을 동일 지지물에 시설하는 경우, 특고압 가공전선로는 어떤 종류의 보안공사로 하여야 하는가?

[2012년 1회 기사 / 2014년 2회 기사 / 2017년 2회 기사 / 2020년 4회 기사]

① 제1종 특고압 보안공사　　　　　② 제2종 특고압 보안공사
③ 제3종 특고압 보안공사　　　　　④ 고압 보안공사

해설 2번 해설 참조

04 저압 가공전선과 고압 가공전선을 동일 지지물에 시설하는 경우 이격거리는 몇 [cm] 이상이어야 하는가?(단, 각도주·분기주 등에서 혼촉의 우려가 없도록 시설하는 경우는 제외한다)

[2020년 1, 2회 산업기사]

① 50　　　　　② 60　　　　　③ 70　　　　　④ 80

해설 KEC 222.9/332.8(저·고압 가공전선 등의 병행설치), 333.17(특고압 가공전선과 저·고압 가공전선의 병행설치)

구 분	고 압	35[kV] 이하	~60[kV] 이하	60[kV] 초과
저압·고압 (케이블)	0.5[m] 이상 (0.3[m])	1.2[m] 이상 (0.5[m])	2[m] 이상 (1[m])	2[m](1[m]) + 단수 × 0.12[m]
기 타	• 35[kV] 이하 　– 상부에 고압 측을 시설하며 별도의 완금류에 시설할 것 • 35 ~ 100[kV] 이하의 특고압 　– 단수= $\dfrac{60[kV] \text{ 초과}}{10[kV]}$ (반드시 절상하여 계산) 　– 21.67[kN] 금속선, 50[mm²] 이상의 경동연선			

05 저압 가공전선과 고압 가공전선을 동일 지지물에 병가하는 경우, 고압 가공전선에 케이블을 사용하면 그 케이블과 저압 가공전선의 최소 이격거리는 몇 [cm]인가?　　　[2015년 2회 기사]

① 30　　　　　② 50　　　　　③ 70　　　　　④ 90

해설 4번 해설 참조

06 동일 지지물에 고압 가공전선과 저압 가공전선을 병가할 경우 일반적으로 양 전선 간의 이격거리는 몇 [cm] 이상인가?　　　[2016년 1회 기사]

① 50　　　　　② 60　　　　　③ 70　　　　　④ 80

해설 4번 해설 참조

04 ①　05 ①　06 ①　**정답**

07 저압 가공전선(다중접지된 중성선은 제외한다)과 고압 가공전선을 동일 지지물에 시설하는 경우 저압 가공전선과 고압 가공전선 사이의 이격거리는 몇 [cm] 이상이어야 하는가?(단, 각도주(角度柱)·분기주(分岐柱) 등에서 혼촉(混觸)의 우려가 없도록 시설하는 경우가 아니다) [2020년 3회 산업기사]

① 50　　　　　② 60　　　　　③ 80　　　　　④ 100

해설　KEC 222.9/332.8(저·고압 가공전선 등의 병행설치)
• 저압 가공전선을 고압 가공전선의 아래로 하고 별개의 완금류에 시설할 것
• 저압 가공전선과 고압 가공전선 사이의 이격거리는 0.5[m] 이상일 것. 다만, 각도주·분기주 등에서 혼촉의 우려가 없도록 시설하는 경우에는 그러하지 아니하다.

08 다음 (　)에 들어갈 내용으로 옳은 것은? [2021년 2회 기사]

"동일 지지물에 저압 가공전선(다중접지된 중성선은 제외한다)과 고압 가공전선을 시설하는 경우 고압 가공전선을 저압 가공전선의 (㉠)로 하고, 별개의 완금류에 시설해야 하며, 고압 가공전선과 저압 가공전선 사이의 이격거리는 (㉡)[m] 이상으로 한다."

① ㉠ 아래　㉡ 0.5
② ㉠ 아래　㉡ 1
③ ㉠ 위　　㉡ 0.5
④ ㉠ 위　　㉡ 1

해설　7번 해설 참조

09 특고압 가공전선이 다른 특고압 가공전선과 교차하여 시설하는 경우는 제 몇 종 특고압 보안공사에 의하여야 하는가? [2015년 2회 산업기사]

① 1종　　　　　　　② 2종
③ 3종　　　　　　　④ 4종

해설　KEC 333.27(특고압 가공전선 상호 간의 접근 또는 교차)
특고압 가공전선이 다른 특고압 가공전선과 접근상태로 시설되거나 교차하여 시설되는 경우 위쪽 또는 옆쪽에 시설되는 특고압 가공전선로는 제3종 특고압 보안공사에 의할 것

10 저압 절연전선을 사용한 220[V] 저압 가공전선이 안테나와 접근상태로 시설되는 경우 가공전선과 안테나 사이의 이격거리는 몇 [cm] 이상이어야 하는가?(단, 전선이 고압 절연전선, 특고압 절연전선 또는 케이블인 경우는 제외한다) [2017년 3회 산업기사]

① 30
② 60
③ 100
④ 120

해설 KEC 222.14/332.14(저·고압 가공전선과 안테나의 접근 또는 교차)

구 분	저 압			고 압			※ 추가 : 25[kV] 이하 특고압 가공전선		
	일 반	고압 절연	케이블	일 반	고압 절연	케이블	일 반	특고압 절연	케이블
접근, 교차, 안테나	0.6[m]	0.3[m]	0.3[m]	0.8[m]	–	0.4[m]	1.5[m]	1.0[m]	0.5[m]

11 저압 가공전선이 가공약전류전선과 접근하여 시설될 때, 저압 가공전선과 가공약전류전선 사이의 이격거리는 몇 [cm] 이상이어야 하는가? [2018년 2회 산업기사]

① 40
② 50
③ 60
④ 80

해설 KEC 222.13/332.13(저·고압 가공전선과 가공약전류전선 등의 접근 또는 교차), 222.14/332.14(저·고압 가공전선과 안테나의 접근 또는 교차), 222.19/332.19(저·고압 가공전선과 식물의 이격거리)

구 분	저압 가공전선			고압 가공전선		
	일 반	절 연	케이블	일 반	절 연	케이블
가공약전류전선	0.6[m](고압, 케이블 0.3[m])			0.8[m](케이블 0.4[m])		
가공약전선(케이블)	위 값의 0.5배					
안테나	0.6[m]	0.3[m]	0.3[m]	0.8[m]	–	0.4[m]
식 물	접촉하지 않으면 된다.					

12 저압 가공전선이 안테나와 접근상태로 시설될 때 상호 간의 이격거리는 몇 [cm] 이상이어야 하는가?(단, 전선이 고압 절연전선, 특고압 절연전선 또는 케이블이 아닌 경우이다)

[2022년 1회 기사]

① 60　　　　　　　　　　　　② 80
③ 100　　　　　　　　　　　④ 120

해설　KEC 222.14/332.14(저·고압 가공전선과 안테나의 접근 또는 교차)

구 분	저 압			고 압			※ 추가 : 25[kV] 이하 특고압 가공전선		
	일 반	고압 절연	케이블	일 반	고압 절연	케이블	일 반	특고압 절연	케이블
접근, 교차, 안테나	0.6[m]	0.3[m]	0.3[m]	0.8[m]	–	0.4[m]	1.5[m]	1.0[m]	0.5[m]

13 고압 가공전선이 가공약전류전선과 접근하는 경우 고압 가공전선과 가공약전류전선 사이의 이격거리는 몇 [cm] 이상이어야 하는가?(단, 전선은 케이블이다)

[2014년 1회 산업기사 / 2019년 1회 산업기사]

① 15　　　　　　　　　　　　② 30
③ 40　　　　　　　　　　　　④ 80

해설　KEC 222.13/332.13(저·고압 가공전선과 가공약전류전선 등의 접근 또는 교차), 222.14/332.14(저·고압 가공전선과 안테나의 접근 또는 교차), 222.19/332.19(저·고압 가공전선과 식물의 이격거리)

구 분	저압 가공전선			고압 가공전선		
	일 반	절 연	케이블	일 반	절 연	케이블
가공약전류전선	0.6[m](고압, 케이블 0.3[m])			0.8[m](케이블 0.4[m])		
가공약전선(케이블)	위 값의 0.5배					
안테나	0.6[m]	0.3[m]	0.3[m]	0.8[m]	–	0.4[m]
식 물	접촉하지 않으면 된다.					

14 고압 가공전선이 안테나와 접근상태로 시설되는 경우에 가공전선과 안테나 사이의 수평이격거리는 최소 몇 [cm] 이상이어야 하는가?(단, 가공전선으로는 케이블을 사용하지 않는다고 한다)

[2016년 3회 기사]

① 60　　　　　　　　　　　② 80
③ 100　　　　　　　　　　④ 120

해설 KEC 222.14/332.14(저·고압 가공전선과 안테나의 접근 또는 교차)

구 분	저 압			고 압		
	일 반	고압 절연	케이블	일 반	고압 절연	케이블
안테나	0.6[m]	0.3[m]	0.3[m]	0.8[m]	–	0.4[m]

15 가섭선에 의하여 시설하는 안테나가 있다. 이 안테나 주위에 경동연선을 사용한 고압 가공전선이 지나가고 있다면 수평 이격거리는 몇 [cm] 이상이어야 하는가?

[2017년 1회 기사]

① 40　　　　　　　　　　　② 60
③ 80　　　　　　　　　　　④ 100

해설 14번 해설 참조

16 고압 가공전선 상호 간이 접근 또는 교차하여 시설되는 경우, 고압 가공전선 상호 간의 이격거리는 몇 [cm] 이상이어야 하는가?(단, 고압 가공전선은 모두 케이블이 아니라고 한다)

[2016년 2회 산업기사 / 2019년 1회 산업기사]

① 50　　　　　　　　　　　② 60
③ 70　　　　　　　　　　　④ 80

해설 KEC 222.16(저압 가공전선 상호 간의 접근 또는 교차), 332.16(고압과 저압), 332.17(고압 상호)

구 분		저압 가공전선			고압 가공전선		
		일 반	절 연	케이블	일 반	절 연	케이블
전 선	저압 가공전선	0.6[m]	0.3[m]	0.3[m]	0.8[m]		0.4[m]
	고압 가공전선		–				
	지지물		0.3[m]		0.6[m]		0.3[m]

14 ②　15 ③　16 ④　정답

17 중성선 다중접지식의 것으로서 전로에 지락이 생겼을 때, 2초 이내에 자동적으로 이를 전로로부터 차단하는 장치가 되어 있는 22.9[kV] 특고압 가공전선과 다른 특고압 가공전선과 접근하는 경우 이격 거리는 몇 [m] 이상으로 하여야 하는가?(단, 양쪽이 나전선인 경우이다)

[2013년 3회 기사 / 2020년 1, 2회 산업기사]

① 0.5 　　　　　　　　② 1.0
③ 1.5 　　　　　　　　④ 2.0

해설　KEC 333.32(25[kV] 이하인 특고압 가공전선로의 시설)

전선의 종류	나전선	특고압 절연전선	케이블
이격거리	1.5[m]	1.0[m]	0.5[m]

18 22.9[kV] 특고압으로 가공전선과 조영물이 아닌 다른 시설물이 교차하는 경우, 상호 간의 이격거리는 몇 [cm]까지 감할 수 있는가?(단, 전선은 케이블이다) [2016년 1회 산업기사]

① 50 　　　　　　　　② 60
③ 100 　　　　　　　　④ 120

해설　KEC 333.28(특고압 가공전선과 다른 시설물의 접근 또는 교차)

다른 시설물의 구분	접근형태	이격거리
조영물의 상부조영재	위 쪽	2[m](케이블 1.2[m])
	옆쪽 또는 아래쪽	1[m](케이블 0.5[m])
조영물의 상부조영재 이외의 부분 또는 조영물 이외의 시설물	–	1[m](케이블 0.5[m])

19 특고압 가공전선이 가공약전류전선 등 저압 또는 고압의 가공전선이나 저압 또는 고압의 전차
선과 제1차 접근상태로 시설되는 경우 60[kV] 이하 가공전선과 저·고압 가공전선 등 또는
이들의 지지물이나 지주 사이의 이격거리는 몇 [m] 이상인가?   [2020년 1, 2회 산업기사]

① 1.2   ② 2
③ 2.6   ④ 3.2

해설   KEC 333.26(특고압 가공전선과 저·고압 가공전선 등의 접근 또는 교차)

사용전압의 구분	이격거리
60[kV] 이하	2[m]
60[kV] 초과	• 이격거리＝2+단수×0.12[m] • 단수＝$\dfrac{(전압[kV]-60[kV])}{10[kV]}$ (단수 계산에서 소수점 이하는 절상)

20 345[kV] 가공전선이 154[kV] 가공전선과 교차하는 경우 이들 양 전선 상호 간의 이격거리는
몇 [m] 이상이어야 하는가?   [2017년 3회 기사]

① 4.48   ② 4.96
③ 5.48   ④ 5.82

해설   19번 해설 참조

$$단수 = \frac{345-60}{10} = 28.5 = 29단, \quad N = 단수 \times 0.12[m]$$

∴ 이격거리 ＝ 2 + (0.12[m] × 29) = 5.48[m]

21 특고압 가공전선과 가공약전류전선 사이에 보호망을 시설하는 경우 보호망을 구성하는 금속선 상호 간의 간격은 가로 및 세로를 각각 몇 [m] 이하로 시설하여야 하는가?

[2020년 1, 2회 산업기사]

① 0.75　　　　　　　　　　② 1.0
③ 1.25　　　　　　　　　　④ 1.5

해설 KEC 333.26(특고압 가공전선과 저·고압 가공전선 등의 접근 또는 교차)
• 보호망을 구성하는 금속선의 인장강도는 8.01[kN] 이상으로 한다.
• 보호망을 구성하는 금속선 상호의 간격은 가로, 세로 각 1.5[m] 이하로 한다.

22 저압 가공전선로와 기설 가공약전류전선로가 병행하는 경우에는 유도작용에 의하여 통신상의 장해가 생기지 아니하도록 전선과 기설 약전류전선 간의 이격거리는 몇 [m] 이상이어야 하는가?

[2017년 1회 산업기사]

① 1　　　　　　　　　　② 2
③ 2.5　　　　　　　　　④ 4.5

해설 KEC 222.3/332.1(가공약전류전선로의 유도장해 방지)
유도작용에 의하여 통신상의 장해가 생기지 아니하도록 전선과 기설 약전류전선 간의 이격거리는 2[m] 이상이어야 한다.

23 저압 또는 고압의 가공전선로와 기설 가공약전류전선로가 병행할 때 유도작용에 의한 통신상의 장해가 생기지 않도록 전선과 기설 약전류전선 간의 이격거리는 몇 [m] 이상이어야 하는가?(단, 전기철도용 급전선로는 제외한다)

[2019년 3회 기사]

① 2　　　　　　　　　　② 3
③ 4　　　　　　　　　　④ 6

해설 22번 해설 참조

정답 21 ④　22 ②　23 ①

24 저압 가공전선로 또는 고압 가공전선로와 기설 가공약전류전선로가 병행하는 경우에는 유도작용에 의한 통신상의 장해가 생기지 아니하도록 전선과 기설 약전류전선 간의 이격거리는 몇 [m] 이상이어야 하는가?(단, 전기철도용 급전선로는 제외한다) [2020년 1, 2회 기사]

① 2　　　　　② 4　　　　　③ 6　　　　　④ 8

> 해설　KEC 222.3/332.1(가공약전류전선로의 유도장해 방지)
> 유도작용에 의하여 통신상의 장해가 생기지 아니하도록 전선과 기설 약전류전선 간의 이격거리는 2[m] 이상이어야 한다.

25 유도장해의 방지를 위한 규정으로 사용전압 60[kV] 이하인 가공전선로의 유도전류는 전화선로의 길이 12[km]마다 몇 [μA]를 넘지 않도록 하여야 하는가? [2016년 3회 기사]

① 1　　　　　② 2　　　　　③ 3　　　　　④ 4

> 해설　KEC 333.2(유도장해의 방지)
>
> | 60[kV] 이하 | 사용전압 | 60[kV] 초과 |
> |---|---|---|
> | 2[μA]/12[km] 이하 | 유도전류 | 3[μA]/40[km] 이하 |

26 사용전압이 60[kV] 이하인 경우 전화선로의 길이 12[km]마다 유도전류는 몇 [μA]를 넘지 않도록 하여야 하는가?

[2018년 1회 기사]

① 1　　　　　　② 2　　　　　　③ 3　　　　　　④ 5

해설　KEC 333.2(유도장해의 방지)

60[kV] 이하	사용전압	60[kV] 초과
2[μA]/12[km] 이하	유도전류	3[μA]/40[km] 이하

27 특고압 가공전선로에서 사용전압이 60[kV]를 넘는 경우, 전화선로의 길이 몇 [km]마다 유도전류가 3[μA]를 넘지 않도록 하여야 하는가?

[2017년 1회 기사]

① 12　　　　　　② 40　　　　　　③ 80　　　　　　④ 100

해설　26번 해설 참조

28 특고압 가공전선로에서 발생하는 극저주파 전자계는 지표상 1[m]에서 전계가 몇 [kV/m] 이하가 되도록 시설하여야 하는가?

[2019년 2회 산업기사]

① 3.5　　　　　　② 2.5　　　　　　③ 1.5　　　　　　④ 0.5

해설　기술기준 제17조(유도장해 방지)
- 교류 특고압 가공전선로에서 발생하는 극저주파 전자계는 지표상 1[m]에서 전계가 3.5[kV/m] 이하, 자계가 83.3[μT] 이하가 되도록 시설하고, 직류 특고압 가공전선로에서 발생하는 직류전계는 지표면에서 25[kV/m] 이하, 직류자계는 지표상 1[m]에서 400,000[μT] 이하가 되도록 시설하는 등 상시 정전유도 및 전자유도 작용에 의하여 사람에게 위험을 줄 우려가 없도록 시설하여야 한다. 다만, 논밭, 산림 그 밖에 사람의 왕래가 적은 곳에서 사람에 위험을 줄 우려가 없도록 시설하는 경우에는 그러하지 아니하다.
- 특고압의 가공전선로는 전자유도작용이 약전류전선로(전력보안통신설비는 제외한다)를 통하여 사람에 위험을 줄 우려가 없도록 시설하여야 한다.
- 전력보안통신설비는 가공전선로로부터의 정전유도작용 또는 전자유도작용에 의하여 사람에 위험을 줄 우려가 없도록 시설하여야 한다.

29 특고압 가공전선로에서 발생하는 극저주파 전계는 지표상 1[m]에서 몇 [kV/m] 이하이어야 하는가?

[2021년 3회 기사]

① 2.0
② 2.5
③ 3.0
④ 3.5

해설 **기술기준 제17조(유도장해 방지)**

교류 특고압 가공전선로에서 발생하는 극저주파 전자계는 지표상 1[m]에서 전계가 3.5[kV/m] 이하, 자계가 83.3[μT] 이하가 되도록 시설하고, 직류 특고압 가공전선로에서 발생하는 직류전계는 지표면에서 25[kV/m] 이하, 직류자계는 지표상 1[m]에서 400,000[μT] 이하가 되도록 시설하는 등 상시 정전유도 및 전자유도 작용에 의하여 사람에게 위험을 줄 우려가 없도록 시설

출 / 제 / 예 / 상 / 문 / 제

01 사용전압 66[kV] 가공전선과 6[kV] 가공전선을 동일 지지물에 시설하는 경우, 특고압 가공전선은 케이블인 경우를 제외하고는 단면적이 몇 [mm²]인 경동연선 또는 이와 동등 이상의 세기 및 굵기의 연선이어야 하는가?

① 22　　　　　② 38　　　　　③ 50　　　　　④ 100

해설 KEC 222.9/332.8(저 · 고압 가공전선 등의 병행설치), 333.17(특고압 가공전선과 저 · 고압 가공전선의 병행설치)

구 분	고 압	35[kV] 이하	~60[kV] 이하	60[kV] 초과
저압 · 고압 (케이블)	0.5[m] 이상 (0.3[m])	1.2[m] 이상 (0.5[m])	2[m] 이상 (1[m])	2[m](1[m]) + 단수 × 0.12[m]

기 타	• 35[kV] 이하
	    – 상부에 고압 측을 시설하며 별도의 완금류에 시설할 것
	 • 35 ~ 100[kV] 이하의 특고압
	    – 단수 = $\dfrac{60[kV]\ 초과}{10[kV]}$ (반드시 절상하여 계산)
	    – 21.67[kN] 금속선, 50[mm²] 이상의 경동연선			

02 66,000[V] 가공전선과 6,000[V] 가공전선을 동일 지지물에 병가하는 경우, 특고압 가공전선으로 사용하는 경동연선의 굵기는 몇 [mm²] 이상이어야 하는가?

① 22　　　　　② 38　　　　　③ 50　　　　　④ 100

해설 1번 해설 참조

03 가공약전류전선을 사용전압이 22.9[kV]인 특고압 가공전선과 동일 지지물에 공가하고자 할 때 가공전선으로 경동연선을 사용한다면 단면적이 몇 [mm²] 이상인가?

① 22 ② 38 ③ 50 ④ 55

해설 KEC 222.21/332.21(저·고압 가공전선과 가공약전류전선 등의 공용설치), 333.19(저·고압 가공전선과 가공약전류전선 등의 공용설치)

구 분	저 압	고 압	특고압
약전선(케이블)	0.75[m] 이상(0.3[m])	1.5[m] 이상(0.5[m])	2[m] 이상(0.5[m])
기 타	• 저·고압 　– 전선로의 지지물로서 사용하는 목주의 풍압하중에 대한 안전율은 1.5 이상일 것 　– 상부에 가공전선을 시설하며 별도의 완금류에 시설할 것 • 특고압 　– 제2종 특고압 보안공사에 의할 것 　– 사용전압 35[kV] 이하에서만 시설 　– 21.67[kN] 이상의 연선, 50[mm²] 이상인 경동연선 사용		

12. 가공전선과 건조물(조영재)의 이격거리

(1) 저 · 고압 가공전선 이격거리

구 분			저압 가공전선			고압 가공전선		
			일 반	고압 절연	케이블	일 반	고압 절연	케이블
건조물	상부 조영재	상 방	2[m]	1[m]		2[m]	−	1[m]
		측 · 하방, 기타 조영재	1.2[m]	0.4[m]		1.2[m]	−	0.4[m]
기 타	삭도(지주), 저압 전차선		0.6[m]	0.3[m]		0.8[m]		0.4[m]
	저 · 고압 가공전선의 지지물		0.3[m]			0.6[m]		0.3[m]
	식 물		상시 부는 바람에 접촉하지 않도록 한다.					

(2) 특고압 가공전선과 각종 시설물의 접근 또는 교차

① 특고압 가공전선과 건조물의 접근(KEC 333.23)

구 분			이격거리			
			일 반	특고압 절연	케이블	35[kV] 초과
건조물	상부 조영재	상 방	3[m]	2.5[m]	1.2[m]	규정값 + 단수 × 0.15[m]
		측 · 하방, 기타 조영재	3[m]	1.5[m]☆	0.5[m]	
			☆ 전선에 사람이 쉽게 접촉할 수 없는 경우 1[m]			

② 특고압 가공전선과 도로 등의 접근 또는 교차(KEC 333.24)

구 분	이격거리	
	35[kV] 이하	35[kV] 초과
이격거리	3[m]	3[m] + 단수 × 0.15[m]
보호망(1.5[m] 격자, 8.01[kN], 5[mm] 금속선 사용)을 설치하면 보안공사는 생략 가능		

$$단수 = \frac{35[kV] \ 초과분}{10[kV]} \ (반드시 \ 절상 \ 후 \ 계산)$$

③ 특고압 가공전선과 기타 시설물의 접근 또는 교차(KEC 333.25/333.26/333.27/333.30)

구 분	이격거리				
	35[kV] 이하			~ 60[kV] 이하	60[kV] 초과
	일 반	절 연	케이블		
삭도(지지물)	2[m]	1[m]	0.5[m]	2[m]	2[m] + N
특고압 가공전선	−	1[m]	0.5[m]	2[m]	2[m] + N
	상부, 측면, 제3종 특고압 보안공사				
저 · 고압 가공전선	2[m]				2[m] + N
식 물	0.5[m]			2[m]	2[m] + N
N = 단수 ×0.12[m]					

(3) 25[kV] 이하인 특고압 가공전선로의 시설(KEC 333.32)

① 다중접지한 중성선은 저압 가공전선의 규정에 준하여 시설

② 접지도체는 공칭단면적 6[mm^2] 이상의 연동선

③ 접지 상호 간의 거리

　　㉠ ~ 15[kV] 이하 : 300[m] 이하

　　㉡ 15[kV] 초과 ~ 25[kV] 이하 : 150[m] 이하

④ 접지저항값[Ω]

전 압	분리 시 개별 접지 저항값	1[km]마다 합성 접지저항값
15[kV] 이하	300[Ω]	30[Ω]
15[kV] 초과 25[kV] 이하	300[Ω]	15[Ω]

⑤ 경 간

지지물의 종류	경 간
목주·A종 철주 또는 A종 철근 콘크리트주	100[m]
B종 철주 또는 B종 철근 콘크리트주	150[m]
철 탑	400[m]

⑥ 전선 상호 간 이격거리

구 분	나전선	특고압 절연전선	케이블 특고압 절연전선
나전선	1.5[m]	–	–
특고압 절연전선	–	1.0[m]	–
케이블	–	–	0.5[m]

⑦ 식물 사이의 이격거리는 1.5[m] 이상

01 고압 가공전선과 건조물의 상부 조영재와의 옆쪽 이격거리는 몇 [m] 이상인가?(단, 전선에 사람이 쉽게 접촉할 우려가 있고 케이블이 아닌 경우이다) [2016년 1회 기사]

① 1.0　　　　　　　　　　　② 1.2
③ 1.5　　　　　　　　　　　④ 2.0

해설　KEC 222.11/332.11(저·고압 가공전선과 건조물의 접근)

구 분		저압 가공전선			고압 가공전선		
		일 반	절 연	케이블	일 반	절 연	케이블
상부 조영재	상 방	2[m]	1[m]	1[m]	2[m]	–	1[m]
	측·하방	1.2[m]	0.4[m]	0.4[m]	1.2[m]	–	0.4[m]
기타 조영재		인체 비접촉 시 0.8[m]					

02 저압 가공전선이 건조물의 상부 조영재 옆쪽으로 접근하는 경우 저압 가공전선과 건조물의 조영재 사이의 이격거리는 몇 [m] 이상이어야 하는가?(단, 전선에 사람이 쉽게 접촉할 우려가 없도록 시설한 경우와 전선이 고압 절연전선, 특고압 절연전선 또는 케이블인 경우는 제외한다) [2019년 3회 기사]

① 0.6　　　　　　　　　　　② 0.8
③ 1.2　　　　　　　　　　　④ 2.0

해설　1번 해설 참조

03 사람이 접촉할 우려가 있는 경우 고압 가공전선과 상부 조영재의 옆쪽에서의 이격거리는 몇 [m] 이상이어야 하는가?(단, 전선은 경동연선이라고 한다) [2017년 1회 기사]

① 0.6　　　　　　　　　　　② 0.8
③ 1.0　　　　　　　　　　　④ 1.2

해설　1번 해설 참조

04 특고압 가공전선이 건조물과 1차 접근상태로 시설되는 경우를 설명한 것 중 틀린 것은?

[2016년 2회 산업기사]

① 상부조영재와 위쪽으로 접근 시 케이블을 사용하면 1.2[m] 이상 이격거리를 두어야 한다.

② 상부조영재와 옆쪽으로 접근 시 특고압 절연전선을 사용하면 1.5[m] 이상 이격거리를 두어야 한다.

③ 상부조영재와 아래쪽으로 접근 시 특고압 절연전선을 사용하면 1.5[m] 이상 이격거리를 두어야 한다.

④ 상부조영재와 위쪽으로 접근 시 특고압 절연전선을 사용하면 2.0[m] 이상 이격거리를 두어야 한다.

해설 KEC 333.23(특고압 가공전선과 건조물의 접근)

구 분			35[kV] 이하의 가공전선			35[kV] 초과의 가공전선
			일 반	특고압 절연	케이블	
건조물	상부 조영재	상 방	3[m]	2.5[m]	1.2[m]	표준 + N =표준 + (35[kV] 초과분 / 10[kV]) × 0.15[m]
		측·하방 기타 조영재	3[m]	1.5[m]	0.5[m]	

05 어떤 공장에서 케이블을 사용하는 사용전압이 22[kV]인 가공전선을 건물 옆쪽에서 1차 접근상태로 시설하는 경우, 케이블과 건물의 조영재 이격거리는 몇 [cm] 이상이어야 하는가?

[2019년 2회 기사]

① 50
② 80
③ 100
④ 120

해설 4번 해설 참조

06 사용전압이 22.9[kV]인 가공전선이 삭도와 제1차 접근상태로 시설되는 경우, 가공전선과 삭도 또는 삭도용 지주 사이의 이격거리는 몇 [m] 이상으로 하여야 하는가?(단, 전선으로는 특고압 절연전선을 사용한다) [2021년 1회 기사]

① 0.5
② 1
③ 2
④ 2.12

해설 KEC 333.25(특고압 가공전선과 삭도의 접근 또는 교차)

사용전압의 구분	이격 거리
35[kV] 이하	2[m](전선이 특고압 절연전선인 경우는 1[m], 케이블인 경우는 0.5[m])
35[kV] 초과 60[kV] 이하	2[m]
60[kV] 초과	2[m]+N
	N=(60[kV] 초과분 / 10[kV]) × 0.12[m]

07 시가지에 시설하는 154[kV] 가공전선로를 도로와 제1차 접근상태로 시설하는 경우, 전선과 도로와의 이격거리는 몇 [m] 이상이어야 하는가? [2015년 3회 산업기사 / 2021년 3회 기사]

① 4.4
② 4.8
③ 5.2
④ 5.6

해설 KEC 333.24(특고압 가공전선과 도로 등의 접근 또는 교차)

구 분	35[kV] 이하	35[kV] 초과
이격거리	3[m]	3[m] + (35[kV] 초과분 / 10[kV]) × 0.15[m]
1차 접근상태	제3종 특고압 보안공사	–
2차 접근상태	제2종 특고압 보안공사, 특고압 가공전선 중 2차 접근상태의 길이가 연속하여 100[m] 이하이고 또한 1경간 안에서의 그 부분의 길이의 합계가 100[m] 이하	
보호망(1.5[m] 격자, 8.01[kN], 5[mm] 금속선 사용)을 설치하면 보안공사는 생략 가능		

∴ 154[kV] 이격거리 = $3 + \frac{154-35}{10} \times 0.15 = 4.8$[m]   ㈜ 단수×0.15[m]

08 765[kV] 가공전선 시설 시 2차 접근상태에서 건조물을 시설하는 경우 건조물 상부와 가공전선 사이의 수직거리는 몇 [m] 이상인가?(단, 전선의 높이가 최저상태로 사람이 올라갈 우려가 있는 개소를 말한다) [2014년 1회 산업기사 / 2016년 1회 기사]

① 15

② 20

③ 25

④ 28

> 해설 KEC 333.23(특고압 가공전선과 건조물의 접근)
> 전선 높이가 최저상태일 때 가공전선과 건조물 상부(지붕·차양·옷 말리는 곳 기타 사람이 올라갈 우려가 있는 개소를 말한다)와의 수직거리가 28[m] 이상일 것

09 중성선 다중접지식의 것으로 전로에 지락이 생겼을 때에 2초 이내에 자동적으로 이를 전로로 부터 차단하는 장치가 되어 있는 22.9[kV] 가공전선로를 상부조영재의 위쪽에서 접근상태로 시설하는 경우, 가공전선과 건조물과의 이격거리는 몇 [m] 이상이어야 하는가?(단, 전선으로는 나전선을 사용한다고 한다) [2012년 1회 산업기사 / 2019년 1회 산업기사]

① 1.2

② 1.5

③ 2.5

④ 3.0

> 해설 KEC 333.23(특고압 가공전선과 건조물의 접근)

구 분			35[kV] 이하의 가공전선			35[kV] 초과의 가공전선
			일 반	특고압 절연	케이블	
건조물	상부 조영재	상 방	3[m]	2.5[m]	1.2[m]	표준 + N =표준 + (35[kV] 초과분 / 10[kV]) × 0.15[m]
		측·하방 기타 조영재	3[m]	1.5[m]	0.5[m]	

10 사용전압이 22.9[kV]인 특고압 가공전선로(중성선 다중접지식의 것으로서 전로에 지락이 생겼을 때에 2초 이내에 자동적으로 이를 전로로부터 차단하는 장치가 되어 있는 것에 한한다)가 상호 간 접근 또는 교차하는 경우 사용전선이 양쪽 모두 케이블인 경우 이격거리는 몇 [m] 이상인가?

[2018년 2회 기사]

① 0.25 ② 0.5
③ 0.75 ④ 1.0

해설 KEC 333.32(25[kV] 이하인 특고압 가공전선로의 시설)

전선의 종류	나전선	특고압 절연전선	케이블
이격거리	1.5[m]	1.0[m]	0.5[m]

11 사용전압이 15[kV] 초과 25[kV] 이하인 특고압 가공전선로가 상호 간 접근 또는 교차하는 경우 사용전선이 양쪽 모두 나전선이라면 이격거리는 몇 [m] 이상이어야 하는가?(단, 중성선 다중접지 방식의 것으로서 전로에 지락이 생겼을 때에 2초 이내에 자동적으로 이를 전로로부터 차단하는 장치가 되어 있다)

[2021년 3회 기사]

① 1.0 ② 1.2
③ 1.5 ④ 1.75

해설 10번 해설 참조

정답 10 ② 11 ③

12 22.9[kV] 특고압 가공전선로의 시설에 있어서 중성선을 다중접지하는 경우에 각각 접지한 곳 상호 간의 거리는 전선로에 따라 몇 [m] 이하이어야 하는가? [2017년 1회 산업기사]

① 150
② 300
③ 400
④ 500

> **해설** KEC 333.32(25[kV] 이하인 특고압 가공전선로의 시설)
> 15[kV] 초과 25[kV] 이하인 특고압 가공전선로의 시설에 있어서 중성선을 다중접지하는 경우 각 접지점 상호의 거리는 전선로에 따라 150[m] 이하일 것

13 22.9[kV] 특고압 가공전선로의 중성선은 다중 접지를 하여야 한다. 각 접지선을 중성선으로부터 분리하였을 경우 1[km]마다 중성선과 대지 사이의 합성전기저항값은 몇 [Ω] 이하인가?(단, 전로에 지락이 생겼을 때에 2초 이내에 자동적으로 이를 전로로부터 차단하는 장치가 되어 있다) [2019년 1회 산업기사]

① 5
② 10
③ 15
④ 20

> **해설** KEC 333.32(25[kV] 이하인 특고압 가공전선로의 시설)
> 각 접지도체를 중성선으로부터 분리하였을 경우의 각 접지점의 대지전기저항값과 1[km]마다의 중성선과 대지 사이의 합성전기저항값

사용 전압	각 접지점의 대지전기저항값	1[km]마다의 합성전기저항값
15[kV] 이하	300[Ω]	30[Ω]
15[kV] 초과 25[kV] 이하	300[Ω]	15[Ω]

14 사용전압 15[kV] 이하인 특고압 가공전선로의 중성선 다중 접지시설은 각 접지선을 중성선으로부터 분리하였을 경우 1[km]마다의 중성선과 대지 사이의 합성전기저항값은 몇 [Ω] 이하이어야 하는가? [2019년 2회 산업기사]

① 30
② 50
③ 400
④ 500

> **해설** 13번 해설 참조

12 ① 13 ③ 14 ① **정답**

15 저압 옥상전선로의 전선과 식물 사이의 이격거리는 일반적으로 어떻게 규정하고 있는가?

[2012년 1회 산업기사]

① 20[cm] 이상 이격거리를 두어야 한다.

② 30[cm] 이상 이격거리를 두어야 한다.

③ 특별한 규정이 없다.

④ 바람 등에 의하여 접촉하지 않도록 한다.

해설 KEC 221.3(옥상전선로)

구 분	지지물	조영재	약전류전선 · 안테나	식 물
이격거리	15[m] 이내	2[m](1[m]) 이상	1[m](0.3[m]) 이상	상시 부는 바람과 비접촉

- 2.30[kN] / 2.6[mm] 이상 경동선
- 다른 시설물과 접근하거나 교차하는 경우 이격거리 0.6[m](고압 절연전선, 특고압 절연전선, 케이블 0.3[m]) 이상
- 특고압 : 시설 불가

16 고압 가공전선과 식물과의 이격거리에 대한 기준으로 가장 적절한 것은? [2012년 3회 산업기사]

① 고압 가공전선의 주위에 보호망으로 이격시킨다.

② 식물과의 접촉에 대비하여 차폐선을 시설하도록 한다.

③ 고압 가공전선을 절연전선으로 사용하고 주변의 식물을 제거시키도록 한다.

④ 식물에 접촉하지 아니하도록 시설하여야 한다.

해설 KEC 222.19/332.19(저 · 고압 가공전선과 식물의 이격거리)

구 분	저압 가공전선	고압 가공전선
식 물	상시 바람 비접촉 시설	상시 바람 비접촉 시설

17 60[kV] 이하의 특고압 가공전선과 식물과의 이격거리는 몇 [m] 이상이어야 하는가?

[2017년 3회 산업기사]

① 2 　　　② 2.12 　　　③ 2.24 　　　④ 2.36

> **해설** KEC 333.30(특고압 가공전선과 식물의 이격거리)

사용전압의 구분	이격거리
60[kV] 이하	2[m]
60[kV] 초과	• 이격거리＝2+단수×0.12[m] • 단수＝$\frac{(전압[kV]-60[kV])}{10[kV]}$ (단수 계산에서 소수점 이하는 절상)

18 154[kV] 가공전선과 식물과의 최소 이격거리는 몇 [m]인가? [2020년 3회 산업기사]

① 2.8 　　　② 3.2 　　　③ 3.8 　　　④ 4.2

> **해설** 17번 해설 참조
>
> 단수 $=\frac{(전압[kV]-60[kV])}{10[kV]}=\frac{154[kV]-60[kV]}{10[kV]}=9.4 \to 10(절상)$
>
> ∴ 이격거리 $= 2+10\times0.12 = 3.2[m]$

19 사용전압이 154[kV]인 가공송전선의 시설에서 전선과 식물과의 이격거리는 일반적인 경우에 몇 [m] 이상으로 하여야 하는가?

[2019년 1회 기사]

① 2.8 　　　② 3.2 　　　③ 3.6 　　　④ 4.2

> **해설** KEC 333.30(특고압 가공전선과 식물의 이격거리)

구 분	이격거리
식 물	• 60[kV] 이하 : 2[m] • 60[kV] 초과 : 2[m] + N
단수＝60[kV] 초과분 / 10[kV](반드시 절상하여 계산), N＝단수×0.12[m]	

> 단수 $=\frac{154-60}{10}=9.4 \fallingdotseq 10$
>
> ∴ 이격거리 $= 2+N = 2+10\times0.12 = 3.2[m]$

13. 농사용 저압 가공전선로의 시설

(1) **사용전압** : 저압이어야 한다.

(2) **전선** : 인장강도 1.38[kN] 이상의 것 또는 지름 2[mm] 이상의 경동선이어야 한다.

(3) **지표상의 높이** : 3.5[m] 이상이어야 한다(다만, 사람이 출입하지 아니하는 곳은 3[m]).

(4) **목주의 굵기** : 말구 지름 0.09[m] 이상이어야 한다.

(5) **전선로의 경간** : 30[m] 이하이어야 한다.

(6) 다른 전선로에 접속하는 곳 가까이에 그 저압 가공전선로 전용의 개폐기 및 과전류차단기를 각 극(과전류차단기는 중성극을 제외한다)에 시설해야 한다.

14. 구내에 시설하는 저압 가공전선로(400[V] 이하)

(1) **저압 가공전선** : 지름 2[mm] 이상의 경동선이어야 한다(단, 경간 10[m] 이하 : 공칭단면적 4[mm^2] 이상의 연동선).

(2) **경간** : 30[m] 이하이어야 한다.

(3) **전선과 다른 시설물과의 이격거리** : 상방 1[m], 측방/하방 0.6[m](케이블 0.3[m])

15. 옥측전선로

(1) 저압 : 애자공사, 합성수지관공사, 케이블공사, 금속관공사(목조 이외), 버스덕트공사(목조 이외)

※ 애자공사 시 전선의 공칭단면적 : $4[\text{mm}^2]$ 이상
※ 애자공사 시 이격거리

다른 시설물	접근상태	이격거리
조영물의 상부 조영재	위 쪽	2[m] (전선이 고압 절연전선, 특고압 절연전선 또는 케이블인 경우 1[m])
	옆쪽 또는 아래쪽	0.6[m] (전선이 고압 절연전선, 특고압 절연전선 또는 케이블인 경우 0.3[m])
조영물의 상부 조영재 이외의 부분 또는 조영물 이외의 시설물		0.6[m] (전선이 고압 절연전선, 특고압 절연전선 또는 케이블인 경우 0.3[m])

※ 애자공사에 의한 저압 옥측전선로의 전선과 식물과의 이격거리는 0.2[m] 이상이어야 한다.

(2) 고압 : 케이블배선(140(접지시스템)의 규정에 준하여 접지공사)

(3) 특고압 : 100[kV]를 초과할 수 없다.

16. 옥상전선로

(1) 저 압

구 분	이격거리
지지물	15[m] 이내
조영재	2[m](케이블 1[m]) 이상
약전류전선, 안테나	1[m](케이블 0.3[m]) 이상

- 2.6[mm] 이상 경동선
- 다른 시설물과 접근하거나 교차하는 경우 시 이격거리 0.6[m](고압 절연전선, 특고압 절연전선, 케이블 0.3[m]) 이상

(2) 특고압 : 시설 불가

핵 / 심 / 예 / 제

01 다음 중 농사용 저압 가공전선로의 시설기준으로 옳지 않은 것은?

[2012년 1회 산업기사 / 2019년 1회 기사]

① 사용전압이 저압일 것
② 저압 가공전선의 인장강도는 1.38[kN] 이상일 것
③ 저압 가공전선의 지표상 높이는 3.5[m] 이상일 것
④ 전선로의 경간은 40[m] 이하일 것

해설 KEC 222.22(농사용 저압 가공전선로의 시설)
- 사용전압은 저압일 것
- 저압 가공전선은 인장강도 1.38[kN] 이상의 것 또는 지름 2[mm] 이상의 경동선일 것
- 저압 가공전선의 지표상의 높이는 3.5[m] 이상일 것. 다만, 사람이 출입하지 아니하는 곳은 3[m]
- 목주의 굵기는 말구 지름이 0.09[m] 이상일 것
- 전선로의 경간은 30[m] 이하일 것
- 다른 전선로에 접속하는 곳 가까이에 그 저압 가공전선로 전용의 개폐기 및 과전류차단기를 각 극(과전류차단기는 중성극을 제외한다)에 시설할 것

02 농사용 저압 가공전선로의 시설에 대한 설명으로 틀린 것은?

[2018년 3회 산업기사]

① 전선로의 경간은 30[m] 이하일 것
② 목주의 굵기는 말구 지름이 9[cm] 이상일 것
③ 저압 가공전선의 지표상 높이는 5[m] 이상일 것
④ 저압 가공전선은 지름 2[mm] 이상의 경동선일 것

해설 1번 해설 참조

03 농사용 저압 가공전선로의 지지점 간 거리는 몇 [m] 이하이어야 하는가?

[2021년 3회 기사]

① 30
② 50
③ 60
④ 100

해설 1번 해설 참조

정답 01 ④ 02 ③ 03 ①

04 방직공장의 구내 도로에 220[V] 조명등용 가공전선로를 시설하고자 한다. 전선로의 경간은 몇 [m] 이하이어야 하는가? [2015년 2회 산업기사]

① 20   ② 30   ③ 40   ④ 50

> **해설** KEC 222.23(구내에 시설하는 저압 가공전선로)
> - 저압 가공전선은 지름 2[mm] 이상의 경동선일 것(단, 경간 10[m] 이하 : 공칭단면적 4[mm²] 이상의 연동선)
> - 전선로의 경간은 30[m] 이하일 것
> - 전선과 다른 시설물과 이격거리 : 상방 1[m], 측방/하방 0.6[m](케이블 : 0.3[m])

05 저압 옥측전선로에서 목조의 조영물에 시설할 수 있는 공사방법은? [2018년 1회 기사]

① 금속관공사   ② 버스덕트공사
③ 합성수지관공사   ④ 연피 또는 알루미늄 케이블공사

> **해설** KEC 221.2(옥측전선로)
> - 저압 옥측전선로 공사방법
>   - 애자공사(전개된 장소)
>   - 합성수지관공사
>   - 금속관공사(목조 이외의 조영물에 시설하는 경우에 한한다)
>   - 버스덕트공사[목조 이외의 조영물(점검할 수 없는 은폐된 장소는 제외한다)에 시설하는 경우에 한한다]
>   - 케이블공사(연피케이블·알루미늄피케이블 또는 무기물절연(MI)케이블을 사용하는 경우에는 목조 이외의 조영물에 시설하는 경우에 한한다)

06 저압 옥측전선로에서 목조의 조영물에 시설할 수 있는 공사방법은? [2021년 3회 기사]

① 금속관공사
② 버스덕트공사
③ 합성수지관공사
④ 케이블공사(무기물절연(MI) 케이블을 사용하는 경우)

> **해설** KEC 221.2/331.13(옥측전선로)
> - 저압 : 애자사용배선(전개된 장소), 합성수지관배선, 목조 이외(금속관배선, 버스덕트배선, 케이블 배선)
> - 고압 : 케이블배선
> - 특고압 : 100[kV]를 초과할 수 없다.

07 고압 옥측전선로에 사용할 수 있는 전선은?

[2019년 1회 기사]

① 케이블

② 나경동선

③ 절연전선

④ 다심형 전선

해설 KEC 331.13(옥측전선로)
- 고압 옥측전선로(전개된 장소)
  - 전선은 케이블일 것
  - 케이블은 견고한 관 또는 트라프에 넣거나 사람이 접촉할 우려가 없도록 시설할 것
  - 케이블을 조영재의 옆면 또는 아랫면에 따라 붙일 경우에는 케이블의 지지점 간의 거리를 2[m] (수직으로 붙일 경우에는 6[m]) 이하로 하고 또한 피복을 손상하지 아니하도록 붙일 것

08 애자공사에 의한 저압 옥측전선로는 사람이 쉽게 접촉될 우려가 없도록 시설하고, 전선의 지지점 간의 거리는 몇 [m] 이하이어야 하는가?

[2022년 1회 기사]

① 1

② 1.5

③ 2

④ 3

해설 KEC 232.56(애자공사), 342.1(고압 옥내배선 등의 시설)
- 전선의 종류 : 절연전선, 단, 옥외용 비닐절연전선(OW) 및 인입용 비닐절연전선(DV)은 제외한다.
- 이격거리

구 분		전선과 조영재 이격거리	전선 상호 간의 간격	전선 지지점 간의 거리	
				조영재 상면 또는 측면	조영재 따라 시설 않는 경우
저 압	400[V] 이하	25[mm] 이상	0.06[m] 이상	2[m] 이하	–
	400[V] 초과	건 조 25[mm] 이상			6[m] 이하
		기 타 45[mm] 이상			
고 압		0.05[m] 이상	0.08[m] 이상		

09 저압 옥상전선로의 시설에 대한 설명으로 옳지 않은 것은? [2012년 2회 기사 / 2019년 2회 기사]

① 전선과 옥상전선로를 시설하는 조영재와의 이격거리를 0.5[m]로 하였다.

② 전선은 상시 부는 바람 등에 의하여 식물에 접촉하지 않도록 시설하였다.

③ 전선은 절연전선을 사용하였다.

④ 전선은 지름 2.6[mm]의 경동선을 사용하였다.

> **해설** KEC 221.3(옥상전선로)
> • 전선과 그 저압 옥상전선로를 시설하는 조영재와의 이격거리는 2[m](전선이 고압 절연전선, 특고압 절연전선 또는 케이블인 경우에는 1[m]) 이상일 것
> • 전선은 인장강도 2.30[kN] 이상의 것 또는 지름 2.6[mm] 이상의 경동선일 것
> • 전선은 절연전선일 것
> • 애자를 사용하여 지지하고 또한 그 지지점 간의 거리는 15[m] 이하일 것
> • 전선은 상시 부는 바람 등에 의하여 식물에 접촉하지 않도록 시설

10 저압 옥상전선로의 시설기준으로 틀린 것은? [2021년 3회 기사]

① 전개된 장소에 위험의 우려가 없도록 시설할 것

② 전선은 지름 2.6[mm] 이상의 경동선을 사용할 것

③ 전선은 절연전선(옥외용 비닐 절연전선은 제외)을 사용할 것

④ 전선은 상시 부는 바람 등에 의하여 식물에 접촉하지 아니하도록 시설하여야 한다.

> **해설** 9번 해설 참조

09 ① 10 ③ **정답**

11 저압 옥상전선로의 시설에 대한 설명으로 틀린 것은? [2016년 1회 기사]

① 전선은 절연전선을 사용한다.

② 전선은 지름 2.6[mm] 이상의 경동선을 사용한다.

③ 전선과 옥상전선로를 시설하는 조영재와의 이격거리를 0.5[m]로 한다.

④ 전선은 상시 부는 바람 등에 의하여 식물에 접촉하지 않도록 시설한다.

해설 KEC 221.3(옥상전선로)
- 전선과 그 저압 옥상전선로를 시설하는 조영재와의 이격거리는 2[m](전선이 고압 절연전선, 특고압 절연전선 또는 케이블인 경우에는 1[m]) 이상일 것
- 전선은 인장강도 2.30[kN] 이상의 것 또는 지름 2.6[mm] 이상의 경동선일 것
- 전선은 절연전선일 것
- 애자를 사용하여 지지하고 또한 그 지지점 간의 거리는 15[m] 이하일 것
- 전선은 상시 부는 바람 등에 의하여 식물에 접촉하지 않도록 시설

12 저압 옥상전선로를 전개된 장소에 시설하는 내용으로 틀린 것은? [2018년 1회 기사]

① 전선은 절연전선일 것

② 전선의 지름 2.5[mm^2] 이상의 경동선의 것

③ 전선과 그 저압 옥상전선로를 시설하는 조영재와의 이격거리는 2[m] 이상일 것

④ 전선은 조영재에 내수성이 있는 애자를 사용하여 지지하고 그 지지점 간의 거리는 15[m] 이하일 것

해설 11번 해설 참조

13 전개된 장소에서 저압 옥상전선로의 시설기준으로 적합하지 않은 것은? [2020년 1, 2회 기사]

① 전선은 절연전선을 사용하였다.
② 전선 지지점 간의 거리를 20[m]로 하였다.
③ 전선은 지름 2.6[mm]의 경동선을 사용하였다.
④ 저압 절연전선과 그 저압 옥상전선로를 시설하는 조영재와의 이격거리를 2[m]로 하였다.

해설 KEC 221.3(옥상전선로)
• 전선과 그 저압 옥상전선로를 시설하는 조영재와의 이격거리는 2[m](전선이 고압 절연전선, 특고압 절연전선 또는 케이블인 경우에는 1[m]) 이상일 것
• 전선은 인장강도 2.30[kN] 이상의 것 또는 지름 2.6[mm] 이상의 경동선일 것
• 전선은 절연전선일 것
• 애자를 사용하여 지지하고 또한 그 지지점 간의 거리는 15[m] 이하일 것
• 전선은 상시 부는 바람 등에 의하여 식물에 접촉하지 않도록 시설

14 특고압으로 가설할 수 없는 전선로는? [2013년 3회 산업기사 / 2017년 1회 산업기사]

① 지중전선로
② 옥상전선로
③ 가공전선로
④ 수중전선로

해설 KEC 331.14(옥상전선로)
특고압 : 옥상전선로(특고압의 인입선의 옥상 부분을 제외)는 시설하여서는 아니 된다.

17. 지중전선로의 시설

(1) **사용전선** : 케이블, 트라프를 사용하지 않을 경우는 CD(콤바인덕트)케이블을 사용한다.

(2) **매설방식**

　① 직접 매설식(직매식)

　② 관로식

　③ 암거식(공동구)

매설 깊이			
장 소	직매식		관로식
	차량, 기타 중량물의 압력	기타(차량, 압박받을 우려 없는 장소)	
길 이	1.0[m] 이상	0.6[m] 이상	1[m] 이상

(3) **케이블 가압장치**

　냉각을 위해 가스를 밀봉한다(1.5배 유압 또는 수압, 1.25배 기압에 10분간 견딜 것, KEC 223.3/334.3).

(4) **지중전선의 피복금속체 접지** : 140(접지시스템)(KEC 223.4/334.4)

(5) **지중전선과 지중약전류전선 등 또는 관과의 접근 또는 교차**(KEC 223.6/334.6)

구 분	약전류전선	유독성 유체 포함 관
저·고압	0.3[m] 이하	1[m](25[kV] 이하,
특고압	0.6[m] 이하	다중접지방식 0.5[m]) 이하

(6) 지중함의 시설

① 지중함은 견고하고 차량 기타 중량물의 압력에 견디는 구조일 것

② 지중함은 그 안의 고인 물을 제거할 수 있는 구조로 되어 있을 것

③ 폭발성 또는 연소성의 가스가 침입할 우려가 있는 것에 시설하는 지중함으로서 그 크기가 1[m³] 이상인 것에는 통풍장치 기타 가스를 방산시키기 위한 적당한 장치를 시설할 것

④ 지중함의 뚜껑은 시설자 이외의 자가 쉽게 열 수 없도록 시설할 것

01 다음 중 지중전선로의 전선으로 사용되는 것은? [2013년 3회 기사 / 2016년 1회 산업기사]

① 절연전선 ② 강심알루미늄선

③ 나경동선 ④ 케이블

> **해설** KEC 223.1/334.1(지중전선로의 시설)
> • 사용전선 : 케이블, 트라프를 사용하지 않을 경우는 CD(콤바인덕트)케이블을 사용한다.
> • 매설방식 : 직접 매설식, 관로식, 암거식(공동구)
> • 직접 매설식의 매설 깊이 : 트라프 기타 방호물에 넣어 시설
>
> | 장 소 | 차량, 기타 중량물의 압력 | 기 타 |
> |---|---|---|
> | 깊 이 | 1.0[m] 이상 | 0.6[m] 이상 |

02 지중전선로의 매설방법이 아닌 것은? [2014년 1회 산업기사 / 2019년 1회 기사]

① 관로식 ② 인입식

③ 암거식 ④ 직접 매설식

> **해설** 1번 해설 참조

03 지중전선로의 시설방식이 아닌 것은? [2018년 1회 산업기사]

① 관로식 ② 압착식

③ 암거식 ④ 직접 매설식

> **해설** 1번 해설 참조

정답 01 ④ 02 ② 03 ②

04 지중전선로를 직접 매설식에 의하여 시설하는 경우에 차량 기타 중량물의 압력을 받을 우려가 없는 장소의 매설 깊이는 몇 [cm] 이상이어야 하는가?

[2018년 2회 기사 / 2021년 2회 기사 / 2022년 1회 기사]

① 60 　　　　② 100 　　　　③ 120 　　　　④ 150

해설　KEC 223.1/334.1(지중전선로의 시설)
- 사용전선 : 케이블, 트라프를 사용하지 않을 경우는 CD(콤바인덕트)케이블을 사용한다.
- 매설방식 : 직접 매설식, 관로식, 암거식(공동구)
- 직접 매설식의 매설 깊이 : 트라프 기타 방호물에 넣어 시설

장 소	차량, 기타 중량물의 압력	기 타
깊 이	1.0[m] 이상	0.6[m] 이상

05 지중전선로를 관로식에 의하여 시설하는 경우에는 매설 깊이를 몇 [m] 이상으로 하여야 하는가?

[2017년 2회 산업기사 / 2017년 3회 기사]

① 0.6 　　　　② 1.0 　　　　③ 1.2 　　　　④ 1.5

해설　KEC 223.1/334.1(지중전선로의 시설)
지중전선로를 관로식에 의하여 시설하는 경우 관로식에 의하여 시설하는 경우에는 매설 깊이를 1.0[m] 이상으로 한다. 단, 중량물의 압력을 받을 우려가 없는 곳은 0.6[m] 이상으로 한다.

06 차량, 기타 중량물의 압력을 받을 우려가 없는 장소에 지중전선을 직접 매설식에 의하여 매설하는 경우에는 매설 깊이를 몇 [cm] 이상으로 하여야 하는가?

[2012년 2회 기사 / 2016년 3회 산업기사]

① 40 　　　　② 60 　　　　③ 80 　　　　④ 100

해설　4번 해설 참조

07 전기방식시설의 전기방식회로의 전선 중 지중에 시설하는 것으로 틀린 것은? [2016년 3회 기사]

① 전선은 공칭단면적 4.0[mm²]의 연동선 또는 이와 동등 이상의 세기 및 굵기의 것일 것

② 양극에 부속하는 전선은 공칭단면적 2.5[mm²] 이상의 연동선 또는 이와 동등 이상의 세기 및 굵기의 것을 사용할 수 있을 것

③ 전선을 직접 매설식에 의하여 시설하는 경우 차량 기타의 중량물의 압력을 받을 우려가 없는 것에 매설 깊이를 1.2[m] 이상으로 할 것

④ 입상 부분의 전선 중 깊이 60[cm] 미만인 부분은 사람이 접촉할 우려가 없고 또한 손상을 받을 우려가 없도록 적당한 방호장치를 할 것

> **해설** KEC 241.16(전기부식방지 시설)
> 전기부식방지 회로의 전선 중 지중에 시설하는 부분
> - 공칭단면적 4.0[mm²]의 연동선 또는 이와 동등 이상의 세기 및 굵기의 것일 것(단, 양극에 부속하는 전선은 공칭단면적 2.5[mm²] 이상의 연동선 또는 이와 동등 이상의 세기 및 굵기의 것을 사용할 수 있음)
> - 450/750[V] 일반용 단심 비닐절연전선·클로로프렌 외장 케이블·비닐 외장 케이블 또는 폴리에틸렌 외장 케이블일 것
> - 전선을 직접 매설식에 의하여 시설하는 경우에는 차량 기타의 중량물의 압력을 받을 우려가 있는 곳에서는 1.0[m] 이상, 기타의 곳에서는 0.3[m] 이상(단, 차량 기타의 중량물의 압력을 받을 우려가 없는 곳은 0.6[m] 이상)
> - 입상 부분의 전선 중 깊이 0.6[m] 미만인 부분은 사람이 접촉할 우려가 없고 또한 손상을 받을 우려가 없도록 적당한 방호장치를 할 것

08 지중전선로를 직접 매설식에 의하여 시설할 때, 중량물의 압력을 받을 우려가 있는 장소에 저압 또는 고압의 지중전선을 견고한 트라프 기타 방호물에 넣지 않고도 부설할 수 있는 케이블은?

[2020년 1, 2회 기사]

① PVC 외장케이블

② 콤바인덕트케이블

③ 염화비닐 절연케이블

④ 폴리에틸렌 외장케이블

> **해설** KEC 223.1/334.1(지중전선로의 시설)
> - 사용전선 : 케이블, 트라프를 사용하지 않을 경우는 CD(콤바인덕트)케이블을 사용한다.
> - 매설방식 : 직접 매설식, 관로식, 암거식(공동구)
> - 직접 매설식의 매설 깊이 : 트라프 기타 방호물에 넣어 시설
>
> | 장 소 | 차량, 기타 중량물의 압력 | 기 타 |
> |---|---|---|
> | 깊 이 | 1.0[m] 이상 | 0.6[m] 이상 |

09 지중전선이 지중약전류전선 등과 접근하거나 교차하는 경우에 상호 간의 이격거리가 저압 또는 고압의 지중전선이 몇 [cm] 이하일 때, 지중전선과 지중약전류전선 사이에 견고한 내화성의 격벽을 설치하여야 하는가? [2019년 3회 산업기사]

① 10　　　　　　　　　　　② 20
③ 30　　　　　　　　　　　④ 60

해설 KEC 223.6/334.6(지중전선과 지중약전류전선 등 또는 관과의 접근 또는 교차)

구 분	약전류전선	유독성 유체 포함 관
저·고압	0.3[m] 이하	1[m](25[kV] 이하,
특고압	0.6[m] 이하	다중접지방식 0.5[m]) 이하

10 특고압 지중전선이 지중약전류전선 등과 접근하거나 교차하는 경우에 상호 간의 이격거리가 몇 [cm] 이하인 때에는 두 전선이 직접 접촉하지 아니하도록 하여야 하는가? [2020년 3회 기사]

① 15　　　　　　　　　　　② 20
③ 30　　　　　　　　　　　④ 60

해설 9번 해설 참조

09 ③　10 ④　정답

11 "지중관로"에 대한 정의로 가장 옳은 것은? [2013년 2회 산업기사 / 2015년 1회 산업기사 / 2017년 3회 기사]

① 지중전선로·지중약전류전선로와 지중매설지선 등을 말한다.

② 지중전선로·지중약전류전선로와 복합케이블선로·기타 이와 유사한 것 및 이들에 부속되는 지중함을 말한다.

③ 지중전선로·지중약전류전선로·지중에 시설하는 수관 및 가스관과 지중매설지선을 말한다.

④ 지중전선로·지중약전류전선로·지중광섬유케이블선로·지중에 시설하는 수관 및 가스관과 기타 이와 유사한 것 및 이들에 부속하는 지중함 등을 말한다.

해설   KEC 112(용어 정의)
지중관로 : 지중전선로·지중약전류전선로·지중광섬유케이블선로·지중에 시설하는 수관 및 가스관과 기타 이와 유사한 것 및 이들에 부속하는 지중함 등을 말한다.

12 "지중관로"에 포함되지 않는 것은?   [2019년 2회 산업기사]

① 지중전선로   ② 지중레일선로
③ 지중약전류전선로   ④ 지중광섬유케이블선로

해설   11번 해설 참조

13 지중전선로에 사용하는 지중함의 시설기준으로 틀린 것은? [2020년 4회 기사]

① 지중함은 견고하고 차량 기타 중량물의 압력에 견디는 구조일 것

② 지중함은 그 안의 고인 물을 제거할 수 있는 구조로 되어 있을 것

③ 지중함의 뚜껑은 시설자 이외의 자가 쉽게 열 수 없도록 시설할 것

④ 폭발성의 가스가 침입할 우려가 있는 것에 시설하는 지중함으로서 그 크기가 $0.5[m^3]$ 이상인 것에는 통풍장치 기타 가스를 방산시키기 위한 적당한 장치를 시설할 것

> **해설** KEC 223.2/334.2(지중함의 시설)
> • 지중함은 견고하고 차량 기타 중량물의 압력에 견디는 구조일 것
> • 지중함은 그 안의 고인 물을 제거할 수 있는 구조로 되어 있을 것
> • 폭발성 또는 연소성의 가스가 침입할 우려가 있는 것에 시설하는 지중함으로서 그 크기가 $1[m^3]$ 이상인 것에는 통풍장치 기타 가스를 방산시키기 위한 적당한 장치를 시설할 것
> • 지중함의 뚜껑은 시설자 이외의 자가 쉽게 열 수 없도록 시설할 것

14 지중전선로에 사용하는 지중함의 시설기준으로 틀린 것은? [2021년 2회 기사]

① 조명 및 세척이 가능한 장치를 하도록 할 것

② 견고하고 차량 기타 중량물의 압력에 견디는 구조일 것

③ 그 안의 고인 물을 제거할 수 있는 구조로 되어 있을 것

④ 뚜껑은 시설자 이외의 자가 쉽게 열 수 없도록 시설할 것

> **해설** 13번 해설 참조

15 폭발성 또는 연소성의 가스가 침입할 우려가 있는 것에 시설하는 지중전선로의 지중함은 그 크기가 최소 몇 $[m^3]$ 이상인 경우에는 통풍장치 기타 가스를 방산시키기 위한 적당한 장치를 시설하여야 하는가? [2016년 1회 기사 / 2016년 3회 산업기사]

① 1 ② 3

③ 5 ④ 10

> **해설** 13번 해설 참조

13 ④ 14 ① 15 ① **정답**

16 지중전선로에 있어서 폭발성 가스가 침입할 우려가 있는 장소에 시설하는 지중함은 크기가 몇 [m³] 이상일 때 가스를 방산시키기 위한 장치를 시설하여야 하는가? [2018년 3회 기사]

① 0.25   ② 0.5

③ 0.75   ④ 1.0

해설   KEC 223.2/334.2(지중함의 시설)
- 지중함은 견고하고 차량 기타 중량물의 압력에 견디는 구조일 것
- 지중함은 그 안의 고인 물을 제거할 수 있는 구조로 되어 있을 것
- 폭발성 또는 연소성의 가스가 침입할 우려가 있는 것에 시설하는 지중함으로서 그 크기가 1[m³] 이상인 것에는 통풍장치 기타 가스를 방산시키기 위한 적당한 장치를 시설할 것
- 지중함의 뚜껑은 시설자 이외의 자가 쉽게 열 수 없도록 시설할 것

17 폭발성 또는 연소성의 가스가 침입할 우려가 있는 것에 시설하는 지중함으로서 그 크기가 몇 [m³] 이상의 것은 통풍장치 기타 가스를 방산시키기 위한 적당한 장치를 시설하여야 하는가?

[2019년 3회 기사]

① 0.9   ② 1.0

③ 1.5   ④ 2.0

해설   16번 해설 참조

18 지중전선로에 사용하는 지중함의 시설기준으로 적절하지 않은 것은?

[2015년 3회 산업기사 / 2018년 1회 산업기사 / 2019년 1회 기사]

① 견고하고 차량 기타 중량물의 압력에 견디는 구조일 것

② 안에 고인 물을 제거할 수 있는 구조로 되어 있을 것

③ 뚜껑은 시설자 이외의 자가 쉽게 열 수 없도록 시설할 것

④ 조명 및 세척이 가능한 적당한 장치를 시설할 것

해설   16번 해설 참조

19 지중전선로는 기설 지중약전류전선로에 대하여 다음의 어느 것에 의하여 통신상의 장해를 주지 아니하도록 기설 약전류전선로로부터 충분히 이격시키는가?

[2016년 2회 기사 / 2019년 3회 기사 / 2022년 2회 기사]

① 충전전류 또는 표피작용
② 누설전류 또는 유도작용
③ 충전전류 또는 유도작용
④ 누설전류 또는 표피작용

해설 KEC 223.5/334.5(지중약전류전선에의 유도장해 방지)
지중전선로는 기설 지중약전류전선로에 대하여 누설전류 또는 유도작용에 의하여 통신상의 장해를 주지 아니하도록 기설 약전류전선로로부터 충분히 이격시키거나 기타 적당한 방법으로 시설하여야 한다.

20 다음 ( )에 들어갈 적당한 것은? [2012년 2회 산업기사 / 2017년 1회 산업기사 / 2021년 1회 기사]

> 지중전선로는 기설 지중약전류전선로에 대하여 (㉠) 또는 (㉡)에 의하여 통신상의 장해를 주지 않도록 기설 약전류전선으로부터 충분히 이격시키거나 기타 적당한 방법으로 시설하여야 한다.

① ㉠ 정전용량, ㉡ 표피작용
② ㉠ 정전용량, ㉡ 유도작용
③ ㉠ 누설전류, ㉡ 표피작용
④ ㉠ 누설전류, ㉡ 유도작용

해설 19번 해설 참조

출 / 제 / 예 / 상 / 문 / 제

01 지중전선로를 직접 매설식에 의하여 시설하는 경우에 차량 및 기타 중량물의 압력을 받을 우려가 있는 장소의 매설 깊이는 몇 [m] 이상인가?

① 1.0

② 1.2

③ 1.5

④ 1.8

> **해설** KEC 223.1/334.1(지중전선로의 시설)
> • 사용전선 : 케이블, 트라프를 사용하지 않을 경우는 CD(콤바인덕트)케이블을 사용한다.
> • 매설방식 : 직접 매설식, 관로식, 암거식(공동구)
> • 직접 매설식의 매설 깊이 : 트라프 기타 방호물에 넣어 시설
>
> | 장 소 | 차량, 기타 중량물의 압력 | 기 타 |
> |---|---|---|
> | 깊 이 | 1.0[m] 이상 | 0.6[m] 이상 |

02 지중전선로를 직접 매설식에 의하여 시설하는 경우에는 매설 깊이를 차량, 기타 중량물의 압력을 받을 우려가 있는 장소에서는 몇 [cm] 이상으로 하면 되는가?

① 40

② 60

③ 80

④ 100

> **해설** 1번 해설 참조

03 중량물이 통과하는 장소에 비닐외장케이블을 직접 매설식으로 시설하는 경우 매설 깊이는 몇 [m] 이상이어야 하는가?

① 0.8

② 1.0

③ 1.2

④ 1.5

> **해설** 1번 해설 참조

18. 터널 안 전선로의 시설

(1) 철도·궤도 또는 자동차 전용 터널 내 전선로

전 압	전선의 굵기	애자공사 시 높이	시공방법
저 압	2.6[mm] 이상	노면상, 레일면상 2.5[m] 이상	• 합성수지관공사 • 금속관공사 • 금속제 가요전선관공사 • 케이블공사 • 애자공사
고 압	4[mm] 이상	노면상, 레일면상 3[m] 이상	• 케이블공사 • 애자공사

(2) 사람이 상시 통행하는 터널 안 전선로

① 저압 전선은 차량 전용 터널 내 공사방법과 같다.
② 고압 전선은 케이블공사에 의하여 시설할 수 있다.
③ 특고압 전선은 시설하지 않는 것을 원칙으로 한다.

핵 / 심 / 예 / 제

01 터널 안 전선로의 시설방법으로 옳은 것은? [2018년 1회 기사]

① 저압 전선은 지름 2.6[mm]의 경동선의 절연전선을 사용하였다.

② 고압 전선은 절연전선을 사용하여 합성수지관공사로 하였다.

③ 저압 전선을 애자사용공사에 의하여 시설하고 이를 레일면상 또는 노면상 2.2[m]의 높이로 시설하였다.

④ 고압 전선을 금속관공사에 의하여 시설하고 이를 레일면상 또는 노면상 2.4[m]의 높이로 시설하였다.

해설 KEC 224.1/335.1(터널 안 전선로의 시설)

구 분	사람 통행이 없는 경우		사람 상시 통행
	저 압	고 압	저압과 동일
공사 방법	합성수지관, 금속관, 가요관, 애자, 케이블	케이블, 애자	케이블
전 선	2.30[kN] 이상 절연전선, 2.6[mm] 이상 경동선	5.26[kN] 이상 절연전선, 4.0[mm] 이상 경동선	특고압 시설 불가
높 이	노면·레일면 위		
	2.5[m] 이상	3[m] 이상	

02 터널 내에 교류 220[V]의 애자사용공사를 시설하려 한다. 노면으로부터 몇 [m] 이상의 높이에 전선을 시설해야 하는가? [2013년 3회 기사 / 2017년 2회 산업기사]

① 2 ② 2.5 ③ 3 ④ 4

해설 1번 해설 참조

정답 01 ① 02 ②

03 사람이 상시 통행하는 터널 안 배선의 시설기준으로 틀린 것은? [2020년 1, 2회 산업기사]

① 사용전압은 저압에 한한다.

② 전로에는 터널의 입구에 가까운 곳에 전용 개폐기를 시설한다.

③ 애자사용공사에 의하여 시설하고 이를 노면상 2[m] 이상의 높이에 시설한다.

④ 공칭단면적 2.5[mm²] 연동선과 동등 이상의 세기 및 굵기의 절연전선을 사용한다.

> **해설**　KEC 242.7(터널, 갱도 기타 이와 유사한 장소)
> 사람이 상시 통행하는 터널 안의 배선의 시설
> • 사용전압이 저압의 것에 한한다.
> • 합성수지관공사, 금속관공사, 금속제 가요전선관공사, 케이블공사, 애자공사
> • 공칭단면적 2.5[mm²]의 연동선과 동등 이상의 세기 및 굵기의 절연전선(옥외용 비닐절연전선 및 인입용 비닐절연전선을 제외)
> • 노면상 2.5[m] 이상의 높이로 할 것
> • 전로에는 터널의 입구에 가까운 곳에 전용 개폐기를 시설할 것

04 사람이 상시 통행하는 터널 안의 배선(전기기계기구 안의 배선, 관등회로의 배선, 소세력회로의 전선 및 출퇴표시등회로의 전선은 제외)의 시설기준에 적합하지 않은 것은?(단, 사용전압이 저압의 것에 한한다) [2020년 4회 기사]

① 합성수지관공사로 시설하였다.

② 공칭단면적 2.5[mm²]의 연동선을 사용하였다.

③ 애자사용공사 시 전선의 높이는 노면상 2[m]로 시설하였다.

④ 전로에는 터널의 입구 가까운 곳에 전용 개폐기를 시설하였다.

> **해설**　3번 해설 참조

05 터널 안의 전선로의 저압전선이 그 터널 안의 다른 저압전선(관등회로의 배선은 제외한다)·약전류전선 등 또는 수관·가스관이나 이와 유사한 것과 접근하거나 교차하는 경우, 저압전선을 애자공사에 의하여 시설하는 때에는 이격거리가 몇 [cm] 이상이어야 하는가?(단, 전선이 나전선이 아닌 경우이다) [2021년 1회 기사]

① 10　　　　　　　　　　　　② 15

③ 20　　　　　　　　　　　　④ 25

> **해설**　애자사용배선
> 약전류전선, 수관, 가스관, 다른 옥내배선과의 이격거리 0.1[m](나전선일 때는 0.3[m])

06 사람이 상시 통행하는 터널 안의 배선을 애자사용공사에 의하여 시설하는 경우 설치 높이는 노면상 몇 [m] 이상인가?

[2015년 2회 기사]

① 1.5

② 2

③ 2.5

④ 3

해설 KEC 242.7(터널, 갱도 기타 이와 유사한 장소)

사람이 상시 통행하는 터널 안의 배선의 시설

- 사용전압이 저압의 것에 한한다.
- 합성수지관공사, 금속관공사, 금속제 가요전선관공사, 케이블공사, 애자공사
- 공칭단면적 2.5[mm^2]의 연동선과 동등 이상의 세기 및 굵기의 절연전선(옥외용 비닐절연전선 및 인입용 비닐절연전선을 제외)
- 노면상 2.5[m] 이상의 높이로 할 것
- 전로에는 터널의 입구에 가까운 곳에 전용 개폐기를 시설할 것

07 터널 등에 시설하는 사용전압이 220[V]인 전구선이 0.6/1[kV] EP 고무절연 클로로프렌 캡타이어케이블일 경우 단면적은 최소 몇 [mm^2] 이상이어야 하는가?

[2017년 1회 기사]

① 0.5

② 0.75

③ 1.25

④ 1.4

해설 KEC 242.7(터널, 갱도 기타 이와 유사한 장소)

터널 등의 전구선 또는 이동전선 등의 시설

- 사용전압이 400[V] 이하인 전구선은 단면적 0.75[mm^2] 이상의 300/300[V] 편조 고무코드 또는 0.6/1[kV] EP 고무절연 클로로프렌 캡타이어케이블일 것
- 사용전압이 400[V] 초과인 저압의 이동전선은 0.6/1[kV] EP 고무절연 클로로프렌 캡타이어케이블로서 단면적이 0.75[mm^2] 이상인 것일 것

08 철도·궤도 또는 자동차도의 전용터널 안의 터널 내 전선로의 시설방법으로 틀린 것은?

[2013년 1회 산업기사 / 2017년 1회 기사]

① 저압 전선으로 지름 2.0[mm]의 경동선을 사용하였다.

② 고압 전선은 케이블공사로 하였다.

③ 저압 전선을 애자사용공사에 의하여 시설하고 이를 레일면상 또는 노면상 2.5[m] 이상
으로 하였다.

④ 저압 전선을 가요전선관공사에 의하여 시설하였다.

해설 KEC 224.1/335.1(터널 안 전선로의 시설)

| 구 분 | 사람 통행이 없는 경우 | | 사람 상시 통행 |
	저 압	고 압	저압과 동일
공사방법	합성수지관, 금속관, 가요관, 애자, 케이블	케이블, 애자	케이블
전 선	2.30[kN] 이상 절연전선, 2.6[mm] 이상 경동선	5.26[kN] 이상 절연전선, 4.0[mm] 이상 경동선	특고압 시설 불가
높 이	노면·레일면 위		
	2.5[m] 이상	3[m] 이상	

09 터널 등에 시설하는 사용전압이 220[V]인 저압의 전구선으로 편조 고무코드를 사용하는 경우
단면적은 몇 [mm²] 이상인가?

[2016년 1회 기사]

① 0.5

② 0.75

③ 1.0

④ 1.25

해설 KEC 242.7(터널, 갱도 기타 이와 유사한 장소)

터널 등의 전구선 또는 이동전선 등의 시설

• 사용전압이 400[V] 이하인 전구선은 단면적 0.75[mm²] 이상의 300/300[V] 편조 고무코드 또는
0.6/1[kV] EP 고무절연 클로로프렌 캡타이어케이블일 것

• 사용전압이 400[V] 초과인 저압의 이동전선은 0.6/1[kV] EP 고무절연 클로로프렌 캡타이어케이
블로서 단면적이 0.75[mm²] 이상인 것일 것

08 ① 09 ② 정답

19. 인입선의 시설

(1) 저압 인입선(KEC 221.1), 고압 인입선(KEC 331.12)

구 분	저 압				고 압
	일 반	도 로	철 도	횡단보도	
높이(케이블)	4[m] (교통 지장 없을 시 2.5[m])	5[m] (교통 지장 없을 시 3[m])	6.5[m]	3[m]	최저높이 5[m](위험표시 3.5[m])
사용 전선	15[m] 이하 : 1.25[kN]/2.0[mm] 이상 인입용 비닐절연 전선, 케이블 15[m] 초과 : 2.30kN/2.6[mm] 이상 인입용 비닐절연 전선, 케이블				• 8.01[kN]/5[mm] 이상 경동선, 케이블 • 연접인입선 불가

※ 저압 연접인입선의 시설(KEC 221.1)
- 인입선에서 분기하는 점으로부터 100[m]를 초과하지 말 것
- 도로 폭 5[m] 초과 금지
- 옥내 관통 금지

(2) 특고압 가공인입선(KEC 331.12)

구 분	일 반	도 로	철 도	횡단보도		
35[kV] 이하	5[m] (케이블 4[m])	6[m]	6.5[m]	4[m](케이블/특고압 절연전선 사용)		
35[kV] 초과 160[kV] 이하	6[m]	–	6.5[m]	5[m](케이블 사용)		
	사람 출입이 없는 산지 : 5[m] 이상					
160[kV] 초과	일 반	6[m] + N	철 도	6.5[m] + N	산 지	5[m] + N

- 단수 = 160[kV] 초과 / 10[kV] (반드시 절상), N = 단수 × 0.12[m]
- 변전소 또는 개폐소에 준하는 곳 이외 곳에서는 사용전압 100[kV] 이하
- 연접인입선 불가

핵 / 심 / 예 / 제

01 저압 가공인입선 시설 시 도로를 횡단하여 시설하는 경우 노면상 높이는 몇 [m] 이상으로 하여야 하는가?

[2017년 3회 산업기사 / 2020년 3회 산업기사]

① 4   ② 4.5

③ 5   ④ 5.5

해설   KEC 221.1(구내인입선)
저압 가공인입선
- 도로(차도와 보도의 구별이 있는 도로인 경우에는 차도)를 횡단하는 경우 : 노면상 5[m](기술상 부득이한 경우에 교통지장이 없을 때에는 3[m]) 이상
- 철도 또는 궤도를 횡단하는 경우 : 레일면상 6.5[m] 이상
- 횡단보도교 위에 시설하는 경우 : 노면상 3[m] 이상
- 이외의 경우에는 지표상 4[m](기술상 부득이한 경우에 교통이 지장이 없을 때에는 2.5[m]) 이상

02 고압 인입선을 다음과 같이 시설하였다. 기술기준에 맞지 않는 것은?

[2014년 1회 기사 / 2017년 3회 기사]

① 고압 가공인입선 아래에 위험표시를 하고 지표상 3.5[m]의 높이에 설치하였다.

② 15[m] 떨어진 다른 수용가에 고압 연접인입선을 시설하였다.

③ 횡단보도교 위에 시설하는 경우 케이블을 사용하여 노면상에서 3.5[m]의 높이에 시설하였다.

④ 전선은 5[mm] 경동선과 동등한 세기의 고압 절연전선을 사용하였다.

해설   KEC 331.12(구내인입선)
고압 가공인입선
- 최저높이 5[m](위험표시 3.5[m])
- 8.01[kN], 5[mm] 이상 경동선, 케이블
- 연접인입선 불가

03 고압 가공인입선이 케이블 이외의 것으로 그 전선의 아래쪽에 위험표시를 하였다면 전선의 지표상 높이는 몇 [m]까지로 할 수 있는가?

[2014년 3회 기사 / 2018년 2회 기사]

① 2.5   ② 3.5

③ 4.5   ④ 5.5

해설   2번 해설 참조

04 저압 연접인입선은 폭 몇 [m]를 초과하는 도로를 횡단하지 않아야 하는가?

[2014년 3회 산업기사]

① 5 ② 6
③ 7 ④ 8

해설 **KEC 221.1(구내인입선)**
연접인입선의 시설
- 인입선에서 분기하는 점으로부터 100[m]를 초과하는 지역에 미치지 아니할 것
- 폭 5[m]를 초과하는 도로를 횡단하지 아니할 것
- 옥내를 통과하지 아니할 것

05 저압 연접인입선은 인입선에서 분기하는 점으로부터 몇 [m]를 초과하는 지역에 미치지 아니하도록 시설하여야 하는가?

[2012년 3회 기사]

① 10[m] ② 20[m]
③ 100[m] ④ 200[m]

해설 4번 해설 참조

정답 04 ① 05 ③

출 / 제 / 예 / 상 / 문 / 제

01 저압 가공인입선 시설 시 사용할 수 없는 전선은?

① 절연전선, 케이블

② 경간 20[m] 이하인 경우 지름 2[mm] 이상의 인입용 비닐절연전선

③ 지름 2.6[mm] 이상의 인입용 비닐절연전선

④ 사람 접촉우려가 없도록 시설하는 경우 옥외용 비닐절연전선

> **해설** KEC 221.1(구내인입선)
> 저압 가공인입선
> • 케이블 이외에 인장강도 2.30[kN] 이상 또는 지름 2.6[mm] 이상 인입용 비닐절연전선(단, 경간이 15[m] 이하 : 인장강도 1.25[kN] 이상 또는 지름 2.0[mm] 이상 인입용 비닐절연전선)
> • 전선은 절연전선, 케이블
> • 옥외용 비닐절연전선과 이외 절연전선의 경우 사람이 쉽게 접촉할 수 없도록 시설

02 저압 가공인입선 시설 시 사용할 수 없는 전선은?

① 절연전선, 케이블

② 지름 2.6[mm] 이상의 인입용 비닐절연전선

③ 인장강도 1.2[kN] 이상의 인입용 비닐절연전선

④ 사람의 접촉우려가 없도록 시설하는 경우 옥외용 비닐절연전선

> **해설** KEC 221.1(구내인입선)
> 저압 가공인입선
> 인장강도 2.30[kN] 이상의 것 또는 지름 2.6[mm] 이상의 인입용 비닐절연전선(경간이 15[m] 이하인 경우는 인장강도 1.25[kN] 이상의 것 또는 지름 2[mm] 이상의 인입용 비닐절연전선)을 사용. 도로 횡단 시 노면상 5[m] 이상, 철도 횡단 시 6.5[m] 이상, 횡단보도교 위에 시설하는 경우 3[m] 이상, 일반 장소 4[m] 이상, 교통에 지장이 없는 경우 2.5[m] 이상의 높이에 시설한다.

01 ② 02 ③ **정답**

20. 수상전선로(KEC 224.3/335.3)

저 압	고 압	접속점이 수면상에 있는 경우	접속점이 육상에 있는 경우
케이블			
3, 4종 캡타이어 (클로로프렌)	고압용 캡타이어	저압 4[m] 이상 고압 5[m] 이상	5[m] 이상 도로 이외 4[m] 이상

01 저압 수상전선로에 사용되는 전선은?
[2016년 1회 산업기사]

① MI 케이블

② 알루미늄피 케이블

③ 클로로프렌시스 케이블

④ 클로로프렌 캡타이어케이블

> **해설** KEC 224.3/335.3(수상전선로의 시설)
> 전선은 저압인 경우에는 클로로프렌 캡타이어케이블이어야 하며, 고압인 경우에는 고압용 캡타이어
> 케이블이어야 한다.

02 저압 수상전선로에 사용되는 전선은?
[2020년 1, 2회 기사]

① 옥외 비닐케이블

② 600[V] 비닐절연전선

③ 600[V] 고무절연전선

④ 클로로프렌 캡타이어케이블

> **해설** 1번 해설 참조

03 수상전선로의 시설기준으로 옳은 것은?
[2020년 1, 2회 산업기사]

① 사용전압이 고압인 경우에는 클로로프렌 캡타이어케이블을 사용한다.

② 수상전선로에 사용하는 부대는 쇠사슬 등으로 견고하게 연결한다.

③ 고압 수상전선로에 지락이 생길 때를 대비하여 전로를 수동으로 차단하는 장치를 시설한다.

④ 수상전선로의 전선은 부대의 아래에 지지하여 시설하고 또한 그 절연피복을 손상하지 아니하도록 시설한다.

> **해설** KEC 224.3/335.3(수상전선로의 시설)
> • 사용전압이 고압인 경우에는 고압용 캡타이어케이블을 사용한다.
> • 수상전선로에 사용하는 부대는 쇠사슬 등으로 견고하게 연결한다.
> • 고압 수상전선로에 지락이 생길 때에는 자동 차단장치를 시설한다.
> • 수상전선로의 전선은 부대 위에 지지하여 시설한다.

01 ④ 02 ④ 03 ② 정답

저압, 고압, 특고압 전기설비

1. 통 칙

(1) 전기설비 적용범위

저 압	고압 · 특고압
• 교류 1[kV] 또는 직류 1.5[kV] 이하인 저압의 전기를 공급하거나 사용하는 전기설비에 적용하며 다음의 경우를 포함한다. 　- 전기설비를 구성하거나, 연결하는 선로와 전기기기 계기구 등의 구성품 　- 저압 기기에서 유도된 1[kV] 초과 회로 및 기기(예 저압 전원에 의한 고압방전등, 전기집진기 등)	• 교류 1[kV] 초과 또는 직류 1.5[kV]를 초과하는 고압 및 특고압 전기를 공급하거나 사용하는 전기설비에 적용한다. 고압 · 특고압 전기설비에서 적용하는 전압의 구분은 다음에 따른다. 　- 고압 : 교류는 1[kV]를, 직류는 1.5[kV]를 초과하고, 7[kV] 이하인 것 　- 특고압 : 7[kV]를 초과하는 것

(2) 저압 배전방식

① 교류회로

　㉠ 3상 4선식의 중성선 또는 PEN도체는 충전도체는 아니지만 운전전류를 흘리는 도체 이다.

　㉡ 3상 4선식에서 파생되는 단상 2선식 배전방식의 경우 두 도체 모두가 선도체이거나 하나의 선도체와 중성선 또는 하나의 선도체와 PEN도체이다.

　㉢ 모든 부하가 선간에 접속된 전기설비에서는 중성선의 설치가 필요하지 않을 수 있다.

② 직류회로

PEL과 PEM도체는 충전도체는 아니지만 운전전류를 흘리는 도체이다. 2선식 배전방식이나 3선식 배전방식을 적용한다.

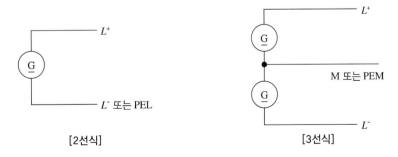

[2선식]　　　　　　　　　　　　　　　　[3선식]

2. 안전을 위한 보호(감전, 과전류, 과도·과전압, 열영향)

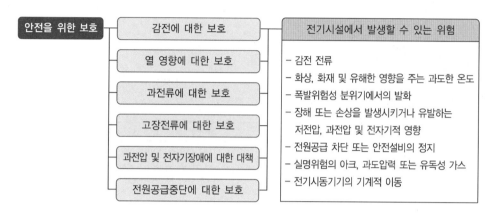

(1) 저 압

① 감전에 대한 보호

　㉠ 보호대책

　　• 기본보호

　　기본보호는 일반적으로 직접 접촉을 방지하는 것으로, 정상운전 시 전기설비의 충전부에 인축이 접촉하여 일어날 수 있는 위험으로부터 인축을 보호하는 것을 말한다.

　　　－ 기초절연

　　　－ 격벽 및 외함

　　　－ 장애물

　　　－ 접촉 가능범위 밖에 설치(2.5[m] 초과 범위에서 설치)

　　• 고장보호

　　고장보호는 일반적으로 기본절연의 고장에 의한 간접 접촉을 방지하는 것으로, 고장 시 기기의 노출도전부에 접촉함으로써 발생할 수 있는 위험으로부터 보호이다.

　　　－ 전원의 자동차단에 의한 보호

　　　－ 이중절연 및 강화절연에 의한 보호

　　　－ 전기적 분리에 의한 보호

　　　－ SELV와 PELV를 적용한 특별저압에 의한 보호

　　　－ 숙련자와 기능자의 통제 또는 감독이 있는 설비에 적용 가능한 보호대책

ⓛ 전압
- 교류 : 실횻값
- 직류 : 리플프리
ⓒ 전원자동차단
- 요구사항
  - 기본보호는 충전부의 기본절연 또는 격벽이나 외함에 의한다.
  - 고장보호는 보호등전위본딩 및 자동차단에 의한다.
  - 추가적인 보호로 누전차단기를 시설할 수 있다.
- 고장 시 자동차단

  보호장치는 고장의 경우 다음에서 규정된 차단시간 내에서 회로의 선도체 또는 설비의 전원을 자동으로 차단하여야 한다.

[32[A] 이하 분기회로의 최대 차단시간]

[단위 : 초]

계 통	$50[V] < U_0 \leq 120[V]$		$120[V] < U_0 \leq 230[V]$		$230[V] < U_0 \leq 400[V]$		$U_0 > 400[V]$	
	교 류	직 류	교 류	직 류	교 류	직 류	교 류	직 류
TN	0.8	☆	0.4	5	0.2	0.4	0.1	0.1
TT	0.3	★	0.2	0.4	0.07	0.2	0.04	0.1

- TT계통에서 차단은 과전류보호장치에 의해 이루어지고 보호등전위본딩은 설비 안의 모든 계통외 도전부와 접속되는 경우 TN계통에 적용 가능한 최대차단시간이 사용될 수 있다.
- U_0는 대지에서 공칭교류전압 또는 직류 선간전압이다.
- ☆ : 차단은 감전보호 외에 다른 원인에 의해 요구될 수도 있다.
- ★ : 누전차단기에 의한 차단은 212쪽 box 참조

※ TN 계통에서 배전회로(간선)와 위 표의 경우를 제외하고는 5초 이하의 차단시간을 허용한다.

※ TT 계통에서 배전회로(간선)와 위 표의 경우를 제외하고는 1초 이하의 차단시간을 허용한다.

- 누전차단기 시설(추가적인 보호)
  - 금속제 외함을 가지는 사용전압이 50[V]를 초과하는 저압의 기계기구로서 사람이 쉽게 접촉할 우려가 있는 곳에 시설하는 것

    > ※ **적용 제외**
    > - 기계기구를 발전소·변전소·개폐소 또는 이에 준하는 곳에 시설하는 경우
    > - 기계기구를 건조한 곳에 시설하는 경우
    > - 대지전압이 150[V] 이하인 기계기구를 물기가 있는 곳 이외의 곳에 시설하는 경우
    > - 이중 절연구조의 기계기구를 시설하는 경우
    > - 그 전로의 전원 측에 절연변압기(2차 전압이 300[V] 이하인 경우에 한한다)를 시설하고 또한 그 절연변압기의 부하 측의 전로에 접지하지 아니하는 경우
    > - 기계기구가 고무·합성수지 기타 절연물로 피복된 경우
    > - 기계기구가 유도전동기의 2차 측 전로에 접속되는 것일 경우

  - 주택의 인입구 등 이 규정에서 누전차단기 설치를 요구하는 전로
  - 특고압전로, 고압전로 또는 저압전로와 변압기에 의하여 결합되는 사용전압 400[V] 초과의 저압전로 또는 발전기에서 공급하는 사용전압 400[V] 초과의 저압전로(발전소 및 변전소와 이에 준하는 곳에 있는 부분의 전로를 제외한다)
  - 다음의 전로에는 자동복구 기능을 갖는 누전차단기를 시설할 수 있다.
    ⓐ 독립된 무인 통신중계소·기지국
    ⓑ 관련법령에 의해 일반인의 출입을 금지 또는 제한하는 곳
    ⓒ 옥외의 장소에 무인으로 운전하는 통신중계기 또는 단위기기 전용회로. 단, 일반인이 특정한 목적을 위해 지체하는(머물러 있는) 장소로서 버스 정류장, 횡단보도 등에는 시설할 수 없다.
  - 누전차단기를 저압전로에 사용하는 경우 일반인이 접촉할 우려가 있는 장소(세대 내 분전반 및 이와 유사한 장소)에는 주택용 누전차단기를 시설하여야 한다.

- TN계통
  - TN계통에서 설비의 접지 신뢰성은 PEN도체 또는 PE도체와 접지극과의 효과적인 접속에 의한다.
  - TN계통에서 과전류보호장치 및 누전차단기는 고장보호에 사용할 수 있다. 누전차단기를 사용하는 경우 과전류보호 겸용의 것을 사용해야 한다.
  - TN-C계통에는 누전차단기를 사용해서는 아니 된다. TN-C-S계통에 누전차단기를 설치하는 경우에는 누전차단기의 부하 측에는 PEN도체를 사용할 수 없다. 이러한 경우 PE도체는 누전차단기의 전원 측에서 PEN도체에 접속하여야 한다.

- TT계통
  - 전원계통의 중성점이나 중간점은 접지하여야 한다. 중성점이나 중간점을 이용할 수 없는 경우, 선도체 중 하나를 접지하여야 한다.
  - 누전차단기를 사용하여 고장보호를 하여야 한다. 다만, 고장루프임피던스가 충분히 낮을 때는 과전류보호장치에 의하여 고장보호를 할 수 있다.
- IT계통 : 노출도전부 또는 대지로 단일고장이 발생한 경우에는 고장전류가 작기 때문에 자동차단이 절대적 요구사항은 아니다. 그러나 두 곳에서 고장발생 시 동시에 접근이 가능한 노출도전부에 접촉되는 경우에는 인체에 위험을 피하기 위한 조치를 하여야 한다.

※ 각 계통의 동작조건 사항

TN계통	TT계통	IT계통		
$U_0 \geq I_a Z_s$	$U_0 \geq I_a Z_s$ (과전류보호장치 사용)	1차 고장 후 다른 2차 고장 발생 시		

• Z_s : 고장루프임피던스
  – 전원의 임피던스
  – 고장점까지의 선도체 임피던스
  – 고장점과 전원 사이의 보호도체 임피던스
• I_a : 차단시간 내에 차단장치 또는 누전차단기를 자동으로 동작하게 하는 전류[A]
• U_0 : 공칭대지전압[V]
	• Z_s : 고장루프임피던스
	  – 전 원
	  – 고장점까지 선도체
	  – 노출도전부 보호도체
	  – 접지도체
	  – 설비접지극
	  – 전원접지극
	• I_a : 차단시간 내에 차단장치가 자동 작동하는 전류[A]
	• U_0 : 공칭대지전압[V]
	※ 누전차단기 사용
	  $50[V] \geq I_{\triangle n} R_A$
	• R_A : 노출도전부에 접속된 보호도체와 접지극저항의 합[Ω]
	• $I_{\triangle n}$: 누전차단기의 정격동작전류[A]
		1차 고장이 발생 후 다른 곳에 2차 고장 발생 시 자동차단조건		

		노출도전부가 같은 접지계통에 집합적으로 접지된 보호도체와 접촉 시		노출도전부가 그룹별 또는 개별접지 시
		$U \geq 2I_a Z_s$ (비접지계통)	$U_0 \geq 2I_a Z_s'$ (접지계통)	$50[V] \geq I_d R_A$(교류) $120[V] \geq I_d R_A$(직류)
		• I_a : 차단시간 내에 보호장치를 동작시키는 전류[A] • U : 선간 공칭전압[V] • U_0 : 선도체와 중성선 또는 중점선 사이 공칭전압[V] • R_A : 접지극과 노출도전부에 접속된 보호도체저항의 합 • I_d : 하나의 선도체와 노출도전부 사이에서 무시할 수 있는 임피던스로 1차 고장이 발생했을 때의 고장전류[A]로 전기설비의 누설전류와 총접지임피던스를 고려한 값		

㉣ 기능적 특별저압(FELV) : 기능상의 이유로 교류 50[V], 직류 120[V] 이하인 공칭전압을 사용하지만, SELV 또는 PELV에 대한 모든 요구조건이 충족되지 않고 SELV와 PELV가 필요치 않은 경우에는 기본보호 및 고장보호의 보장을 위해 다음에 따라야 한다. 이러한 조건의 조합을 FELV라 한다.
- 기본보호는 기본절연, 격벽, 외함 중 하나에 따른다.
- FELV계통의 전원은 최소한 단순분리형 변압기에 의한다.

- 적 용
  - 플러그를 다른 전압계통의 콘센트에 꽂을 수 없어야 한다.
  - 콘센트는 다른 전압계통의 플러그를 수용할 수 없어야 한다.
  - 콘센트는 보호도체에 접속하여야 한다.
ⓜ 이중절연 또는 강화절연에 대한 보호 : 이중 또는 강화절연은 기본절연의 고장으로 인해 전기기기의 접근 가능한 부분에 위험전압이 발생하는 것을 방지하기 위한 보호 대책
ⓑ 전기적 분리에 의한 보호
  - 고장보호를 위한 요구사항
    - 분리된 회로는 최소한 단순 분리된 전원을 통하여 공급되어야 하며, 분리된 회로의 전압은 500[V] 이하이어야 한다.
    - 분리된 회로의 충전부는 어떤 곳에서도 다른 회로, 대지 또는 보호도체에 접속되어서는 안 되며, 전기적 분리를 보장하기 위해 회로 간에 기본절연을 하여야 한다.
    - 가요케이블과 코드는 기계적 손상을 받기 쉬운 전체 길이에 대해 육안으로 확인이 가능하여야 한다.
    - 분리된 회로들에 대해서는 분리된 배선계통의 사용이 권장된다. 다만, 분리된 회로와 다른 회로가 동일 배선계통 내에 있으면 금속외장이 없는 다심케이블, 절연전선관 내의 절연전선, 절연덕팅 또는 절연트렁킹에 의한 배선이 되어야 하며 다음의 조건을 만족하여야 한다.
      ⓐ 정격전압은 최대 공칭전압 이상일 것
      ⓑ 각 회로는 과전류에 대한 보호를 할 것
    - 분리된 회로의 노출도전부는 다른 회로의 보호도체, 노출도전부 또는 대지에 접속되어서는 아니 된다.
ⓢ SELV(Safety Extra-Low Voltage)와 PELV(Protective Extra-Low Voltage)를 적용한 특별저압에 의한 보호
  - 요구사항
    - 특별저압계통의 전압한계는 교류 50[V] 이하, 직류 120[V] 이하이어야 한다.
    - 특별저압회로를 제외한 모든 회로로부터 특별저압계통을 보호분리하고, 특별저압계통과 다른 특별저압계통 간에는 기본절연을 하여야 한다.
    - SELV계통과 대지 간의 기본절연을 하여야 한다.

- SELV와 PELV회로에 대한 요구사항
  - 충전부와 다른 SELV와 PELV회로 사이의 기본절연
  - 이중절연 또는 강화절연 또는 최고전압에 대한 기본절연 및 보호차폐에 의한 SELV 또는 PELV 이외의 회로들의 충전부로부터 보호분리
  - SELV회로는 충전부와 대지 사이에 기본절연
  - PELV회로 및 PELV회로에 의해 공급되는 기기의 노출도전부는 접지
  - SELV와 PELV 계통의 플러그와 콘센트는 다음에 따라야 한다.
    ⓐ 플러그는 다른 전압계통의 콘센트에 꽂을 수 없어야 한다.
    ⓑ 콘센트는 다른 전압계통의 플러그를 수용할 수 없어야 한다.
    ⓒ SELV계통에서 플러그 및 콘센트는 보호도체에 접속하지 않아야 한다.
  - SELV회로의 노출도전부는 대지 또는 다른 회로의 노출도전부나 보호도체에 접속하지 않아야 한다.
  - 건조한 상태에서 다음의 경우는 기본보호를 하지 않아도 된다.
    ⓐ SELV회로에서 공칭전압이 교류 25[V] 또는 직류 60[V]를 초과하지 않는 경우
    ⓑ PELV회로에서 공칭전압이 교류 25[V] 또는 직류 60[V]를 초과하지 않고 노출도전부 및 충전부가 보호도체에 의해서 주접지단자에 접속된 경우
  - SELV 또는 PELV 계통의 공칭전압이 교류 12[V] 또는 직류 30[V]를 초과하지 않는 경우에는 기본보호를 하지 않아도 된다.

ⓞ 추가보호
- 누전차단기
- 보조 보호등전위본딩

ⓩ 기본보호방법
- 충전부의 기본절연
- 격벽 또는 외함

ⓣ 장애물 및 접촉범위 밖에 배치

ⓚ 숙련자와 기능자의 통제 또는 감독이 있는 설비에 적용 가능한 보호대책
- 비도전성 장소
- 비접지 국부 등전위본딩에 의한 보호
- 두 개 이상의 전기사용기기에 전원 공급을 위한 전기적 분리

※ SELV, PELV, FELV 정리

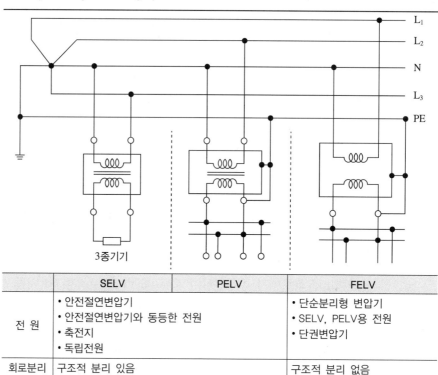

3종기기

	SELV	PELV	FELV
전 원	• 안전절연변압기 • 안전절연변압기와 동등한 전원 • 축전지 • 독립전원		• 단순분리형 변압기 • SELV, PELV용 전원 • 단권변압기
회로분리	구조적 분리 있음		구조적 분리 없음

특 징	• 비접지회로로 한다.
	• 노출도전부가 접지되어
	  있지 않다.
		• 접지회로
		• 회로접지는 보호도체에
		  접속을 허용
		• 노출도전부는 접지
			• 접지회로
			• 노출도전부는 보호도체에 접속

01 **고장보호에 대한 설명으로 틀린 것은?** [2022년 1회 기사]

① 고장보호는 일반적으로 직접 접촉을 방지하는 것이다.

② 고장보호는 인축의 몸을 통해 고장전류가 흐르는 것을 방지하여야 한다.

③ 고장보호는 인축의 몸에 흐르는 고장전류를 위험하지 않은 값 이하로 제한하여야 한다.

④ 고장보호는 인축의 몸에 흐르는 고장전류의 지속시간을 위험하지 않은 시간까지로 제한하여야 한다.

> **해설** **고장보호**
> 기본절연의 고장에 의한 간접 접촉을 방지(노출도전부에 인축이 접촉하여 일어날 수 있는 위험으로부터 보호)
> • 전원의 자동차단에 의한 보호
> • 이중절연 또는 강화절연에 의한 보호
> • 전기적 분리에 의한 보호
> • SELV와 PELV를 적용한 특별저압에 의한 보호
> • 숙련자와 기능자의 통제 또는 감독이 있는 설비에 적용 가능한 보호대책
> • 인축의 몸을 통해 고장전류가 흐르는 것을 방지
> • 인축의 몸에 흐르는 고장전류를 위험하지 않는 값 이하로 제한
> • 인축의 몸에 흐르는 고장전류의 지속시간을 위험하지 않은 시간까지로 제한

출 / 제 / 예 / 상 / 문 / 제

01 안전을 위한 보호대책이 아닌 것은?

① 감전에 대한 보호
② 과전류에 대한 보호
③ 열영향에 대한 보호
④ 전원공급에 대한 보호

> **해설** KEC 113(안전을 위한 보호)
> • 감전에 대한 보호
>   - 기본보호
>   - 고장보호
> • 열영향에 대한 보호
> • 과전류에 대한 보호
> • 고장전류에 대한 보호
> • 과전압 및 전자기 장애에 대한 대책
> • 전원공급 중단에 대한 보호

02 감전에 대한 일반적 보호대책의 요구사항이 아닌 것은?

① 전원의 자동차단
② 이중절연 또는 강화절연
③ 한 개의 전기사용기기에 전기를 공급하기 위한 전기적 합성결선
④ SELV와 PELV에 의한 특별저압

> **해설** KEC 211(감전에 대한 보호)
> • 전원의 자동차단
> • 이중절연 또는 강화절연
> • 한 개의 전기사용기기에 전기를 공급하기 위한 전기적 분리
> • SELV와 PELV에 의한 특별저압

03 감전에 대한 보호로 전원자동차단 요구사항 중 기본보호에 해당하는 것은?

① 보호등전위본딩
② 자동차단
③ 누전차단기
④ 충전부의 기본절연

> **해설** KEC 211(감전에 대한 보호)
> 전원의 자동차단에 의한 보호대책
> • 기본보호는 충전부의 기본절연 또는 격벽이나 외함에 의한다.
> • 고장보호는 보호등전위본딩 및 자동차단에 의한다.
> • 추가적인 보호로 누전차단기를 시설할 수 있다.

01 ④ 02 ③ 03 ④ **정답**

04 숙련자 또는 기능자의 통제하에 있는 설비에 적용 가능한 보호대책으로서 적합하지 않은 것은?

① 비도전성 장소
② 비접지 국부등전위본딩에 의한 보호
③ 두 개 이상의 전기사용기기에 전원 공급을 위한 전기적 분리
④ SELV와 PELV에 의한 특별저압

> **해설** KEC 211.9(숙련자와 기능자의 통제 또는 감독이 있는 설비에 적용 가능한 보호대책)
> • 비도전성 장소
> • 비접지 국부등전위본딩에 의한 보호
> • 두 개 이상의 전기사용기기에 전원 공급을 위한 전기적 분리

05 32[A] 이하 분기회로 중 220[V] 교류 사용 시 TN계통에서 최대 차단시간은?

① 0.8초　　　　　　　　　　② 0.4초
③ 0.2초　　　　　　　　　　④ 0.1초

> **해설** KEC 211.2(전원의 자동차단에 의한 보호대책)　　　　　　　　　　[단위 : 초]

계 통	$50[V] < U_0 \leq 120[V]$		$120[V] < U_0 \leq 230[V]$		$230[V] < U_0 \leq 400[V]$		$U_0 > 400[V]$	
	교 류	직 류	교 류	직 류	교 류	직 류	교 류	직 류
TN	0.8	☆	0.4	5	0.2	0.4	0.1	0.1
TT	0.3	★	0.2	0.4	0.07	0.2	0.04	0.1

> • TT계통에서 차단은 과전류보호장치에 의해 이루어지고 보호등전위본딩은 설비 안의 모든 계통 외도전부와 접속되는 경우 TN계통에 적용 가능한 최대차단시간이 사용될 수 있다.
> • U_0는 대지에서 공칭교류전압 또는 직류 선간전압이다.
> • ☆ : 차단은 감전보호 외에 다른 원인에 의해 요구될 수도 있다.
> ★ : 누전차단기에 의한 차단은 본문 212쪽 box 참조

06 32[A] 이하 분기회로에서 사용전압 직류 400[V]일 경우 TT계통에서 고장 시 자동차단되어야 하는 최대 차단시간은?

① 0.1초　　　　　　　　　　② 0.2초
③ 0.4초　　　　　　　　　　④ 0.8초

> **해설** 5번 해설 참조

07 일반인이 접촉할 우려가 있는 세대 내 분전반 및 이와 유사한 장소에는 어떠한 차단기를 시설하여야 하는가?

① 주택용 누전차단기
② 산업용 누전차단기
③ 주택용 배선차단기
④ Fuse

> 해설 KEC 211.2(전원의 자동차단에 의한 보호대책)
> 누전차단기를 저압전로에 사용하는 경우 일반인이 접촉할 우려가 있는 장소(세대 내 분전반 및 이와 유사한 장소)에는 주택용 누전차단기를 시설하여야 한다.

08 TN계통에 대한 설명 중 적합하지 않은 것은?

① TN계통에서 설비의 접지 신뢰성은 PEN도체 또는 PE도체와 접지극과의 효과적인 접속에 의한다.
② TN계통에서 과전류보호장치 및 누전차단기는 고장보호에 사용할 수 있다.
③ 누전차단기를 사용하는 과전류보호 겸용의 것을 사용해서는 아니 된다.
④ TN-C계통에는 누전차단기를 사용해서는 아니 된다. TN-C-S계통에 누전차단기를 설치하는 경우에는 누전차단기의 부하 측에는 PEN도체를 사용할 수 없다.

> 해설 KEC 211.2(전원의 자동차단에 의한 보호대책)
> TN계통
> • TN계통에서 설비의 접지 신뢰성은 PEN도체 또는 PE도체와 접지극과의 효과적인 접속에 의한다.
> • TN계통에서 과전류보호장치 및 누전차단기는 고장보호에 사용할 수 있다. 누전차단기를 사용하는 경우 과전류보호 겸용의 것을 사용해야 한다.
> • TN-C계통에는 누전차단기를 사용해서는 아니 된다. TN-C-S계통에 누전차단기를 설치하는 경우에는 누전차단기의 부하 측에는 PEN도체를 사용할 수 없다. 이러한 경우 PE도체는 누전차단기의 전원 측에서 PEN도체에 접속하여야 한다.

09 TT계통에 대한 설명 중 적합하지 않은 것은?

① 전원계통의 중성점이나 중간점은 접지하여야 한다.

② 중성점이나 중간점을 이용할 수 없는 경우, 선도체 중 하나를 접지하여야 한다.

③ 누전차단기를 사용하여 고장보호를 해서는 안 된다.

④ 고장루프임피던스가 충분히 낮을 때는 과전류보호장치에 의하여 고장보호를 할 수 있다.

> **해설** KEC 211.2(전원의 자동차단에 의한 보호대책)
>
> TT계통
> - 전원계통의 중성점이나 중간점은 접지하여야 한다.
> - 중성점이나 중간점을 이용할 수 없는 경우, 선도체 중 하나를 접지하여야 한다.
> - TT계통은 누전차단기를 사용하여 고장보호를 하여야 한다.
> - 고장루프임피던스가 충분히 낮을 때는 과전류보호장치에 의하여 고장보호를 할 수 있다.

10 IT계통에서 적합하지 않은 것은?

① 노출도전부는 개별 또는 집합적으로 접지하여야 한다.

② IT계통은 절연감시장치, 누설전류감시장치를 사용할 수 있다.

③ 교류계통에서는 $R_A \times I_d \leq 50[\mathrm{V}]$의 조건을 충족하여야 한다.

④ 교류계통에서는 $R_A \times I_d \leq 120[\mathrm{V}]$의 조건을 충족하여야 한다.

> **해설** KEC 211.2(전원의 자동차단에 의한 보호대책)
>
> IT계통
> - 노출도전부는 개별 또는 집합적으로 접지하여야 한다.
> - 교류계통 : $R_A \times I_d \leq 50[\mathrm{V}]$
> - 직류계통 : $R_A \times I_d \leq 120[\mathrm{V}]$
>   - R_A : 접지극과 노출도전부에 접속된 보호도체저항의 합
>   - I_d : 하나의 선도체와 노출도전부 사이에서 무시할 수 있는 임피던스로 1차 고장이 발생했을 때의 고장전류[A]로 전기설비의 누설전류와 총접지임피던스를 고려한 값
> - IT계통은 다음과 같은 감시장치와 보호장치를 사용할 수 있으며, 1차 고장이 지속되는 동안 작동되어야 한다. 절연감시장치는 음향 및 시각신호를 갖추어야 한다.
>   - 절연감시장치
>   - 누설전류감시장치
>   - 절연고장점검출장치
>   - 과전류보호장치
>   - 누전차단기

11 기능적 특별저압(FELV)에 대한 사항으로서 적합하지 않은 것은?

① 기본보호는 기본절연, 격벽 또는 외함에 의한다.

② FELV계통의 전원은 최소한 단순 분리형 변압기에 의한다.

③ 회로는 구조적 분리되어 있다.

④ 노출도전부는 1차 측 회로의 보호도체에 접속하여야 한다.

해설 KEC 211.2(전원의 자동차단에 의한 보호대책)
기능적 특별저압(FELV)
- 기본보호
  - 전원의 1차 회로의 공칭전압에 대응하는 기본절연
  - 격벽 또는 외함
- 고장보호는 1차 회로가 전원의 자동차단에 의한 보호가 될 경우 FELV회로 기기의 노출도전부는 전원의 1차 회로의 보호도체에 접속하여야 한다.
- FELV계통의 전원은 최소한 단순 분리형 변압기에 의한다. 만약 FELV계통이 단권변압기 등과 같이 최소한의 단순 분리가 되지 않은 기기에 의해 높은 전압계통으로부터 공급되는 경우 FELV계통은 높은 전압계통의 연장으로 간주되고 높은 전압계통에 적용되는 보호방법에 의해 보호해야 한다.
- FELV 계통용 플러그와 콘센트
  - 플러그를 다른 전압계통의 콘센트에 꽂을 수 없어야 한다.
  - 콘센트는 다른 전압계통의 플러그를 수용할 수 없어야 한다.
  - 콘센트는 보호도체에 접속하여야 한다.

② 과전류에 대한 보호

    ㉠ 요구사항 : 과전류로 인하여 회로의 도체, 절연체, 접속부, 단자부 또는 도체를 감싸는 물체 등에 유해한 열적 및 기계적인 위험이 발생되지 않도록, 그 회로의 과전류를 차단하는 보호장치를 설치해야 한다.

    ㉡ 회로의 특성에 따른 요구사항

       • 선도체의 보호 : 과전류검출기 설치

       • 중성선의 보호

         – TT계통 또는 TN계통

           ⓐ 중성선의 단면적이 선도체의 단면적과 동등 이상의 크기이고, 그 중성선의 전류가 선도체의 전류보다 크지 않을 것으로 예상될 경우, 중성선에는 과전류검출기 또는 차단장치를 설치하지 않아도 된다.

           ⓑ 중성선의 단면적이 선도체의 단면적보다 작은 경우 과전류검출기를 설치할 필요가 있다. 검출된 과전류가 설계전류를 초과하면 선도체를 차단해야 하지만, 중성선을 차단할 필요까지는 없다.

           ⓒ ⓐ, ⓑ의 경우 모두 단락전류로부터 중성선을 보호해야 한다.

           ⓓ 중성선에 관한 요구사항은 차단에 관한 것을 제외하고 중성선과 보호도체 겸용(PEN) 도체에도 적용한다.

         – IT계통 : 중성선을 배선하는 경우 중성선에 과전류검출기를 설치해야 하며, 과전류가 검출되면 중성선을 포함한 해당 회로의 모든 충전도체를 차단해야 한다. 다음의 경우에는 과전류검출기를 설치하지 않아도 된다.

           ⓐ 설비의 전력 공급점과 같은 전원 측에 설치된 보호장치에 의해 그 중성선이 과전류에 대해 효과적으로 보호되는 경우

           ⓑ 정격감도전류가 해당 중성선 허용전류의 0.2배 이하인 누전차단기로 그 회로를 보호하는 경우

         – 중성선의 차단 및 재폐로 : 중성선에 설치하는 개폐기 및 차단기는 차단 시에는 중성선이 선도체보다 늦게 차단되어야 하며, 재폐로 시에는 선도체와 동시 또는 그 이전에 재폐로 되는 것을 설치하여야 한다.

       • 보호장치의 종류 및 특성

         – 과부하전류 및 단락전류 겸용 보호장치 : 예상되는 단락전류를 포함한 모든 과전류를 차단 및 투입할 수 있는 능력

         – 과부하전류 전용 보호장치 : 차단용량은 그 설치점에서의 예상 단락전류값 미만으로 할 수 있다.

         – 단락전류 전용 보호장치 : 예상 단락전류를 차단할 수 있어야 하며, 차단기인 경우에는 이 단락전류를 투입할 수 있는 능력

ⓒ 과부하전류에 대한 보호

• 도체와 과부하 보호장치 사이의 협조

과부하에 대해 케이블(전선)을 보호하는 장치의 동작특성은 다음의 조건을 충족해야 한다.

$I_B \leq I_n \leq I_Z$

$I_2 \leq 1.45 \times I_Z$

여기서, I_B : 회로의 설계전류

I_Z : 케이블의 허용전류

I_n : 보호장치의 정격전류

I_2 : 보호장치가 규약시간 이내에 유효하게 동작하는 것을 보장하는 전류

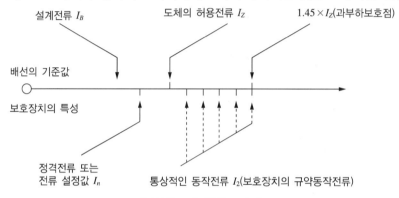

[과부하 보호 설계 조건도]

• 과부하 보호장치의 설치위치 : 과부하 보호장치는 전로 중 도체의 단면적, 특성, 설치방법, 구성의 변경으로 도체의 허용전류값이 줄어드는 곳(이하 분기점이라 함)에 설치

– 보호장치(P_2)는 분기회로의 분기점(O)으로부터 3[m] 이내 설치

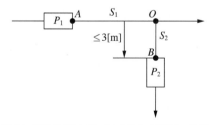

[분기회로(S_2)의 분기점(O)에서 3[m] 이내에 설치된 과부하 보호장치(P_2)]

– 과부하보호장치의 생략

ⓐ 분기회로의 전원 측에 설치된 보호장치에 의하여 분기회로에서 발생하는 과부하에 대해 유효하게 보호되고 있는 분기회로

ⓑ 단락보호가 되고 있으며, 분기점 이후의 분기회로에 다른 분기회로 및 콘센트가 접속되지 않는 분기회로 중 부하에 설치된 과부하보호장치가 유효하게 동작하여 과부하전류가 분기회로에 전달되지 않도록 조치를 하는 경우

ⓒ 통신회로용, 제어회로용, 신호회로용 및 이와 유사한 설비

※ 안전을 위해 과부하보호장치를 생략하는 경우

사용 중 예상치 못한 회로의 개방이 위험 또는 큰 손상을 초래할 수 있는 다음과 같은 부하에 전원을 공급하는 회로에 대해서는 과부하보호장치를 생략할 수 있다.

- 회전기의 여자회로
- 전자석 크레인의 전원회로
- 전류변성기의 2차 회로
- 소방설비의 전원회로
- 안전설비(주거침입경보, 가스누출경보 등)의 전원회로

㉣ 단락전류에 대한 보호 : 이 기준은 동일 회로에 속하는 도체 사이의 단락인 경우에만 적용하여야 함

• 설치위치 : 과부하보호장치 설치위치와 동일

• 단락보호장치의 생략 : 배선을 단락위험이 최소화할 수 있는 방법과 가연성 물질 근처에 설치하지 않는 조건이 모두 충족되면 다음과 같은 경우 단락보호장치를 생략할 수 있다.

- 발전기, 변압기, 정류기, 축전지와 보호장치가 설치된 제어반을 연결하는 도체
- 전원차단이 설비의 운전에 위험을 가져올 수 있는 회로
- 특정 측정회로

• 단락보호장치의 특성

- 차단용량 : 정격차단용량은 단락전류보호장치 설치점에서 예상되는 최대 크기의 단락전류보다 커야 한다.
- 케이블 등의 단락전류 : 회로의 임의의 지점에서 발생한 모든 단락전류는 케이블 및 절연도체의 허용온도를 초과하지 않는 시간 내에 차단되도록 해야 한다. 단락지속시간이 5초 이하인 경우, 통상 사용조건에서의 단락전류에 의해 절연체의 허용온도에 도달하기까지의 시간 t는 다음과 같이 계산할 수 있다.

$$t = \left(\frac{kS}{I}\right)^2$$

여기서, t : 단락전류 지속시간[sec]
S : 도체의 단면적[mm²]
I : 유효 단락전류[A, rms]
k : 도체 재료의 저항률, 온도계수, 열용량, 해당 초기온도와 최종온도를 고려한 계수

ⓜ 저압전로 중의 개폐기 및 과전류차단장치의 시설

- 저압전로 중의 개폐기의 시설
  - 저압전로 중에 개폐기를 시설하는 경우 그 곳의 각 극에 설치하여야 한다.
  - 사용전압이 다른 개폐기는 상호 식별이 용이하도록 시설하여야 한다.
- 저압 옥내전로 인입구에서의 개폐기의 시설
  - 저압 옥내전로에는 인입구에 가까운 곳으로서 쉽게 개폐할 수 있는 곳에 개폐기를 각 극에 시설하여야 한다.
  - 사용전압이 400[V] 이하인 옥내전로로서 다른 옥내전로(정격전류가 16[A] 이하인 과전류차단기 또는 정격전류가 16[A]를 초과하고 20[A] 이하인 배선차단기로 보호되고 있는 것에 한한다)에 접속하는 길이 15[m] 이하의 전로에서 전기의 공급을 받는 것은 1번째의 규정에 의하지 아니할 수 있다.
  - 저압 옥내전로에 접속하는 전원 측의 전로의 그 저압 옥내전로의 인입구에 가까운 곳에 전용의 개폐기를 쉽게 개폐할 수 있는 곳의 각 극에 시설하는 경우에는 1번째의 규정에 의하지 아니할 수 있다.

• 저압전로 중의 과전류차단기의 시설

퓨즈(gG)의 용단특성				시간	배선차단기					
정격전류의 구분	시간	정격전류의 배수			정격전류의 배수(과전류트립)				순시트립(주택용)	
		불용단 전류	용단전류		주택용		산업용		형	트립범위
					부동작	동작	부동작	동작		
4[A] 이하	60분	1.5배	2.1배	60분	1.13배	1.45배	1.05배	1.3배	B	$3I_n$ 초과 ~ $5I_n$ 이하
4[A] 초과 16[A] 미만			1.9배							
16[A] 이상 63[A] 이하		1.25배	1.6배						C	$5I_n$ 초과 ~ $10I_n$ 이하
63[A] 초과 160[A] 이하	120분			120분					D	$10I_n$ 초과 ~ $20I_n$ 이하
160[A] 초과 400[A] 이하	180분									
400[A] 초과	240분								• B, C, D : 순시트립전류에 따른 차단기 분류 • I_n : 차단기 정격전류	

• 저압전로 중의 전동기 보호용 과전류보호장치의 시설
  – 과부하보호장치, 단락보호전용 차단기 및 단락보호전용 퓨즈는 다음에 따라 시설할 것
    ⓐ 과부하보호장치로 전자접촉기를 사용할 경우에는 반드시 과부하계전기가 부착되어 있을 것
    ⓑ 단락보호전용 차단기의 단락동작설정 전류값은 전동기의 기동방식에 따른 기동돌입전류를 고려할 것
    ⓒ 단락보호전용 퓨즈는 용단특성에 적합한 것일 것

[단락보호전용 퓨즈(aM)의 용단특성]

정격전류의 배수	불용단시간	용단시간
4배	60초 이내	–
6.3배	–	60초 이내
8배	0.5초 이내	–
10배	0.2초 이내	–
12.5배	–	0.5초 이내
19배		0.1초 이내

  – 옥내에 시설하는 전동기(정격출력이 0.2[kW] 이하인 것을 제외한다)에는 전동기가 손상될 우려가 있는 과전류가 생겼을 때에 자동적으로 이를 저지하거나 이를 경보하는 장치를 하여야 한다. 다만, 다음의 어느 하나에 해당하는 경우에는 그러하지 아니하다.

ⓐ 전동기를 운전 중 상시 취급자가 감시할 수 있는 위치에 시설

ⓑ 동기의 구조나 부하의 성질로 보아 전동기가 손상될 수 있는 과전류가 생길 우려가 없는 경우

ⓒ 단상전동기로서 그 전원 측 전로에 시설하는 과전류차단기의 정격전류가 16[A](배선차단기는 20[A]) 이하인 경우

참 고

과전류차단기용 퓨즈

- 고 압
  - 포장 퓨즈 : 정격전류 1.3배에 견디고, 2배 전류로 120분 이내 용단
  - 비포장 퓨즈 : 정격전류 1.25배에 견디고 2배 전류에 2분 이내에 용단
- 과전류차단기의 시설 제한
  - 고압 또는 특고압의 전로에는 기계, 기구 및 전선을 보호하기 위하여 필요한 곳에 과전류차단기를 시설한다.
  - 다음 경우는 시설을 금한다.
    ⓐ 접지공사의 접지도체
    ⓑ 다선식 전로의 중성선
    ⓒ 전로의 일부에 접지공사를 한 저압 가공전선로 접지 측 전선
- 지락차단 장치 등의 시설
  - 사용전압 50[V] 넘는 금속제 외함을 가진 저압 기계기구로서 사람 접촉 우려 시 전로에 지기가 발생한 경우
  - 특고압전로, 고압전로 또는 저압전로가 변압기에 의해서 결합되는 사용전압 400[V] 초과의 저압전로에 지락이 생긴 경우 전로를 자동 차단하는 장치 시설
  - 지락차단장치 설치 예외 장소
    ⓐ 기계기구를 발전소·변전소·개폐소, 이에 준하는 곳에 시설하는 경우
    ⓑ 기계기구를 건조한 곳에 시설하는 경우
    ⓒ 대지전압 150[V] 이하를 습기가 없는 곳에 시설하는 경우
    ⓓ 전로전원 측에 절연 변압기(2차 300[V] 이하) 시설, 부하 측 비접지의 경우
    ⓔ 2중 절연 구조
    ⓕ 기계기구 내 누전차단기를 설치한 경우
    ⓖ 기계기구가 고무·합성수지 기타 절연물로 피복된 경우

③ 과전압에 대한 보호

[기기에 요구되는 정격 임펄스 내전압]

설비의 공칭전압[V]	교류 또는 직류 공칭전압에서 산출한 상전압[V]	요구되는 정격 임펄스 내전압[a][kV]			
		과전압 범주 IV (매우 높은 정격 임펄스 전압 장비)	과전압 범주 III (높은 정격 임펄스 전압 장비)	과전압 범주 II (통상 정격 임펄스 전압 장비)	과전압 범주 I (감축 정격 임펄스 전압 장비)
		예 계기, 원격제어 시스템	예 배전반, 개폐기, 콘센트	예 가전용 배전 전기기기 및 도구	예 민감한 전자 장비
120/208	150	4	2.5	1.5	0.8
(220/380)[b] 230/400 277/480	300	6	4	2.5	1.5
400/690	600	8	6	4	2.5
1,000	1,000	12	8	6	4
1,500 D.C.	1,500 D.C.			8	6

a : 임펄스 내전압은 충전도체와 보호도체 사이에 적용된다.
b : 현재 국내 사용전압이다.

④ 열영향에 대한 보호

㉠ 접촉 범위 내에 있는 기기에 접촉 가능성이 있는 부분에 대한 온도 제한

접촉할 가능성이 있는 부분	접촉할 가능성이 있는 표면의 재료	최고 표면온도[℃]
손으로 잡고 조작시키는 것	금속	55
	비금속	65
손으로 잡지 않지만 접촉하는 부분	금속	70
	비금속	80
통상 조작 시 접촉할 필요가 없는 부분	금속	80
	비금속	90

㉡ 과열에 대한 보호
• 강제 공기 난방시스템
• 온수기 또는 증기발생기
• 공기난방설비

핵 / 심 / 예 / 제

01 과전류차단기로 저압전로에 사용하는 범용의 퓨즈(전기용품 및 생활용품 안전관리법에서 규정하는 것을 제외한다)의 정격전류가 16[A]인 경우 용단전류는 정격전류의 몇 배인가?(단, 퓨즈(gG)인 경우이다)

[2022년 2회 기사]

① 1.25   ② 1.5   ③ 1.6   ④ 1.9

해설 KEC 212.3(보호장치의 종류 및 특성)
퓨즈(gG)의 용단특성

정격전류의 구분	시 간	정격전류의 배수	
		불용단전류	용단전류
4[A] 이하	60분	1.5배	2.1배
4[A] 초과 16[A] 미만	60분	1.5배	1.9배
16[A] 이상 63[A] 이하	60분	1.25배	1.6배
63[A] 초과 160[A] 이하	120분	1.25배	1.6배
160[A] 초과 400[A] 이하	180분	1.25배	1.6배
400[A] 초과	240분	1.25배	1.6배

02 과전류차단기로 시설하는 퓨즈 중 고압전로에 사용되는 포장 퓨즈는 정격전류의 몇 배의 전류에 견디어야 하는가?

[2014년 2회 산업기사 / 2018년 1회 기사]

① 1.1   ② 1.2   ③ 1.3   ④ 1.5

해설 KEC 341.10(고압 및 특고압전로 중의 과전류차단기의 시설)
고압 또는 특고압전로 중 기계기구 및 전선을 보호하기 위하여 필요한 곳에 시설

구 분	견디는 시간	용단시간
포장 퓨즈	1.3배	2배 전류 – 120분
비포장 퓨즈	1.25배	2배 전류 – 2분

03 과전류차단기로 시설하는 퓨즈 중 고압전로에 사용하는 비포장 퓨즈는 정격전류 2배 전류 시 몇 분 안에 용단되어야 하는가?

[2020년 4회 기사]

① 1분   ② 2분   ③ 5분   ④ 10분

해설 2번 해설 참조

04 과전류차단기로 시설하는 퓨즈 중 고압전로에 사용하는 비포장 퓨즈는 정격전류의 몇 배의 전류에 견디어야 하는가?

[2019년 1회 산업기사]

① 1.1　　　　　② 1.25　　　　　③ 1.5　　　　　④ 2

해설 KEC 341.10(고압 및 특고압전로 중의 과전류차단기의 시설)
고압 또는 특고압전로 중 기계기구 및 전선을 보호하기 위하여 필요한 곳에 시설

구 분	견디는 시간	용단시간
포장 퓨즈	1.3배	2배 전류 - 120분
비포장 퓨즈	1.25배	2배 전류 - 2분

05 다음의 ⓐ, ⓑ에 들어갈 내용으로 옳은 것은?

[2019년 3회 기사]

> 과전류차단기로 시설하는 퓨즈 중 고압전로에 사용하는 비포장 퓨즈는 정격전류의 (ⓐ)배의 전류에 견디고 또한 2배의 전류로 (ⓑ)분 안에 용단되는 것이어야 한다.

① ⓐ 1.1, ⓑ 1　　　　　② ⓐ 1.2, ⓑ 1
③ ⓐ 1.25, ⓑ 2　　　　　④ ⓐ 1.3, ⓑ 2

해설 4번 해설 참조

06 과전류차단기를 시설하여도 좋은 곳은 어느 것인가?

[2015년 3회 산업기사]

① 접지공사를 한 저압 가공전선로의 접지 측 전선
② 방전장치를 시설한 고압 측 전선
③ 접지공사의 접지선
④ 다선식 전로의 중성선

해설 KEC 341.11(과전류차단기의 시설 제한)
접지공사의 접지도체, 다선식 전로의 중성선, 전로의 일부에 접지공사를 한 저압 가공전선로의 접지 측 전선에는 과전류차단기를 시설하여서는 안 된다.

07 과전류차단기를 설치하지 않아야 할 곳은? [2016년 1회 산업기사 / 2019년 3회 산업기사]

① 수용가의 인입선 부분

② 고압 배전선로의 인출장소

③ 직접 접지계통에 설치한 변압기의 접지선

④ 역률조정용 고압 병렬콘덴서 뱅크의 분기선

> **해설** KEC 341.11(과전류차단기의 시설 제한)
> 접지공사의 접지도체, 다선식 전로의 중성선, 전로의 일부에 접지공사를 한 저압 가공전선로의 접지 측 전선에는 과전류차단기를 시설하여서는 안 된다.

08 금속제 외함을 가진 저압의 기계기구로서 사람이 쉽게 접촉할 우려가 있는 곳에 시설하는 것에 전기를 공급하는 전로에 지락이 생겼을 때에 자동적으로 차단하는 장치를 설치하여야 한다. 사용전압이 몇 [V]를 초과하는 기계기구의 경우인가? [2016년 2회 산업기사]

① 25   ② 30   ③ 50   ④ 60

> **해설** KEC 211.2(전원의 자동차단에 의한 보호대책)
> 누전차단기의 시설
> 금속제 외함을 가지는 사용전압이 50[V]를 초과하는 저압의 기계기구로서 사람이 쉽게 접촉할 우려가 있는 곳에 시설하는 것에 전기를 공급하는 전로에는 전로에 지락이 생겼을 때에 자동적으로 전로를 차단하는 장치를 하여야 한다.

09 금속제 외함을 가진 저압의 기계기구로서 사람이 쉽게 접촉될 우려가 있는 곳에 시설하는 경우 전기를 공급받는 전로에 지락이 생겼을 때 자동적으로 전로를 차단하는 장치를 설치하여야 하는 기계기구의 사용전압이 몇 [V]를 초과하는 경우인가? [2020년 4회 기사]

① 30   ② 50   ③ 100   ④ 150

> **해설** 8번 해설 참조

07 ③ 08 ③ 09 ② **정답**

01 도체와 과부하 보호장치 사이의 협조 조건에 맞지 않은 것은?

① $I_B \leq I_n$

② $I_n \leq I_Z$

③ $I_B \geq I_Z$

④ $I_2 \leq 1.45 I_Z$

해설   KEC 212.4(과부하전류에 대한 보호)

도체와 과부하 보호장치 사이의 협조

• $I_B \leq I_n \leq I_Z$

• $I_2 \leq 1.45 \times I_Z$

  − I_B : 회로의 설계전류

  − I_Z : 케이블의 허용전류

  − I_n : 보호장치의 정격전류

  − I_2 : 보호장치가 규약시간 이내에 유효하게 동작하는 것을 보장하는 전류

02 도체와 과부하 보호장치 사이의 협조 조건을 적합하게 나타낸 것은?

① $I_B \leq I_n \leq I_Z$, $I_2 \leq 1.25 I_Z$

② $I_B \leq I_n \geq I_Z$, $I_2 \leq 1.25 I_Z$

③ $I_n \leq I_Z \leq I_B$, $I_2 \leq 1.45 I_Z$

④ $I_B \leq I_n \leq I_Z$, $I_2 \leq 1.45 I_Z$

해설   1번 해설 참조

03 도체와 과부하 보호장치 사이의 협조 조건에 적합하지 않은 것은?

① 과전류차단기의 정격전류(I_n)은 회로 설계전류(I_B) 이상이 되어야 한다.

② 과부하 보호장치의 규약동작전류(I_2)는 케이블에 허용전류(I_Z)의 1.25배 이하가 되도록 설정하여야 한다.

③ 과부하 보호장치의 규약동작전류(I_2)는 케이블에 허용전류(I_Z)의 1.45배 이하가 되도록 설정하여야 한다.

④ 케이블의 허용전류(I_Z)는 과전류차단기의 정격전류(I_n) 이상이 되어야 한다.

> **해설** KEC 212.4(과부하전류에 대한 보호)
> 도체와 과부하 보호장치 사이의 협조
> - $I_B \leq I_n \leq I_Z$
> - $I_2 \leq 1.45 \times I_Z$
>   - I_B : 회로의 설계전류
>   - I_Z : 케이블의 허용전류
>   - I_n : 보호장치의 정격전류
>   - I_2 : 보호장치가 규약시간 이내에 유효하게 동작하는 것을 보장하는 전류

04 과부하 보호장치는 전로 중 도체의 단면적, 특성, 설치방법, 구성의 변경으로 도체의 허용전류 값이 줄어드는 곳(분기점)에 설치해야 하고 보호장치(P_2)는 분기회로의 분기점(O)으로부터 몇 [m] 이내에 설치하여야 하는가?

① 1.5 ② 3

③ 3.5 ④ 4

> **해설** KEC 212.4(과부하전류에 대한 보호)
> 과부하 보호장치
> - 설치위치
>   과부하 보호장치는 전로 중 도체의 단면적, 특성, 설치방법, 구성의 변경으로 도체의 허용전류값이 줄어드는 곳(분기점)에 설치해야 한다.
> - 설치위치의 예외
>   - 분기회로(S_2)의 과부하 보호장치(P_2)의 전원 측에 다른 분기회로 또는 콘센트의 접속이 없고 분기회로에 대한 단락보호가 이루어지고 있는 경우, 보호장치(P_2)는 분기회로의 분기점(O)으로부터 부하 측으로 거리에 구애받지 않고 이동하여 설치할 수 있다.
>   - 분기회로(S_2)의 보호장치(P_2)는 보호장치(P_2)의 전원 측에서 분기점(O) 사이에 다른 분기회로 또는 콘센트의 접속이 없고, 단락의 위험과 화재 및 인체에 대한 위험성이 최소화되도록 시설된 경우, 분기회로의 보호장치(P_2)는 분기회로의 분기점(O)으로부터 3[m]까지 이동하여 설치할 수 있다.

05 다음과 같은 부하에 전원을 공급하는 회로에 대해서는 과부하 보호장치를 생략할 수 있는 경우가 아닌 것은?(단, 안전을 위한 시설에 한한다)

① 회전기의 여자회로

② 소방설비의 전원회로

③ 안전설비(주거침입경보, 가스누출경보 등)의 전원회로

④ 급수설비 전동기회로

> 해설　KEC 212.4(과부하전류에 대한 보호)
> 과부하 보호장치의 생략(안전을 위해 과부하 보호장치를 생략할 수 있는 경우)
> • 회전기의 여자회로
> • 전자석 크레인의 전원회로
> • 전류변성기의 2차회로
> • 소방설비의 전원회로
> • 안전설비(주거침입경보, 가스누출경보 등)의 전원회로

06 저압전로에 사용하는 정격전류 20[A]인 전로는 몇 배인 경우 불용단되어야 하는가?

① 1.5배　　　　　　　　　② 1.25배

③ 1.1배　　　　　　　　　④ 1배

> 해설　KEC 212.3(보호장치의 종류 및 특성)
> 퓨즈(gG)의 용단특성

정격전류의 구분	시 간	정격전류의 배수	
		불용단전류	용단전류
4[A] 이하	60분	1.5배	2.1배
4[A] 초과 16[A] 미만	60분	1.5배	1.9배
16[A] 이상 63[A] 이하	60분	1.25배	1.6배
63[A] 초과 160[A] 이하	120분	1.25배	1.6배
160[A] 초과 400[A] 이하	180분	1.25배	1.6배
400[A] 초과	240분	1.25배	1.6배

07 주택용 배선차단기의 부동작전류와 동작전류가 맞는 것은?

① 1.05배, 1.13배   ② 1.13배, 1.45배
③ 1.13배, 2.1배   ④ 1.05배, 1.6배

해설   KEC 212.3(보호장치의 종류 및 특성)
과전류트립 동작시간 및 특성(주택용 배선차단기)

정격전류의 구분	시 간	정격전류의 배수(모든 극에 통전)	
		부동작전류	동작전류
63[A] 이하	60분	1.13배	1.45배
63[A] 초과	120분	1.13배	1.45배

08 산업용 배선차단기의 부동작전류와 동작전류가 맞는 것은?

① 1.05배, 1.3배   ② 1.13배, 1.45배
③ 1.13배, 2.1배   ④ 1.05배, 1.6배

해설   7번 해설 참조

09 주택용 배선차단기는 B형인 경우 순시트립범위는 얼마인가?

① $3I_n$ 초과 $5I_n$ 이하   ② $5I_n$ 초과 $10I_n$ 이하
③ $10I_n$ 초과 $20I_n$ 이하   ④ $3I_n$ 초과 $10I_n$ 이하

해설   KEC 212.3(보호장치의 종류 및 특성)
순시트립에 따른 구분(주택용 배선차단기)

형	순시트립범위
B	$3I_n$ 초과 $5I_n$ 이하
C	$5I_n$ 초과 $10I_n$ 이하
D	$10I_n$ 초과 $20I_n$ 이하

• B, C, D : 순시트립전류에 따른 차단기 분류
• I_n : 차단기 정격전류

(2) 고압·특고압 안전보호

① 절연수준의 선정

절연수준은 기기최고전압 또는 충격내전압을 고려하여 결정하여야 한다.

② 직접 접촉에 대한 보호

㉠ 전기설비는 충전부에 무심코 접촉 또는 근처의 위험구역에 무심코 도달하는 것을 방지

㉡ 계통의 도전성 부분에 대한 접촉을 방지

㉢ 보호는 그 설비의 위치가 출입제한 전기운전구역 여부에 의하여 다른 방법으로 이루어질 수 있다.

③ 간접 접촉에 대한 보호

고장 시 충전으로 인한 인축의 감전을 방지하여야 하며, 그 보호방법은 접지설비에 따른다.

④ 아크고장에 대한 보호

⑤ 직격뢰에 대한 보호

피뢰시스템을 시설하고, 그 밖의 적절한 조치를 한다.

⑥ 화재에 대한 보호

전기기기의 설치 시에는 공간분리, 내화벽, 불연재료의 시설 등 화재예방을 위한 대책을 고려하여야 한다.

⑦ 절연유 누설에 대한 보호

㉠ 옥 내

• 누설되는 절연유가 스며들지 않는 바닥에 유출방지 턱을 시설

• 건축물 안에 지정된 보존구역으로 집유

㉡ 옥 외

• 절연유 유출 방지설비의 선정 : 절연유의 양, 우수 및 화재보호시스템의 용수량, 근접 수로 및 토양조건을 고려

• 집유조 및 집수탱크 시설 시 최대 용량 변압기의 유량에 대한 집유능력이 있어야 한다.

• 관련 배관은 액체가 침투하지 않는 것이어야 한다.

• 집수탱크의 용량은 물의 유입으로 지나치게 감소되지 않아야 하며, 자연배수 및 강제배수가 가능하여야 한다.

• 수로 및 지하수를 보호

– 집유조 및 집수탱크는 바닥으로부터 절연유 및 냉각액의 유출을 방지하여야 한다.

– 배출된 액체는 유수분리장치를 통하여야 하며 이 목적을 위하여 액체의 비중을 고려하여야 한다.

⑧ SF6의 누설에 대한 보호

⑨ 식별 및 표시

(3) 접지설비

① 고압 · 특고압 접지계통

　㉠ 일반사항

　　• 고압 또는 특고압 기기가 출입제한 된 전기설비 운전구역 이외의 장소에 설치되었
다면 KS C IEC 61936-1(교류 1[kV] 초과 전력설비-제1부 : 공통규정)의 "10 접지
시스템"에 의한다.

　　• 모든 케이블의 금속시스(Sheath) 부분은 접지를 시행

　㉡ 접지시스템 : 고압 또는 특고압 전기설비의 접지는 원칙적으로 공통접지, 통합접지
에 적합하여야 한다.

② 혼촉에 의한 위험방지시설

　접지공사(사용전압 35[kV] 이하로 지기발생 시 1초 이내에 자동차단하거나, 25[kV]
이하의 중성점 다중접지 전로 경우 이외에는 10[Ω] 이하)

　㉠ 접지공사는 변압기 시설장소마다 시행한다.

　㉡ 접지저항을 얻기 어려운 토지 상황의 경우 : 가공접지도체(동복강선 3.5[mm], 인장
강도 5.26[kN], 동선 4.0[mm])을 사용하여 변압기 시설장소에서(200[m]) 떼어 놓
을 수 있다.

　㉢ ㉡에 의해서도 얻기 어려운 경우 : 가공공동지선을 이용하여 각 변압기 중심으로
직경 400[m] 이내 지역으로 그 변압기에 접속되는 전선로 바로 아랫부분에서 각
변압기의 양쪽에 있도록 하고, 가공공동지선과 대지 간 합성저항값은 지름(1[km])
지역 안에서 접지저항값을 갖도록 한다.

　㉣ 접지선을 가공공동지선으로 분리할 경우 단독 접지저항값이 300[Ω] 이하가 되도록
한다.

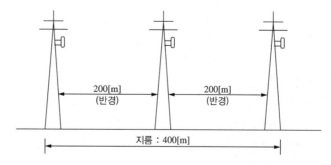

③ 혼촉방지판이 있는 변압기에 접속하는 저압 옥외전선의 시설

    ㉠ 저압 전선은 1구내에만 시설한다.

    ㉡ 저압 가공전선로 또는 저압 옥상전선로의 전선은 케이블이어야 한다.

    ㉢ 저압 가공전선과 고압 또는 특고압 가공전선을 동일 지지물에 시설하지 않는다(단, 고압, 특고압 가공전선이 케이블인 경우는 예외).

④ 특고압과 고압의 혼촉에 의한 위험방지 시설

    특고압을 고압으로 변성하는 변압기의 고압전로에는 고압 측(사용전압의 3배) 이하인 전압이 가해진 경우, 방전하는 장치를 변압기 단자 가까운 1극에 설치하고 접지공사를 실시한다(단, 고압 측 사용전압의 3배 이하에서 동작하는 피뢰기를 고압 모선에 시설한 경우는 생략 가능, 접지저항 10[Ω] 이하).

(4) 전로의 중성점접지

① 접지목적

    ㉠ 전로의 보호장치의 확실한 동작의 확보

    ㉡ 이상전압의 억제

    ㉢ 대지전압의 저하

② 시설기준

    ㉠ 접지도체는 공칭단면적 16[mm^2] 이상의 연동선(저압전로의 중성점에 시설 : 공칭단면적 6[mm^2] 이상의 연동선)

    ㉡ 접지도체에 접속하는 저항기·리액터 등은 고장 시 흐르는 전류를 안전하게 통할 수 있는 것을 사용

③ 고저항 중성점접지계통(지락전류 제한, 고저항 접지계통, 300[V]~1[kV] 이하)

    ㉠ 접지저항기는 계통의 중성점과 접지극 도체와의 사이에 설치

    ㉡ 변압기 또는 발전기의 중성점에서 접지저항기에 접속하는 점까지의 중성선은 동선 10[mm^2] 이상, 알루미늄선 또는 동복 알루미늄선은 16[mm^2] 이상의 절연전선으로서 접지저항기의 최대정격전류 이상일 것

    ㉢ 계통의 중성점은 접지저항기를 통하여 접지할 것

    ㉣ 기기 본딩 점퍼의 굵기

      • 접지극 도체를 접지저항기에 연결할 때는 기기 접지 점퍼는 다음의 예외사항을 제외하고 표에 의한 굵기일 것

        – 접지극 전선이 접지봉, 관, 판으로 연결될 때는 16[mm^2] 이상일 것

        – 콘크리트 매입 접지극으로 연결될 때는 25[mm^2] 이상일 것

        – 접지링으로 연결되는 접지극 전선은 접지링과 같은 굵기 이상일 것

[기기 접지 점퍼의 굵기]

상전선 최대 굵기[mm²]	접지극 전선[mm²]
30 이하	10
38 또는 50	16
60 또는 80	25
80 초과 175까지	35
175 초과 300까지	50
300 초과 550까지	70
550 초과	95

- 접지극 도체가 최초 개폐장치 또는 과전류장치에 접속될 때는 기기 본딩 점퍼의 굵기는 10[mm²] 이상으로서 접지저항기의 최대전류 이상의 허용전류를 갖는 것

01 변압기에 의하여 특고압전로에 결합되는 고압전로에는 사용전압의 몇 배 이하인 전압이 가하여진 경우에 방전하는 장치를 그 변압기의 단자에 가까운 1극에 설치하여야 하는가?

[2020년 1, 2회 산업기사]

① 3 　　　　　　　　　　　② 4
③ 5 　　　　　　　　　　　④ 6

> **해설** KEC 322.3(특고압과 고압의 혼촉 등에 의한 위험방지 시설)
> 변압기에 의하여 특고압전로에 결합되는 고압전로에는 사용전압의 3배 이하인 전압이 가하여진 경우에 방전하는 장치를 그 변압기의 단자에 가까운 1극에 설치하여야 한다(단, 사용전압의 3배 이하인 전압이 가하여진 경우에 방전하는 피뢰기를 고압전로의 모선의 각 상에 시설하거나 특고압 권선과 고압권선 간에 혼촉방지판을 시설하여 접지저항값이 10[Ω] 이하 또는 접지공사를 한 경우에는 그러하지 아니하다).

02 변압기에 의하여 154[kV]에 결합되는 3,300[V] 전로에는 몇 배 이하의 사용전압이 가하여진 경우에 방전하는 장치를 그 변압기의 단자에 가까운 1극에 시설하여야 하는가?

[2020년 3회 산업기사]

① 2 　　　　　　　　　　　② 3
③ 4 　　　　　　　　　　　④ 5

> **해설** 1번 해설 참조

03 고저압 혼촉에 의한 위험방지시설로 가공공동지선을 설치하여 시설하는 경우에 각 접지선을 가공공동지선으로부터 분리하였을 경우의 각 접지선과 대지 간의 전기저항값은 몇 [Ω] 이하로 하여야 하는가?

[2016년 2회 산업기사]

① 75 　　　　　　　　　　　② 150
③ 300 　　　　　　　　　　④ 600

> **해설** KEC 322.1(고압 또는 특고압과 저압의 혼촉에 의한 위험방지 시설)
> 가공공동지선과 대지 사이의 합성 전기저항값은 1[km]를 지름으로 하는 지역 안마다 공통접지 및 통합접지 규정에 의해 접지저항값을 가지는 것으로 하고 또한 각 접지도체를 가공공동지선으로부터 분리하였을 경우의 각 접지도체와 대지 사이의 전기저항값은 300[Ω] 이하로 할 것

출 / 제 / 예 / 상 / 문 / 제

01 고압·특고압 안전보호 대상이 아닌 것은?

① 직접 접촉에 대한 보호
② 간접 접촉에 대한 보호
③ 직격뢰에 대한 보호
④ 과부하에 대한 보호

해설 KEC 311(안전보호)
- 직접 접촉에 대한 보호
- 간접 접촉에 대한 보호
- 아크고장에 대한 보호
- 직격뢰에 대한 보호
- 화재에 대한 보호
- 절연유 누설에 대한 보호
- SF_6의 누설에 대한 보호

02 가공접지선을 사용하여 접지공사를 하는 경우 변압기의 시설 장소로부터 몇 [m]까지 떼어 놓을 수 있는가?

① 50   ② 100   ③ 150   ④ 200

해설 KEC 322.1(고압 또는 특고압과 저압의 혼촉에 의한 위험방지 시설)
접지공사를 하는 경우에 토지의 상황에 의하여 규정에 의하기 어려울 때에는 다음에 따라 가공공동지선을 설치하여 2 이상의 시설장소에 규정에 의하여 접지공사를 할 수 있다.
- 가공공동지선은 인장강도 5.26[kN] 이상 또는 지름 4[mm] 이상의 경동선을 사용하여 저압 가공전선에 관한 규정에 준하여 시설할 것
- 접지공사는 각 변압기를 중심으로 하는 지름 400[m] 이내의 지역으로서 그 변압기에 접속되는 전선로 바로 아래의 부분에서 각 변압기의 양쪽에 있도록 할 것. 단, 그 시설장소에서 접지공사를 한 변압기에 대하여는 그러하지 아니하다.
- 가공공동지선과 대지 사이의 합성 전기저항값은 1[km]를 지름으로 하는 지역 안마다 규정에 의해 접지저항값을 가지는 것으로 하고 또한 각 접지도체를 가공공동지선으로부터 분리하였을 경우의 각 접지도체와 대지 사이의 전기저항값은 300[Ω] 이하로 할 것
- 접지공사가 어려운 경우 변압기의 시설장소로부터 200[m]까지 떼어 놓을 수 있다(5.26[kN], 4[mm] 이상 가공접지도체).

03 가공공동지선에 의한 접지공사에 있어 가공공동지선과 대지 간의 합성 전기저항값은 몇 [m]를 지름으로 하는 지역마다 규정하는 접지저항값을 가지는 것으로 하여야 하는가?

① 400   ② 600   ③ 800   ④ 1,000

해설 2번 해설 참조

04 고·저압 혼촉에 의한 위험을 방지하려고 시행하는 접지공사에 대한 기준으로 틀린 것은?

① 접지공사는 변압기의 시설장소마다 시행하여야 한다.

② 토지의 상황에 의하여 접지저항값을 얻기 어려운 경우, 가공접지선을 사용하여 접지극을 100[m]까지 떼어 놓을 수 있다.

③ 가공공동지선을 설치하여 접지공사를 하는 경우, 각 변압기를 중심으로 지름 400[m] 이내의 지역에 접지를 하여야 한다.

④ 저압전로의 사용전압이 300[V] 이하인 경우, 그 접지공사를 중성점에 하기 어려우면 저압 측의 1단자에 시행할 수 있다.

> **해설** KEC 322.1(고압 또는 특고압과 저압의 혼촉에 의한 위험방지 시설)
> 접지공사를 하는 경우에 토지의 상황에 의하여 규정에 의하기 어려울 때에는 다음에 따라 가공공동 지선을 설치하여 2 이상의 시설장소에 규정에 의하여 접지공사를 할 수 있다.
> • 가공공동지선은 인장강도 5.26[kN] 이상 또는 지름 4[mm] 이상의 경동선을 사용하여 저압 가공전 선에 관한 규정에 준하여 시설할 것
> • 접지공사는 각 변압기를 중심으로 하는 지름 400[m] 이내의 지역으로서 그 변압기에 접속되는 전선로 바로 아래의 부분에서 각 변압기의 양쪽에 있도록 할 것. 단, 그 시설장소에서 접지공사를 한 변압기에 대하여는 그러하지 아니하다.
> • 가공공동지선과 대지 사이의 합성 전기저항값은 1[km]를 지름으로 하는 지역 안마다 규정에 의해 접지저항값을 가지는 것으로 하고 또한 각 접지도체를 가공공동지선으로부터 분리하였을 경우의 각 접지도체와 대지 사이의 전기저항값은 300[Ω] 이하로 할 것
> • 접지공사가 어려운 경우 변압기의 시설장소로부터 200[m]까지 떼어 놓을 수 있다(5.26[kN], 4[mm] 이상 가공접지도체).

05 특고압전로와 저압전로를 결합하는 변압기 저압 측의 중성점에 접지공사를 토지의 상황 때문에 변압기의 시설장소마다 하기 어려워서 가공접지선을 시설하려고 한다. 이때 가공접지선으로 경동선을 사용한다면 그 최소굵기는 몇 [mm]인가?

① 3.2   ② 4

③ 4.5   ④ 5

> **해설** 4번 해설 참조

06 고압 또는 특고압과 저압의 혼촉에 의한 위험방지시설로 가공공동지선을 설치하여 2 이상의 시설 장소에 접지공사를 할 때, 가공공동지선은 지름 몇 [mm] 이상의 경동선을 사용하여야 하는가?

① 1.5

② 2

③ 3.5

④ 4

> **해설** KEC 322.1(고압 또는 특고압과 저압의 혼촉에 의한 위험방지 시설)
>
> 접지공사를 하는 경우에 토지의 상황에 의하여 규정에 의하기 어려울 때에는 다음에 따라 가공공동지선을 설치하여 2 이상의 시설장소에 규정에 의하여 접지공사를 할 수 있다.
>
> • 가공공동지선은 인장강도 5.26[kN] 이상 또는 지름 4[mm] 이상의 경동선을 사용하여 저압 가공전선에 관한 규정에 준하여 시설할 것
>
> • 접지공사는 각 변압기를 중심으로 하는 지름 400[m] 이내의 지역으로서 그 변압기에 접속되는 전선로 바로 아래의 부분에서 각 변압기의 양쪽에 있도록 할 것. 단, 그 시설장소에서 접지공사를 한 변압기에 대하여는 그러하지 아니하다.
>
> • 가공공동지선과 대지 사이의 합성 전기저항값은 1[km]를 지름으로 하는 지역 안마다 규정에 의해 접지저항값을 가지는 것으로 하고 또한 각 접지도체를 가공공동지선으로부터 분리하였을 경우의 각 접지도체와 대지 사이의 전기저항값은 300[Ω] 이하로 할 것
>
> • 접지공사가 어려운 경우 변압기의 시설장소로부터 200[m]까지 떼어 놓을 수 있다(5.26[kN], 4[mm] 이상 가공접지도체).

07 변압기 또는 발전기의 중성점에서 접지저항기에 접속하는 점까지의 중성선은 동선 (ⓐ)[mm^2] 이상, 알루미늄선 또는 동복 알루미늄선은 (ⓑ)[mm^2] 이상의 절연전선으로서 접지저항기의 최대정격전류 이상이어야 하는가?

① ⓐ 10[mm^2], ⓑ 16[mm^2]

② ⓐ 4[mm^2], ⓑ 10[mm^2]

③ ⓐ 16[mm^2], ⓑ 10[mm^2]

④ ⓐ 10[mm^2], ⓑ 10[mm^2]

> **해설** KEC 322.5(전로의 중성점의 접지)
>
> 고저항 중성점접지계통은 다음에 적합할 것
>
> • 접지저항기는 계통의 중성점과 접지극 도체와의 사이에 설치할 것. 중성점을 얻기 어려운 경우에는 접지변압기에 의한 중성점과 접지극 도체 사이에 접지저항기를 설치한다.
>
> • 변압기 또는 발전기의 중성점에서 접지저항기에 접속하는 점까지의 중성선은 동선 10[mm^2] 이상, 알루미늄선 또는 동복 알루미늄선은 16[mm^2] 이상의 절연전선으로서 접지저항기의 최대정격전류 이상일 것
>
> • 계통의 중성점은 접지저항기를 통하여 접지할 것
>
> • 변압기 또는 발전기의 중성점과 접지저항기 사이의 중성선은 별도로 배선할 것
>
> • 최초 개폐장치 또는 과전류보호장치와 접지저항기의 접지 측 사이의 기기 본딩 점퍼(기기접지도체와 접지저항기 사이를 잇는 것)는 도체에 접속점이 없어야 한다.
>
> • 접지극 도체는 접지저항기의 접지 측과 최초 개폐장치의 접지 접속점 사이에 시설할 것

3. 고압·특고압 시설

(1) 특고압 옥외배전용 변압기의 시설(발전소·변전소·개폐소 내 25[kV] 이하에 접속하는 것은 제외)

① 특고압 절연전선, 케이블 사용

② 변압기 1차 : 35[kV] 이하, 2차 : 저압, 고압

③ 총출력 : 1,000[kVA] 이하(가공전선로에 접속 시 500[kVA] 이하)

④ 변압기의 특고압 측 : 개폐기, 과전류차단기 시설

⑤ 2차 측이 고압인 경우 : 개폐기 시설(쉽게 개폐할 수 있도록)

(2) 특고압을 직접 저압으로 변성하는 변압기의 시설

① 전기로 등 전류가 큰 전기를 소비하기 위한 변압기

② 발전소·변전소·개폐소 또는 이에 준하는 곳에 시설하는 소내용 변압기

③ 25[kV] 이하의 중성점 다중접지식 전로에 접속하는 변압기

④ 교류식 전기철도용 신호에서 전기를 공급하기 위한 변압기

⑤ 사용전압 35[kV] 이하인 변압기로 특고압 측과 저압 측 권선이 혼촉한 경우에 자동적으로 변압기를 전로로부터 차단하기 위한 장치를 설치할 것

⑥ 사용전압 100[kV] 이하인 변압기로 특고압 측 권선과 저압 측 권선 사이 접지공사를 한 금속제의 혼촉방지판이 있는 것(접지저항값 10[Ω] 이하)

※ 사용전압 25,000[V] 이하의 특고압 전선로에 접속하는 변압기를 공장 또는 이와 유사한 산업용 설비와 주거용 건물 이외에 시설하는 경우 시설용량의 합계가 500[kVA] 초과 시는 동력용 변압기를 조명 및 전열용 변압기와 별도로 시설한다.

(3) 동작 시 아크발생 기계기구 이격거리(피뢰기, 개폐기, 차단기)

목재의 벽, 천장, 기타의 가연성의 물체로부터 고압 : 1[m] 이상, 특고압 : 2[m] 이상

※ 35[kV] 이하 특고, 화재 발생 우려가 없도록 제한 시 1.0[m] 이상 이격

(4) 개폐기의 시설

① 전로 중 개폐기는 각 극에 설치한다.

② 고압용, 특고압용 개폐기 : 개폐상태 표시 장치가 있어야 한다.

③ 고압, 특고압용 개폐기로 중력 등에 의해 자연동작 우려가 있는 것 : 자물쇠 장치, 기타 방지장치 시설

④ 고압, 특고압용 개폐기로 부하전류를 차단하기 위한 것이 아닌 DS(단로기)는 부하전류가 흐를 때 개로할 수 없도록 시설하지만 보기 쉬운 곳에 부하전류 유무 표시장치, 전화 지령장치, 태블릿을 사용하는 경우 예외이다.

※ 개폐기 설치 예외 개소
- 저압 분기회로용 개폐기로서 중성선, 접지 측 전선
- 사용전압 400[V] 이하 저압 2선식의 점멸용 개폐기는 단극에서 시설
- 25[kV] 이하 중성점 다중접지식 전로의 중성선
- 제어회로에 조작용 개폐기 시설하는 경우

(5) 피뢰기 시설 장소(고압, 특고압전로)

① 발전소·변전소 또는 이에 준하는 장소의 가공전선 인입구, 인출구
② 가공전선로에 접속하는 배전용 변압기 고압 및 특고압 측
③ 고압 및 특고압 가공전선로로부터 공급을 받는 수용장소의 인입구
④ 가공전선로와 지중전선로가 접속되는 곳

※ 피뢰기의 접지저항 : 10[Ω] 이하
   단, 고압 가공전선로에 시설하는 피뢰기 접지공사의 접지극을 변압기 중성점 접지용 접지극으로부터 1[m] 이상 격리하여 시설하는 경우에는 30[Ω] 이하

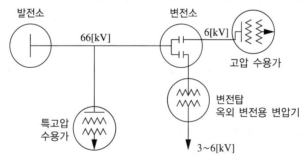

핵 / 심 / 예 / 제

01 특고압 옥외 배전용 변압기가 1대일 경우 특고압 측에 일반적으로 시설하여야 하는 것은?

[2018년 3회 기사]

① 방전기   ② 계기용 변류기

③ 계기용 변압기   ④ 개폐기 및 과전류차단기

해설   특고압 옥외 배전용 변압기의 시설(발·변전소 개폐소 내 20[kV] 이하에 접속하는 것은 제외)
- 특고압 절연전선, 케이블 사용
- 변압기 1차 : 35[kV] 이하, 2차 : 저압, 고압
- 총출력 : 1,000[kVA] 이하(가공전선로에 접속 시 500[kVA] 이하)
- 변압기 특고압 : 개폐기, 과전류차단기 시설
- 2차 측이 고압 경우 : 개폐기 시설(쉽게 개폐할 수 있도록)

02 특고압 전선로에 접속하는 배전용 변압기의 1차 및 2차 전압은?   [2017년 2회 산업기사]

① 1차 : 35[kV] 이하, 2차 : 저압 또는 고압

② 1차 : 50[kV] 이하, 2차 : 저압 또는 고압

③ 1차 : 35[kV] 이하, 2차 : 특고압 또는 고압

④ 1차 : 50[kV] 이하, 2차 : 특고압 또는 고압

해설   KEC 341.2(특고압 배전용 변압기의 시설)
특고압 배전용 변압기의 1차 전압은 35[kV] 이하이고, 2차 측은 저압 또는 고압이어야 한다.

03 특고압을 직접 저압으로 변성하는 변압기를 시설하여서는 아니 되는 변압기는?

[2018년 1회 기사]

① 광산에서 물을 양수하기 위한 양수기용 변압기
② 전기로 등 전류가 큰 전기를 소비하기 위한 변압기
③ 교류식 전기철도용 신호회로에 전기를 공급하기 위한 변압기
④ 발전소·변전소·개폐소 또는 이에 준하는 곳의 소내용 변압기

해설 KEC 341.3(특고압을 직접 저압으로 변성하는 변압기의 시설)
• 교류식 전기철도용 신호회로에 전기를 공급하기 위한 변압기
• 사용전압이 35[kV] 이하, 특고압 측 권선과 저압 측 권선이 혼촉한 경우에 자동적으로 변압기를 전로로부터 차단하기 위한 장치를 설치한 것
• 사용전압이 100[kV] 이하, 특고압 측 권선과 저압 측 권선 사이에 변압기 중성점접지의 규정에 의하여 접지공사를 한 금속제의 혼촉방지판이 있는 것
• 전기로 등 전류가 큰 전기를 소비하기 위한 변압기
• 발전소·변전소·개폐소 또는 이에 준하는 곳의 소내용 변압기

04 아크가 발생하는 고압용 차단기는 목재의 벽 또는 천장, 기타의 가연성 물체로부터 몇 [m] 이상 이격하여야 하는가?

[2017년 2회 산업기사]

① 0.5
② 1
③ 1.5
④ 2

해설 KEC 341.7(아크를 발생하는 기구의 시설)
가연성 천장으로부터 일정거리 이격

전 압	고 압	특고압
이격거리	1[m] 이상	2[m] 이상(단, 35[kV] 이하로 화재 위험이 없는 경우 : 1[m] 이상)

03 ① 04 ② 정답

05 피뢰기를 반드시 시설하지 않아도 되는 곳은?

[2019년 3회 산업기사]

① 발전소 · 변전소의 가공전선의 인출구

② 가공전선로와 지중전선로가 접속되는 곳

③ 고압 가공전선로로부터 수전하는 차단기 2차 측

④ 특고압 가공전선로로부터 공급을 받는 수용장소의 인입구

> 해설 KEC 341.13/341.14(피뢰기의 시설, 접지)
> • 시설 장소
>   – 발전소 · 변전소 또는 이에 준하는 장소의 가공전선 인입구 및 인출구
>   – 특고압 가공전선로에 접속하는 배전용 변압기의 고압 측 및 특고압 측
>   – 고압 및 특고압 가공전선로로부터 공급을 받는 수용장소의 인입구
>   – 가공전선로와 지중전선로가 접속되는 곳
> • 접 지
>   – 고압 및 특고압의 전로에 시설하는 피뢰기 접지저항값은 10[Ω] 이하
>   – 단, 피뢰기로 단독 전용 접지된 경우 : 30[Ω] 이하

06 고압 가공전선로에 시설하는 피뢰기의 접지공사의 접지선이 그 접지공사 전용의 것인 경우에 접지저항값은 몇 [Ω]까지 허용되는가?

[2019년 1회 기사]

① 20

② 30

③ 50

④ 75

> 해설 KEC 341.15(피뢰기의 접지)
> • 고압 및 특고압의 전로에 시설하는 피뢰기의 접지저항값은 10[Ω] 이하로 하여야 한다.
> • 단, 고압 가공전선로에 시설하는 피뢰기의 접지공사의 접지도체가 전용의 것인 경우에는 접지저항
>   값이 30[Ω]까지 허용된다.

전기 사용 장소의 시설

1. 옥내전로의 대지전압 제한

대지전압은 300[V] 이하(단, 대지전압 150[V] 이하 전로인 경우 제외)

(1) 백열전등 또는 방전등

① 백열전등 또는 방전등 및 이에 부속하는 전선은 사람이 접촉할 우려가 없도록 시설해야 한다.
② 백열전등 또는 방전등용 안정기는 저압의 옥내배선과 직접 접속하여 시설해야 한다.
③ 백열전등의 전구 소켓은 키나 그 밖의 점멸기구가 없는 것이어야 한다.

(2) 주택 옥내전로의 대지전압은 300[V] 이하, 사용전압 400[V] 이하

① 누전차단기 시설 : 30[mA](습기 있는 경우 : 15[mA]) 이하에 0.03[sec] 이내에 자동 차단
② 사람이 쉽게 접촉하지 않도록 시설해야 한다.
③ 전구 소켓은 키나 그 밖의 점멸기구가 없어야 한다.
④ 옥내 통과 전선로는 사람의 접촉이 없는 은폐장소에 시설 : 합성수지관, 금속관, 케이블
⑤ 정격소비전력 3[kW] 이상의 전기기계기구에 전기를 공급하기 위한 전로에는 전용의 개폐기 및 과전류차단기를 시설하고 그 전로의 옥내배선과 직접 접속하거나 적정용량의 전용콘센트를 시설한다.

2. 옥내배선

(1) 저압 옥내배선의 시설

① 저압 옥내배선의 사용 전선
  ㉠ 단면적 2.5[mm^2] 이상의 연동선
  ㉡ 단면적이 1[mm^2] 이상의 미네럴인슈레이션케이블

② 옥내배선의 사용전압이 400[V] 이하인 경우 다음을 적용한다.
  ㉠ 제어회로 등에 사용하는 배선
    전광표시장치 기타 이와 유사한 장치 또는 제어회로 등에 사용하는 배선에 단면적 1.5[mm²] 이상의 연동선을 사용하고 이를 합성수지관공사·금속관공사·금속몰드 공사·금속덕트공사·플로어덕트공사 또는 셀룰러덕트공사에 의하여 시설하는 경우
  ㉡ 제어회로 등에 사용하는 다심케이블
    전광표시장치 기타 이와 유사한 장치 또는 제어회로 등의 배선에 단면적 0.75[mm²] 이상인 다심케이블 또는 다심캡타이어케이블을 사용하고 또한 과전류가 생겼을 때에 자동적으로 전로에서 차단하는 장치를 시설하는 경우
  ㉢ 코드 또는 캡타이어케이블
    단면적 0.75[mm²] 이상인 코드 또는 캡타이어케이블을 사용하는 경우
③ 저압 옥내배선은 합성수지관공사, 금속관공사, 가요전선관공사, 케이블공사에 의해 시설할 수 있다. 특수장소는 다음에 따라 시설한다.

시설장소	사용전압	400[V] 이하		400[V] 초과
전개된 장소	건조한 장소	• 애자공사 • 금속몰드공사 • 버스덕트공사	• 합성수지몰드공사 • 금속덕트공사 • 라이팅덕트공사	• 애자공사 • 금속덕트공사 • 버스덕트공사
	기타 장소	• 애자공사	• 버스덕트공사	애자공사
점검할 수 있는 은폐된 장소	건조한 장소	• 애자공사 • 금속몰드공사 • 버스덕트공사 • 라이팅덕트공사	• 합성수지몰드공사 • 금속덕트공사 • 셀룰러덕트공사	• 애자공사 • 금속덕트공사 • 버스덕트공사
	기타 장소	애자공사		애자공사
점검할 수 없는 은폐된 장소	건조한 장소	• 플로어덕트공사 • 셀룰러덕트공사		

※ 모든 옥내배선 공통 사항
  • 옥외용 비닐절연전선 제외
  • 단선 10[mm²], 알루미늄 16[mm²] 이하만 사용(넘는 경우 연선 사용)
  • 관 안에는 접속점, 나전선 사용 금지

④ 나전선을 사용할 수 있는 곳
  KEC 231.4(나전선의 사용 제한)에서 다음과 같이 규정하고 있다.
  ㉠ 애자공사에 의하여 전개된 곳에 다음의 전선을 시설하는 경우
    • 전기로용 전선
    • 전선의 피복 절연물이 부식하는 장소에 시설하는 전선
    • 취급자 이외의 자가 출입할 수 없도록 설비한 장소에 시설하는 전선
  ㉡ 버스덕트공사에 의하여 시설하는 경우
  ㉢ 라이팅덕트공사에 의하여 시설하는 경우

   ② KEC 232.81(옥내에 시설하는 저압 접촉전선 배선) 규정에 준하는 접촉전선을 시설하는 경우
   ⑩ 유희용 전차의 2차 측 배선의 접촉전선을 시설하는 경우

 ⑤ 절연전선의 사용장소
  절연전선은 도체의 둘레로 절연물로 피복하고 있으나 외상으로부터의 보호가 안 되어 있으므로 배선하기 위한 공사방법은 외부보호가 가능한 폐쇄 배선 시스템인 전선관시스템, 케이블 트렁킹시스템, 케이블덕팅시스템으로 시설할 수 있다.

 ⑥ 케이블의 사용장소
  케이블의 경우 절연과 외상으로부터 보호되어 있는 것으로 모든 장소에 사용 가능하므로 어느 배선 공사방법을 사용하여 배선할 수가 있으나, 애자공사의 경우 실용상 일반적으로 사용하지 않고 있다.

(2) 저압 애자공사

 ① 구비조건 : 절연성, 난연성, 내수성
 ② 전선 : 절연전선(옥외용 비닐절연전선(OW), 인입용 비닐절연전선(DV) 제외)
 ③ 전선 상호 간격 : 0.06[m] 이상
 ④ 전선–조영재 이격거리
  ㉠ 400[V] 이하 : 25[mm] 이상
  ㉡ 400[V] 초과 : 45[mm](건조장소 : 25[mm]) 이상
 ⑤ 지지점 간 거리 : 2[m] 이하(400[V] 이상으로 조영재에 따르지 않는 경우 6[m] 이하)
 ⑥ 약전류전선, 수관, 가스관, 다른 옥내배선과의 이격거리 : 0.1[m](나전선일 때는 0.3[m])

(3) 합성수지관공사

 ① 특 징
  ㉠ 장점 : 내부식성, 절연성, 시공 용이하다.
  ㉡ 단점 : 열에 약하고, 충격에 약하다.
 ② 1본의 길이 : 4[m]
 ③ 전선 : 절연전선(단선 10[mm²], 알루미늄 16[mm²] 이하(OW 제외) 연선 사용)
 ④ 관 내부는 전선의 접속점 없을 것
 ⑤ 관 상호 및 관과 박스와 삽입 깊이 : 관 외경의 1.2배(접착제 : 0.8) 이상
 ⑥ 지지점 간 거리 : 1.5[m] 이하

⑦ 관에 넣을 수 있는 전선의 수용량(피복을 포함한 단면적)

    ㉠ 전선의 굵기가 다를 때 : 합성수지관 총면적의 32[%]

    ㉡ 전선의 굵기가 같을 때 : 합성수지관 총면적의 48[%]

⑧ 습한 장소, 물기있는 장소는 방습장치

(4) 금속관공사

① 장점 : 전기, 기계적 안전, 단락, 접지사고 시 화재 위험 감소

    단점 : 부식성, 무겁다, 가격이 비싸다.

② 1본의 길이 : 3.66[m]

③ 전선 : 절연전선(OW 제외)

④ 연선사용 : 단선 10[mm^2], 알루미늄 16[mm^2] 이하

⑤ 관 내부는 전선의 접속점 없을 것

⑥ 콘크리트에 매입 시 관 두께 : 1.2[mm] 이상(노출 시 1[mm] 이상(길이 4[m] 이하인 단소관 : 0.5[mm])

⑦ 수도관 접지 클램프 : 3[Ω]

    ※ 접지공사 생략

    • 길이 4[m] 이하 건조장소에 시설하는 경우

    • DC 300[V], AC 150[V] 이하로 8[m] 이하인 것을 사람 접촉의 우려가 없도록 하거나 또는 건조장소에 시설하는 경우

(5) 금속몰드공사

① 전선 : 절연전선(OW 제외)

② 몰드 안에는 전선에 접속점이 없을 것

③ 폭 50[mm] 이하, 두께 0.5[mm] 이상(합성수지몰드 폭 : 35[mm] 이하)

④ 금속몰드의 사용전압이 400[V] 이하로 옥내의 건조한 장소로 전개된 장소 또는 점검할 수 있는 은폐장소에 한하여 시설할 수 있다.

(6) 금속제 가요전선관공사

① 크기 : 안지름에 가까운 홀수(15, 19, 25)

② 길이 : 10, 15, 30[m]

③ 지지점 간의 거리 : 1[m]

④ 구부림 : 반경의 6배

⑤ 연결 시

    ㉠ 가요관 + 가요관 = 플렉시블 커플링

    ㉡ 가요관 + 금속관 = 콤비네이션 커플링

⑥ 전선 : 절연전선(OW 제외)

⑦ 연선사용 : 단선 $10[mm^2]$, 알루미늄 $16[mm^2]$ 이하

⑧ 2종 금속제 가요전선관을 사용(전개장소, 점검가능 은폐장소 : 1종 가요전선관)

(7) 금속덕트공사(금속트렁킹공사 : 본체부와 덮개가 별도로 구성되어 덮개를 열고 전선을 교체하는 금속트렁킹공사방법)

① 전선 : 절연전선(OW 제외)

② 전선 삽입 정도 : 덕트 내 단면적의 20[%] 이하(전광표시장치, 제어회로 등의 배선만 넣는 경우 : 50[%] 이하)

③ 폭 40[mm] 이상 두께 1.2[mm] 이상인 철판 또는 동등 이상의 기계적 강도를 가지는 금속제의 것으로 견고하게 제작한 것

④ 지지점 간 거리 : 3[m] 이하, 수직 6[m]

(8) 버스덕트공사

① 종 류

    ㉠ 피더 : 도중에 부하접속 안 됨

    ㉡ 플러그인 : 도중에 접속용 플러그

    ㉢ 트롤리 : 이동 부하 접속

② 덕트 및 전선 상호 간 견고하고 전기적으로 완전하게 접속

③ 지지점 간 거리 : 3[m] 이하(수직 6[m])

④ 끝부분을 먼지가 침입하지 않도록 폐쇄

(9) 라이팅덕트공사

① 지지 간격 : 2[m] 이하

② 끝부분 막고, 개구부는 아래로 향해 시설

(10) 셀룰러덕트공사

① 전선은 절연전선(옥외용 비닐절연전선을 제외한다)일 것

② 연선일 것. 단, 10[mm^2] 이하(알루미늄은 16[mm^2])일 때 예외

③ 판 두께

덕트의 최대폭	덕트의 판 두께
150[mm] 이하	1.2[mm]
150[mm] 초과 200[mm] 이하	1.4[mm]
200[mm] 초과	1.6[mm]

(11) 플로어덕트공사

① 전선은 절연전선(옥외용 비닐절연전선을 제외한다)일 것

② 연선일 것. 단, 10[mm^2] 이하(알루미늄은 16[mm^2])일 때 예외

③ 점검할 수 없는 은폐 장소(바닥)

(12) 케이블공사

① 지지 간격 : 2[m] 이하(캡타이어케이블 : 1[m] 이하)

② 직접 콘크리트 내 매입 경우 : MI 케이블, 직매용 케이블, 강대개장 케이블

③ 전선 및 지지 부분의 안전율 : 4 이상

(13) 고압 옥내배선의 시설

① 공사 : 케이블배선, 애자사용배선(건조하고 전개 장소), 케이블트레이배선

② 외피 : 접지시스템

③ 고압 애자사용배선(사람이 접촉할 우려 없도록 시설)

  ㉠ 전선 : 단면적 6[mm^2] 연동선 이상 절연전선, 인하용 고압 절연전선

  ㉡ 지지 간격 : 6[m] 이하(조영재면 따라 시설 시 : 2[m])

  ㉢ 전선 상호 간격 : 0.08[m] 이상(전선-조영재 이격거리 : 0.05[m] 이상)

(14) 특고압 옥내배선

① 사용전압 : 100[kV] 이하(케이블트레이배선 시 35[kV] 이하)

② 사용전선 : 케이블은 철재, 철근 콘크리트관, 덕트 등의 기타 견고한 장치에 시설

(15) 옥내배선과 약전류전선 또는 관과의 접근, 교차

① 저압-약전선, 수도관, 가스관 : 0.1[m] 이상(나전선 0.3[m])

② 고압-저압, 고압, 약전선, 수도관, 가스관 : 0.15[m] 이상

③ 저압, 고압-특고압 : 0.6[m] 이상

④ 특고압-약전선, 수도관, 가스관 : 접촉하지 않게 시설

(16) 옥내 저압용 조명용 전원코드 시설

코드, 캡타이어케이블 0.75[mm^2] 이상

(17) 옥내 이동전선의 시설

① 저압 : 코드, 캡타이어케이블 0.75[mm^2] 이상

② 고압 : 고압용 캡타이어케이블

(18) 케이블트레이공사

	수평트레이		수직트레이
	다 심	단 심	다심, 단심
벽 면	20[mm] 이상	20[mm] 이상	가장 굵은 전선 바깥지름 0.3배 이상
트레이 간(수직)	• 300[mm] 이상 • 6단 이하	• 300[mm] 이상 • 3단 이하	(수평)간격 225[mm] 이상 삼각포설 시 단심케이블 지름의 2배 이상 이격

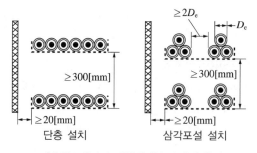

[수평트레이의 단심케이블 공사방법]

① 저압 옥내배선은 다음에 의한다.

　㉠ 전선은 연피케이블, 알루미늄피케이블 등 난연성 케이블 또는 금속관 혹은 합성수지관 등에 넣은 절연전선 사용

　㉡ 케이블트레이 내에서 전선을 접속하는 경우 그 부분을 절연할 것

② 케이블트레이는 다음에 적합하게 시설할 것

    ㉠ 케이블트레이의 안전율은 1.5 이상

    ㉡ 전선의 피복 등을 손상시킬 수 있는 돌기 등이 없이 매끈할 것

    ㉢ 금속제 케이블트레이시스템은 기계적 또는 전기적으로 완전하게 접속하여야 한다.

③ **구조물** : 사다리형, 펀칭형, 메시형, 바닥밀폐형 기타 이와 유사한 구조물

3. 배선설비

(1) 공사방법의 분류

① 설치방법에 따른 공사방법

종 류	공사방법
전선관시스템	합성수지관공사, 금속관공사, 가요전선관공사
케이블트렁킹시스템	합성수지몰드공사, 금속몰드공사, 금속트렁킹공사[a]
케이블덕팅시스템	플로어덕트공사, 셀룰러덕트공사, 금속덕트공사[b]
애자공사	애자공사
케이블트레이시스템(래더, 브래킷 포함)	케이블트레이공사
케이블공사	고정하지 않는 방법, 직접 고정하는 방법, 지지선 방법

- a : 금속본체와 커버가 별도로 구성되어 커버를 개폐할 수 있는 금속덕트공사를 말한다.
- b : 본체와 커버 구분 없이 하나로 구성된 금속덕트공사를 말한다.

② 전선 및 케이블의 구분에 따른 공사방법

전선 및 케이블		공사방법							
		케이블공사			전선관 시스템	케이블 트렁킹 시스템 (몰드형, 바닥매입 형 포함)	케이블 덕팅 시스템	케이블 트레이 시스템 (래더, 브래킷 등 포함)	애자 공사
		비고정	직접 고정	지지선					
나전선		–	–	–	–	–	–	–	+
절연전선[b]		–	–	–	+	+[a]	+	–	+
케이블	다 심	+	+	+	+	+	+	+	○
	단 심	○	+	+	+	+	+	+	○

+ : 사용할 수 있다.

– : 사용할 수 없다.

○ : 적용할 수 없거나 실용상 일반적으로 사용할 수 없다.

a. 케이블트렁킹시스템이 IP4X 또는 IPXXD급[1]의 이상의 보호조건을 제공하고, 도구 등을 사용하여 강제적으로 덮개를 제거할 수 있는 경우에 한하여 절연전선을 사용할 수 있다.

b. 보호도체 또는 보호 본딩도체로 사용되는 절연전선은 적절하다면 어떠한 절연방법이든 사용할 수 있고 전선관시스템, 트렁킹시스템 또는 덕팅시스템에 배치하지 않아도 된다.

1) IP4X 또는 IPXX D급 : 1.0[mm] 이상의 철사 등의 물체가 침투되지 않는 수준

* 절연전선의 경우 외부보호에 대한 대책이 없는 사항으로 외부보호가 가능한 공사방법을 사용하여야 한다. 외부보호가 가능한 폐쇄배선방법인 전선관시스템, 케이블덕팅시스템, 케이블트렁킹시스템을 사용할 수 있으나 케이블트렁킹 시스템은 커버와 본체가 분리되는 방법이므로 IP4X 또는 IPXX D급 이상의 조건으로 한정한다.

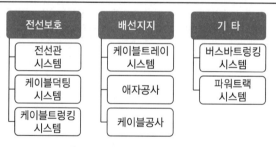

[배선설비 공사방법의 종류]

(2) 배선설비 적용 시 고려사항

① 회로 구성

㉠ 하나의 회로도체는 다른 다심케이블, 다른 전선관, 다른 케이블덕팅시스템 또는 다른 케이블트렁킹시스템을 통해 배선해서는 안 된다.

㉡ 여러 개의 주회로에 공통 중성선을 사용하는 것은 허용되지 않는다.

㉢ 여러 회로가 하나의 접속 상자에서 단자 접속되는 경우 각 회로에 대한 단자는 단자 블록에 관한 것을 제외하고 절연 격벽으로 분리해야 한다.

     ⓔ 모든 도체가 최대공칭전압에 대해 절연되어 있다면 여러 회로를 동일한 전선관시스템, 케이블덕트시스템 또는 케이블트렁킹시스템의 분리된 구획에 설치할 수 있다.

② **병렬접속**

두 개 이상의 선도체(충전도체) 또는 PEN도체를 계통에 병렬로 접속하는 경우, 다음에 따른다.

     ㉠ 병렬도체 사이에 부하전류가 균등하게 배분될 수 있도록 조치를 취한다.

     ㉡ 절연물의 허용온도에 적합하도록 부하전류를 배분하는 데 특별히 주의한다. 적절한 전류분배를 할 수 없거나 4가닥 이상의 도체를 병렬로 접속하는 경우에는 버스바트렁킹시스템의 사용을 고려한다.

③ **전기적 접속**

접속 방법은 다음 사항을 고려하여 선정한다.

     ㉠ 도체와 절연재료

     ㉡ 도체를 구성하는 소선의 가닥수와 형상

     ㉢ 도체의 단면적

     ㉣ 함께 접속되는 도체의 수

④ **교류회로−전기자기적 영향(맴돌이전류 방지)**

⑤ **하나의 다심케이블 속의 복수회로**

모든 도체가 최대공칭전압에 대해 절연되어 있는 경우, 동일한 케이블에 복수의 회로를 구성할 수 있다.

⑥ **화재의 확산을 최소화하기 위한 배선설비의 선정과 공사**

⑦ **배선설비와 다른 공급설비와의 접근**

     ㉠ 다른 전기 공급설비와의 접근

       저압 옥내배선이 다른 저압 옥내배선 또는 관등회로의 배선과 접근하거나 교차 시 애자공사에 의하여 시설 : 저압 옥내배선과 다른 저압 옥내배선 또는 관등회로의 배선 사이의 이격거리는 0.1[m](애자공사 시 나전선인 경우에는 0.3[m]) 이상

     ㉡ 통신 케이블과의 접근

       • 지중통신케이블과 지중전력케이블이 교차·접근하는 경우 100[mm] 이상 이격

       • 지중전선이 지중약전류전선 등과 접근하거나 교차하는 경우에 상호 간의 이격거리가 저압 지중전선은 0.3[m] 이하(내화성 격벽)

⑧ **금속 외장 단심케이블**

⑨ 수용가 설비에서의 전압강하

㉠ 다른 조건을 고려하지 않는다면 수용가 설비의 인입구로부터 기기까지의 전압강하는 다음 표의 값 이하이어야 한다.

[수용가 설비의 전압강하]

설비의 유형	조명[%]	기타[%]
A-저압으로 수전하는 경우	3	5
B-고압 이상으로 수전하는 경우ᵃ	6	8

a : 가능한 한 최종회로 내의 전압강하가 A유형의 값을 넘지 않도록 하는 것이 바람직하다. 사용자의 배선설비가 100[m]를 넘는 부분의 전압강하는 [m]당 0.005[%] 증가할 수 있으나 이러한 증가분은 0.5[%]를 넘지 않아야 한다.

㉡ 다음의 경우에는 위의 표보다 더 큰 전압강하를 허용할 수 있다.
- 기동시간 중의 전동기
- 돌입전류가 큰 기타 기기

㉢ 다음과 같은 일시적인 조건은 고려하지 않는다.
- 과도과전압
- 비정상적인 사용으로 인한 전압 변동

(3) 배선설비의 선정과 설치에 고려해야 할 외부영향

① 주위온도
② 외부 열원
③ 물의 존재(AD) 또는 높은 습도(AB)
④ 침입고형물의 존재(AE)
⑤ 부식 또는 오염 물질의 존재(AF)
⑥ 충격(AG)
⑦ 진동(AH)
⑧ 그 밖의 기계적 응력(AJ)
⑨ 식물과 곰팡이의 존재(AK)
⑩ 동물의 존재(AL)
⑪ 태양 방사(AN) 및 자외선 방사
⑫ 지진의 영향(AP)
⑬ 바람(AR)
⑭ 가공 또는 보관된 자재의 특성(BE)
⑮ 건축물의 설계(CB)

(4) 도체 및 중성선의 단면적

① 저압 옥내배선의 사용전선

전선의 굵기는 2.5[mm^2] 이상 연동선

> **예외사항**
>
> 400[V] 이하인 경우 다음에 의하여 시설할 수 있다.
> - 전광표시장치, 제어회로 : 1.5[mm^2] 이상의 연동선
> - 과전류차단장치 시설 : 0.75[mm^2] 이상의 캡타이어케이블
> - 진열장 : 0.75[mm^2] 이상의 코드, 캡타이어케이블

② 중성선의 단면적

㉠ 중성선 단면적 ≥ 선도체 단면적
- 2선식 단상회로
- 선도체 구리 16[mm^2], 알루미늄 25[mm^2] 이하 다상회로
- 3고조파 및 그 배수파 시 왜형률 15~33[%]인 3상 회로

㉡ 선도체 구리 16[mm^2], 알루미늄 25[mm^2] 초과 다상회로인 경우
- 다음의 경우에는 중성선 < 선도체 단면적
  - 3고조파 및 그 배수파 시 전류가 선도체전류의 15[%] 이하
  - 중성선 보호원칙에 따라 과전류보호 시
  - 중성선 단면적이 구리 16[mm^2], 알루미늄 25[mm^2] 이상 시

(5) 옥내 시설하는 저압 접촉전선배선

	애 자	버스덕트	절연 트롤리공사
높이	3.5[m] 이상		
전선 굵기	• 11.2[kN] 이상 • 6[mm] 또는 28[mm^2] 이상	• 20[mm^2] 이상 띠모양 • 5[mm] 이상 긴 막대모양	6[mm] 또는 28[mm^2] 이상
상호 간격	• 수평 : 0.14[m] • 은폐 시 : 0.12[m] • 구부리기 어려운 경우 : 0.28[m]		

(6) 조명설비

① 설치 요구사항

등기구는 다음을 고려하여 설치하여야 한다.

㉠ 시동전류

㉡ 고조파전류

㉢ 보 상

㉣ 누설전류

㉤ 최초 점화전류

㉥ 전압강하

② 열영향에 대한 주변의 보호

등기구의 주변에 발광과 대류 에너지의 열영향은 다음을 고려하여 선정 및 설치하여야 한다.

㉠ 램프의 최대 허용 소모전력

㉡ 인접 물질의 내열성

㉢ 등기구 관련 표시

㉣ 가연성 재료로부터 적절한 간격을 유지(스포트라이트나 프로젝터는 모든 방향에서 가연성 재료로부터 다음의 최소 거리를 두고 설치)

정격용량	최소거리
100[W] 이하	0.5[m]
100[W] 초과 300[W] 이하	0.8[m]
300[W] 초과 500[W] 이하	1.0[m]
500[W] 초과	1.0[m] 초과

③ 코드 또는 캡타이어케이블과 옥내배선과의 접속

코드 또는 캡타이어케이블과 옥내배선과의 접속은 다음에 의하여 시설하여야 한다.

㉠ 점검할 수 없는 은폐장소에는 시설하지 말 것

㉡ 옥내에 시설하는 저압의 이동전선과 저압 옥내배선과의 접속에는 꽂음 접속기 기타 이와 유사한 기구를 사용하여야 한다. 다만, 이동전선을 조가용선에 조가하여 시설하는 경우에는 그러하지 아니하다.

㉢ 접속점에는 조명기구 및 기타 전기기계기구의 중량이 걸리지 않도록 할 것

④ 점멸장치와 센서등(타임스위치 포함)의 시설

㉠ 관광숙박업 또는 숙박업 객실 입구등 : 1분 이내

㉡ 일반주택 및 아파트 각 호실의 현관등 : 3분 이내

⑤ 네온방전등

　　㉠ 대지전압 300[V] 이하

　　㉡ 시설방법

　　　• 전선 : 네온관용 전선

　　　• 배선은 외상을 받을 우려가 없고 사람이 접촉될 우려가 없는 노출장소에 시설할 것

　　　• 전선은 자기 또는 유리제 등의 애자로 견고하게 지지하여 조영재의 아랫면 또는 옆면에 부착

선-선	60[mm]	
선-조영재	노출 시	6[kV] 이하	20[mm] 이상
		6[kV] 초과 9[kV] 이하	30[mm] 이상
		9[kV] 초과	40[mm] 이상
지지점	1[m]	

※ 전선을 넣은 유리관

두께	1[mm]
지지점	0.5[m]
관 끝과 지지점	0.08[m] 이상 0.12[m] 이하

4. 고주파 전류에 의한 장해의 방지

(1) 전기기계기구는 무선설비의 기능에 계속적이고 중대한 장해를 주는 고주파 전류를 발생시킬 우려가 있는 경우에는 다음의 시설을 한다.

① 형광 방전등에는 정전 용량 $0.006[\mu F]$ 이상 $0.5[\mu F]$ 이하(예열시동식의 것으로 글로우램프에 병렬로 접속하는 것은 $0.006 \sim 0.01[\mu F]$ 이하)인 커패시터를 시설

② 저압에 정격출력 1[kW] 이하인 전기드릴용 소형교류직권전동기의 단자 상호 간에 정전용량이 $0.1[\mu F]$인 무유도형 커패시터, 대지 사이에 $0.003[\mu F]$의 관통형 커패시터를 시설

③ 전기드릴용을 제외한 소형교류직권전동기의 단자 상호 간에 $0.1[\mu F]$, 각 단자와 대지와의 사이에 $0.003[\mu F]$의 커패시터를 시설할 것

④ 네온점멸기에 전원 상호 간 및 접점의 근접하는 곳에서 고주파전류의 발생을 방지하는 장치를 시설할 것

핵 / 심 / 예 / 제

01 전등 또는 방전등에 저압으로 전기를 공급하는 옥내의 전로의 대지전압을 몇 [V] 이하이어야 하는가?

[2017년 3회 산업기사]

① 100 　　　　　　　　　　　② 200

③ 300 　　　　　　　　　　　④ 400

> **해설** KEC 231.6(옥내전로의 대지전압의 제한)
> 백열전등 또는 방전등에 전기를 공급하는 옥내전로의 대지전압은 300[V] 이하

02 백열전등 또는 방전등에 전기를 공급하는 옥내전로의 대지전압은 몇 [V] 이하이어야 하는가?

[2012년 2회 기사 / 2013년 3회 기사 / 2014년 1회 기사 / 2019년 3회 기사, 산업기사]

① 440 　　　　　　　　　　　② 380

③ 300 　　　　　　　　　　　④ 100

> **해설** 1번 해설 참조

03 백열전등 또는 방전등에 전기를 공급하는 옥내전로의 대지전압은 몇 [V] 이하인가?

[2017년 3회 기사 / 2018년 2회 산업기사]

① 120 　　　　　　　　　　　② 150

③ 200 　　　　　　　　　　　④ 300

> **해설** 1번 해설 참조

04 백열전등 또는 방전등에 전기를 공급하는 옥내전로의 대지전압은 몇 [V] 이하이어야 하는가? (단, 백열전등 또는 방전등 및 이에 부속하는 전선은 사람이 접촉할 우려가 없도록 시설한 경우이다) [2020년 1, 2회 기사]

① 60　　　　　　　　　　　　② 110

③ 220　　　　　　　　　　　④ 300

> 해설　KEC 231.6(옥내전로의 대지전압의 제한)
> 백열전등 또는 방전등에 전기를 공급하는 옥내전로의 대지전압은 300[V] 이하

05 사무실 건물의 조명설비에 사용되는 백열전등 또는 방전등에 전기를 공급하는 옥내전로의 대지전압은 몇 [V] 이하인가? [2022년 1회 기사]

① 250　　　　　　　　　　　② 300

③ 350　　　　　　　　　　　④ 400

> 해설　4번 해설 참조

06 방전등용 안정기를 저압의 옥내배선과 직접 접속하여 시설할 경우 옥내전로의 대지전압은 최대 몇 [V]인가? [2018년 3회 기사]

① 100　　　　　　　　　　　② 150

③ 300　　　　　　　　　　　④ 450

> 해설　KEC 231.6(옥내전로의 대지전압의 제한)
> • 백열전등이나 방전등에 전기를 공급하는 옥내전로의 대지전압은 300[V] 이하
> • 사용전압 400[V] 이하(단, 대지전압 150[V] 이하인 경우 예외)
> • 누전차단기 시설 : 30[mA](습기 있는 경우 15[mA]) 이하에 0.03[sec] 이내에 자동 차단
> • 사람이 쉽게 접촉하지 않도록 시설
> • 전구 소켓은 키나 그 밖의 점멸기구가 없을 것
> • 옥내 통과 전선로는 사람 접촉 없는 은폐 장소에 시설 : 합성수지관, 금속관, 케이블
> • 정격소비전력 3[kW] 이상의 전기기계기구에 전기를 공급하기 위한 전로에는 전용의 개폐기 및 과전류차단기를 시설하고 그 전로의 옥내배선과 직접 접속하거나 적정용량의 전용콘센트를 시설할 것

07 샤워시설이 있는 욕실 등 인체가 물에 젖어 있는 상태에서 전기를 사용하는 장소에 콘센트를
시설할 경우 인체감전보호용 누전차단기의 정격감도전류는 몇 [mA] 이하인가?

[2018년 2회 기사 / 2022년 2회 기사]

① 5   ② 10
③ 15   ④ 30

해설   **KEC 234.5(콘센트의 시설)**
욕조나 샤워시설이 있는 욕실 또는 화장실 등 인체가 물에 젖어 있는 상태에서 전기를 사용하는
장소에 콘센트를 시설하는 경우
• 전기용품 및 생활용품 안전관리법의 적용을 받는 인체감전보호용 누전차단기(정격감도전류
15[mA] 이하, 동작시간 0.03초 이하의 전류동작형의 것에 한한다) 또는 절연변압기(정격용량
3[kVA] 이하인 것에 한한다)로 보호된 전로에 접속하거나, 인체감전보호용 누전차단기가 부착된
콘센트를 시설
• 콘센트는 접지극이 있는 방적형 콘센트를 사용하여 211(감전에 대한 보호)과 140(접지시스템)의
규정에 준하여 접지

08 욕조나 샤워시설이 있는 욕실 또는 화장실 등 인체가 물에 젖어 있는 상태에서 전기를 사용하
는 장소에 콘센트를 시설하는 경우에 적합한 누전차단기는?   [2020년 3회 산업기사]

① 정격감도전류 15[mA] 이하, 동작시간 0.03초 이하의 전류동작형 누전차단기
② 정격감도전류 15[mA] 이하, 동작시간 0.03초 이하의 전압동작형 누전차단기
③ 정격감도전류 20[mA] 이하, 동작시간 0.3초 이하의 전류동작형 누전차단기
④ 정격감도전류 20[mA] 이하, 동작시간 0.3초 이하의 전압동작형 누전차단기

해설   **KEC 234.5(콘센트의 시설)**
욕조나 샤워시설이 있는 욕실 또는 화장실 등 인체가 물에 젖어 있는 상태에서 전기를 사용하는
장소에 콘센트를 시설하는 경우
• 전기용품 및 생활용품 안전관리법의 적용을 받는 인체감전보호용 누전차단기(정격감도전류
15[mA] 이하, 동작시간 0.03초 이하의 전류동작형의 것에 한한다) 또는 절연변압기(정격용량
3[kVA] 이하인 것에 한한다)로 보호된 전로에 접속하거나, 인체감전보호용 누전차단기가 부착된
콘센트를 시설
• 콘센트는 접지극이 있는 방적형 콘센트를 사용하여 211(감전에 대한 보호)과 140(접지시스템)의
규정에 준하여 접지

09 저압 옥내배선에 사용되는 연동선의 굵기는 일반적인 경우 몇 [mm²] 이상이어야 하는가?

[2016년 1회 산업기사 / 2016년 2회 산업기사 / 2021년 1회 기사]

① 2   ② 2.5
③ 4   ④ 6

해설   KEC 231.3(저압 옥내배선의 사용전선 및 중선선의 굵기)
- 단면적이 2.5[mm²] 이상의 연동선
- 사용전압 400[V] 이하인 경우 전광표시장치에 사용한 단면적 0.75[mm²] 이상의 다심케이블
- 사용전압 400[V] 이하인 경우 전광표시장치에 사용한 단면적 1.5[mm²] 이상의 연동선

10 진열장 내의 배선으로 사용전압 400[V] 이하에 사용하는 코드 또는 캡타이어케이블의 최소 단면적은 몇 [mm²]인가?

[2022년 1회 기사]

① 1.25   ② 1.0
③ 0.75   ④ 0.5

해설   KEC 234.8(진열장 또는 이와 유사한 것의 내부 배선)
건조한 장소에 시설하고 또한 내부를 건조한 상태로 사용하는 진열장 또는 이와 유사한 것의 내부에 사용전압이 400[V] 이하의 배선을 외부에서 잘 보이는 장소에 한하여 단면적 0.75[mm²] 이상의 코드 또는 캡타이어케이블로 직접 조영재에 밀착하여 배선할 수 있다.

11 진열장 안의 사용전압이 400[V] 이하인 저압 옥내배선으로 외부에서 보기 쉬운 곳에 한하여 시설할 수 있는 전선은?(단, 진열장은 건조한 곳에 시설하고 또한 진열장 내부를 건조한 상태로 사용하는 경우이다)   [2016년 3회 산업기사]

① 단면적이 0.75[mm²] 이상인 코드 또는 캡타이어케이블

② 단면적이 0.75[mm²] 이상인 나전선 또는 캡타이어케이블

③ 단면적이 1.25[mm²] 이상인 코드 또는 절연전선

④ 단면적이 1.25[mm²] 이상인 나전선 또는 다심형전선

> 해설 KEC 234.8(진열장 또는 이와 유사한 것의 내부 배선)
> 건조한 장소에 시설하고 또한 내부를 건조한 상태로 사용하는 진열장 또는 이와 유사한 것의 내부에 사용전압이 400[V] 이하의 배선을 외부에서 잘 보이는 장소에 한하여 단면적 0.75[mm²] 이상의 코드 또는 캡타이어케이블로 직접 조영재에 밀착하여 배선할 수 있다.

12 저압 옥내배선에 적용하는 사용전선의 내용 중 틀린 것은?   [2017년 3회 기사]

① 단면적 2.5[mm²] 이상의 연동선이어야 한다.

② 미네럴인슈레이션케이블로 옥내배선을 하려면 케이블 단면적은 2[mm²] 이상이어야 한다.

③ 진열장 등 사용전압이 400[V] 이하인 경우 0.75[mm²] 이상인 코드 또는 캡타이어케이블을 사용할 수 있다.

④ 전광표시장치 또는 제어회로에 사용전압이 400[V] 이하인 경우 사용하는 배선은 단면적 1.5[mm²] 이상의 연동선을 사용하고 합성수지관공사로 할 수 있다.

> 해설 KEC 231.3(저압 옥내배선의 사용전선 및 중선선의 굵기)
> • 단면적 2.5[mm²] 이상의 연동선
> • 진열장 등 사용전압이 400[V] 이하인 경우 0.75[mm²] 이상인 코드 또는 캡타이어케이블을 사용
> • 사용전압이 400[V] 이하인 경우 전광표시장치 또는 제어회로에 사용하는 배선은 단면적 1.5[mm²] 이상의 연동선

13 옥내 시설하는 사용전압 400[V] 이하의 이동전선으로 사용할 수 없는 전선은?

[2018년 3회 산업기사]

① 면절연전선
② 고무코드전선
③ 용접용 케이블
④ 고무절연 클로로프렌캡타이어케이블

해설 옥내에 시설하는 사용전압 400[V] 이하의 이동전선으로 사용할 수 없는 전선은 면절연전선이다.

14 옥내에 시설하는 저압 전선에 나전선을 사용할 수 있는 경우는?

[2020년 4회 기사]

① 버스덕트공사에 의하여 시설하는 경우
② 금속덕트공사에 의하여 시설하는 경우
③ 합성수지관공사에 의하여 시설하는 경우
④ 후강전선관공사에 의하여 시설하는 경우

해설 KEC 231.4(나전선의 사용 제한)
다음 경우를 제외하고 나전선을 사용하여서는 아니 된다.
• 애자공사(전개된 곳)
　－ 전기로용 전선로
　－ 절연물이 부식하기 쉬운 곳
　－ 취급자 이외의 자가 출입할 수 없도록 시설한 곳
• 접촉전선을 사용한 곳
• 라이팅덕트공사 또는 버스덕트공사

15 옥내에 시설하는 저압 전선으로 나전선을 사용할 수 있는 배선공사는?　　[2015년 2회 산업기사]

① 합성수지관공사　　　　　　　② 금속관공사
③ 버스덕트공사　　　　　　　　④ 플로어덕트공사

해설　KEC 231.4(나전선의 사용 제한)
다음 경우를 제외하고 나전선을 사용하여서는 아니 된다.
• 애자공사(전개된 곳)
  – 전기로용 전선로
  – 절연물이 부식하기 쉬운 곳
• 접촉전선을 사용한 곳
• 라이팅덕트공사 또는 버스덕트공사

16 배선공사 중 전선이 반드시 절연전선이 아니라도 상관없는 공사방법은?

[2016년 1회 기사 / 2021년 2회 기사]

① 금속관공사　　　　　　　　　② 합성수지관공사
③ 버스덕트공사　　　　　　　　④ 플로어덕트공사

해설　15번 해설 참조

17 옥내의 저압 전선으로 나전선 사용이 허용되지 않는 경우는?[2012년 3회 산업기사 / 2017년 1회 기사]

① 라이팅덕트공사에 의하여 시설하는 경우
② 버스덕트공사에 의하여 시설하는 경우
③ 애자사용공사에 의하여 전개된 곳에 시설하는 경우
④ 금속관공사에 의하여 시설하는 경우

해설　15번 해설 참조

18 옥내배선에 나전선을 사용할 수 없는 것은? [2016년 1회 산업기사]

① 전선의 피복 전열물이 부식하는 장소의 전선
② 취급자 이외의 자가 출입할 수 없도록 설비한 장소의 전선
③ 전용의 개폐기 및 과전류차단기가 시설된 전기기계기구의 저압 전선
④ 애자사용공사에 의하여 전개된 장소에 시설하는 경우로 전기로용 전선

> **해설** KEC 231.4(나전선의 사용 제한)
> 옥내에 시설하는 저압전선은 나전선 사용을 제한(다음의 경우는 예외)
> • 애자공사의 경우로 전기로용 전선, 절연물이 부식하는 장소에 시설하는 전선, 취급자 이외의 자가 출입할 수 없도록 설비한 장소에 시설하는 전선
> • 버스덕트 또는 라이팅덕트공사에 의하는 경우
> • 이동기중기, 유희용 전차선 등의 접촉전선을 시설하는 경우

19 옥내에 시설하는 전동기에 과부하 보호장치의 시설을 생략할 수 없는 경우는?

[2014년 3회 산업기사 / 2015년 3회 기사]

① 정격출력이 0.75[kW]인 전동기
② 타인이 출입할 수 없고 전동기가 소손할 정도의 과전류가 생길 우려가 없는 경우
③ 전동기가 단상의 것으로 전원 측 전로에 시설하는 배선차단기의 정격전류가 20[A] 이하인 경우
④ 전동기를 운전 중 상시 취급자가 감시할 수 있는 위치에 시설한 경우

> **해설** KEC 212.6(저압전로 중의 개폐기 및 과전류차단장치의 시설)
> 과부하 보호장치를 생략하는 경우
> • 전동기를 운전 중 상시 취급자가 감시할 수 있는 위치에 시설
> • 전동기의 구조나 부하의 성질로 보아 전동기가 손상될 수 있는 과전류가 생길 우려가 없는 경우
> • 단상전동기로 전원 측 전로에 시설하는 과전류차단기의 정격전류가 16[A](배선차단기는 20[A]) 이하인 경우
> • 전동기 정격출력이 0.2[kW] 이하인 경우

20 옥내에 시설하는 전동기가 소손되는 것을 방지하지 위한 과부하 보호장치를 하지 않아도 되는 것은?
[2019년 2회 기사]

① 정격 출력이 7.5[kW] 이상인 경우

② 정격 출력이 0.2[kW] 이하인 경우

③ 정격 출력이 2.5[kW]이며, 과전류차단기가 없는 경우

④ 전동기 출력이 4[kW]이며, 취급자가 감시할 수 없는 경우

> **해설** KEC 212.6(저압전로 중의 개폐기 및 과전류차단장치의 시설)
> 과부하 보호장치를 생략하는 경우
> • 전동기를 운전 중 상시 취급자가 감시할 수 있는 위치에 시설
> • 전동기의 구조나 부하의 성질로 보아 전동기가 손상될 수 있는 과전류가 생길 우려가 없는 경우
> • 단상전동기로 전원 측 전로에 시설하는 과전류차단기의 정격전류가 16[A](배선차단기는 20[A]) 이하인 경우
> • 전동기 정격출력이 0.2[kW] 이하인 경우

21 전동기의 과부하 보호장치의 시설에서 전원 측 전로에 시설한 배선차단기의 정격전류가 몇 [A] 이하의 것이면 이 전로에 접속하는 단상전동기에는 과부하 보호장치를 생략할 수 있는가?
[2017년 2회 기사]

① 15   ② 20

③ 30   ④ 50

> **해설** 20번 해설 참조

22 전개된 건조한 장소에서 400[V] 초과의 저압 옥내배선을 할 때 특별히 정해진 경우를 제외하고는 시공할 수 없는 공사는? [2020년 1, 2회 기사]

① 애자사용공사　　　　　　　　② 금속덕트공사
③ 버스덕트공사　　　　　　　　④ 합성수지몰드공사

해설

시설장소　　　사용전압		400[V] 이하		400[V] 초과
전개된 장소	건조한 장소	• 애자공사 • 금속몰드공사 • 버스덕트공사	• 합성수지몰드공사 • 금속덕트공사 • 라이팅덕트공사	• 애자공사 • 금속덕트공사 • 버스덕트공사
	기타 장소	• 애자공사	• 버스덕트공사	애자공사
점검할 수 있는 은폐된 장소	건조한 장소	• 애자공사 • 금속몰드공사 • 버스덕트공사 • 라이팅덕트공사	• 합성수지몰드공사 • 금속덕트공사 • 셀룰러덕트공사	• 애자공사 • 금속덕트공사 • 버스덕트공사
	기타 장소	애자공사		애자공사
점검할 수 없는 은폐된 장소	건조한 장소	• 플로어덕트공사 • 셀룰러덕트공사		

23 버스덕트공사에 의한 저압의 옥측배선 또는 옥외배선의 사용전압이 400[V] 초과인 경우의 시설기준에 대한 설명으로 틀린 것은? [2020년 1, 2회 산업기사]

① 목조 외의 조영물(점검할 수 없는 은폐장소)에 시설할 것
② 버스덕트는 사람이 쉽게 접촉할 우려가 없도록 시설할 것
③ 버스덕트는 KS C IEC 60529(2006)에 의한 보호등급 IPX4에 적합할 것
④ 버스덕트는 옥외용 버스덕트를 사용하여 덕트 안에 물이 스며들어 고이지 아니하도록 한 것일 것

해설　22번 해설 참조

24 옥내에 시설하는 사용전압이 400[V] 초과 1,000[V] 이하인 전개된 장소로서 건조한 장소가 아닌 기타의 장소의 관등회로 배선공사로서 적합한 것은? [2020년 3회 기사]

① 애자사용공사　　　　　　② 금속몰드공사
③ 금속덕트공사　　　　　　④ 합성수지몰드공사

> **해설** KEC 234.11(1[kV] 이하 방전등)
> 옥내에 시설하는 사용전압이 400[V] 초과, 1[kV] 이하인 관등회로의 배선

시설장소의 구분		공사의 종류
전개된 장소	건조한 장소	애자공사·합성수지몰드공사 또는 금속몰드공사
	기타의 장소	애자공사
점검할 수 있는 은폐된 장소	건조한 장소	금속몰드공사

25 주택의 옥내를 통과하여 그 주택 이외의 장소에 전기를 공급하기 위한 옥내배선을 공사하는 방법이다. 사람이 접촉할 우려가 없는 은폐된 장소에서 시행하는 공사 종류가 아닌 것은?(단, 주택의 옥내전로의 대지전압은 300[V]이다) [2016년 3회 기사]

① 금속관공사　　　　　　② 케이블공사
③ 금속덕트공사　　　　　　④ 합성수지관공사

> **해설** 옥내 관통금지 : 덕트, 몰드

26 사용전압이 고압인 전로의 전선으로 사용할 수 없는 케이블은? [2017년 2회 기사]

① MI케이블　　　　　　② 연피케이블
③ 비닐외장케이블　　　　　　④ 폴리에틸렌외장케이블

> **해설** KEC 342.1(고압 옥내배선 등의 시설)
> MI케이블은 저압만 사용한다.

27 애자사용공사에 의한 저압 옥내배선 시설 중 틀린 것은? [2018년 2회 기사]

① 전선은 인입용 비닐절연전선일 것

② 전선 상호 간의 간격은 6[cm] 이상일 것

③ 전선의 지지점 간의 거리는 전선을 조영재의 윗면에 따라 붙일 경우에는 2[m] 이하일 것

④ 전선과 조영재 사이의 이격거리는 사용전압이 400[V] 이하인 경우에는 2.5[cm] 이상일 것

해설 KEC 232.56(애자공사), 342.1(고압 옥내배선 등의 시설)
- 전선의 종류 : 절연전선, 단, 옥외용 비닐절연전선(OW) 및 인입용 비닐절연전선(DV)은 제외한다.
- 이격거리

구 분		전선과 조영재 이격거리		전선 상호 간의 간격	전선 지지점 간의 거리	
					조영재 상면 또는 측면	조영재 따라 시설 않는 경우
저 압	400[V] 이하	25[mm] 이상		0.06[m] 이상	2[m] 이하	–
	400[V] 초과	건 조	25[mm] 이상			6[m] 이하
		기 타	45[mm] 이상			
고 압		0.05[m] 이상		0.08[m] 이상		

28 애자사용공사에 의한 고압 옥내배선의 시설에 사용되는 연동선의 단면적은 최소 몇 [mm²]의 것을 사용하여야 하는가? [2014년 1회 산업기사 / 2015년 1회 산업기사]

① 2.5   ② 4

③ 6   ④ 10

해설 KEC 342.1(고압 옥내배선 등의 시설)
- 전선은 공칭단면적 6[mm²] 이상의 연동선 또는 이와 동등 이상의 세기 및 굵기의 고압 절연전선이나 특고압 절연전선, 인하용 고압 절연전선일 것
- 전선의 지지점 간의 거리는 6[m] 이하일 것. 다만, 전선을 조영재의 면을 따라 붙이는 경우에는 2[m] 이하이어야 한다.
- 전선 상호 간의 간격은 0.08[m] 이상, 전선과 조영재 사이의 이격거리는 0.05[m] 이상일 것

29 사용전압이 380[V]인 옥내배선을 애자사용공사로 시설할 때, 전선과 조영재 사이의 이격거리는 몇 [cm] 이상이어야 하는가?

[2018년 2회 산업기사]

① 2
② 2.5
③ 4.5
④ 6

해설 KEC 232.56(애자공사), 342.1(고압 옥내배선 등의 시설)
- 전선의 종류 : 절연전선, 단, 옥외용 비닐절연전선(OW) 및 인입용 비닐절연전선(DV)은 제외한다.
- 이격거리

구 분		전선과 조영재 이격거리		전선 상호 간의 간격	전선 지지점 간의 거리	
					조영재 상면 또는 측면	조영재 따라 시설 않는 경우
저압	400[V] 이하	25[mm] 이상		0.06[m] 이상	2[m] 이하	–
	400[V] 초과	건조	25[mm] 이상			6[m] 이하
		기타	45[mm] 이상			
고압		0.05[m] 이상		0.08[m] 이상		

30 건조한 장소에 시설하는 애자사용공사로서 사용전압이 440[V]인 경우 전선과 조영재와의 이격거리는 최소 몇 [cm] 이상이어야 하는가?

[2015년 2회 산업기사]

① 2.5
② 3.5
③ 4.5
④ 5.5

해설 29번 해설 참조

31 애자사용공사를 습기가 많은 장소에 시설하는 경우 전선과 조영재 사이의 이격거리는 몇 [cm] 이상이어야 하는가?(단, 사용전압은 440[V]인 경우이다)

[2017년 1회 기사]

① 2.0
② 2.5
③ 4.5
④ 6.0

해설 29번 해설 참조

29 ② 30 ① 31 ③ 정답

32 애자사용공사에 의한 저압 옥내배선 시 전선 상호 간의 간격은 몇 [cm] 이상인가?

[2016년 2회 기사]

① 2

② 4

③ 6

④ 8

해설 KEC 232.56(애자공사), 342.1(고압 옥내배선 등의 시설)
- 전선의 종류 : 절연전선, 단, 옥외용 비닐절연전선(OW) 및 인입용 비닐절연전선(DV)은 제외한다.
- 이격거리

구 분		전선과 조영재 이격거리		전선 상호 간의 간격	전선 지지점 간의 거리	
					조영재 상면 또는 측면	조영재 따라 시설 않는 경우
저 압	400[V] 이하	25[mm] 이상		0.06[m] 이상	2[m] 이하	－
	400[V] 초과	건 조	25[mm] 이상			6[m] 이하
		기 타	45[mm] 이상			
고 압		0.05[m] 이상		0.08[m] 이상		

33 사용전압이 400[V] 이하인 저압 옥측전선로를 애자공사에 의해 시설하는 경우 전선 상호 간의 간격은 몇 [m] 이상이어야 하는가?(단, 비나 이슬에 젖지 않는 장소에 사람이 쉽게 접촉될 우려가 없도록 시설한 경우이다)

[2022년 2회 기사]

① 0.025

② 0.045

③ 0.06

④ 0.12

해설 32번 해설 참조

34 애자사용공사에 의한 고압 옥내배선을 시설하고자 할 경우 전선과 조영재 사이의 이격거리는 몇 [cm] 이상인가?

[2017년 2회 산업기사]

① 3

② 4

③ 5

④ 6

해설 32번 해설 참조

정답 32 ③ 33 ③ 34 ③

35 애자사용공사에 의한 저압 옥내배선을 시설할 때 전선의 지지점 간의 거리는 전선을 조영재의 윗면 또는 옆면에 따라 붙일 경우 몇 [m] 이하인가?

[2017년 3회 기사]

① 1.5 ② 2

③ 2.5 ④ 3

해설 KEC 232.56(애자공사), 342.1(고압 옥내배선 등의 시설)

• 전선의 종류 : 절연전선, 단, 옥외용 비닐절연전선(OW) 및 인입용 비닐절연전선(DV)은 제외한다.
• 이격거리

구 분		전선과 조영재 이격거리	전선 상호 간의 간격	전선 지지점 간의 거리	
				조영재 상면 또는 측면	조영재 따라 시설 않는 경우
저 압	400[V] 이하	25[mm] 이상	0.06[m] 이상	2[m] 이하	–
	400[V] 초과 건 조	25[mm] 이상			6[m] 이하
	400[V] 초과 기 타	45[mm] 이상			
고 압		0.05[m] 이상	0.08[m] 이상		

36 고압 옥내배선을 애자사용공사로 하는 경우, 전선의 지지점 간의 거리는 전선을 조영재의 면을 따라 붙이는 경우 몇 [m] 이하이어야 하는가?

[2019년 2회 산업기사]

① 1 ② 2

③ 3 ④ 5

해설 35번 해설 참조

37 일반 주택의 저압 옥내배선을 점검하였더니 다음과 같이 시설되어 있었을 경우 시설기준에 적합하지 않은 것은? [2021년 2회 기사]

① 합성수지관의 지지점 간의 거리를 2[m]로 하였다.
② 합성수지관 안에서 전선의 접속점이 없도록 하였다.
③ 금속관공사에 옥외용 비닐절연전선을 제외한 절연전선을 사용하였다.
④ 인입구에 가까운 곳으로서 쉽게 개폐할 수 있는 곳에 개폐기를 각 극에 시설하였다.

> **해설** KEC 232.11(합성수지관공사)
> • 전선은 절연전선(옥외용 비닐절연전선을 제외한다)일 것
> • 연선일 것(단, 전선관이 짧거나 10[mm²](알루미늄은 16[mm²]) 이하일 때 예외)
> • 관의 두께는 2[mm] 이상일 것
> • 지지점 간의 거리 : 1.5[m] 이하
> • 전선관 상호 간 삽입 깊이 : 관 외경의 1.2배(접착제 0.8배)
> • 습기가 많거나 물기가 있는 장소는 방습장치를 할 것

38 저압 옥내배선 합성수지관공사 시 연선이 아닌 경우 사용할 수 있는 전선의 최대단면적은 몇 [mm²]인가?(단, 알루미늄선은 제외한다) [2015년 1회 기사]

① 4
② 6
③ 10
④ 16

> **해설** 37번 해설 참조

39 합성수지관공사 시 관 상호 간 및 박스와의 접속은 관에 삽입하는 깊이를 관 바깥지름의 몇 배 이상으로 하여야 하는가?(단, 접착제를 사용하지 않는 경우이다) [2016년 2회 산업기사]

① 0.5
② 0.8
③ 1.2
④ 1.5

> **해설** 37번 해설 참조

정답 37 ① 38 ③ 39 ③

40 합성수지관 및 부속품의 시설에 대한 설명으로 틀린 것은? [2022년 2회 기사]

① 관의 지지점 간의 거리는 1.5[m] 이하로 할 것

② 합성수지제 가요전선관 상호 간은 직접 접속할 것

③ 접착제를 사용하여 관 상호 간을 삽입하는 깊이는 관의 바깥지름의 0.8배 이상으로 할 것

④ 접착제를 사용하지 않고 관 상호 간을 삽입하는 깊이는 관의 바깥지름의 1.2배 이상으로 할 것

해설 KEC 232.11(합성수지관공사)
- 전선은 절연전선(옥외용 비닐절연전선을 제외한다)일 것
- 연선일 것(단, 전선관이 짧거나 10[mm^2](알루미늄은 16[mm^2]) 이하일 때 예외)
- 관의 두께는 2[mm] 이상일 것
- 지지점 간의 거리 : 1.5[m] 이하
- 전선관 상호 간 삽입 깊이 : 관 외경의 1.2배(접착제 0.8배)
- 습기가 많거나 물기가 있는 장소는 방습장치를 할 것

41 금속관공사에 의한 저압 옥내배선 시설에 대한 설명으로 틀린 것은?

[2013년 3회 기사 / 2018년 1회 산업기사]

① 인입용 비닐절연전선을 사용했다.

② 옥외용 비닐절연전선을 사용했다.

③ 짧고 가는 금속관에 연선을 사용했다.

④ 단면적 10[mm^2] 이하의 전선을 사용했다.

해설 KEC 232.12(금속관공사)
- 전선은 절연전선(옥외용 비닐절연전선을 제외한다)일 것
- 연선일 것(단, 전선관이 짧거나 10[mm^2] 이하(알루미늄은 16[mm^2])일 때 예외)
- 관의 두께 : 콘크리트에 매입하는 것은 1.2[mm] 이상(노출공사 1.0[mm] 이상. 단, 길이 4[m] 이하이고 건조한 노출된 공사 : 0.5[mm] 이상)
- 방폭형 부속품 : 전선관과의 접속부분 나사는 5턱 이상 완전히 나사결합
- 관의 끝 부분에는 전선의 피복을 손상하지 아니하도록 부싱을 사용할 것
- 접지공사 생략(400[V] 이하)
  - 건조하고 총길이 4[m] 이하인 곳(400[V] 이하)
  - 8[m] 이하, DC 300[V], AC 150[V] 이하인 사람 접촉이 없는 경우

42 금속관공사에서 절연부싱을 사용하는 가장 주된 목적은? [2017년 2회 기사]

① 관의 끝이 터지는 것을 방지
② 관내 해충 및 이물질 출입 방지
③ 관의 단구에서 조영재의 접촉 방지
④ 관의 단구에서 전선 피복의 손상 방지

해설 KEC 232.12(금속관공사)
관의 끝부분에는 전선의 피복을 손상하지 아니하도록 적당한 구조의 부싱을 사용할 것

43 금속덕트공사에 적당하지 않은 것은? [2018년 3회 기사]

① 전선은 절연전선을 사용한다.
② 덕트의 끝부분은 항시 개방시킨다.
③ 덕트 안에는 전선의 접속점이 없도록 한다.
④ 덕트의 안쪽 면 및 바깥 면에는 산화 방지를 위하여 아연도금을 한다.

해설 KEC 232.31(금속덕트공사)
• 전선은 절연전선(옥외용 비닐절연전선을 제외한다)일 것
• 전선 단면적 : 덕트 내부 단면적의 20[%] 이하(제어회로 등 50[%] 이하)
• 지지점 간의 거리 : 3[m] 이하(취급자 외 출입 없고 수직인 경우 : 6[m] 이하)
• 폭 40[mm] 이상, 두께 1.2[mm] 이상인 철판 또는 동등 이상의 기계적 강도를 가지는 금속제의 것으로 제작한 것

44 금속덕트에 넣은 전선의 단면적의 합계는 덕트의 내부 단면적의 몇 [%] 이하이어야 하는가? [2017년 3회 산업기사]

① 10　　② 20
③ 32　　④ 48

해설 43번 해설 참조

정답 42 ④　43 ②　44 ②

45 저압 옥내배선을 금속덕트공사로 할 경우 금속덕트에 넣는 전선의 단면적(절연피복의 단면적 포함)의 합계는 덕트의 내부 단면적의 몇 [%]까지 할 수 있는가? [2017년 1회 산업기사]

① 20 ② 30

③ 40 ④ 50

KEC 232.31(금속덕트공사)
- 전선은 절연전선(옥외용 비닐절연전선을 제외한다)일 것
- 전선 단면적 : 덕트 내부 단면적의 20[%] 이하(제어회로 등 50[%] 이하)
- 지지점 간의 거리 : 3[m] 이하(취급자 외 출입 없고 수직인 경우 : 6[m] 이하)
- 폭 40[mm] 이상, 두께 1.2[mm] 이상인 철판 또는 동등 이상의 기계적 강도를 가지는 금속제의 것으로 제작한 것

46 금속덕트공사에 의한 저압 옥내배선에서, 금속덕트에 넣은 전선의 단면적의 합계는 일반적으로 덕트 내부 단면적의 몇 [%] 이하이어야 하는가?(단, 전광표시장치·출퇴표시등 기타 이와 유사한 장치 또는 제어회로 등의 배선만을 넣는 경우에는 50[%]) [2019년 1회 기사]

① 20 ② 30

③ 40 ④ 50

45번 해설 참조

47 라이팅덕트공사에 의한 저압 옥내배선공사 시설 기준으로 틀린 것은? [2019년 1회 기사]

① 덕트의 끝부분은 막을 것
② 덕트는 조영재에 견고하게 붙일 것
③ 덕트는 조영재를 관통하여 시설할 것
④ 덕트의 지지점 간의 거리는 2[m] 이하로 할 것

KEC 232.71(라이팅덕트공사)
- 지지점 : 2[m] 이하
- 끝부분 막고, 개구부는 아래로 향해 시설
- 덕트 상호 간 및 전선 상호 간은 견고하게 또한 전기적으로 완전히 접속할 것
- 덕트는 조영재에 견고하게 붙일 것
- 덕트는 조영재를 관통하여 시설하지 아니할 것

48 금속제 가요전선관공사에 의한 저압 옥내배선의 시설기준으로 틀린 것은? [2021년 1회 기사]

① 가요전선관 안에는 전선에 접속점이 없도록 한다.

② 옥외용 비닐절연전선을 제외한 절연전선을 사용한다.

③ 점검할 수 없는 은폐된 장소에는 1종 가요전선관을 사용할 수 있다.

④ 2종 금속제 가요전선관을 사용하는 경우에 습기 많은 장소에 시설하는 때에는 비닐피복 2종 가요전선관으로 한다.

> **해설** **KEC 232.13(금속제 가요전선관공사)**
> • 전선은 절연전선(옥외용 비닐절연전선을 제외한다)일 것
> • 전선은 연선일 것. 단, 단면적 10[mm²] 이하(알루미늄은 16[mm²]) 이하인 것은 그러하지 아니하다.
> • 가요전선관 안에는 전선에 접속점이 없도록 할 것
> • 가요전선관은 2종 금속제 가요전선관일 것. 단, 전개된 장소 또는 점검할 수 있는 은폐된 장소(옥내배선의 사용전압이 400[V] 초과인 경우에는 전동기에 접속하는 부분으로서 가요성을 필요로 하는 부분에 사용하는 것에 한한다)에는 1종 가요전선관(습기가 많은 장소 또는 물기가 있는 장소에는 비닐 피복 1종 가요전선관에 한한다)을 사용할 수 있다.
> • 2종 금속제 가요전선관을 사용하는 경우에 습기 많은 장소 또는 물기가 있는 장소에 시설하는 때에는 비닐 피복 2종 가요전선관일 것

49 플로어덕트공사에 의한 저압 옥내배선에서 연선을 사용하지 않아도 되는 전선(동선)의 단면적은 최대 몇 [mm²]인가? [2021년 2회 기사]

① 2 　　　　 ② 4 　　　　 ③ 6 　　　　 ④ 10

> **해설** **KEC 232.32(플로어덕트공사)**
> • 전선은 절연전선(옥외용 비닐절연전선을 제외)일 것
> • 점검할 수 없는 은폐장소(바닥)
> • 절연전선(연선) 10[mm²] 이하(알루미늄은 16[mm²])일 때 단선 사용 가능

50 플로어덕트공사에 의한 저압 옥내배선 공사 시 시설기준으로 틀린 것은? [2022년 1회 기사]

① 덕트의 끝부분은 막을 것

② 옥외용 비닐절연전선을 사용할 것

③ 덕트 안에는 전선에 접속점이 없도록 할 것

④ 덕트 및 박스 기타의 부속품은 물이 고이는 부분이 없도록 시설하여야 한다.

> **해설** 49번 해설 참조

정답 48 ③　49 ④　50 ②

51 저압 옥내배선을 가요전선관공사에 의해 시공하고자 한다. 이 가요전선관에 설치하는 전선으로 단선을 사용할 경우 그 단면적은 최대 몇 [mm²] 이하이어야 하는가?(단, 알루미늄선은 제외한다)

① 2.5   ② 4

③ 6   ④ 10

해설 KEC 232.13(금속제 가요전선관공사)
- 전선은 절연전선(옥외용 비닐절연전선을 제외한다)일 것
- 전선은 연선일 것. 단, 단면적 10[mm²] 이하(알루미늄은 16[mm²]) 이하인 것은 그러하지 아니하다.
- 가요전선관 안에는 전선에 접속점이 없도록 할 것
- 가요전선관은 2종 금속제 가요전선관일 것. 단, 전개된 장소 또는 점검할 수 있는 은폐된 장소(옥내배선의 사용전압이 400[V] 초과인 경우에는 전동기에 접속하는 부분으로서 가요성을 필요로 하는 부분에 사용하는 것에 한한다)에는 1종 가요전선관(습기가 많은 장소 또는 물기가 있는 장소에는 비닐 피복 1종 가요전선관에 한한다)을 사용할 수 있다.
- 2종 금속제 가요전선관을 사용하는 경우에 습기 많은 장소 또는 물기가 있는 장소에 시설하는 때에는 비닐 피복 2종 가요전선관일 것

52 가요전선관 및 부속품의 시설에 대한 내용이다. 다음 (　)에 들어갈 내용으로 옳은 것은?

> 1종 금속제 가요전선관에는 단면적 (　)[mm²] 이상의 나연동선을 전체 길이에 걸쳐 삽입 또는 첨가하여 그 나연동선과 1종 금속제 가요전선관을 양쪽 끝에서 전기적으로 완전하게 접속할 것. 다만, 관의 길이가 4[m] 이하인 것을 시설하는 경우에는 그러하지 아니하다.

① 0.75   ② 1.5

③ 2.5   ④ 4

해설 단면적 2.5[mm²] 이상의 연동선

53 고압 옥내배선의 시설공사로 할 수 없는 것은? [2017년 3회 기사]

① 케이블공사

② 가요전선관공사

③ 케이블트레이공사

④ 애자사용공사(건조한 장소로서 전개된 장소)

> **해설** KEC 342.1(고압 옥내배선 등의 시설)
> • 애자사용배선(건조한 장소로서 전개된 장소에 한한다)
> • 케이블배선
> • 케이블트레이배선

54 고압 옥내배선의 공사방법으로 틀린 것은? [2020년 3회 기사]

① 케이블공사

② 합성수지관공사

③ 케이블트레이공사

④ 애자사용공사(건조한 장소로서 전개된 장소에 한한다)

> **해설** 53번 해설 참조

55 건조한 장소로서 전개된 장소에 고압 옥내배선을 시설할 수 있는 공사방법은? [2017년 2회 기사]

① 덕트공사 ② 금속관공사

③ 애자사용공사 ④ 합성수지관공사

> **해설** 53번 해설 참조

정답 53 ② 54 ② 55 ③

56 건조한 장소로서 전개된 장소에 한하여 시설할 수 있는 고압 옥내배선의 방법은?

[2019년 1회 산업기사]

① 금속관공사   ② 애자사용공사

③ 가요전선관공사   ④ 합성수지관공사

> **해설** KEC 342.1(고압 옥내배선 등의 시설)
> • 애자사용배선(건조한 장소로서 전개된 장소에 한한다)
> • 케이블배선
> • 케이블트레이배선

57 건조한 장소로서 전개된 장소에 한하여 고압 옥내배선을 할 수 있는 것은? [2019년 3회 산업기사]

① 금속관공사   ② 애자사용공사

③ 합성수지관공사   ④ 가요전선관공사

> **해설** KEC 342.1(고압 옥내배선 등의 시설)
> 고압 옥내배선은 케이블배선, 케이블트레이배선에 의한다. 다만, 건조하고 전개된 곳에 한하여 애자
> 사용배선을 할 수 있다.

58 옥내 고압용 이동전선의 시설기준에 적합하지 않은 것은? [2020년 1, 2회 산업기사]

① 전선은 고압용의 캡타이어케이블을 사용하였다.

② 전로에 지락이 생겼을 때에 자동적으로 전로를 차단하는 장치를 시설하였다.

③ 이동전선과 전기사용기계기구와는 볼트 조임 기타의 방법에 의하여 견고하게 접속하
였다.

④ 이동전선에 전기를 공급하는 전로의 중성극에 전용 개폐기 및 과전류차단기를 시설하
였다.

> **해설** KEC 342.2(옥내 고압용 이동전선의 시설)
> • 전선은 고압용의 캡타이어케이블일 것
> • 이동전선과 전기사용기계기구와는 볼트 조임 기타의 방법에 의하여 견고하게 접속할 것

56 ②   57 ②   58 ④   **정답**

59 옥내에 시설하는 고압용 이동전선으로 옳은 것은?   [2018년 3회 기사]

① 6[mm] 연동선
② 비닐외장케이블
③ 옥외용 비닐절연전선
④ 고압용의 캡타이어케이블

> **해설** KEC 234.3(코드 및 이동전선), 342.2(옥내 고압용 이동전선의 시설)
> • 저압 : 코드, 캡타이어케이블 0.75[mm²] 이상
> • 고압 : 고압용의 캡타이어케이블

60 고압 옥내배선이 수관과 접근하여 시설되는 경우에는 몇 [cm] 이상 이격시켜야 하는가?

[2019년 1회 기사]

① 15
② 30
③ 45
④ 60

> **해설** KEC 342.1(고압 옥내배선 등의 시설)
> 고압 옥내배선과 타 시설물과의 이격거리
> • 다른 고압 옥내배선·저압 옥내배선·관등회로의 배선·약전류전선 : 0.15[m]
> • 수관·가스관이나 이와 유사한 것과 접근하거나 교차하는 경우 : 0.15[m]

61 특고압을 옥내에 시설하는 경우 그 사용전압의 최대한도는 몇 [kV] 이하인가?(단, 케이블트레이공사는 제외)

[2018년 2회 기사]

① 25
② 80
③ 100
④ 160

> **해설** KEC 342.4(특고압 옥내 전기설비의 시설)
> • 사용전압은 100[kV] 이하일 것. 다만, 케이블트레이배선에 의하여 시설하는 경우에는 35[kV] 이하일 것
> • 전선은 케이블일 것
> • 케이블은 철재 또는 철근 콘크리트제의 관·덕트 기타의 견고한 방호장치에 넣어 시설할 것
> • 특고압 옥내배선과 저압 옥내전선·관등회로의 배선 또는 고압 옥내전선 사이의 이격거리는 0.6[m] 이상일 것

62 케이블트레이공사에 사용하는 케이블트레이에 적합하지 않은 것은? [2020년 1, 2회 기사]

① 비금속제 케이블트레이는 난연성 재료가 아니어도 된다.

② 금속제의 것은 적절한 방식처리를 한 것이거나 내식성 재료의 것이어야 한다.

③ 금속제 케이블트레이계통은 기계적 및 전기적으로 완전하게 접속하여야 한다.

④ 케이블트레이가 방화구획의 벽 등을 관통하는 경우에 관통부는 불연성의 물질로 충전하여야 한다.

해설 KEC 232.41(케이블트레이공사)
- 비금속제 케이블트레이는 난연성 재료일 것
- 케이블트레이의 안전율은 1.5 이상일 것
- 금속제 케이블트레이의 종류 : 사다리형, 펀칭형, 메시형, 바닥밀폐형

63 케이블을 지지하기 위하여 사용하는 금속제 케이블트레이의 종류가 아닌 것은?

[2013년 2회 산업기사 / 2019년 1회 산업기사]

① 통풍밀폐형　　　　　　　② 통풍채널형
③ 바닥밀폐형　　　　　　　④ 사다리형

해설 KEC 232.41(케이블트레이공사)
케이블트레이 : 케이블을 지지하기 위하여 사용하는 금속제 또는 불연성 재료로 제작된 유닛 또는 유닛의 집합체 및 그에 부속하는 부속재 등으로 구성된 견고한 구조물을 말하며 사다리형, 펀칭형, 메시형, 바닥밀폐형 기타 이와 유사한 구조물을 포함한다.

64 케이블트레이공사에 사용되는 케이블트레이가 수용된 모든 전선을 지지할 수 있는 적합한 강도의 것일 경우 케이블트레이의 안전율은 얼마 이상으로 하여야 하는가? [2018년 1회 산업기사]

① 1.1　　　　　　　　　　　　② 1.2
③ 1.3　　　　　　　　　　　　④ 1.5

해설　KEC 232.41(케이블트레이공사)
• 금속재의 것은 내식성 재료의 것이어야 한다.
• 케이블트레이의 안전율은 1.5 이상이어야 한다.
• 비금속제 케이블트레이는 난연성 재료의 것이어야 한다.
• 전선의 피복 등을 손상시킬 돌기 등이 없이 매끈하여야 한다.

65 케이블트레이공사에 대한 설명으로 틀린 것은? [2017년 3회 산업기사]

① 금속재의 것은 내식성 재료의 것이어야 한다.
② 케이블트레이의 안전율은 1.25 이상이어야 한다.
③ 비금속제 케이블트레이는 난연성 재료의 것이어야 한다.
④ 전선의 피복 등을 손상시킬 돌기 등이 없이 매끈하여야 한다.

해설　64번 해설 참조

66 케이블트레이 공사에 사용할 수 없는 케이블은? [2021년 3회 기사]

① 연피 케이블　　　　　　　② 난연성 케이블
③ 캡타이어 케이블　　　　　④ 알루미늄피 케이블

해설　KEC 232.41(케이블트레이공사)
• 전선은 연피케이블, 알루미늄피케이블 등 난연성 케이블, 기타 케이블 또는 금속관 혹은 합성수지관 등에 넣은 절연전선을 사용하여야 한다.
• 저압 케이블과 고압 또는 특고압 케이블은 동일 케이블트레이 안에 포설하여서는 아니 된다.
• 케이블트레이 안에서 전선을 접속하는 경우에는 전선 접속 부분에 사람이 접근할 수 있고 또한 그 부분이 측면 레일 위로 나오지 않도록 하고 그 부분을 절연처리하여야 한다.
• 수평으로 포설하는 케이블 이외의 케이블은 케이블트레이의 가로대에 견고하게 고정시켜야 한다.

67 일반주택 및 아파트 각 호실의 현관등은 몇 분 이내에 소등되는 타임스위치를 시설하여야 하는가?

[2016년 2회 기사 / 2019년 3회 기사]

① 1분   ② 3분
③ 5분   ④ 10분

> **해설**   KEC 234.6(점멸기의 시설)
> - 자동 소등 시간
>   - 관광숙박업 또는 숙박업 객실 입구등 : 1분 이내
>   - 일반주택 및 아파트 각 호실의 현관등 : 3분 이내

68 호텔 또는 여관 각 객실의 입구등을 설치할 경우 몇 분 이내에 소등되는 타임스위치를 시설해야 하는가?

[2016년 2회 산업기사]

① 1   ② 2
③ 3   ④ 10

> **해설**   67번 해설 참조

69 관광숙박업 또는 숙박업을 하는 객실의 입구등에 조명용 전등을 설치할 때는 몇 분 이내에 소등되는 타임스위치를 시설하여야 하는가?

[2018년 3회 기사]

① 1   ② 3
③ 5   ④ 10

> **해설**   67번 해설 참조

70 조명용 전등을 설치할 때 타임스위치를 시설해야 할 곳은? [2015년 3회 산업기사]

① 공 장　　　　　　　　　② 사무실

③ 병 원　　　　　　　　　④ 아파트 현관

해설　KEC 234.6(점멸기의 시설)
- 자동 소등 시간
  - 관광숙박업 또는 숙박업 객실 입구등 : 1분 이내
  - 일반주택 및 아파트 각 호실의 현관등 : 3분 이내
- 전등 효율 : 70[lm/W]

71 점멸기의 시설에서 센서등(타임스위치 포함)을 시설하여야 하는 곳은? [2021년 3회 기사]

① 공 장　　　　　　　　　② 상 점

③ 사무실　　　　　　　　④ 아파트 현관

해설　70번 해설 참조

72 옥내의 네온방전등공사의 방법으로 옳은 것은?　　　　　　　　　[2017년 1회 산업기사]

① 전선 상호 간의 간격은 5[cm] 이상일 것
② 관등회로의 배선은 애자사용공사에 의할 것
③ 전선의 지지점 간의 거리는 2[m] 이하로 할 것
④ 관등회로의 배선은 점검할 수 없는 은폐된 장소에 시설할 것

> 해설 **KEC 234.12(네온방전등)**
> • 전선 상호 간의 이격거리는 60[mm] 이상일 것
> • 관등회로의 배선은 애자공사에 의할 것
> • 전선 지지점 간의 거리는 1[m] 이하로 할 것
> • 관등회로의 배선은 외상을 받을 우려가 없고 사람이 접촉될 우려가 없는 노출장소에 시설할 것

73 네온방전등의 관등회로의 전선을 애자공사에 의해 자기 또는 유리제 등의 애자로 견고하게 지지하여 조영재의 아랫면 또는 옆면에 부착한 경우 전선 상호 간의 이격거리는 몇 [mm] 이상이어야 하는가?　　　　　　　　　　[2022년 1회 기사]

① 30　　　　　　　　　　　　　　② 60
③ 80　　　　　　　　　　　　　　④ 100

> 해설 **KEC 232.56(애자공사), 342.1(고압 옥내배선 등의 시설)**
> • 전선의 종류 : 절연전선, 단, 옥외용 비닐절연전선(OW) 및 인입용 비닐절연전선(DV)은 제외한다.
> • 이격거리

구 분		전선과 조영재 이격거리		전선 상호 간의 간격	전선 지지점 간의 거리	
					조영재 상면 또는 측면	조영재 따라 시설 않는 경우
저 압	400[V] 이하	25[mm] 이상		0.06[m] 이상	2[m] 이하	–
	400[V] 초과	건 조	25[mm] 이상			6[m] 이하
		기 타	45[mm] 이상			
고 압		0.05[m] 이상		0.08[m] 이상		

출 / 제 / 예 / 상 / 문 / 제

01 저압 옥내전로의 인입구에 가까운 곳으로서 쉽게 개폐할 수 있는 곳에 개폐기를 시설하여야 한다. 그러나 사용전압이 400[V] 이하인 옥내전로로서 다른 옥내전로에 접속하는 길이가 몇 [m] 이하인 경우는 개폐기를 생략할 수 있는가?(단, 정격전류가 16[A] 이하인 과전류차단기 또는 정격전류가 16[A]를 초과하고 20[A] 이하인 배선차단기로 보호되고 있는 것에 한한다)

① 15   ② 20

③ 25   ④ 30

> **해설**   KEC 212.6(저압전로 중의 개폐기 및 과전류차단장치의 시설)
> 사용전압이 400[V] 이하인 옥내전로로서 다른 옥내전로(정격전류가 16[A] 이하인 과전류차단기 또는 정격전류가 16[A]를 초과하고 20[A] 이하인 배선차단기 보호되고 있는 것에 한한다)에 접속하는 길이 15[m] 이하의 전로에서 전기의 공급을 받는 것은 저압 옥내전로의 인입구에 가까운 곳으로서 쉽게 개폐할 수 있는 곳에 개폐기를 시설하지 아니할 수 있다.

02 옥내에 시설하는 전동기에 과부하 보호장치의 시설을 생략할 수 없는 경우는?

① 정격출력이 0.75[kW]인 전동기

② 전동기의 구조나 부하의 성질로 보아 전동기가 소손할 수 있는 과전류가 생길 우려가 없는 경우

③ 전동기가 단상의 것으로 전원 측 전로에 시설하는 배선차단기의 정격전류가 20[A] 이하인 경우

④ 전동기가 단상의 것으로 전원 측 전로에 시설하는 과전류차단기의 정격전류가 16[A] 이하인 경우

> **해설**   KEC 212.6(저압전로 중의 개폐기 및 과전류차단장치의 시설)
> 과부하 보호장치를 생략하는 경우
> • 전동기를 운전 중 상시 취급자가 감시할 수 있는 위치에 시설
> • 전동기의 구조나 부하의 성질로 보아 전동기가 손상될 수 있는 과전류가 생길 우려가 없는 경우
> • 단상전동기로 전원 측 전로에 시설하는 과전류차단기의 정격전류가 16[A](배선차단기는 20[A]) 이하인 경우
> • 전동기 정격출력이 0.2[kW] 이하인 경우

03 금속관공사에 의한 저압 옥내배선 시설방법으로 틀린 것은?

① 전선은 절연전선일 것

② 전선은 연선일 것

③ 관의 두께는 콘크리트에 매설 시 1.2[mm] 이상일 것

④ 사용전압이 400[V] 초과인 관에는 접지공사를 생략할 수 있다.

> **해설** KEC 232.12(금속관공사)
> • 전선은 절연전선(옥외용 비닐절연전선을 제외한다)일 것
> • 연선일 것(단, 전선관이 짧거나 10[mm²] 이하(알루미늄은 16[mm²])일 때 예외)
> • 관의 두께 : 콘크리트에 매입하는 것은 1.2[mm] 이상(노출공사 1.0 [mm] 이상. 단, 길이 4[m]
>   이하이고 건조한 노출된 공사 : 0.5[mm] 이상)
> • 방폭형 부속품 : 전선관과의 접속 부분 나사는 5턱 이상 완전히 나사결합
> • 관의 끝 부분에는 전선의 피복을 손상하지 아니하도록 부싱을 사용할 것
> • 접지공사 생략(400[V] 이하)
> – 건조하고 총길이 4[m] 이하인 곳
> – 8[m] 이하, DC 300[V], AC 150[V] 이하인 사람 접촉이 없는 경우

04 금속관공사에 의한 저압 옥내배선의 방법으로 틀린 것은?

① 전선으로 연선을 사용하였다.

② 옥외용 비닐절연전선을 사용하였다.

③ 콘크리트에 매설하는 관은 두께 1.2[mm] 이상을 사용하였다.

④ 사용전압 400[V] 이하이고 관의 길이(2개 이상의 관을 접속하여 사용하는 경우에는 그
  전체의 길이를 말한다)가 4[m] 이하인 것을 건조한 장소에 시설하는 경우 접지공사를
  생략하였다.

> **해설** 3번 해설 참조

05 옥내배선의 사용전압이 220[V]인 경우 금속관공사의 기술기준으로 옳은 것은?

① 금속관과 접속 부분의 나사는 3턱 이상으로 나사결합을 하였다.
② 전선은 옥외용 비닐절연전선을 사용하였다.
③ 콘크리트에 매설하는 전선관의 두께는 1.0[mm]를 사용하였다.
④ 사용전압 400[V] 이하이고 관의 길이(2개 이상의 관을 접속하여 사용하는 경우에는 그 전체의 길이를 말한다)가 4[m] 이하인 것을 건조한 장소에 시설하는 경우 접지공사를 생략하였다.

> 해설 KEC 232.12(금속관공사)
> • 전선은 절연전선(옥외용 비닐절연전선을 제외한다)일 것
> • 연선일 것(단, 전선관이 짧거나 10[mm²] 이하(알루미늄은 16[mm²])일 때 예외)
> • 관의 두께 : 콘크리트에 매입하는 것은 1.2[mm] 이상(노출공사 1.0[mm] 이상. 단, 길이 4[m] 이하이고 건조한 노출된 공사 : 0.5[mm] 이상)
> • 방폭형 부속품 : 전선관과의 접속 부분 나사는 5턱 이상 완전히 나사결합
> • 관의 끝 부분에는 전선의 피복을 손상하지 아니하도록 부싱을 사용할 것
> • 접지공사 생략(400[V] 이하)
> − 건조하고 총길이 4[m] 이하인 곳
> − 8[m] 이하, DC 300[V], AC 150[V] 이하인 사람 접촉이 없는 경우

06 금속관공사에 대한 기준으로 틀린 것은?

① 저압 옥내배선에 사용하는 전선으로 옥외용 비닐절연전선을 사용하였다.
② 저압 옥내배선의 금속관 안에는 전선에 접속점이 없도록 하였다.
③ 콘크리트에 매설하는 금속관의 두께는 1.2[mm]를 사용하였다.
④ 저압 옥내배선의 사용접압이 400[V] 이하로 사용전압이 직류 300[V] 또는 교류 대지전압 150[V] 이하로서 그 전선을 넣는 관의 길이가 8[m] 이하인 것을 사람이 쉽게 접촉할 우려가 없도록 시설하는 경우 접지공사를 생략하였다.

> 해설 5번 해설 참조

07 금속덕트공사에 의한 저압 옥내배선공사 시설에 적합하지 않은 것은?

① 전선은 절연전선(옥외용 비닐절연전선을 제외)을 사용한다.

② 금속덕트에 넣은 전선의 단면적의 합계가 덕트의 내부 단면적의 20[%] 이하가 되도록 한다.

③ 금속덕트는 두께 1.0[mm] 이상인 철판으로 제작하고 덕트 상호 간에 완전하게 접속한다.

④ 덕트를 조영재에 붙이는 경우 덕트 지지점 간의 거리를 3[m] 이하로 견고하게 붙인다.

> **해설** KEC 232.31(금속덕트공사)
> • 전선은 절연전선(옥외용 비닐절연전선을 제외한다)일 것
> • 전선 단면적 : 덕트 내부 단면적의 20[%] 이하(제어회로 등 50[%] 이하)
> • 지지점 간의 거리 : 3[m] 이하(취급자 외 출입 없고 수직인 경우 : 6[m] 이하)
> • 폭 40[mm] 이상, 두께 1.2[mm] 이상인 철판 또는 동등 이상의 기계적 강도를 가지는 금속제의 것으로 제작한 것

08 플로어덕트공사에 의한 저압 옥내배선공사에 적합하지 않은 것은?

① 사용전압 400[V] 이하일 것

② 덕트의 끝 부분은 막을 것

③ 10[mm²] 이하의 단선일 것

④ 옥외용 비닐절연전선을 사용할 것

> **해설** KEC 232.32(플로어덕트공사)
> • 전선은 절연전선(옥외용 비닐절연전선을 제외)일 것
> • 점검할 수 없는 은폐장소(바닥)
> • 절연전선(연선) 10[mm²] 이하(알루미늄은 16[mm²])일 때 단선 사용 가능

09 금속몰드공사에 대한 설명으로 틀린 것은?

① 몰드에는 옥외용 비닐절연전선을 사용할 것
② 접속점을 쉽게 점검할 수 있도록 시설할 것
③ 황동제 또는 동제의 몰드는 폭이 5[cm] 이하, 두께 0.5[mm] 이상인 것일 것
④ 몰드 안의 전선을 외부로 인출하는 부분은 몰드의 관통 부분에서 전선이 손상될 우려가 없도록 시설할 것

> **해설** KEC 232.22(금속몰드공사)
> • 전선 : 절연전선(OW 제외)
> • 몰드 안에는 전선에 접속점이 없을 것
> • 폭 50[mm] 이하, 두께 0.5[mm] 이상

10 케이블공사에 의한 저압 옥내배선의 시설방법에 대한 설명으로 틀린 것은?

① 전선은 케이블 및 캡타이어케이블로 한다.
② 콘크리트 안에는 전선에 접속점을 만들지 아니한다.
③ 전선을 박스 또는 풀박스 안에 인입하는 경우는 물이 박스 또는 풀박스 안으로 침입하지 아니하도록 적당한 구조의 부싱 또는 이와 유사한 것을 사용할 것
④ 전선을 조영재의 옆면에 따라 붙이는 경우 전선의 지지점 간의 거리를 케이블은 3[m] 이하로 한다.

> **해설** KEC 232.51(케이블공사)
> • 전선은 케이블 및 캡타이어케이블일 것
> • 전선을 조영재의 아랫면 또는 옆면에 따라 붙이는 경우에는 전선의 지지점 간의 거리를 케이블은 2[m](사람이 접촉할 우려가 없는 곳에서 수직으로 붙이는 경우에는 6[m]) 이하, 캡타이어케이블은 1[m] 이하로 하고 또한 그 피복을 손상하지 아니하도록 붙일 것
> • 전선을 박스 또는 풀박스 안에 인입하는 경우는 물이 박스 또는 풀박스 안으로 침입하지 아니하도록 적당한 구조의 부싱 또는 이와 유사한 것을 사용할 것
> • 콘크리트 안에는 전선에 접속점을 만들지 아니할 것

11 케이블트레이의 시설에 대한 설명으로 틀린 것은?

① 안전율은 1.5 이상으로 하여야 한다.

② 비금속제 케이블트레이는 난연성 재료의 것이어야 한다.

③ 수평 트레이에 단심케이블을 설치 시 벽면과의 간격은 20[mm] 이상 이격하여 설치하여야 한다.

④ 수평 트레이에 단심케이블을 설치 시 벽면과의 간격은 30[mm] 이상 이격하여 설치하여야 한다.

> 해설   KEC 232.41(케이블트레이공사)
> - 전선은 연피케이블, 알루미늄피케이블 등 난연성 케이블을 사용한다.
> - 케이블트레이의 안전율은 1.5 이상일 것
> - 케이블트레이 안에서 전선접속하는 경우에는 그 부분을 절연처리해야 한다.
> - 금속제 케이블트레이의 종류 : 사다리형, 펀칭형, 메시형, 바닥밀폐형
> - 수평 트레이에 단심케이블
>   - 벽면과의 간격은 20[mm] 이상 이격하여 설치
>   - 트레이 간의 수직 간격은 300[mm] 이상으로 설치(3단 이하)

12 케이블트레이공사 적용 시 적합한 사항은?

① 난연성 케이블을 사용한다.

② 케이블트레이의 안전율은 2.0 이상으로 한다.

③ 케이블트레이 안에서 전선접속은 허용하지 않는다.

④ 수평트레이 시설 시 수직 간 이격거리는 200[mm] 이상 이격하여 설치하여야 한다.

> 해설   11번 해설 참조

13 케이블트레이공사에 사용하는 케이블트레이의 시설기준으로 틀린 것은?

① 케이블트레이 안전율은 1.3 이상이어야 한다.

② 비금속제 케이블트레이는 난연성 재료의 것이어야 한다.

③ 전선의 피복 등을 손상시킬 돌기 등이 없이 매끈해야 한다.

④ 단심 수평 트레이 시설 시 3단 이하로 시설하여야 한다.

> **해설** KEC 232.41(케이블트레이공사)
> - 전선은 연피케이블, 알루미늄피케이블 등 난연성 케이블을 사용한다.
> - 케이블트레이의 안전율은 1.5 이상일 것
> - 케이블트레이 안에서 전선접속하는 경우에는 그 부분을 절연처리해야 한다.
> - 금속제 케이블트레이의 종류 : 사다리형, 펀칭형, 메시형, 바닥밀폐형
> - 수평 트레이에 단심케이블
>   - 벽면과의 간격은 20[mm] 이상 이격하여 설치
>   - 트레이 간의 수직 간격은 300[mm] 이상으로 설치(3단 이하)

14 배선설비 적용 시 병렬접속인 경우 절연물의 허용온도에 적합하도록 부하전류를 배분하는 데 특별히 주의해야 한다. 적절한 전류분배를 할 수 없거나 몇 가닥 이상의 도체를 병렬로 접속하는 경우에는 버스바트렁킹시스템의 사용을 고려하여야 하는가?

① 3   ② 4

③ 5   ④ 6

> **해설** KEC 232.3(배선설비 적용 시 고려사항)
> 절연물의 허용온도에 적합하도록 부하전류를 배분하는 데 특별히 주의한다. 적절한 전류분배를 할 수 없거나 4가닥 이상의 도체를 병렬로 접속하는 경우에는 버스바트렁킹시스템의 사용을 고려한다.

15 전기적 접속방법의 고려해야 할 사항에 속하지 않는 것은?

① 도체와 절연재료
② 도체를 구성하는 소선의 가닥수와 형상
③ 도체의 단면적
④ 도체의 허용전류

해설 KEC 232.3(배선설비 적용 시 고려사항)
전기적 접속방법은 다음 사항을 고려하여 선정한다.
• 도체와 절연재료
• 도체를 구성하는 소선의 가닥수와 형상
• 도체의 단면적
• 함께 접속되는 도체의 수

16 저압 옥내배선이 다른 저압 옥내배선 또는 관등회로의 배선과 접근하거나 교차하는 경우의 이격거리는 얼마 이상으로 이격하여야 하는가?

① 0.1[m]   ② 0.2[m]
③ 0.3[m]   ④ 0.4[m]

해설 KEC 232.3(배선설비 적용 시 고려사항)
배선설비와 다른 공급설비와의 접근
저압 옥내배선이 다른 저압 옥내배선 또는 관등회로의 배선과 접근하거나 교차하는 경우에 애자공사에 의하여 시설하는 저압 옥내배선과 다른 저압 옥내배선 또는 관등회로의 배선 사이의 이격거리는 0.1[m](애자공사에 의하여 시설하는 저압 옥내배선이 나전선인 경우에는 0.3[m]) 이상이어야 한다.

17 다음 중 케이블트렁킹시스템이 아닌 것은?

① 합성수지몰드공사 ② 금속몰드공사
③ 금속관공사 ④ 금속트렁킹공사

해설 KEC 232.2(배선설비공사의 종류)

종 류	공사방법
전선관시스템	합성수지관공사, 금속관공사, 가요전선관공사
케이블트렁킹시스템	합성수지몰드공사, 금속몰드공사, 금속트렁킹공사[a]
케이블덕팅시스템	플로어덕트공사, 셀룰러덕트공사, 금속덕트공사[b]
애자공사	애자공사
케이블트레이시스템(래더, 브래킷 포함)	케이블트레이공사
케이블공사	고정하지 않는 방법, 직접 고정하는 방법, 지지선 방법

• a : 금속본체와 커버가 별도로 구성되어 커버를 개폐할 수 있는 금속덕트공사를 말한다.
• b : 본체와 커버 구분없이 하나로 구성된 금속덕트공사를 말한다.

18 다음 중 전선관시스템이 아닌 것은?

① 합성수지관공사 ② 금속관공사
③ 플로어덕트공사 ④ 가요전선관공사

해설 17번 해설 참조

19 저압으로 수전하는 경우 수용가 설비의 인입구로부터 조명기기까지의 전압강하는 얼마 이하이어야 하는가?

① 2[%] ② 3[%]
③ 4[%] ④ 5[%]

해설 KEC 232.3(배선설비 적용 시 고려사항)
수용가 설비에서의 전압강하

설비의 유형	조명[%]	기타[%]
저압으로 수전하는 경우	3	5
고압 이상으로 수전하는 경우	6	8

20 배선설비의 선정과 설치에 고려해야 할 외부영향이 아닌 것은?

① 주위온도

② 외부 열원

③ 물의 존재(AD) 또는 높은 습도(AB)

④ 기기의 자기적 차폐

> 해설 KEC 232.4(배선설비의 선정과 설치에 고려해야 할 외부영향)
> • 주위온도
> • 외부 열원
> • 물의 존재(AD) 또는 높은 습도(AB)
> • 침입고형물의 존재(AE)
> • 부식 또는 오염 물질의 존재(AF)
> • 충격(AG)
> • 진동(AH)
> • 그 밖의 기계적 응력(AJ)
> • 식물과 곰팡이의 존재(AK)
> • 동물의 존재(AL)
> • 태양 방사(AN) 및 자외선 방사
> • 지진의 영향(AP)
> • 바람(AR)
> • 가공 또는 보관된 자재의 특성(BE)
> • 건축물의 설계(CB)

21 교류회로 선도체와 직류회로 충전용 도체의 전력과 조명회로에 사용한 구리선의 최소 단면적은 얼마 이상이어야 하는가?

① $1.5[\text{mm}^2]$　　　　　　　② $2.5[\text{mm}^2]$

③ $4[\text{mm}^2]$　　　　　　　　④ $10[\text{mm}^2]$

> 해설 KEC 231.3(저압 옥내배선의 사용전선 및 중성선의 굵기)
> 저압 옥내배선의 사용전선
> • 전선의 굵기는 $2.5[\text{mm}^2]$ 이상 연동선
> [예외사항]
> 400[V] 이하인 경우 다음에 의하여 시설할 수 있다.
> • 전광표시장치, 제어회로 : $1.5[\text{mm}^2]$ 이상의 연동선
> • 과전류차단장치 시설 : $0.75[\text{mm}^2]$ 이상의 캡타이어케이블
> • 진열장 : $0.75[\text{mm}^2]$ 이상의 코드, 캡타이어케이블

22 교류회로 선도체와 직류회로 충전용 도체의 신호와 제어회로에 사용한 구리선을 사용한 절연 전선의 최소 단면적은 얼마 이상이어야 하는가?

① 2.5[mm^2] ② 4[mm^2]
③ 10[mm^2] ④ 1.5[mm^2]

해설 KEC 231.3(저압 옥내배선의 사용전선 및 중성선의 굵기)
저압 옥내배선의 사용전선
• 전선의 굵기는 2.5[mm^2] 이상 연동선
[예외사항]
400[V] 이하인 경우 다음에 의하여 시설할 수 있다.
• 전광표시장치, 제어회로 : 1.5[mm^2] 이상의 연동선
• 과전류차단장치 시설 : 0.75[mm^2] 이상의 캡타이어케이블
• 진열장 : 0.75[mm^2] 이상의 코드, 캡타이어케이블

23 구리선도체인 경우 단면적 얼마 이하 시 다상회로인 경우 중성선 단면적 ≥ 선도체 단면적인 규정에 적합한가?

① 4[mm^2] ② 10[mm^2]
③ 16[mm^2] ④ 25[mm^2]

해설 KEC 231.3(저압 옥내배선의 사용전선 및 중성선의 굵기)
중성선의 단면적은 최소한 선도체의 단면적 이상이어야 하는 경우
• 2선식 단상회로
• 선도체의 단면적이 구리선 16[mm^2], 알루미늄선 25[mm^2] 이하인 다상 회로
• 제3고조파 및 제3고조파의 홀수 배수의 고조파 전류가 흐를 가능성이 높고 전류 종합고조파왜형률 이 15~33[%]인 3상 회로

24 옥내에 시설하는 저압 접촉전선을 애자공사 시 최소 높이는?

① 2.5[m] 이상   ② 3[m] 이상

③ 3.5[m] 이상   ④ 4[m] 이상

> **해설**   KEC 232.81(옥내에 시설하는 저압 접촉전선 배선)
>
> 저압 접촉전선을 애자공사에 의하여 옥내의 전개된 장소에 시설하는 경우
> - 전선의 바닥에서의 높이는 3.5[m] 이상으로 하고 또한 사람이 접촉할 우려가 없도록 시설할 것(단, 전선의 최대사용전압이 60[V] 이하이고 또한 건조한 장소에 시설하는 경우로서 사람이 쉽게 접촉할 우려가 없도록 시설하는 경우 예외)
> - 전선은 인장강도 11.2[kN] 이상의 것 또는 지름 6[mm]의 경동선으로 단면적이 28[mm²] 이상인 것일 것(단, 사용전압이 400[V] 이하인 경우에는 인장강도 3.44[kN] 이상의 것 또는 지름 3.2[mm] 이상의 경동선으로 단면적이 8[mm²] 이상인 것을 사용)
> - 전선의 지지점 간의 거리는 6[m] 이하일 것(단, 전선에 구부리기 어려운 도체를 사용하는 경우 이외에는 전선 상호 간의 거리를, 전선을 수평으로 배열하는 경우에는 0.28[m] 이상, 기타의 경우에는 0.4[m] 이상으로 하는 때에는 12[m] 이하)
> - 전선 상호 간의 간격은 전선을 수평으로 배열하는 경우에는 0.14[m] 이상, 기타의 경우에는 0.2[m] 이상

25 등기구 설치 시 고려해야 하는 사항이 아닌 것은?

① 시동전류

② 고조파전류

③ 보 상

④ 허용전류

> **해설**   KEC 234.1(등기구의 시설)
>
> 등기구 설치 시 고려사항
> - 시동전류
> - 고조파전류
> - 보 상
> - 누설전류
> - 최초 점화전류
> - 전압강하

26 열영향에 대한 주변의 보호를 위해 등기구의 주변에 발광과 대류에너지의 열영향에 대해 고려 해야 하는 사항이 아닌 것은?

① 램프의 최대 허용소모전력
② 인접 물질의 내열성
③ 등기구 관련 표시
④ 가연성 재료로부터 100[W] 이하인 경우 0.8[m] 이상 이격

> **해설** KEC 234.1(등기구의 시설)
> 열영향에 대한 주변의 보호
> 등기구의 주변에 발광과 대류에너지의 열영향은 다음을 고려하여 선정 및 설치
> • 램프의 최대 허용소모전력
> • 인접 물질의 내열성
> − 설치 지점
> − 열영향이 미치는 구역
> • 등기구 관련 표시
> • 가연성 재료로부터 적절한 간격을 유지하여야 하며, 제작자에 의해 다른 정보가 주어지지 않으면, 스포트라이트나 프로젝터는 모든 방향에서 가연성 재료로부터 다음의 최소 거리를 두고 설치
>
> | 정격용량 | 최소거리 |
> |---|---|
> | 100[W] 이하 | 0.5[m] |
> | 100[W] 초과 300[W] 이하 | 0.8[m] |
> | 300[W] 초과 500[W] 이하 | 1.0[m] |
> | 500[W] 초과 | 1.0[m] 초과 |

27 옥내의 네온방전등공사에 대한 설명으로 틀린 것은?

① 방전등용 변압기는 네온변압기일 것
② 관등회로의 배선은 점검할 수 없는 은폐장소에 시설할 것
③ 관등회로의 배선은 애자공사에 의하여 시설할 것
④ 전선 상호 간의 간격은 60[mm] 이상일 것

> **해설** KEC 234.12(네온방전등)
> 관등회로의 배선은 애자공사에 의하여 시설하고 또한 다음에 의할 것
> • 전선의 지지점 간의 거리는 1[m] 이하일 것
> • 전선 상호 간의 이격거리는 60[mm] 이상일 것
> • 전선은 네온관용 전선을 사용할 것
> • 전선은 조영재의 옆면 또는 아랫면에 붙일 것
> • 배선은 외상을 받을 우려가 없고 사람이 접촉될 우려가 없는 노출장소에 시설할 것

5. 특수장소의 저압 옥내배선

(1) 특수장소의 저압 옥내배선

종 류		특 징
폭연성 분진 KEC 242.2	금속관공사	• 박강전선관 이상, 패킹 사용, 분진방폭형 유연성 부속 • 관 상호 및 관과 박스 등은 5턱 이상의 나사 조임 접속
	케이블공사	• 개장된 케이블, MI • 이동전선 : 고무절연 클로로프렌캡타이어케이블
가연성 분진 KEC 242.2	금속관공사	폭연성 분진에 준함
	케이블공사	
	합성수지관공사	부식 방지, 먼지 침투 방지, 두께 2[mm] 이상
가연성 가스 KEC 242.3	금속관공사	폭연성 분진에 준함
	케이블공사	
	전기기계기구 : 내압, 유압 방폭구조 또는 다른 성능의 방폭구조일 것	
위험물/석유류 KEC 242.4	• 개폐기, 차단기로부터 저장소까지는 케이블 사용 • 전열기구 이외의 전기기구는 전폐형일 것	
화약류 저장소 KEC 242.5	• 개폐기, 차단기로부터 저장소까지는 케이블 사용 • 전로의 대지전압 300[V] 이하일 것 • 전기기계기구는 전폐형일 것 • 전용의 과전류 개폐기 및 과전류차단기는 화약류 저장소 이외의 곳에 시설하고 누전차단기·누전경보기를 시설하여야 한다.	
전시회, 쇼 및 공연장 KEC 242.6	• 사용전압 : 400[V] 이하 • 배선용 케이블 : 1.5[mm²] • 무대마루 밑 전구선 : 300/300[V] 편조 고무코드, 0.6/1[kV] EP 고무절연 클로로프렌캡타이어케이블 • 이동전선 : 0.6/1[kV] EP 고무절연 클로로프렌캡타이어케이블, 0.6/1[kV] 비닐절연 비닐캡타이어케이블 • 조명설비 : 높이 2.5[m] 이하 • 저압발전장치의 접지 　– 중성선 또는 발전기의 중성점은 발전기의 노출도전부에 접속시키지 말 것 　– TN계통 : 보호도체를 이용하여 발전기에 접속 • 개폐기 및 과전류 차단기 시설 : 조명용 분기회로 및 정격 32[A] 이하의 콘센트용 분기회로는 정격감도전류 30[mA] 이하의 누전차단기로 보호(비상조명 제외)	
진열장 KEC 234.8	• 사용전압이 400[V] 이하일 것 • 0.75[mm²] 이상의 코드 또는 캡타이어케이블	
저압 접촉전선 배선 KEC 232.81	• 전개된 장소 또는 점검할 수 있는 은폐된 장소(기계기구에 시설하는 경우 이외) : 애자공사, 버스덕트공사, 절연트롤리공사 • 전선의 바닥에서의 높이는 3.5[m] 이상 • 전선은 11.2[kN], 지름 6[mm] 경동선(단면적이 28[mm²] 이상)(단, 400[V] 이하 : 3.44[kN], 지름 3.2[mm] 경동선(단면적 8[mm²] 이상))	

종 류	특 징
의료장소 KEC 242.10	• 비단락보증 절연변압기 : 2차 전압 교류 250[V] 이하, 단상 2선식, 10[kVA] 이하 • 의료장소 및 접지계통

		접지계통	의료장소
	그룹 0	TT 또는 TN계통	진찰실, 일반병실, 검사실, 처치실, 재활치료실 등 장착부를 사용하지 않는 의료장소
	그룹 1	TT 또는 TN계통 다만, 전원자동차단에 의한 보호가 의료행위에 중대한 지장을 초래할 우려가 있는 의료용 전기기기를 사용하는 회로에는 의료 IT를 적용할 수 있다.	분만실, X선 검사실, MRI실, 회복실, 구급처치실, 인공투석실, 내시경실 등 장착부를 환자의 신체 외부 또는 심장 부위를 제외한 환자의 신체 내부에 삽입시켜 사용하는 의료장소
	그룹 2	의료 IT계통 다만, 이동식 X-레이 장치, 정격출력이 5[kVA] 이상인 대형 기기, 생명유지 장치가 아닌 일반 의료용 전기기기 회로 등에는 TT 또는 TN계통을 적용할 수 있다.	관상동맥질환 처치실, 심혈관조영실, 중환자실, 수술실, 마취실, 회복실 등 장착부를 환자의 심장 부위에 삽입 또는 접촉시켜 사용하는 의료장소

의료장소 KEC 242.10	※ 의료장소에 TN계통을 적용할 때에는 주배전반 이후의 부하 계통에는 TN-C계통으로 시설하지 말 것 • 의료장소 내의 비상전원 - 절환시간 0.5초 이내에 비상전원을 공급하는 장치 또는 기기 : 수술실 등 - 절환시간 15초 이내에 비상전원을 공급하는 장치 또는 기기 - 절환시간 15초를 초과하여 비상전원을 공급하는 장치 또는 기기
이동식 숙박차량 정박지, 야영지 및 이와 유사한 장소 KEC 242.8	• 표준전압 : 220/380[V] 이하 • 정박지 전원배선 : 지중케이블, 가공케이블, 가공절연전선 • 가공전선의 높이 : 이동지역에서 지표상 6[m](그 외 지역에서는 4[m]) • 고장보호장치 - 콘센트는 정격감도전류가 30[mA] 이하인 누전차단기에 의하여 개별적으로 보호 시설 - 과전류에 대한 보호장치 : 모든 콘센트는 과전류에 대한 보호 규정 • 콘센트 - 정격전압 200 ~ 250[V], 정격전류 16[A] 단상 콘센트 - 설치 높이 : 0.5 ~ 1.5[m]
마리나 및 이와 유사한 장소 KEC 242.9	• 놀이용 수상 기계기구 또는 선상가옥에 전원을 공급하는 회로 • TN계통의 사용 시 TN-S계통만을 사용 • 육상의 절연변압기를 통하여 보호하는 경우를 제외하고 누전차단기를 사용 • 표준전압 : 220/380[V] 이하 • 하나의 콘센트는 하나의 놀이용 수상 기계기구 또는 하나의 선상가옥에만 전원을 공급 • 정격전압 : 200 ~ 250[V], 정격전류 16[A] 단상 콘센트 • 마리나 내의 배선 : 지중케이블, 가공케이블, 가공절연전선, 무기질 절연케이블, 열가소성 또는 탄성재료 피복의 외장케이블

(2) 특수시설

종 류	특 징
전기울타리 KEC 241.1	• 사용전압 : 250[V] 이하 • 전선 굵기 : 1.38[kN], 2.0[mm] 이상 경동선 • 이격거리 : 전선과 기둥 사이(25[mm] 이상), 전선과 수목 사이(0.3[m] 이상)
유희용 전차 KEC 241.8	• 사용전압 AC : 40[V] 이하, DC : 60[V] 이하 • 접촉전선은 제3레일 방식으로 시설 • 누설전류 : AC 100[mA/km], $\dfrac{\text{최대공급전류}}{5,000}$ 이하 • 변압기의 1차 전압은 400[V] 이하일 것 • 전차 내 승압 시 2차 전압 150[V] 이하
전격살충기 KEC 241.7	• 지표상 높이 : 3.5[m] 이상(단, 2차 측 전압이 7[kV] 이하 – 보호격자, 자동차단장치 시설 시 1.8[m]) • 장치와 식물(공작물)과 이격거리 : 0.3[m] 이상
교통신호등 KEC 234.15	• 사용전압 : 300[V] 이하(단, 150[V] 초과 시 누전차단기 시설) • 공칭단면적 2.5[mm²] 연동선, 450/750[V] 일반용 단심 비닐절연전선(내열성 에틸렌아세 테이트 고무절연전선) • 전선의 지표상의 높이는 2.5[m] 이상일 것 • 전원 측에는 전용 개폐기 및 과전류차단기를 각 극에 시설 • 조가용선 4[mm] 이상의 철선 2가닥
전기온상 KEC 241.5	• 대지전압 : 300[V] 이하, 발열선 온도 : 80[℃]를 넘지 않도록 시설 • 발열선의 지지점 간 거리는 1.0[m] 이하 • 발열선과 조영재 사이의 이격거리 0.025[m] 이상
전극식 온천온수기 KEC 241.4	• 온천온수기 사용전압 : 400[V] 이하 • 차폐장치와 온천온수기 이격거리 : 0.5[m] 이상(차폐장치와 욕탕 사이 이격거리 1.5[m] 이상)
전기욕기 KEC 241.2	• 변압기의 2차 측 전로의 사용전압이 10[V] 이하(유도코일 파고값 30[V] 이하) • 전극 간의 이격거리 : 1[m] 이상 • 절연저항 : 0.5[MΩ] 이상 ※ 은이온 살균장치
전기부식방지 KEC 241.16	• 전기부식방지회로의 사용전압은 직류 60[V] 이하일 것 • 지중에 매설하는 양극의 매설깊이는 0.75[m] 이상일 것 • 양극과 그 주위 1[m] 이내의 거리에 있는 임의점과의 사이의 전위차는 10[V]를 넘지 아니 할 것 • 지표 또는 수중에서 1[m] 간격의 임의의 2점 간의 전위차가 5[V]를 넘지 아니할 것

수중조명등
KEC 234.14
	• 1차 전압 : 400[V] 이하
	• 2차 전압 : 150[V] 이하(2차 측을 비접지식)
	  – 30[V] 이하 : 금속제 혼촉방지판 설치
	  – 30[V] 초과 : 전로에 지락이 생겼을 때에 자동적으로 전로를 차단하는 장치(정격감도전
	    류 30[mA] 이하)

옥외등 KEC 234.9	• 대지전압 : 300[V] 이하 • 공사방법 : 애자공사 시 2[m] 이상, 금속관, 합성수지관, 케이블공사
전기자동차 전원설비 KEC 241.17	• 전기자동차 전원공급설비로 접지극이 있는 콘센트를 사용하여 접지 • 충전장치 시설 • 충전 케이블 및 부속품 시설 • 충전장치 등의 방호장치 시설

종류	특징		
비행장 등화배선 KEC 241.13	• 직매식에 의한 매설깊이(항공기 이동지역) : 0.5[m](그 외 0.75[m]) 이상 • 전선 : 공칭단면적 4[mm²] 이상의 연동선을 사용한 450/750[V] 일반용 단심 비닐절연전선 또는 450/750[V] 내열성 에틸렌아세테이트 고무절연전선		
소세력회로 KEC 241.14	• 전자개폐기 조작회로, 초인벨, 경보벨 등, 최대사용전압 60[V] 이하 전로 • 절연변압기 사용 : 1차 전압(300[V] 이하), 2차 전압(60[V] 이하) • 절연변압기 2차 단락전류		

최대사용전압	2차 단락전류	과전류차단기 정격전류
15[V] 이하	8[A] 이하	5[A] 이하
15[V] 초과 30[V] 이하	5[A] 이하	3[A] 이하
30[V] 초과 60[V] 이하	3[A] 이하	1.5[A] 이하

	특징
소세력회로 KEC 241.14	• 전선 굵기 : 1[mm²] 이상 연동선 사용(단, 케이블 사용 시 제외, 가공으로 시설 시 1.2[mm] 이상, 지지점거리 15[m] 이하로 사용)
전기집진장치 KEC 241.9	• 변압기의 1차 측 전로에는 쉽게 개폐할 수 있는 곳에 개폐기를 시설 • 변압기로부터 전기집진응용장치에 이르는 전선은 케이블을 사용
아크용접기 KEC 241.10	절연변압기 : 1차 전압 300[V] 이하

X선 발생장치 KEC 241.6	구 분	100[kV] 이하	100[kV] 초과
	전선 높이	2.5[m]	2.5 + 단수 × 0.02[m]
	전선 – 조영재 이격거리	0.3[m]	0.3 + 단수 × 0.02[m]
	전선 – 전선 상호 간격	0.45[m]	0.45 + 단수 × 0.03[m]
	단수 = 100[kV] 초과분 / 10[kV], 반드시 절상		

엘리베이터 · 덤웨이터 등 KEC 242.11	• 사용전압 400[V] 이하 • 리프트케이블 또는 고무리프트케이블을 사용

핵 / 심 / 예 / 제

01 화약류 저장소에 전기설비를 시설할 때의 사항으로 틀린 것은? [2016년 3회 산업기사]

① 전로의 대지전압이 400[V] 이하이어야 한다.

② 개폐기 및 과전류차단기는 화약류 저장소 밖에 둔다.

③ 옥내배선은 금속관배선 또는 케이블배선에 의하여 시설한다.

④ 과전류차단기에서 저장소 인입구까지의 배선에는 케이블을 사용한다.

> **해설** KEC 242.5(화약류 저장소에서 전기설비의 시설)
> • 전로에 대지전압은 300[V] 이하일 것
> • 전기기계기구는 전폐형
> • 전용 개폐기 및 과전류차단기는 화약류 저장소 밖에 설치할 것
> • 취급자 이외의 자가 쉽게 조작할 수 없도록 시설
> • 개폐기 또는 과전류차단기에서 화약류 저장소의 인입구까지의 배선은 케이블을 사용할 것

02 전용 개폐기 또는 과전류차단기에서 화약류 저장소의 인입구까지의 배선은 어떻게 시설하는 가? [2019년 3회 산업기사]

① 애자사용공사에 의하여 시설한다.

② 케이블을 사용하여 지중으로 시설한다.

③ 케이블을 사용하여 가공으로 시설한다.

④ 합성수지관공사에 의하여 가공으로 시설한다.

> **해설** 1번 해설 참조

03 폭연성 분진 또는 화약류의 분말이 전기설비가 발화원이 되어 폭발할 우려가 있는 곳에 시설하는 저압 옥내배선의 공사방법으로 옳은 것은? [2018년 3회 산업기사 / 2022년 2회 기사]

① 금속관공사　　　　　　　　　② 애자사용공사

③ 합성수지관공사　　　　　　　④ 캡타이어케이블공사

> **해설** KEC 242.2(분진 위험장소)
>
> | 금속관공사 | • 박강전선관 이상, 패킹 사용, 분진방폭형 유연성 부속
• 관 상호 및 관과 박스 등은 5턱 이상의 나사 조임 접속 |
> |---|---|
> | 케이블공사 | 개장된 케이블 또는 미네럴인슈레이션케이블을 사용하는 경우 이외에는 관 기타의 방호 장치에 넣어 사용할 것 |

04 폭연성 분진 또는 화약류의 분말이 존재하는 곳의 저압 옥내배선은 어느 공사에 의하는가?

[2019년 3회 기사]

① 금속관공사   ② 애자사용공사

③ 합성수지관공사   ④ 캡타이어케이블공사

해설   KEC 242.2(분진 위험장소)

금속관공사	• 박강전선관 이상, 패킹 사용, 분진방폭형 유연성 부속 • 관 상호 및 관과 박스 등은 5턱 이상의 나사 조임 접속
케이블공사	개장된 케이블 또는 미네럴인슈레이션케이블을 사용하는 경우 이외에는 관 기타의 방호 장치에 넣어 사용할 것

05 폭연성 분진이 많은 장소의 저압 옥내배선에 적합한 배선공사방법은?   [2020년 3회 산업기사]

① 금속관공사   ② 애자사용공사

③ 합성수지관공사   ④ 가요전선관공사

해설   4번 해설 참조

06 석유류를 저장하는 장소의 전등배선에 사용하지 않는 공사방법은?   [2019년 1회 기사]

① 케이블공사   ② 금속관공사

③ 애자사용공사   ④ 합성수지관공사

해설   KEC 242.4(위험물 등이 존재하는 장소)

금속관공사	폭연성 분진에 준함
케이블공사	
합성수지관공사	부식 방지, 먼지 침투 방지

07 폭연성 분진 또는 화약류의 분말이 전기설비가 발화원이 되어 폭발할 우려가 있는 곳에 시설하는 저압 옥내 전기설비를 케이블공사로 할 경우 관이나 방호장치에 넣지 않고 노출로 설치할 수 있는 케이블은? [2017년 2회 산업기사]

① 미네럴인슈레이션케이블
② 고무절연 비닐시스케이블
③ 폴리에틸렌절연 비닐시스케이블
④ 폴리에틸렌절연 폴리에틸렌시스케이블

> **해설** KEC 242.2(분진 위험장소)
> 전선은 개장된 케이블 또는 미네럴인슈레이션케이블을 사용하는 경우 이외에는 관 기타의 방호장치에 넣어 사용할 것

08 무대, 무대마루 밑, 오케스트라 박스, 영사실 기타 사람이나 무대 도구가 접촉할 우려가 있는 곳에 시설하는 저압 옥내배선·전구선 또는 이동전선은 사용전압이 몇 [V] 이하이어야 하는가? [2013년 2회 기사 / 2017년 1회 산업기사 / 2018년 1회 기사]

① 60 ② 110
③ 220 ④ 400

> **해설** KEC 242.6(전시회, 쇼 및 공연장의 전기설비)
> • 무대, 오케스트라 박스, 영사실 등 사람의 접촉 : 400[V] 이하
> • 무대 밑 전구선 : 300/300[V] 편조 고무코드, 0.6/1[kV] EP 고무절연 클로로프렌캡타이어케이블

09 사용전압이 440[V]인 이동기중기용 접촉전선을 애자사용공사에 의하여 옥내의 전개된 장소에 시설하는 경우 사용하는 전선으로 옳은 것은? [2020년 3회 기사]

① 인장강도가 3.44[kN] 이상인 것 또는 지름 2.6[mm]의 경동선으로 단면적이 8[mm^2] 이상인 것

② 인장강도가 3.44[kN] 이상인 것 또는 지름 3.2[mm]의 경동선으로 단면적이 18[mm^2] 이상인 것

③ 인장강도가 11.2[kN] 이상인 것 또는 지름 6[mm]의 경동선으로 단면적이 28[mm^2] 이상인 것

④ 인장강도가 11.2[kN] 이상인 것 또는 지름 8[mm]의 경동선으로 단면적이 18[mm^2] 이상인 것

> **해설** KEC 232.81(옥내에 시설하는 저압 접촉전선 배선)
> 저압 접촉전선을 애자공사에 의하여 옥내의 전개된 장소에 시설하는 경우
> • 전선의 바닥에서의 높이는 3.5[m] 이상
> • 전선과 건조물 또는 주행 크레인에 설치한 보도·계단·사다리·점검대이거나 이와 유사한 것 사이의 이격거리는 위쪽 2.3[m] 이상, 옆쪽 1.2[m] 이상으로 할 것
> • 전선은 인장강도 11.2[kN] 이상의 것 또는 지름 6[mm]의 경동선으로 단면적이 28[mm^2] 이상인 것일 것(단, 사용전압이 400[V] 이하인 경우에는 인장강도 3.44[kN] 이상의 것 또는 지름 3.2[mm] 이상의 경동선으로 단면적이 8[mm^2] 이상인 것을 사용)
> • 전선은 각 지지점에 견고하게 고정시켜 시설하는 것 이외에는 양쪽 끝을 장력에 견디는 애자 장치에 의하여 견고하게 인류할 것
> • 전선의 지지점 간의 거리는 6[m] 이하일 것(단, 전선에 구부리기 어려운 도체를 사용하는 경우 이외에는 전선 상호 간의 거리를, 전선을 수평으로 배열하는 경우에는 0.28[m] 이상, 기타의 경우에는 0.4[m] 이상으로 하는 때에는 12[m] 이하로 할 수 있다)
> • 전선 상호 간의 간격은 전선을 수평으로 배열하는 경우에는 0.14[m] 이상, 기타의 경우에는 0.2[m] 이상일 것

10 전기울타리의 시설에 사용되는 전선은 지름 몇 [mm] 이상의 경동선인가? [2016년 2회 기사]

① 2.0   ② 2.6   ③ 3.2   ④ 4.0

> **해설** KEC 241.1(전기울타리)
> • 사용전압 : 250[V] 이하
> • 전선 굵기 : 인장강도 1.38[kN], 지름 2.0[mm] 이상 경동선
> • 이격거리
>   – 전선과 기둥 사이 : 25[mm] 이상
>   – 전선과 수목 사이 : 0.3[m] 이상

11 전기울타리용 전원 장치에 전기를 공급하는 전로의 사용전압은 몇 [V] 이하이어야 하는가?

[2018년 2회 기사]

① 150　　　　　② 200　　　　　③ 250　　　　　④ 300

해설　KEC 241.1(전기울타리)
- 사용전압 : 250[V] 이하
- 전선 굵기 : 인장강도 1.38[kN], 지름 2.0[mm] 이상 경동선
- 이격거리
  - 전선과 기둥 사이 : 25[mm] 이상
  - 전선과 수목 사이 : 0.3[m] 이상

12 목장에서 가축의 탈출을 방지하기 위하여 전기울타리를 시설하는 경우 전선은 인장강도가 몇 [kN] 이상의 것이어야 하는가?

[2020년 4회 기사]

① 1.38　　　　　② 2.78　　　　　③ 4.43　　　　　④ 5.93

해설　11번 해설 참조

13 어느 유원지의 어린이 놀이기구인 유희용 전차에 전기를 공급하는 전로의 사용전압은 교류인 경우 몇 [V] 이하이어야 하는가?

[2020년 1, 2회 기사]

① 20　　　　　② 40　　　　　③ 60　　　　　④ 100

해설　KEC 241.8(유희용 전차)
- 사용전압 AC : 40[V] 이하, DC : 60[V] 이하
- 접촉전선은 제3레일 방식으로 시설
- 누설전류 : AC 100[mA/km], $\dfrac{\text{최대공급전류}}{5,000}$ 이하
- 변압기의 1차 전압은 400[V] 이하일 것
- 변압기의 2차 전압은 150[V] 이하일 것

11 ③　12 ①　13 ②　정답

14 괄호 안에 들어갈 내용으로 옳은 것은? [2018년 2회 기사]

유희용 전차에 전기를 공급하는 전로의 사용전압은 직류의 경우는 (Ⓐ)[V] 이하, 교류의 경우는 (Ⓑ)[V] 이하이어야 한다.

① Ⓐ 60, Ⓑ 40   ② Ⓐ 40, Ⓑ 60

③ Ⓐ 30, Ⓑ 60   ④ Ⓐ 60, Ⓑ 30

해설 KEC 241.8(유희용 전차)
- 사용전압 AC : 40[V] 이하, DC : 60[V] 이하
- 접촉전선은 제3레일 방식으로 시설
- 누설전류 : AC 100[mA/km], $\dfrac{최대공급전류}{5,000}$ 이하
- 변압기의 1차 전압은 400[V] 이하일 것
- 변압기의 2차 전압은 150[V] 이하일 것

15 전격살충기의 전격격자는 지표 또는 바닥에서 몇 [m] 이상의 높은 곳에 시설하여야 하는가?

[2021년 1회 기사]

① 1.5   ② 2

③ 2.8   ④ 3.5

해설 KEC 241.7(전격살충기)
- 지표상 높이 : 3.5[m] 이상(단, 2차 측 전압이 7[kV] 이하 : 1.8[m])
- 장치와 식물(공작물)과 이격거리 : 0.3[m] 이상

16 **전격살충기의 시설방법으로 틀린 것은?** [2018년 3회 산업기사]

① 전기용품 및 생활용품 안전관리법의 적용을 받은 것을 설치한다.

② 전용개폐기를 가까운 곳에 쉽게 개폐할 수 있게 시설한다.

③ 전격격자가 지표상 3.5[m] 이상의 높이가 되도록 시설한다.

④ 전격격자와 다른 시설물 사이의 이격거리는 50[cm] 이상으로 한다.

> 해설 KEC 241.7(전격살충기)
> • 지표상 높이 : 3.5[m] 이상(단, 2차 측 전압이 7[kV] 이하 : 1.8[m])
> • 장치와 식물(공작물)과 이격거리 : 0.3[m] 이상

17 **교통신호등의 시설기준에 관한 내용으로 틀린 것은?** [2020년 1, 2회 산업기사]

① 제어장치의 금속제 외함에는 접지공사를 한다.

② 교통신호등회로의 사용전압은 300[V] 이하로 한다.

③ 교통신호등회로의 인하선은 지표상 2[m] 이상으로 시설한다.

④ LED를 광원으로 사용하는 교통신호등의 설치는 KS C 7528 "LED 교통신호등"에 적합한
    것을 사용한다.

> 해설 KEC 234.15(교통신호등)
> • 사용전압 : 300[V] 이하(단, 150[V] 초과 시 누전차단기 시설)
> • 공칭단면적 2.5[mm^2] 연동선, 450/750[V] 일반용 단심 비닐절연전선(내열성 에틸렌아세테이트
>   고무절연전선)
> • 인하선의 지표상의 높이는 2.5[m] 이상일 것
> • 전원 측에는 전용개폐기 및 과전류차단기를 각 극에 시설

18 **교통신호등 회로의 사용전압이 몇 [V]를 넘는 경우는 전로에 지락이 생겼을 경우 자동적으로
전로를 차단하는 누전차단기를 시설하는가?** [2021년 1회 기사]

① 60   ② 150   ③ 300   ④ 450

> 해설 17번 해설 참조

19 전주외등의 시설 시 사용하는 공사방법으로 틀린 것은? [2021년 3회 기사]

① 애자공사 ② 케이블공사
③ 금속관공사 ④ 합성수지관공사

해설 배선은 단면적 2.5[mm²] 이상의 절연전선 또는 이와 동등 이상의 절연성능이 있는 것을 사용하고 다음 공사방법 중에서 시설하여야 한다.
- 케이블공사
- 합성수지관공사
- 금속관공사

20 전기온상용 발열선은 그 온도가 몇 [℃]를 넘지 않도록 시설하여야 하는가? [2020년 3회 기사]

① 50 ② 60 ③ 80 ④ 100

해설 KEC 241.5(전기온상 등)
- 대지전압 : 300[V] 이하, 발열선 온도 : 80[℃]를 넘지 않도록 시설
- 발열선의 지지점 간 거리는 1.0[m] 이하
- 발열선과 조영재 사이의 이격거리 0.025[m] 이상

21 발열선을 도로, 주차장 또는 조영물의 조영재에 고정시켜 시설하는 경우 발열선에 전기를 공급하는 전로의 대지전압을 몇 [V] 이하이어야 하는가? [2017년 1회 기사]

① 100 ② 150 ③ 200 ④ 300

해설 KEC 241.12(도로 등의 전열장치)
- 발열선에 전기를 공급하는 전로의 대지전압은 300[V] 이하일 것
- 발열선의 온도는 80[℃]를 넘지 않도록 시설할 것

22 발열선을 도로, 주차장 또는 조영물의 조영재에 고정시켜 시설하는 경우, 발열선에 전기를 공급하는 전로의 대지전압은 몇 [V] 이하이어야 하는가?

[2020년 3회 산업기사]

① 220　　　　　② 300　　　　　③ 380　　　　　④ 600

해설　KEC 241.12(도로 등의 전열장치)
- 발열선에 전기를 공급하는 전로의 대지전압은 300[V] 이하일 것
- 발열선은 사람이 접촉할 우려가 없고 또한 손상을 받을 우려가 없도록 콘크리트 기타 견고한 내열성이 있는 것 안에 시설할 것
- 발열선은 그 온도가 80[℃]를 넘지 아니하도록 시설할 것. 다만, 도로 또는 옥외주차장에 금속피복을 한 발열선을 시설할 경우에는 발열선의 온도를 120[℃] 이하로 할 수 있다.

23 전기부식방지시설에서 전원장치를 사용하는 경우 적합한 것은?

[2014년 2회 기사 / 2017년 3회 산업기사]

① 전기부식방지회로의 사용전압은 교류 60[V] 이하일 것
② 지중에 매설하는 양극(+)의 매설깊이는 50[cm] 이상일 것
③ 수중에 시설하는 양극(+)과 그 주위 1[m] 이내의 전위차는 10[V]를 넘지 말 것
④ 지표 또는 수중에서 1[m] 간격의 임의의 2점 간의 전위차를 7[V]를 넘지 말 것

해설　KEC 241.16(전기부식방지 시설)
- 전기부식방지 회로의 사용전압은 직류 60[V] 이하일 것
- 지중에 매설하는 양극의 매설깊이는 0.75[m] 이상일 것
- 지표 또는 수중에서 1[m] 간격의 임의의 2점 간의 전위차가 5[V]를 넘지 아니할 것
- 수중에 시설하는 양극과 그 주위 1[m] 이내의 거리에 있는 임의 점과의 사이의 전위차는 10[V]를 넘지 아니할 것

24 전기부식방식 시설은 지표 또는 수중에서 1[m] 간격의 임의의 2점(양극의 주위 1[m] 이내의 거리에 있는 점 및 울타리의 내부점을 제외한다) 간의 전위차가 몇 [V]를 넘으면 안 되는가?

[2019년 1회 산업기사]

① 5   ② 10   ③ 25   ④ 30

해설   KEC 241.16(전기부식방지 시설)
- 전기부식방지 회로의 사용전압은 직류 60[V] 이하일 것
- 지중에 매설하는 양극의 매설깊이는 0.75[m] 이상일 것
- 지표 또는 수중에서 1[m] 간격의 임의의 2점 간의 전위차가 5[V]를 넘지 아니할 것
- 수중에 시설하는 양극과 그 주위 1[m] 이내의 거리에 있는 임의 점과의 사이의 전위차는 10[V]를 넘지 아니할 것

25 지중 또는 수중에 시설되어 있는 금속체의 부식을 방지하기 위한 전기부식방지 회로의 사용전압은 직류는 몇 [V] 이하이어야 하는가?(단, 전기부식방지 회로는 전기부식방지용 전원 장치로부터 양극 및 피방식체까지의 전로를 말한다)

[2019년 3회 산업기사]

① 30   ② 60   ③ 90   ④ 120

해설   24번 해설 참조

정답   24 ①   25 ②

26 전기부식방지 시설을 시설할 때 전기부식방지용 전원 장치로부터 양극 및 피방식체까지의 전로의 사용전압은 직류 몇 [V] 이하이어야 하는가?

[2019년 1회 산업기사]

① 20   ② 40   ③ 60   ④ 80

해설   KEC 241.16(전기부식방지 시설)
- 전기부식방지 회로의 사용전압은 직류 60[V] 이하일 것
- 지중에 매설하는 양극의 매설깊이는 0.75[m] 이상일 것
- 지표 또는 수중에서 1[m] 간격의 임의의 2점 간의 전위차가 5[V]를 넘지 아니할 것
- 수중에 시설하는 양극과 그 주위 1[m] 이내의 거리에 있는 임의 점과의 사이의 전위차는 10[V]를 넘지 아니할 것

27 풀용 수중조명등에 사용되는 절연 변압기의 2차 측 전로의 사용전압이 몇 [V]를 초과하는 경우에는 그 전로에 지락이 생겼을 때에 자동적으로 전로를 차단하는 장치를 하여야 하는가?

[2019년 1회 기사]

① 30   ② 60   ③ 150   ④ 300

해설   KEC 234.14(수중조명등)
- 1차 전압 : 400[V] 이하
- 2차 전압 : 150[V] 이하(2차 측을 비접지식)
  - 30[V] 이하 : 금속제 혼촉방지판 설치
  - 30[V] 초과 : 전로에 지락이 생겼을 때에 자동적으로 전로를 차단하는 장치(정격감도전류 30[mA] 이하)

28 가반형의 용접전극을 사용하는 아크용접장치의 용접변압기의 1차 측 전로의 대지전압은 몇 [V] 이하이어야 하는가? [2016년 2회 산업기사 / 2020년 3회 기사]

① 220   ② 300   ③ 380   ④ 440

> **해설**   KEC 241.10(아크용접기)
> - 용접변압기는 절연변압기일 것
> - 용접변압기의 1차 측 전로의 대지전압은 300[V] 이하일 것
> - 용접변압기의 1차 측 전로에는 용접변압기에 가까운 곳에 쉽게 개폐할 수 있는 개폐기를 시설할 것

29 가반형(이동형)의 용접전극을 사용하는 아크용접장치를 시설할 때 용접변압기의 1차 측 전로의 대지전압은 몇 [V] 이하이어야 하는가? [2017년 2회 기사 / 2018년 2회 기사]

① 200   ② 250   ③ 300   ④ 600

> **해설**   28번 해설 참조

30 이동형의 용접 전극을 사용하는 아크용접장치의 시설기준으로 틀린 것은? [2021년 3회 기사]

① 용접변압기는 절연변압기일 것
② 용접변압기의 1차 측 전로의 대지전압은 300[V] 이하일 것
③ 용접변압기의 2차 측 전로에는 용접변압기에 가까운 곳에 쉽게 개폐할 수 있는 개폐기를 시설할 것
④ 용접변압기의 2차 측 전로 중 용접변압기로부터 용접전극에 이르는 부분의 전로는 용접 시 흐르는 전류를 안전하게 통할 수 있는 것일 것

> **해설**   28번 해설 참조

31 아파트 세대 욕실에 "비데용 콘센트"를 시설하고자 한다. 다음의 시설방법 중 적합하지 않은 것은?

[2021년 2회 기사]

① 콘센트는 접지극이 없는 것을 사용한다.

② 습기가 많은 장소에 시설하는 콘센트는 방습장치를 하여야 한다.

③ 콘센트를 시설하는 경우에는 절연변압기(정격용량 3[kVA] 이하인 것에 한한다)로 보호된 전로에 접속하여야 한다.

④ 콘센트를 시설하는 경우에는 인체감전보호용 누전차단기(정격감도전류 15[mA] 이하, 동작시간 0.03초 이하의 전류동작형의 것에 한한다)로 보호된 전로에 접속하여야 한다.

> **해설** KEC 234.5(콘센트의 시설)
> 욕실 등 인체가 물에 젖어 있는 상태에서 전기를 사용하는 장소에 콘센트를 시설하는 경우
> • 인체감전보호용 누전차단기(정격감도전류 15[mA] 이하, 동작시간 0.03초 이하의 전류동작형) 또는 절연 변압기(정격용량 3[kVA] 이하)로 보호된 전로에 접속하거나, 인체감전보호용 누전차단기가 부착된 콘센트를 시설하여야 한다.
> • 콘센트는 접지극이 있는 방적형 콘센트를 사용하여 접지하여야 한다.

32 전광표시장치에 사용하는 저압 옥내배선을 금속관공사로 시설할 경우 연동선의 단면적은 몇 [mm²] 이상 사용하여야 하는가?

[2018년 1회 산업기사]

① 0.75   ② 1.25   ③ 1.5   ④ 2.5

> **해설** KEC 231.3(저압 옥내배선의 사용전선 및 중성선의 굵기)
> • 단면적 2.5[mm²] 이상의 연동선 또는 이와 동등 이상의 강도 및 굵기의 것
> • 400[V] 이하인 경우
>   – 전광표시장치 기타 이와 유사한 장치 또는 제어회로 등에 사용하는 배선에 단면적 1.5[mm²] 이상의 연동선을 사용하고 이를 합성수지관·금속관·금속몰드·금속덕트·플로어덕트공사 또는 셀룰러덕트공사에 의하여 시설하는 경우
>   – 전광표시장치 기타 이와 유사한 장치 또는 제어회로 등의 배선에 단면적 0.75[mm²] 이상인 다심케이블 또는 다심캡타이어케이블을 사용하고 또한 과전류가 생겼을 때에 자동적으로 전로에서 차단하는 장치를 시설하는 경우
>   – 단면적 0.75[mm²] 이상인 코드 또는 캡타이어케이블을 사용하는 경우
>   – 리프트케이블을 사용하는 경우

33 의료장소의 수술실에서 전기설비의 시설에 대한 설명으로 틀린 것은?　　　[2017년 3회 산업기사]

① 의료용 절연변압기의 정격출력은 10[kVA] 이하로 한다.

② 의료용 절연변압기의 2차 측 정격전압은 교류 250[V] 이하로 한다.

③ 절연감시장치를 설치하는 경우 누설전류가 5[mA]에 도달하면 경보를 발하도록 한다.

④ 전원 측에 강화절연을 한 의료용 절연변압기를 설치하고 그 2차 측 전로는 접지한다.

해설　KEC 242.10(의료장소)

전원 측에 강화절연을 한 비단락보증 절연변압기를 설치하고 그 2차 측 전로는 접지하지 않는다.

34 의료장소 중 그룹 1 및 그룹 2의 의료 IT계통에 시설되는 전기설비의 시설기준으로 틀린 것은?

[2020년 1, 2회 산업기사]

① 의료용 절연변압기의 정격출력은 10[kVA] 이하로 한다.

② 의료용 절연변압기의 2차 측 정격전압은 교류 250[V] 이하로 한다.

③ 전원 측에 강화절연을 한 의료용 절연변압기를 설치하고 그 2차 측 전로는 접지한다.

④ 절연감시장치를 설치하여 절연저항이 50[kΩ]까지 감소하면 표시설비 및 음향설비로 경보를 발하도록 한다.

해설　33번 해설 참조

35 그룹 2의 의료장소에 상용전원 공급이 중단될 경우 15초 이내에 최소 몇 [%]의 조명에 비상전원을 공급하여야 하는가?

[2018년 3회 산업기사]

① 30 　　　　　② 40 　　　　　③ 50 　　　　　④ 60

해설　KEC 242.10(의료장소)
의료장소에 상용전원 공급이 중단될 경우 15초 이내 최소 50[%]의 조명에 비상전원을 공급해야 한다.

36 KS C IEC 60364에서 충전부 전체를 대지로부터 절연시키거나 한 점에 임피던스를 삽입하여 대지에 접속시키고, 전기기기의 노출 도전성 부분 단독 또는 일괄적으로 접지하거나 또는 계통접지로 접속하는 접지계통을 무엇이라 하는가?

[2016년 3회 산업기사]

① TT계통 　　　　　　　　　　② IT계통
③ TN-C계통 　　　　　　　　　④ TN-S계통

해설　KEC 203.4(IT계통)
• 충전부 전체를 대지로부터 절연시키거나, 한 점을 임피던스를 통해 대지에 접속시킨다. 전기설비의 노출도전부를 단독 또는 일괄적으로 계통의 PE도체에 접속시킨다. 배전계통에서 추가접지가 가능하다.
• 계통은 충분히 높은 임피던스를 통하여 접지할 수 있다. 이 접속은 중성점, 인위적 중성점, 선도체 등에서 할 수 있다. 중성선은 배선할 수도 있고, 배선하지 않을 수도 있다.

출 / 제 / 예 / 상 / 문 / 제

01 무대·무대마루 밑·오케스트라 박스·영사실에 공급하는 조명용 분기회로 및 정격 32[A] 이하의 콘센트용 분기회로에 어떤 차단기를 사용하여야 하는가?

① 정격감도전류 30[mA] 이하 누전차단기
② 16[A] 이하 과전류차단기
③ 정격감도전류 15[mA] 이하 누전차단기
④ 32[A] 이하 과전류차단기

> **해설** KEC 242.6(전시회, 쇼 및 공연장의 전기설비)
> • 사용전압 : 400[V] 이하
> • 배선용 케이블 : 1.5[mm²](구리도체)
> • 무대마루 밑에 시설하는 전구선 : 300/300[V] 편조 고무코드, 0.6/1[kV] EP 고무절연 클로로프렌캡타이어 케이블
> • 이동전선 : 0.6/1[kV] EP 고무절연 클로로프렌캡타이어케이블, 0.6/1[kV] 비닐절연 비닐캡타이어 케이블
> • 비상조명을 제외한 조명용 분기회로 및 정격 32[A] 이하의 콘센트용 분기회로는 정격감도전류 30[mA] 이하의 누전차단기로 보호

02 전극식 온천온수기 시설에서 적합하지 않은 것은?

① 전극식 온천온수기의 사용전압은 400[V] 이하일 것
② 전동기 전원공급용 변압기는 300[V] 미만의 절연변압기를 사용할 것
③ 절연변압기 외함에는 접지공사를 할 것
④ 전극식 온천온수기 및 차폐장치의 외함은 절연성 및 내수성이 있는 견고한 것일 것

> **해설** KEC 241.4(전극식 온천온수기)
> • 온수기 사용전압 : 400[V] 이하
> • 차폐장치와 온수기 이격거리 : 0.5[m] 이상(차폐장치와 욕탕 사이 이격거리 1.5[m] 이상)
> • 전동기에 전기를 공급하기 위해서는 사용전압이 400[V] 이하인 절연변압기 사용
> • 전극식 온천온수기 및 차폐장치의 외함은 절연성 및 내수성이 있는 견고한 것일 것

03 풀장용 수중조명등에 전기를 공급하기 위하여 사용되는 절연변압기에 대한 설명으로 틀린 것은?

① 절연변압기 2차 측 전로의 사용전압은 150[V] 이하이어야 한다.

② 절연변압기의 2차 측 전로에는 반드시 접지공사를 하며, 그 저항값은 5[Ω] 이하가 되도록 하여야 한다.

③ 절연변압기 2차 측 전로의 사용전압이 30[V] 이하인 경우에는 1차 권선과 2차 권선 사이에 금속제의 혼촉방지판이 있어야 한다.

④ 절연변압기의 2차 측 전로의 사용전압이 30[V]를 초과하는 경우에는 그 전로에 지락이 생겼을 때에 자동적으로 전로를 차단하는 정격감도전류 30[mA] 이하의 누전차단기를 시설하여야 한다.

> **해설** KEC 234.14(수중조명등)
> - 1차 전압 : 400[V] 이하
> - 2차 전압 : 150[V] 이하(2차 측을 비접지식)
>   - 30[V] 이하 : 금속제 혼촉방지판 설치
>   - 30[V] 초과 : 전로에 지락이 생겼을 때에 자동적으로 전로를 차단하는 장치(정격감도전류 30[mA] 이하)

04 가반형의 용접전극을 사용하는 아크용접장치의 시설에 대한 설명으로 옳은 것은?

① 용접변압기의 1차 측 전로의 대지전압은 600[V] 이하일 것

② 용접변압기의 1차 측 전로에는 리액터를 시설할 것

③ 용접변압기는 절연변압기일 것

④ 피용접재 또는 이와 전기적으로 접속되는 받침대·정반 등의 금속체에는 비접지로 할 것

> **해설** KEC 241.10(아크용접기)
> - 용접변압기는 절연변압기일 것
> - 용접변압기의 1차 측 전로의 대지전압은 300[V] 이하일 것
> - 용접변압기의 1차 측 전로에는 용접변압기에 가까운 곳에 쉽게 개폐할 수 있는 개폐기를 시설할 것

05 이동식 숙박차량 정박지의 가공전선의 높이는 차량이 이동하는 장소인 경우 몇 [m] 이상이어야 하는가?

① 4.5[m]
② 5[m]
③ 6[m]
④ 6.5[m]

해설 KEC 242.8(이동식 숙박차량 정박지, 야영지 및 이와 유사한 장소)
- 표준전압 : 220/380[V] 이하
- 전원을 공급하기 위하여 시설하는 배선 : 지중케이블, 가공케이블, 가공절연전선
- 매설깊이 : 차량 기타 중량물의 압력을 받을 우려가 있는 장소에는 1.0[m] 이상(단, 기타 장소에는 0.6[m] 이상)
- 가공전선의 높이 : 차량이 이동하는 모든 지역에서 지표상 6[m](단, 다른 모든 지역에서는 4[m]) 이상의 높이
- 누전차단기
  - 모든 콘센트는 정격감도전류가 30[mA] 이하인 누전차단기에 의하여 개별적으로 보호
  - 이동식 주택 또는 이동식 조립주택에 공급하기 위해 고정 접속되는 최종분기회로는 정격감도전류가 30[mA] 이하인 누전차단기에 의하여 개별적으로 보호

06 이동식 숙박차량 정박지의 시설규정으로 옳지 않은 것은?

① 콘센트마다 30[mA]의 정격감도전류 누전차단기 시설
② 콘센트마다 정격전압 200 ~ 250[V]를 사용
③ 콘센트마다 정격전류 16[A] 단상 콘센트 사용
④ 콘센트는 지면으로부터 1 ~ 1.5[m]의 높이에 설치

해설 KEC 242.8(이동식 숙박차량 정박지, 야영지 및 이와 유사한 장소)
콘센트 시설
- 정격전압 200 ~ 250[V], 정격전류 16[A] 단상 콘센트가 제공
- 설치높이 : 지면으로부터 0.5 ~ 1.5[m] 높이에 설치
- 모든 콘센트는 정격감도전류가 30[mA] 이하인 누전차단기에 의하여 개별적으로 보호

07 다음 중 마리나 시설 규정으로 옳지 않은 것은?

① TN계통의 사용 시 TN-S계통만 사용할 것

② 표준전압은 220/380[V] 이하로 할 것

③ 콘센트는 200 ~ 250[V], 정격전류 16[A] 단상의 것을 사용할 것

④ 육상의 절연변압기를 통하여 보호하는 경우 이외에는 누전차단기 시설을 금지할 것

> 해설 KEC 242.9(마리나 및 이와 유사한 장소)
> • TN계통의 사용 시 TN-S계통만을 사용
> • 육상의 절연변압기를 통하여 보호하는 경우를 제외하고 누전차단기를 사용
> • 표준전압은 220/380[V] 이하
> • 마리나 내의 배선 : 지중케이블, 가공케이블, 가공절연전선, 무기질 절연케이블, 열가소성 또는
>   탄성재료 피복의 외장케이블
> • 콘센트 : 정격전압 200 ~ 250[V], 정격전류 16[A] 단상 콘센트 제공
> • 매설깊이 : 차량 기타 중량물의 압력을 받을 우려가 있는 장소에는 1.0[m] 이상(단, 기타 장소에는
>   0.6[m] 이상)

08 저압 옥내배선의 사용전압이 220[V]인 제어회로를 금속관공사에 의하여 시공하였다. 여기에
사용되는 배선은 단면적이 몇 [mm²] 이상의 연동선을 사용하여도 되는가?

① 1.5   ② 2.0   ③ 2.5   ④ 3.0

> 해설 KEC 231.3(저압 옥내배선의 사용전선 및 중성선의 굵기)
> • 단면적 2.5[mm²] 이상의 연동선 또는 이와 동등 이상의 강도 및 굵기의 것
> • 400[V] 이하인 경우
>   – 전광표시장치 기타 이와 유사한 장치 또는 제어회로 등에 사용하는 배선에 단면적 1.5[mm²]
>   이상의 연동선을 사용하고 이를 합성수지관·금속관·금속몰드·금속덕트·플로어덕트공사
>   또는 셀룰러덕트공사에 의하여 시설하는 경우
>   – 전광표시장치 기타 이와 유사한 장치 또는 제어회로 등의 배선에 단면적 0.75[mm²] 이상인
>   다심케이블 또는 다심캡타이어케이블을 사용하고 또한 과전류가 생겼을 때에 자동적으로 전로
>   에서 차단하는 장치를 시설하는 경우
>   – 단면적 0.75[mm²] 이상인 코드 또는 캡타이어케이블을 사용하는 경우
>   – 리프트케이블을 사용하는 경우

09 옥내배선의 사용전압이 400[V] 이하일 때 전광표시장치 기타 이와 유사한 장치 또는 제어회로 등의 배선에 다심케이블을 시설하는 경우 배선의 단면적은 몇 [mm²] 이상인가?

① 0.75　　　　　② 1.5　　　　　③ 1　　　　　④ 2.5

해설　KEC 231.3(저압 옥내배선의 사용전선 및 중성선의 굵기)
- 단면적 2.5[mm²] 이상의 연동선 또는 이와 동등 이상의 강도 및 굵기의 것
- 400[V] 이하인 경우
  - 전광표시장치 기타 이와 유사한 장치 또는 제어회로 등에 사용하는 배선에 단면적 1.5[mm²] 이상의 연동선을 사용하고 이를 합성수지관·금속관·금속몰드·금속덕트·플로어덕트공사 또는 셀룰러덕트공사에 의하여 시설하는 경우
  - 전광표시장치 기타 이와 유사한 장치 또는 제어회로 등의 배선에 단면적 0.75[mm²] 이상인 다심케이블 또는 다심캡타이어케이블을 사용하고 또한 과전류가 생겼을 때에 자동적으로 전로에서 차단하는 장치를 시설하는 경우
  - 단면적 0.75[mm²] 이상인 코드 또는 캡타이어케이블을 사용하는 경우
  - 리프트케이블을 사용하는 경우

10 의료장소에서 인접하는 의료장소와의 바닥 면적 합계가 몇 [m²] 이하인 경우 등전위본딩바를 공용으로 할 수 있는가?

① 30　　　　　② 50　　　　　③ 80　　　　　④ 100

해설　KEC 242.10(의료장소)
의료장소마다 그 내부 또는 근처에 등전위본딩바를 설치할 것. 다만, 인접하는 의료장소와의 바닥 면적 합계가 50[m²] 이하인 경우에는 등전위본딩바를 공용할 수 있다.

CHAPTER 05 전력보안통신설비

1. 통신선의 시설

(1) 통신선의 종류

광섬유케이블, 동축케이블 및 차폐용 실드케이블(STP)

(2) 시설기준

① 가공통신선은 반드시 조가선에 시설할 것
② 통신선은 강전류전선 또는 간판 등 타 공작물과의 이격거리는 전력보안통신선의 시설 높이와 이격거리 및 가공통신인입선 시설 규정에 따라 시설할 것

2. 가공통신선의 높이

(1) 전력보안 가공통신선(이하 "가공통신선"이라 한다)의 높이는 (2)에 규정하는 경우 이외에는 다음에 따른다.

① 도로(차도와 도로의 구별이 있는 도로는 차도) 위에 시설하는 경우에는 지표상 5[m] 이상. 다만, 교통에 지장을 줄 우려가 없는 경우에는 지표상 4.5[m]까지로 감할 수 있다.
② 철도 또는 궤도를 횡단하는 경우에는 레일면상 6.5[m] 이상
③ 횡단보도교 위에 시설하는 경우에는 그 노면상 3[m] 이상
④ 이외의 경우에는 지표상 3.5[m] 이상

(2) 가공전선로의 지지물에 시설하는 통신선 또는 이에 직접 접속하는 가공통신선의 높이는 다음에 따라야 한다.

① 도로를 횡단하는 경우에는 지표상 6[m] 이상. 다만, 저압이나 고압의 가공전선로의 지지물에 시설하는 통신선 또는 이에 직접 접속하는 가공통신선을 시설하는 경우에 교통에 지장을 줄 우려가 없을 때에는 지표상 5[m]까지로 감할 수 있다.

② 철도 또는 궤도를 횡단하는 경우에는 레일면상 6.5[m] 이상

③ 횡단보도교의 위에 시설하는 경우에는 그 노면상 5[m] 이상. 다만, 다음 중 어느 하나에 해당하는 경우에는 그러하지 아니하다.

    ㉠ 저압 또는 고압의 가공전선로의 지지물에 시설하는 통신선 또는 이에 직접 접속하는 가공통신선을 노면상 3.5[m](통신선이 절연전선과 동등 이상의 절연성능이 있는 것인 경우에는 3[m]) 이상으로 하는 경우

    ㉡ 특고압 전선로의 지지물에 시설하는 통신선 또는 이에 직접 접속하는 가공통신선으로서 광섬유 케이블을 사용하는 것을 그 노면상 4[m] 이상으로 하는 경우

④ 이외의 경우에는 지표상 5[m] 이상. 다만, 저압이나 고압의 가공전선로의 지지물에 시설하는 통신선 또는 이에 직접 접속하는 가공통신선이 다음 중 어느 하나에 해당하는 경우에는 그러하지 아니하다.

    ㉠ 횡단보도교의 하부 기타 이와 유사한 곳(차도를 제외한다)에 시설하는 경우에 통신선에 절연전선과 동등 이상의 절연성능이 있는 것을 사용하고 또한 지표상 4[m] 이상으로 할 때

    ㉡ 도로 이외의 곳에 시설하는 경우에 지표상 4[m](통신선이 광섬유 케이블인 경우에는 3.5[m])이상으로 할 때나 광섬유 케이블인 경우에는 3.5[m] 이상으로 할 때

(3) 가공통신선을 수면상에 시설하는 경우에는 그 수면상의 높이를 선박의 항해 등에 지장을 줄 우려가 없도록 유지하여야 한다.

3. 특고압 가공전선로의 첨가통신선과 도로, 철도, 횡단보도교 및 다른 선로와의 접근, 교차 시설

(1) 전선 : 연선의 경우 단면적 16[mm^2](단선의 경우 지름 4[mm]) 이상 절연전선, 인장강도 8.01[kN] 이상 또는 연선의 경우 단면적 25[mm^2](단선의 경우 지름 5[mm]) 이상 경동선

(2) 삭도나 다른 가공약전류전선과의 이격거리 : 0.8[m](케이블 0.4[m]) 이상

4. 가공통신 인입선 시설

노면상의 높이는 4.5[m] 이상, 조영물의 붙임점에서의 지표상의 높이는 2.5[m] 이상

5. 특고압 가공전선로 첨가설치 통신선의 시가지 인입 제한

시가지에 시설하는 통신선은 특고압 가공전선로의 지지물에 시설하여서는 아니 된다. 단, 통신선이 인장강도 5.26[kN] 이상, 연선의 경우 단면적 16[mm^2](단선의 경우 지름 4[mm]) 이상의 절연전선 또는 광섬유 케이블인 경우 그러하지 아니하다.

6. 전력선 반송 통신용 결합장치의 보안장치

- CC : 결합 커패시터
- CF : 결합 필터
- DR : 배류 선륜(전류용량 2[A] 이상)
- FD : 동축 케이블
- S : 접지용 개폐기

7. 무선용 안테나 등을 지지하는 철탑 등의 시설

무선통신용 안테나나 반사판을 지지하는 지지물들의 안전율 : 1.5 이상

8. 지중통신선로설비의 시설

(1) 지중 공용설치 시 통신케이블의 광섬유케이블 및 동축케이블은 지름 22[mm] 이하일 것

(2) 전력구 내 통신선의 시설은 다음 시설에 준할 것

① 전력구 내에서 통신용 행거는 최상단에 시설할 것
② 통신선 및 내관은 난연조치할 것
③ 통신용 행거 끝에는 행거 안전캡(야광)을 씌울 것
④ 전력케이블이 시설된 행거에는 통신선을 같이 시설하지 말 것

01 전력보안통신용 전화설비를 시설하지 않아도 되는 것은? [2018년 1회 산업기사]

① 원격감시제어가 되지 아니하는 발전소

② 원격감시제어가 되지 아니하는 변전소

③ 2개 이상의 급전소 상호 간과 이들을 통합 운용하는 급전소 간

④ 발전소로서 전기공급에 지장을 미치지 않고, 휴대용 전력보안통신 전화설비에 의하여 연락이 확보된 경우

> **해설** KEC 362.1(전력보안통신설비의 시설 요구사항)
> • 원격감시제어가 되지 아니하는 발전소·변전소·개폐소, 전선로 및 이를 운용하는 급전소 및 급전분소 간
> • 2개 이상의 급전소(분소) 상호 간과 이들을 통합 운용하는 급전소(분소) 간
> • 수력설비 중 필요한 곳, 수력설비의 안전상 필요한 양수소 및 강수량 관측소와 수력발전소 간
> • 동일 수계에 속하고 안전상 긴급연락의 필요가 있는 수력발전소 상호 간
> • 동일 전력계통에 속하고 또한 안전상 긴급연락의 필요가 있는 발전소·변전소 및 개폐소 상호 간
> • 발전소·변전소 및 개폐소와 기술원 주재소 간
> • 발전소·변전소·개폐소·급전소 및 기술원 주재소와 전기설비의 안전상 긴급연락의 필요가 있는 기상대·측후소·소방서 및 방사선 감시계측 시설물 등의 사이

02 전력보안통신용 전화설비를 시설하여야 하는 곳은? [2019년 1회 산업기사]

① 2개 이상의 발전소 상호 간 ② 원격감시제어가 되는 변전소

③ 원격감시제어가 되는 급전소 ④ 원격감시제어가 되지 않는 발전소

> **해설** 1번 해설 참조

03 전력보안통신설비로 무선용 안테나 등의 시설에 관한 설명으로 옳은 것은? [2016년 2회 산업기사]

① 항상 가공전선로의 지지물에 시설한다.

② 피뢰침설비가 불가능한 개소에 시설한다.

③ 접지와 공용으로 사용할 수 있도록 시설한다.

④ 전선로의 주위 상태를 감시할 목적으로 시설한다.

> **해설** KEC 364.2(무선용 안테나 등의 시설 제한)
> 무선용 안테나 등은 전선로의 주위 상태를 감시하거나 배전자동화, 원격검침 등 지능형전력망을 목적으로 시설하는 것 이외에는 가공전선로의 지지물에 시설하여서는 아니 된다.

01 ④ 02 ④ 03 ④ **정답**

04 그림은 전력선 반송통신용 결합장치의 보안장치를 나타낸 것이다. S의 명칭으로 옳은 것은?

[2018년 1회 기사]

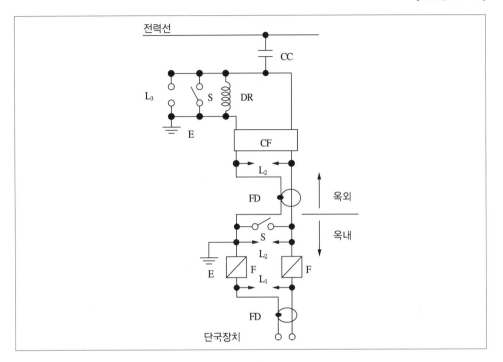

① 동축 케이블 ② 결합 콘덴서
③ 접지용 개폐기 ④ 구상용 방전갭

해설 KEC 362.11(전력선 반송통신용 결합장치의 보안장치)
- CC : 결합 커패시터
- CF : 결합 필터
- DR : 배류 선륜(전류용량 2[A] 이상)
- FD : 동축 케이블
- S : 접지용 개폐기

05 그림은 전력선 반송통신용 결합장치의 보안장치이다. 여기에서 CC는 어떤 커패시터인가?

[2020년 4회 기사]

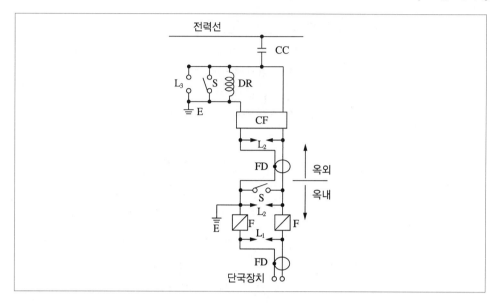

① 결합 커패시터

② 전력용 커패시터

③ 정류용 커패시터

④ 축전용 커패시터

해설 KEC 362.11(전력선 반송통신용 결합장치의 보안장치)
- CC : 결합 커패시터
- CF : 결합 필터
- DR : 배류 선륜(전류용량 2[A] 이상)
- FD : 동축 케이블
- S : 접지용 개폐기

06 다음 그림에서 L1은 어떤 크기로 동작하는 기기의 명칭인가? [2018년 3회 기사]

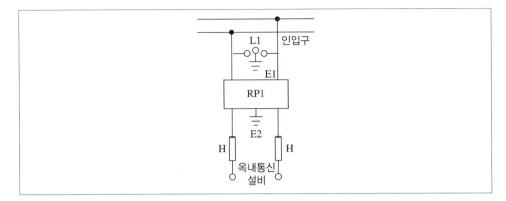

① 교류 1,000[V] 이하에서 동작하는 단로기
② 교류 1,000[V] 이하에서 동작하는 피뢰기
③ 교류 1,500[V] 이하에서 동작하는 단로기
④ 교류 1,500[V] 이하에서 동작하는 피뢰기

해설 KEC 362.5(특고압 가공전선로 첨가설치 통신선의 시가지 인입 제한)
• RP1 : 교류 300[V] 이하에서 동작하고, 최소감도전류가 3[A] 이하로서 최소감도전류 때의 응동시간이 1사이클 이하이고 또한 전류용량이 50[A], 20초 이상인 자복성이 있는 릴레이 보안기
• L1 : 교류 1[kV] 이하에서 동작하는 피뢰기
• E1 및 E2 : 접지
• H : 250[mA] 이하에서 동작하는 열 코일

07 특고압 가공전선로의 지지물에 첨가하는 통신선 보안장치에 사용되는 피뢰기의 동작전압은 교류 몇 [V] 이하인가? [2020년 1, 2회 기사]

① 300
② 600
③ 1,000
④ 1,500

해설 6번 해설 참조

08 통신선과 저압 가공전선 또는 특고압 가공전선로의 다중 접지를 한 중성선 사이의 이격거리는 몇 [cm] 이상인가?

[2016년 3회 기사]

① 15
② 30
③ 60
④ 90

> 해설 KEC 362.2(전력보안통신선의 시설 높이와 이격거리)
> 가공전선과 첨가 통신선과의 이격거리
> 통신선과 저압 가공전선 또는 특고압 가공전선로의 다중 접지를 한 중성선 사이의 이격거리는 0.6[m] 이상일 것(단, 저압 가공전선이 절연전선 또는 케이블인 경우에 통신선이 절연전선과 동등 이상의 절연성능이 있는 것인 경우에는 0.3[m](저압 가공전선이 인입선이고 또한 통신선이 첨가 통신용 제2종 케이블 또는 광섬유 케이블일 경우에는 0.15[m]) 이상)

09 사용전압이 22.9[kV]인 가공전선로의 다중접지한 중성선과 첨가 통신선의 이격거리는 몇 [cm] 이상이어야 하는가?(단, 특고압 가공전선로는 중성선 다중접지식의 것으로 전로에 지락이 생긴 경우 2초 이내에 자동적으로 이를 전로로부터 차단하는 장치가 되어 있는 것으로 한다)

[2021년 1회 기사]

① 60
② 75
③ 100
④ 120

> 해설
>
> | 구분 | 저·고압 | | 특고압 | | 22.9[kV-Y] |
> |---|---|---|---|---|---|
> | | 나전선 | 절연·케이블 | 나전선 | 절연·케이블 | |
> | 통신선 | 0.6[m] 이상 | 0.3[m] 이상 | 1.2[m] 이상 | 0.3[m] 이상 | 0.75[m] 이상
중성선 0.6[m] 이상 |

08 ③ 09 ① 정답

10 전력보안 가공통신선의 시설 높이에 대한 기준으로 옳은 것은? [2020년 3회 기사]

① 철도의 궤도를 횡단하는 경우에는 레일면상 5[m] 이상

② 횡단보도교 위에 시설하는 경우에는 그 노면상 3[m] 이상

③ 도로(차도와 도로의 구별이 있는 도로는 차도) 위에 시설하는 경우에는 지표상 2[m] 이상

④ 교통에 지장을 줄 우려가 없도록 도로(차도와 도로의 구별이 있는 도로는 차도) 위에 시설하는 경우에는 지표상 2[m]까지로 감할 수 있다.

> **해설** KEC 362.2(전력보안통신선의 시설 높이와 이격거리)
> • 전력보안 가공통신선의 높이
>   - 도로(차도와 인도의 구별이 있는 도로는 차도) 위에 시설하는 경우 지표상 5[m] 이상(단, 교통에 지장을 줄 우려가 없는 경우 지표상 4.5[m])
>   - 철도 또는 궤도를 횡단하는 경우 레일면상 6.5[m] 이상
>   - 횡단보도교 위에 시설하는 경우 노면상 3[m] 이상
>   - 이외의 경우 지표상 3.5[m] 이상
> • 가공전선로의 지지물에 시설하는 통신선 또는 이에 직접 접속하는 가공 통신선의 높이
>   - 도로를 횡단하는 경우 지표상 6[m] 이상(단, 교통에 지장을 줄 우려가 없을 때에는 지표상 5[m])
>   - 철도 또는 궤도를 횡단하는 경우 레일면상 6.5[m] 이상
>   - 횡단보도교의 위에 시설하는 경우 노면상 5[m] 이상(단, 저·고압의 가공전선로의 지지물에 시설하는 통신선 또는 이에 직접 접속하는 가공통신선을 노면상 3.5[m](통신선이 절연전선과 동등 이상의 절연성능이 있는 것인 경우에는 3[m]) 이상, 특고압 전선로의 지지물에 시설하는 통신선 또는 이에 직접 접속하는 가공통신선으로서 광섬유 케이블을 사용하는 경우 그 노면상 4[m] 이상)
>   - 이외의 경우에는 지표상 5[m] 이상

11 저압 가공전선로의 지지물에 시설하는 통신선 또는 이에 직접 접속하는 가공통신선이 도로를 횡단하는 경우, 일반적으로 지표상 몇 [m] 이상의 높이로 시설하여야 하는가? [2016년 1회 기사]

① 6.0 ② 4.0

③ 5.0 ④ 3.0

> **해설** 10번 해설 참조

12 횡단보도교 위에 시설하는 경우 그 노면상 전력보안 가공통신선의 높이는 몇 [m] 이상인가?

[2018년 3회 산업기사]

① 3   ② 4
③ 5   ④ 6

해설 KEC 362.2(전력보안통신선의 시설 높이와 이격거리)

• 전력보안 가공통신선의 높이
  - 도로(차도와 인도의 구별이 있는 도로는 차도) 위에 시설하는 경우 지표상 5[m] 이상(단, 교통에 지장을 줄 우려가 없는 경우 지표상 4.5[m])
  - 철도 또는 궤도를 횡단하는 경우 레일면상 6.5[m] 이상
  - 횡단보도교 위에 시설하는 경우 노면상 3[m] 이상
  - 이외의 경우 지표상 3.5[m] 이상
• 가공전선로의 지지물에 시설하는 통신선 또는 이에 직접 접속하는 가공 통신선의 높이
  - 도로를 횡단하는 경우 지표상 6[m] 이상(단, 교통에 지장을 줄 우려가 없을 때에는 지표상 5[m])
  - 철도 또는 궤도를 횡단하는 경우 레일면상 6.5[m] 이상
  - 횡단보도교의 위에 시설하는 경우 노면상 5[m] 이상(단, 저·고압의 가공전선로의 지지물에 시설하는 통신선 또는 이에 직접 접속하는 가공통신선을 노면상 3.5[m](통신선이 절연전선과 동등 이상의 절연성능이 있는 것인 경우에는 3[m]) 이상, 특고압 전선로의 지지물에 시설하는 통신선 또는 이에 직접 접속하는 가공통신선으로서 광섬유 케이블을 사용하는 경우 그 노면상 4[m] 이상)
  - 이외의 경우에는 지표상 5[m] 이상

13 전력보안 가공통신선을 횡단보도교 위에 시설하는 경우 그 노면상 높이는 몇 [m] 이상인가? (단, 가공전선로의 지지물에 시설하는 통신선 또는 이에 직접 접속하는 가공통신선은 제외한다)

[2021년 3회 기사]

① 3   ② 4
③ 5   ④ 6

해설 KEC 222.7/332.5(저·고압 가공전선의 높이), 333.7(특고압 가공전선의 높이)

시설 장소	가공통신선	가공전선로 지지물에 시설	
		저·고압	특고압
일 반	3.5[m]	5[m]	5[m]
도로횡단(교통지장 없음)	5[m](4.5[m])	6[m](5[m])	6[m]
철도, 궤도횡단	6.5[m]	6.5[m]	6.5[m]
횡단보도교 위(절연전선(고·저압), 광섬유케이블(특고압) 사용 시)	3[m]	3.5(3)[m]	5(4)[m]

14 고압 가공전선로의 지지물에 시설하는 통신선의 높이는 도로를 횡단하는 경우 교통에 지장을 줄 우려가 없다면 지표상 몇 [m]까지로 감할 수 있는가? [2017년 2회 기사]

① 4
② 4.5
③ 5
④ 6

해설 KEC 222.7/332.5(저·고압 가공전선의 높이), 333.7(특고압 가공전선의 높이)

시설 장소	가공통신선	가공전선로 지지물에 시설	
		저·고압	특고압
일 반	3.5[m]	5[m]	5[m]
도로횡단(교통지장 없음)	5[m](4.5[m])	6[m](5[m])	6[m]
철도, 궤도횡단	6.5[m]	6.5[m]	6.5[m]
횡단보도교 위(절연전선(고·저압), 광섬유케이블(특고압) 사용 시)	3[m]	3.5(3)[m]	5(4)[m]

15 가공전선로의 지지물에 시설하는 통신선 또는 이에 직접 접속하는 가공통신선의 높이에 대한 설명 중 틀린 것은? [2017년 2회 산업기사]

① 도로를 횡단하는 경우에는 지표상 6[m] 이상으로 한다.
② 철도 또는 궤도를 횡단하는 경우에는 레일면상 6[m] 이상으로 한다.
③ 횡단보도교의 위에 시설하는 경우에는 그 노면상 5[m] 이상으로 한다.
④ 도로를 횡단하는 경우, 저압이나 고압의 가공전선로의 지지물에 시설하는 통신선이 교통에 지장을 줄 우려가 없는 경우에는 지표상 5[m]까지로 감할 수 있다.

해설 14번 해설 참조

16 특고압 가공전선로의 지지물에 시설하는 통신선 또는 이에 직접 접속하는 통신선 중 옥내에 시설하는 부분은 몇 [V] 초과의 저압 옥내배선의 규정에 준하여 시설하도록 하고 있는가? [2017년 3회 산업기사]

① 150
② 300
③ 380
④ 400

해설 KEC 362.7(특고압 가공전선로 첨가설치 통신선에 직접 접속하는 옥내 통신선의 시설)
특고압 가공전선로의 지지물에 시설하는 통신선(광섬유 케이블을 제외한다) 또는 이에 직접 접속하는 통신선 중 옥내에 시설하는 부분은 400[V] 초과의 저압옥내 배선시설에 준하여 시설하여야 한다.

17 특고압 가공전선로의 지지물에 시설하는 통신선 또는 이에 직접 접속하는 통신선이 도로·횡
단보도교·철도의 레일 등 또는 교류 전차선 등과 교차하는 경우의 시설기준으로 옳은 것은?

[2020년 3회 산업기사]

① 인장강도 4.0[kN] 이상의 것 또는 지름 3.5[mm] 경동선일 것
② 통신선이 케이블 또는 광섬유 케이블일 때는 이격거리의 제한이 없다.
③ 통신선과 삭도 또는 다른 가공약전류전선 등 사이의 이격거리는 20[cm] 이상으로 할 것
④ 통신선이 도로·횡단보도교·철도의 레일과 교차하는 경우에는 통신선의 지름 4[mm]의
절연전선과 동등 이상의 절연 효력이 있을 것

해설 KEC 362.2(전력보안통신선의 시설 높이와 이격거리)
• 통신선이 도로·횡단보도교·철도의 레일 또는 삭도와 교차하는 경우에는 통신선은 연선의 경우
단면적 16[mm²](단선의 경우 지름 4[mm])의 절연전선과 동등 이상의 절연 효력이 있는 것, 인장강도
8.01[kN] 이상의 것 또는 연선의 경우 단면적 25[mm²](단선의 경우 지름 5[mm])의 경동선일 것
• 통신선과 삭도 또는 다른 가공약전류전선 등 사이의 이격거리는 0.8[m](통신선이 케이블 또는
광섬유 케이블일 때는 0.4[m]) 이상으로 할 것

18 전력보안통신설비의 조가선은 단면적 몇 [mm²] 이상의 아연도강연선을 사용하여야 하는가?

[2022년 2회 기사]

① 16   ② 38
③ 50   ④ 55

해설 전력보안통신설비의 조가선은 단면적 38[mm²] 이상일 것

19 특고압 가공전선로에서 발생하는 극저주파 전자계는 자계의 경우 지표상 1[m]에서 측정 시 몇 [μT] 이하인가?

[2016년 2회 기사]

① 28.0

② 46.5

③ 70.0

④ 83.3

해설 기술기준 제17조(유도장해 방지)
- 교류 특고압 가공전선로에서 발생하는 극저주파 전자계는 지표상 1[m]에서 전계가 3.5[kV/m] 이하, 자계가 83.3[μT] 이하가 되도록 시설하고, 직류 특고압 가공전선로에서 발생하는 직류전계는 지표면에서 25[kV/m] 이하, 직류자계는 지표상 1[m]에서 400,000[μT] 이하가 되도록 시설하는 등 상시 정전유도 및 전자유도 작용에 의하여 사람에게 위험을 줄 우려가 없도록 시설하여야 한다. 다만, 논밭, 산림 그 밖에 사람의 왕래가 적은 곳에서 사람에 위험을 줄 우려가 없도록 시설하는 경우에는 그러하지 아니하다.
- 특고압의 가공전선로는 전자유도작용이 약전류전선로(전력보안통신설비는 제외한다)를 통하여 사람에 위험을 줄 우려가 없도록 시설하여야 한다.
- 전력보안통신설비는 가공전선로부터의 정전유도작용 또는 전자유도작용에 의하여 사람에 위험을 줄 우려가 없도록 시설하여야 한다.

20 특고압 가공전선로의 지지물에 시설하는 가공통신인입선은 조영물의 붙임점에서 지표상의 높이를 몇 [m] 이상으로 하여야 하는가?(단, 교통에 지장이 없고 또한 위험의 우려가 없을 때에 한한다)

[2019년 3회 산업기사]

① 2.5

② 3

③ 3.5

④ 4

해설 KEC 362.12(가공통신인입선 시설)
- 교통에 지장을 줄 우려가 없을 경우 가공 통신 인입선 부분의 높이
  - 차량이 통행하는 노면상의 높이 : 4.5[m] 이상
  - 조영물의 붙임점에서의 지표상의 높이 : 2.5[m] 이상
- 특고압 가공전선로의 지지물에 시설하는 통신선
  - 교통에 지장이 없고 또한 위험이 우려가 없을 때 : 5[m] 이상
  - 조영물의 붙임점에서의 지표상 높이 : 3.5[m] 이상
  - 다른 가공약전류전선 사이의 이격거리 : 0.6[m] 이상

21 특고압용 제2종 보안장치 또는 이에 준하는 보안장치 등이 되어 있지 않은 25[kV] 이하인 특고압 가공전선로의 지지물에 시설하는 통신선 또는 이에 직접 접속하는 통신선으로 사용할 수 있는 것은? [2016년 1회 기사]

① 광섬유 케이블
② CN/CV 케이블
③ 캡타이어 케이블
④ 지름 2.6[mm] 이상의 절연전선

> **해설** KEC 362.6(25[kV] 이하인 특고압 가공전선로 첨가 통신선의 시설에 관한 특례)
> 통신선은 광섬유 케이블일 것(단, 통신선은 광섬유 케이블 이외의 경우에 이를 표준에 적합한 특고압용 제2종 보안장치 또는 이에 준하는 보안장치를 시설할 때에는 그러하지 아니하다)

22 전력보안 통신설비인 무선용 안테나 등을 지지하는 철주의 기초의 안전율이 얼마 이상이어야 하는가? [2016년 1회 산업기사 / 2022년 1회 기사]

① 1.3
② 1.5
③ 1.8
④ 2.0

> **해설** KEC 364.1(무선용 안테나 등을 지지하는 철탑 등의 시설)
> 무선통신용 안테나나 반사판을 지지하는 지지물들의 안전율 : 1.5 이상

21 ① 22 ② **정답**

23 무선용 안테나 등을 지지하는 철탑의 기초 안전율은 얼마 이상이어야 하는가? [2019년 2회 기사]

① 1.0 ② 1.5 ③ 2.0 ④ 2.5

해설 KEC 364.1(무선용 안테나 등을 지지하는 철탑 등의 시설)
무선통신용 안테나나 반사판을 지지하는 지지물들의 안전율 : 1.5 이상

24 전력보안통신 설비인 무선통신용 안테나를 지지하는 목주는 풍압하중에 대한 안전율이 얼마
이상이어야 하는가? [2016년 3회 산업기사 / 2018년 2회 산업기사 / 2020년 1, 2회 산업기사]

① 1.0 ② 1.2 ③ 1.5 ④ 2.0

해설 23번 해설 참조

25 특고압 가공전선로의 지지물에 시설하는 통신선 또는 이것에 직접 접속하는 통신선일 경우에
설치하여야 할 보안장치로서 모두 옳은 것은? [2019년 2회 산업기사]

① 특고압용 제2종 보안장치, 고압용 제2종 보안장치
② 특고압용 제1종 보안장치, 특고압용 제3종 보안장치
③ 특고압용 제2종 보안장치, 특고압용 제3종 보안장치
④ 특고압용 제1종 보안장치, 특고압용 제2종 보안장치

해설 KEC 362.10(전력보안통신설비의 보안장치)
• 통신선(광섬유 케이블을 제외한다. 이하 같다)에 직접 접속하는 옥내통신설비를 시설하는 곳에는
통신선의 구별에 따라 표준에 적합한 보안장치 또는 이에 준하는 보안장치를 시설하여야 한다.
다만, 통신선이 통신용 케이블인 경우에 뇌 또는 전선과의 혼촉에 의하여 사람에게 위험을 줄
우려가 없도록 시설하는 경우에는 그러하지 아니하다.
• 특고압 가공전선로의 지지물에 시설하는 통신선 또는 이에 직접 접속하는 통신선에 접속하는
휴대전화기를 접속하는 곳 및 옥외전화기를 시설하는 곳에는 표준에 적합한 특고압용 제1종 보안
장치, 특고압용 제2종 보안장치 또는 이에 준하는 보안장치를 시설하여야 한다.

발·변전소, 개폐소 및 이에 준하는 곳의 시설

1. 발·변전소, 개폐소 및 이에 준하는 곳의 시설

(1) 발·변전소 시설 원칙(KEC 351.1)

① 울타리, 담 등을 시설한다.
② 출입구에는 출입금지의 표시를 한다.
③ 출입구에는 자물쇠 장치 기타 적당한 장치를 한다.

(2) 울타리·담 등의 높이와 충전 부분까지의 거리의 합계(KEC 351.1)

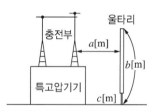

특고압	이격거리($a+b$)	기 타
35[kV] 이하	5.0[m] 이상	• 울타리에서 충전부까지 거리(a)
~160[kV] 이하	6.0[m] 이상	• 울타리의 높이(b) : 2[m] 이상
160[kV] 초과	6.0[m] + H 이상	• 지면과 하부(c) : 0.15[m] 이하

N=160[kV]초과분/10[kV](반드시 절상), $H = N \times 0.12$[m]

고압 또는 특고압 가공전선(케이블 제외함)과 금속제의 울타리·담 등이 교차하는 경우 금속제의 울타리·담 등에는 교차점과 좌, 우로 45[m] 이내의 개소에 320(접지설비)의 규정에 의한 접지공사를 하여야 한다.

※ 고압용 기계기구의 시설
  • 고압용 기계기구 : 지표상 4.5[m] 이상(시가지 외 4[m] 이상)
  • 울타리 높이와 충전 부분까지의 거리합계 : 5[m] 이상(위험 표시할 것)

(3) 발전기 보호장치(고장 시 자동 차단, KEC 351.3)

① 발전기에 과전류나 과전압이 생긴 경우
② 압유장치 유압이 현저히 저하된 경우
    ㉠ 수차발전기 : 500[kVA] 이상

ⓒ 풍차발전기 : 100[kVA] 이상

③ 수차발전기의 스러스트 베어링의 온도가 현저히 상승한 경우 : 2,000[kVA]를 초과

④ 내부고장이 발생한 경우 : 10,000[kVA] 이상(10,000[kW]를 넘는 증기터빈 스러스트 베어링 온도)

(4) 특고압용 변압기의 보호장치(KEC 351.4)

뱅크용량의 구분	동작조건	장치의 종류
5,000[kVA] 이상 10,000[kVA] 미만	변압기 내부고장	자동차단장치 또는 경보장치
10,000[kVA] 이상	변압기 내부고장	자동차단장치
타냉식 변압기 (변압기의 권선 및 철심을 직접 냉각 – 냉매강제순환)	냉각장치 고장, 변압기 온도가 현저히 상승	경보장치

(5) 조상설비의 보호장치(KEC 351.5)

설비종별	뱅크용량의 구분	자동적으로 전로로부터 차단하는 장치
전력용 커패시터 및 분로리액터	500[kVA] 초과 15,000[kVA] 미만	내부고장, 과전류가 생긴 경우에 동작하는 장치
	15,000[kVA] 이상	내부고장, 과전류 및 과전압이 생긴 경우에 동작하는 장치
조상기	15,000[kVA] 이상	내부고장이 생긴 경우에 동작하는 장치

기기의 종류	용량	사고의 종류	보호장치
발전기	모든 발전기	과전류, 과전압	자동차단장치
	500[kVA] 이상	수차의 유압 및 전원 전압이 현저히 저하	자동차단장치
	2,000[kVA] 이상	베어링 과열로 온도가 상승	자동차단장치
	10,000[kVA] 이상	발전기 내부고장	자동차단장치
특고압 변압기	5,000[kVA] 이상 10,000[kVA] 미만	변압기의 내부고장	경보장치, 자동차단장치
	10,000[kVA] 이상	변압기의 내부고장	자동차단장치
	타냉식 특고압용 변압기	냉각 장치의 고장, 온도상승	경보장치
전력콘덴서 및 분로리엑터	500[kVA] 초과 15,000[kVA] 미만	내부고장 및 과전류	자동차단장치
	15,000[kVA] 이상	내부고장, 과전류 및 과전압	자동차단장치
조상기	15,000[kVA] 이상	내부고장	자동차단장치

(6) 계측장치

① 발전기, 연료전지 또는 태양전지 모듈, 동기조상기
　　㉠ 전압, 전류, 전력
　　㉡ 베어링 및 고정자 온도(발전기, 동기조상기)
　　㉢ 정격출력 10,000[kW]를 넘는 증기터빈 발전기 진동진폭

② 변압기
　　㉠ 주변압기의 전압, 전류, 전력
　　㉡ 특고 변압기의 온도

③ 동기발전기, 동기조상기 : 동기검정장치(용량이 현저히 작을 경우는 생략)

(7) 상주 감시를 하지 아니하는 변전소의 시설

① 변전소의 운전에 필요한 지식 및 기능을 가진 자(기술원)가 그 변전소에 상주하여 감시를 하지 아니하는 변전소는 다음에 따라 시설하는 경우에 한한다.
　　㉠ 사용전압이 170[kV] 이하의 변압기를 시설하는 변전소로서 기술원이 수시로 순회하거나 그 변전소를 원격감시 제어하는 제어소(변전제어소)에서 상시 감시하는 경우
　　㉡ 사용전압이 170[kV]를 초과하는 변압기를 시설하는 변전소로서 변전제어소에서 상시 감시하는 경우

② 변전제어소 또는 기술원이 상주하는 장소에 경보장치를 시설할 것
　　㉠ 운전조작에 필요한 차단기가 자동적으로 차단한 경우(차단기가 재폐로한 경우 제외)
　　㉡ 주요 변압기의 전원 측 전로가 무전압으로 된 경우
　　㉢ 제어회로의 전압이 현저히 저하한 경우
　　㉣ 옥내변전소에 화재가 발생한 경우
　　㉤ 출력 3,000[kVA]를 초과하는 특고압용 변압기는 그 온도가 현저히 상승한 경우
　　㉥ 특고압용 타냉식변압기는 그 냉각장치가 고장난 경우
　　㉦ 조상기는 내부에 고장이 생긴 경우
　　㉧ 수소냉각식 조상기는 그 조상기 안의 수소의 순도가 90[%] 이하로 저하한 경우, 수소의 압력이 현저히 변동한 경우 또는 수소의 온도가 현저히 상승한 경우
　　㉨ 가스절연기기(압력의 저하에 의하여 절연파괴 등이 생길 우려가 없는 경우 제외)의 절연가스의 압력이 현저히 저하한 경우

③ 수소냉각식 조상기를 시설하는 변전소는 그 조상기 안의 수소의 순도가 85[%] 이하로 저하한 경우에 그 조상기를 전로로부터 자동적으로 차단하는 장치를 시설할 것

④ 전기철도용 변전소는 주요 변성기기에 고장이 생긴 경우 또는 전원 측 전로의 전압이 현저히 저하한 경우에 그 변성기기를 자동적으로 전로로부터 차단하는 장치를 할 것 (단, 경미한 고장이 생긴 경우에 기술원주재소에 경보하는 장치를 하는 때에는 그 고장이 생긴 경우에 자동적으로 전로로부터 차단하는 장치의 시설을 하지 아니하여도 된다)

(8) 수소냉각식 발전기 등의 시설

수소냉각식의 발전기·조상기 또는 이에 부속하는 수소냉각장치는 다음에 의한다.
① 기밀구조이고 수소가 대기압에서 폭발 시 생기는 압력에 견디는 강도이어야 한다.
② 발전기, 조상기 안의 수소 순도가 85[%] 이하 : 경보장치 시설
③ 수소압력을 계측하는 장치, 압력의 현저한 변동 시 : 경보장치 시설
④ 수소의 온도를 계측하는 장치를 시설한다.
⑤ 유리제의 점검창은 쉽게 파손되지 않는 구조이어야 한다.

(9) 압축공기장치 시설

최고사용압력의 1.5배의 수압, 1.25배의 기압 : 연속 10분간 견뎌야 한다.
① 공기탱크는 개폐기, 차단기의 투입 및 차단 : 연속 1회 이상 가능해야 한다.
② 주공기탱크 압력계 최고눈금 : 사용압력의 1.5배 이상 3배 이하
③ 절연가스는 가연성, 부식성 또는 유독성이 아니어야 한다.
④ 절연가스 압력의 저하 시 : 경보장치 또는 압력계측장치를 시설한다.

01 특고압의 기계기구·모선 등을 옥외로 시설하는 변전소의 구내에 취급자 이외의 자가 들어가지 못하도록 시설하는 울타리·담 등의 높이는 몇 [m] 이상으로 하여야 하는가? [2018년 2회 기사]

① 2 　　　　② 2.2 　　　　③ 2.5 　　　　④ 3

해설 KEC 351.1(발전소 등의 울타리·담 등의 시설)

특고압	이격거리($a+b$)	기 타
35[kV] 이하	5.0[m] 이상	울타리의 높이(a) : 2[m] 이상 울타리에서 충전부까지 거리(b)
~160[kV] 이하	6.0[m] 이상	지면과 하부(c) : 0.15[m] 이하 단수 = 160[kV] 초과/10[kV]
160[kV] 초과	6.0[m]+N 이상	N = 단수×0.12[m]

02 사용전압이 20[kV]인 변전소에 울타리·담 등을 시설하고자 할 때 울타리·담 등의 높이는 몇 [m] 이상이어야 하는가? [2019년 2회 산업기사]

① 1 　　　　② 2 　　　　③ 5 　　　　④ 6

해설 1번 해설 참조

03 "고압 또는 특별 고압의 기계기구, 모선 등을 옥외에 시설하는 발전소, 변전소, 개폐소 또는 이에 준하는 곳에 시설하는 울타리, 담 등의 높이는 (㉠)[m] 이상으로 하고, 지표면과 울타리, 담 등의 하단 사이의 간격은 (㉡)[cm] 이하로 하여야 한다"에서 ㉠, ㉡에 알맞은 것은? [2015년 2회 기사]

① ㉠ 3 ㉡ 15   ② ㉠ 2 ㉡ 15

③ ㉠ 3 ㉡ 25   ④ ㉠ 2 ㉡ 25

해설   KEC 351.1(발전소 등의 울타리 · 담 등의 시설)

특고압	이격거리($a + b$)	기 타
35[kV] 이하	5.0[m] 이상	울타리의 높이(a) : 2[m] 이상
~160[kV] 이하	6.0[m] 이상	울타리에서 충전부까지 거리(b) 지면과 하부(c) : 0.15[m] 이하
160[kV] 초과	6.0[m]+N 이상	단수 = 160[kV] 초과/10[kV] N = 단수×0.12[m]

04 35[kV] 기계 기구, 모선 등을 옥외에 시설하는 변전소의 구내에 취급자 이외의 사람이 들어가지 않도록 울타리를 시설하는 경우에 울타리의 높이와 울타리로부터의 충전 부분까지의 거리의 합계는 몇 [m]인가? [2016년 1회 기사]

① 5   ② 6   ③ 7   ④ 8

해설   3번 해설 참조

05 사용전압 35,000[V]인 기계기구를 옥외에 시설하는 개폐소의 구내에 취급자 이외의 자가 들어가지 않도록 울타리를 설치할 때 울타리와 특고압의 충전 부분이 접근하는 경우에는 울타리의 높이와 울타리로부터 충전 부분까지의 거리의 합은 최소 몇 [m] 이상이어야 하는가? [2019년 3회 기사]

① 4   ② 5   ③ 6   ④ 7

해설   3번 해설 참조

06 66[kV]에 사용되는 변압기를 취급자 이외의 자가 들어가지 않도록 적당한 울타리·담 등을 설치하여 시설하는 경우 울타리·담 등의 높이와 울타리·담 등으로부터 충전부분까지의 거리의 합계는 최소 몇 [m] 이상으로 하여야 하는가?   [2015년 1회 산업기사]

① 5   ② 6   ③ 8   ④ 10

> **해설** KEC 351.1(발전소 등의 울타리·담 등의 시설)

특고압	이격거리($a + b$)	기 타
35[kV] 이하	5.0[m] 이상	울타리의 높이(a) : 2[m] 이상 울타리에서 충전까지 거리(b) 지면과 하부(c) : 0.15[m] 이하 단수 = 160[kV] 초과/10[kV] N = 단수×0.12[m]
~160[kV] 이하	6.0[m] 이상	
160[kV] 초과	6.0[m]+N 이상	

07 발전소 등의 울타리·담 등을 시설할 때 사용전압이 154[kV]인 경우 울타리·담 등의 높이와 울타리·담 등으로부터 충전 부분까지의 거리의 합계는 몇 [m] 이상이어야 하는가?

[2013년 3회 기사 / 2014년 2회 산업기사 / 2021년 1회 기사]

① 5   ② 6   ③ 8   ④ 10

> **해설** 6번 해설 참조

08 154[kV]용 변성기를 사람이 접촉할 우려가 없도록 시설하는 경우에 충전 부분의 지표상의 높이는 최소 몇 [m] 이상이어야 하는가?   [2016년 1회 산업기사]

① 4   ② 5   ③ 6   ④ 8

> **해설** 6번 해설 참조

09 변전소에 울타리 · 담 등을 시설할 때, 사용전압이 345[kV]이면 울타리 · 담 등의 높이와 울타리 · 담 등으로부터 충전 부분까지의 거리의 합계는 몇 [m] 이상으로 하여야 하는가?

[2021년 3회 기사]

① 8.16 　　　　② 8.28 　　　　③ 8.40 　　　　④ 9.72

> **해설** **KEC 351.1(발전소 등의 울타리 · 담 등의 시설)**
> 160[kV] 초과 : 6[m]에 160[kV]를 초과하는 10[kV] 또는 그 단수마다 0.12[m]를 더한 값으로 한다.
> • 단수 $= \dfrac{345-160}{10} = 18.5 \rightarrow$ 19단
> • 충전 부분까지의 거리[m] $= 6 + 19 \times 0.12 = 8.28$[m]

10 345[kV] 변전소의 충전 부분에서 5.98[m] 거리에 울타리를 설치할 경우 울타리 최소높이는 몇 [m]인가?

[2017년 3회 산업기사]

① 2.1 　　　　② 2.3 　　　　③ 2.5 　　　　④ 2.7

> **해설** **KEC 351.1(발전소 등의 울타리 · 담 등의 시설)**
> 울타리의 높이와 울타리에서 충전 부분까지 거리의 합계는 160[kV]를 넘는 경우 6[m]에 160[kV]를 넘는 10[kV] 또는 그 단수마다 0.12[m]를 가한 값이므로
> 345 − 160 = 185[kV] → 19단
> 6 + (19 × 0.12) = 8.28[m]
> 울타리에서 충전 부분까지의 거리는 5.98[m]이므로
> 울타리 최소높이 = 8.28 − 5.98 = 2.3[m]

11 345[kV] 변전소의 충전 부분에서 6[m]의 거리에 울타리를 설치하려고 한다. 울타리의 최소높이는 약 몇 [m]인가?

[2018년 1회 산업기사]

① 2 　　　　② 2.28 　　　　③ 2.57 　　　　④ 3

> **해설** 10번 해설 참조
> 단수 $= \dfrac{160[\text{kV}] \text{ 초과}}{10} = \dfrac{345-160}{10} = 18.5 \qquad \therefore$ 19단수
> $N =$ 단수 × 0.12
> 일반 지표상의 높이는 6 + 19 × 0.12 = 8.280이지만
> 문제에서 충전 부분에서 6[m]로 표기되어 있어서 8.28 − 6 = 2.28[m]가 된다.

12 고압용 기계기구를 시설하여서는 안 되는 경우는? [2014년 1회 산업기사 / 2019년 2회 기사]

① 발전소, 변전소, 개폐소 또는 이에 준하는 곳에 시설하는 경우
② 시가지 외로서 지표상 3[m]인 경우
③ 공장 등의 구내에서 기계기구의 주위에 사람이 쉽게 접촉할 우려가 없도록 적당한 울타리를 설치하는 경우
④ 옥내에 설치한 기계기구를 취급자 이외의 사람이 출입할 수 없도록 설치한 곳에 시설하는 경우

해설 KEC 341.8(고압용 기계기구의 시설)
• 기계기구의 주위에 울타리·담 등을 시설하는 경우
• 기계기구를 지표상 4.5[m](시가지 외 4[m]) 이상의 높이에 시설하고 또한 사람이 쉽게 접촉할 우려가 없도록 시설하는 경우
• 공장 등의 구내에서 기계기구의 주위에 사람이 쉽게 접촉할 우려가 없도록 적당한 울타리를 설치하는 경우
• 옥내에 설치한 기계기구를 취급자 이외의 사람이 출입할 수 없도록 설치한 곳에 시설하는 경우
• 충전 부분이 노출하지 아니하는 기계기구를 사람이 쉽게 접촉할 우려가 없도록 시설하는 경우

13 고압용 기계기구를 시가지에 시설할 때 지표상 몇 [m] 이상의 높이에 시설하고, 또한 사람이 쉽게 접촉할 우려가 없도록 하여야 하는가? [2020년 3회 기사]

① 4.0 ② 4.5
③ 5.0 ④ 5.5

해설 KEC 341.4(특고압용 기계기구의 시설), 341.8(고압용 기계기구의 시설)

	고 압		특고압		
	시가지	시가지 외	35[kV] 이하	160[kV] 이하	160[kV] 초과
높 이	4.5[m]	4.0[m]	5.0[m]	6.0[m]	6[m] + 단수 × 0.12[m]

12 ② 13 ② 정답

14 발전기의 용량에 관계없이 자동적으로 이를 전로로부터 차단하는 장치를 시설하여야 하는 경우는? [2013년 3회 기사 / 2015년 2회 산업기사]

① 베어링의 과열
② 과전류 인입
③ 압유제어장치의 전원전압
④ 발전기 내부고장

> **해설** KEC 351.3(발전기 등의 보호장치)
> • 발전기에 과전류나 과전압이 생긴 경우
> • 압유장치 유압이 현저히 저하된 경우
>   – 수차발전기 : 500[kVA] 이상
>   – 풍차발전기 : 100[kVA] 이상
> • 스러스트 베어링의 온도가 현저히 상승한 경우 : 2,000[kVA] 이상
> • 내부고장이 발생한 경우 : 10,000[kVA] 이상

15 발전기를 자동적으로 전로로부터 차단하는 장치를 반드시 시설하지 않아도 되는 경우는? [2018년 2회 기사]

① 발전기에 과전류나 과전압이 생긴 경우
② 용량 5,000[kVA] 이상인 발전기의 내부에 고장이 생긴 경우
③ 용량 500[kVA] 이상의 발전기를 구동하는 수차의 압유장치의 유압이 현저히 저하한 경우
④ 용량 2,000[kVA] 이상인 수차발전기의 스러스트 베어링의 온도가 현저히 상승하는 경우

> **해설** 14번 해설 참조

16 발전기를 전로로부터 자동적으로 차단하는 장치를 시설하여야 하는 경우에 해당되지 않는 것은?

[2019년 1회 기사]

① 발전기에 과전류가 생긴 경우
② 용량이 5,000[kVA] 이상인 발전기의 내부에 고장이 생긴 경우
③ 용량이 500[kVA] 이상의 발전기를 구동하는 수차의 압유장치의 유압이 현저히 저하한 경우
④ 용량이 100[kVA] 이상의 발전기를 구동하는 풍차의 압유장치의 유압, 압축공기장치의 공기압이 현저히 저하한 경우

> 해설 KEC 351.3(발전기 등의 보호장치)
> • 발전기에 과전류나 과전압이 생긴 경우
> • 압유장치 유압이 현저히 저하된 경우
>   – 수차발전기 : 500[kVA] 이상
>   – 풍차발전기 : 100[kVA] 이상
> • 스러스트 베어링의 온도가 현저히 상승한 경우 : 2,000[kVA] 이상
> • 내부고장이 발생한 경우 : 10,000[kVA] 이상

17 발전기의 보호장치에 있어서 과전류, 압유장치의 유압저하 및 베어링의 온도가 현저히 상승한 경우 자동적으로 이를 전로로부터 차단하는 장치를 시설하여야 한다. 해당되지 않는 것은?

[2019년 3회 산업기사]

① 발전기에 과전류가 생긴 경우
② 용량 10,000[kVA] 이상인 발전기의 내부에 고장이 생긴 경우
③ 원자력발전소에 시설하는 비상용 예비발전기에 있어서 비상용 노심냉각장치가 작동한 경우
④ 용량 100[kVA] 이상의 발전기를 구동하는 풍차의 압유장치의 유압, 압축공기장치의 공기압이 현저히 저하한 경우

> 해설 16번 해설 참조

18 발전기를 구동하는 풍차의 압유장치의 유압, 압축공기장치의 공기압 또는 전동식 브레이드 제어장치의 전원전압이 현저히 저하한 경우 발전기를 자동적으로 전로로부터 차단하는 장치를 시설하여야 하는 발전기 용량은 몇 [kVA] 이상인가?　　　　　[2020년 3회 산업기사]

① 100　　　　　② 300　　　　　③ 500　　　　　④ 1,000

해설　KEC 351.3(발전기 등의 보호장치)
- 발전기에 과전류나 과전압이 생긴 경우
- 압유장치 유압이 현저히 저하된 경우
  - 수차발전기 : 500[kVA] 이상
  - 풍차발전기 : 100[kVA] 이상
- 스러스트 베어링의 온도가 현저히 상승한 경우 : 2,000[kVA] 이상
- 내부고장이 발생한 경우 : 10,000[kVA] 이상

19 타냉식 특고압용 변압기에는 냉각장치에 고장이 생긴 경우를 대비하여 어떤 장치를 하여야 하는가?　　　[2016년 2회 산업기사 / 2017년 1회 산업기사 / 2018년 3회 기사 / 2021년 2회 기사]

① 경보장치　　　　　　　　　② 속도조정장치
③ 온도시험장치　　　　　　　④ 냉매흐름장치

해설　KEC 351.4(특고압용 변압기의 보호장치)

뱅크용량의 구분	동작조건	장치의 종류
5,000[kVA] 이상 10,000[kVA] 미만	변압기 내부고장	자동차단장치 또는 경보장치
10,000[kVA] 이상	변압기 내부고장	자동차단장치
타냉식 변압기	냉각장치 고장, 변압기 온도가 현저히 상승	경보장치

20 특고압용 변압기로서 그 내부에 고장이 생긴 경우에 반드시 자동 차단되어야 하는 변압기의 뱅크용량은 몇 [kVA] 이상인가?　　　　　[2019년 1회 기사]

① 5,000　　　　　② 10,000　　　　　③ 50,000　　　　　④ 100,000

해설　19번 해설 참조

정답　18 ①　19 ①　20 ②　　　　　제6장 발·변전소, 개폐소 및 이에 준하는 곳의 시설 / 357

21 특고압용 변압기의 내부에 고장이 생겼을 경우에 자동차단장치 또는 경보장치를 하여야 하는
최소 뱅크용량은 몇 [kVA]인가? [2022년 2회 기사]

① 1,000 ② 3,000
③ 5,000 ④ 10,000

해설 KEC 351.4(특고압용 변압기의 보호장치)

뱅크용량의 구분	동작조건	장치의 종류
5,000[kVA] 이상 10,000[kVA] 미만	변압기 내부고장	자동차단장치 또는 경보장치
10,000[kVA] 이상	변압기 내부고장	자동차단장치
타냉식 변압기	냉각장치 고장, 변압기 온도가 현저히 상승	경보장치

22 특고압용 변압기의 보호장치인 냉각장치에 고장이 생긴 경우 변압기의 온도가 현저하게 상승
한 경우에 이를 경보하는 장치를 반드시 하지 않아도 되는 경우는? [2019년 2회 기사]

① 유압 풍랭식 ② 유입 자랭식
③ 송유 풍랭식 ④ 송유 수랭식

해설 유입 자랭식은 기름의 대류를 이용하여 변압기 내부에 생기는 열을 외부로 발산시키는 방식으로
경보장치를 하지 않아도 된다.

23 전력용 콘덴서 또는 분로리액터의 내부에 고장 또는 과전류 및 과전압이 생긴 경우에 자동적으로 동작하여 전로로부터 자동차단하는 장치를 시설해야 하는 뱅크용량은? [2015년 3회 기사]

① 500[kVA]를 넘고, 7,500[kVA] 미만
② 7,500[kVA]를 넘고 10,000[kVA] 미만
③ 10,000[kVA]를 넘고 15,000[kVA] 미만
④ 15,000[kVA] 이상

해설 KEC 351.5(조상설비의 보호장치)

설비종별	뱅크용량의 구분	자동적으로 전로로부터 차단하는 장치
전력용 커패시터 및 분로리액터	500[kVA] 초과 15,000[kVA] 미만	내부고장이나 과전류가 생긴 경우에 동작하는 장치
	15,000[kVA] 이상	내부고장이나 과전류 및 과전압이 생긴 경우에 동작하는 장치
조상기	15,000[kVA] 이상	내부고장이 생긴 경우에 동작하는 장치

24 내부에 고장이 생긴 경우에 자동적으로 전로로부터 차단하는 장치가 반드시 필요한 것은? [2019년 3회 산업기사]

① 뱅크용량 1,000[kVA]인 변압기
② 뱅크용량 10,000[kVA]인 조상기
③ 뱅크용량 300[kVA]인 분로리액터
④ 뱅크용량 1,000[kVA]인 전력용 커패시터

해설 23번 해설 참조

정답 23 ④ 24 ④

25 전력용 커패시터의 용량 15,000[kVA] 이상은 자동적으로 전로로부터 차단하는 장치가 필요하다. 자동적으로 전로로부터 차단하는 장치가 필요한 사유로 틀린 것은? [2016년 3회 산업기사]

① 과전류가 생긴 경우
② 과전압이 생긴 경우
③ 내부에 고장이 생긴 경우
④ 절연유의 압력이 변화하는 경우

해설 KEC 351.5(조상설비의 보호장치)

설비종별	뱅크용량의 구분	자동적으로 전로로부터 차단하는 장치
전력용 커패시터 및 분로리액터	500[kVA] 초과 15,000[kVA] 미만	내부고장이나 과전류가 생긴 경우에 동작하는 장치
	15,000[kVA] 이상	내부고장이나 과전류 및 과전압이 생긴 경우에 동작하는 장치
조상기	15,000[kVA] 이상	내부고장이 생긴 경우에 동작하는 장치

26 뱅크용량 15,000[kVA] 이상인 분로리액터에서 자동적으로 전로로부터 차단하는 장치가 동작하는 경우가 아닌 것은? [2020년 3회 산업기사]

① 내부고장 시
② 과전류 발생 시
③ 과전압 발생 시
④ 온도가 현저히 상승한 경우

해설 25번 해설 참조

27 조상기의 내부에 고장이 생긴 경우 자동적으로 전로로부터 차단하는 장치는 조상기의 뱅크용량이 몇 [kVA] 이상이어야 시설하는가? [2017년 1회 기사 / 2022년 1회 기사]

① 5,000
② 10,000
③ 15,000
④ 20,000

해설 KEC 351.5(조상설비의 보호장치)

설비종별	뱅크용량의 구분	자동적으로 전로로부터 차단하는 장치
전력용 커패시터 및 분로리액터	500[kVA] 초과 15,000[kVA] 미만	내부고장이나 과전류가 생긴 경우에 동작하는 장치
	15,000[kVA] 이상	내부고장이나 과전류 및 과전압이 생긴 경우에 동작하는 장치
조상기	15,000[kVA] 이상	내부고장이 생긴 경우에 동작하는 장치

28 조상기의 보호장치로서 내부고장 시에 자동적으로 전로로부터 차단되는 장치를 설치하여야 하는 조상기 용량은 몇 [kVA] 이상인가? [2018년 3회 산업기사]

① 5,000
② 7,500
③ 10,000
④ 15,000

해설 27번 해설 참조

29 뱅크용량이 몇 [kVA] 이상인 조상기에는 그 내부에 고장이 생긴 경우에 자동적으로 이를 전로로부터 차단하는 보호장치를 하여야 하는가? [2021년 3회 기사]

① 10,000
② 15,000
③ 20,000
④ 25,000

해설 27번 해설 참조

30 조상설비의 조상기(調相機) 내부에 고장이 생긴 경우에 자동적으로 전로로부터 차단하는 장치
를 시설해야 하는 뱅크용량[kVA]으로 옳은 것은? [2019년 2회 기사]

① 1,000 ② 1,500 ③ 10,000 ④ 15,000

> 해설 KEC 351.5(조상설비의 보호장치)

설비종별	뱅크용량의 구분	자동적으로 전로로부터 차단하는 장치
전력용 커패시터 및 분로리액터	500[kVA] 초과 15,000[kVA] 미만	내부고장이나 과전류가 생긴 경우에 동작하는 장치
	15,000[kVA] 이상	내부고장이나 과전류 및 과전압이 생긴 경우에 동작하는 장치
조상기	15,000[kVA] 이상	내부고장이 생긴 경우에 동작하는 장치

31 조상설비에 내부고장, 과전류 또는 과전압이 생긴 경우 자동적으로 차단되는 장치를 해야 하는
전력용 커패시터의 최소 뱅크용량은 몇 [kVA]인가? [2020년 3회 기사]

① 10,000 ② 12,000 ③ 13,000 ④ 15,000

> 해설 30번 해설 참조

32 변전소를 관리하는 기술원이 상주하는 장소에 경보장치를 시설하지 아니하여도 되는 것은?
[2017년 3회 산업기사]

① 조상기 내부에 고장이 생긴 경우
② 주요 변압기의 전원 측 전로가 무전압으로 된 경우
③ 특고압용 타냉식 변압기의 냉각장치가 고장난 경우
④ 출력 2,000[kVA] 특고압용 변압기의 온도가 현저히 상승한 경우

> 해설 KEC 351.9(상주 감시를 하지 아니하는 변전소의 시설)
> 상주 감시를 하지 아니하는 변전소는 다음의 경우에 기술원 주재소에 경보하는 장치를 하여야 한다.
> • 조상기 내부에 고장이 생긴 경우
> • 주요 변압기의 전원 측 전로가 무전압으로 된 경우
> • 특고압용 타냉식 변압기의 냉각장치가 고장난 경우
> • 출력 3,000[kVA] 특고압용 변압기의 온도가 현저히 상승한 경우

33 사용전압이 170[kV] 이하의 변압기를 시설하는 변전소로서 기술원이 상주하여 감시하지는 않으나 수시로 순회하는 경우, 기술원이 상주하는 장소에 경보장치를 시설하지 않아도 되는 경우는? [2021년 2회 기사]

① 옥내변전소에 화재가 발생한 경우
② 제어회로의 전압이 현저히 저하한 경우
③ 운전조작에 필요한 차단기가 자동적으로 차단한 후 재폐로한 경우
④ 수소냉각식 조상기는 그 조상기 안의 수소의 순도가 90[%] 이하로 저하한 경우

> **해설** KEC 351.9(상주 감시를 하지 아니하는 변전소의 시설)
> 변전제어소 또는 기술원이 상주하는 장소에 경보장치를 시설하는 경우
> • 운전조작에 필요한 차단기가 자동적으로 차단한 경우(차단기가 재폐로한 경우 제외)
> • 주요 변압기의 전원 측 전로가 무전압으로 된 경우
> • 제어회로의 전압이 현저히 저하한 경우
> • 옥내변전소에 화재가 발생한 경우
> • 출력 3,000[kVA]를 초과하는 특고압용 변압기는 그 온도가 현저히 상승한 경우
> • 특고압용 타냉식 변압기는 그 냉각장치가 고장난 경우
> • 조상기는 내부에 고장이 생긴 경우
> • 수소냉각식 조상기는 그 조상기 안의 수소의 순도가 90[%] 이하로 저하한 경우, 수소의 압력이 현저히 변동한 경우 또는 수소의 온도가 현저히 상승한 경우
> • 가스절연기기의 절연가스의 압력이 현저히 저하한 경우

34 발전소에서 계측하는 장치를 시설하여야 하는 사항에 해당하지 않는 것은? [2020년 4회 기사]

① 특고압용 변압기의 온도
② 발전기의 회전수 및 주파수
③ 발전기의 전압 및 전류 또는 전력
④ 발전기의 베어링(수중 메탈을 제외한다) 및 고정자의 온도

> **해설** KEC 351.6(계측장치)
> • 계측장치 : 전압계 및 전류계, 전력계
> • 발전기의 베어링 및 고정자의 온도
> • 특고압용 변압기의 온도
> • 정격출력이 10,000[kW]를 초과하는 증기터빈에 접속하는 발전기의 진동의 진폭

35 발전소의 계측요소가 아닌 것은?　　　　　　　　　　　　　[2016년 2회 기사]

① 발전기의 고정자 온도　　　　② 저압용 변압기의 온도
③ 발전기의 전압 및 전류　　　　④ 주요 변압기의 전류 및 전압

해설　KEC 351.6(계측장치)
• 계측장치 : 전압계 및 전류계, 전력계
• 발전기의 베어링 및 고정자의 온도
• 특고압용 변압기의 온도
• 정격출력이 10,000[kW]를 초과하는 증기터빈에 접속하는 발전기의 진동의 진폭

36 발전소에서 장치를 시설하여 계측하지 않아도 되는 것은?　　　　[2019년 3회 기사]

① 발전기의 회전자 온도　　　　② 특고압용 변압기의 온도
③ 발전기의 전압 및 전류 또는 전력　　④ 주요 변압기의 전압 및 전류 또는 전력

해설　35번 해설 참조

37 동기발전기를 사용하는 전력계통에 시설하여야 하는 장치는?

[2012년 3회 산업기사 / 2017년 3회 산업기사]

① 비상조속기　　　　　　② 동기검정장치
③ 분로리액터　　　　　　④ 절연유 유출방지설비

해설　KEC 351.6(계측장치)
• 계측장치 : 전압계 및 전류계, 전력계
• 발전기의 베어링 및 고정자의 온도
• 특고압용 변압기의 온도
• 정격출력이 10,000[kW]를 초과하는 증기터빈에 접속하는 발전기의 진동의 진폭
• 동기발전, 동기조상기는 반드시 동기검정장치가 있어야 하나 용량이 현저히 작은 경우 생략
　가능

38 절연유의 구외 유출방지설비를 하여야 하는 변압기의 사용전압은 몇 [kV] 이상인가?

[2017년 3회 기사]

① 10
② 50
③ 100
④ 150

해설
• 사용전압 100[kV] 이상의 중성점 직접접지식 전로의 변압기를 시설하는 곳은 절연유의 구외 유출 및 지하 침투방지설비를 한다.
• 변압기 탱크가 2개 이상일 경우에는 공동의 집유조 등의 설치가 가능하다. 용량은 큰 변압기의 50[%] 이상이다.

39 사용전압이 몇 [V] 이상의 중성점 직접접지식 전로에 접속하는 변압기를 설치하는 곳에는 절연유의 구외 유출 및 지하 침투를 방지하기 위하여 절연유 유출방지설비를 하여야 하는가?

[2018년 2회 기사]

① 25,000
② 50,000
③ 75,000
④ 100,000

해설 38번 해설 참조

40 전기공급설비 및 전기사용설비에서 변압기 절연유에 대한 설명으로 옳은 것은?

[2016년 3회 산업기사]

① 사용전압이 20,000[V] 이상의 중성점 직접접지식 전로에 접속하는 변압기를 설치하는 곳에는 절연유의 구외유출 및 지하침투를 방지하기 위한 설비를 갖추어야 한다.
② 사용전압이 25,000[V] 이상의 중성점 직접접지식 전로에 접속하는 변압기를 설치하는 곳에는 절연유의 구외유출 및 지하침투를 방지하기 위한 설비를 갖추어야 한다.
③ 사용전압이 100,000[V] 이상의 중성점 직접접지식 전로에 접속하는 변압기를 설치하는 곳에는 절연유의 구외유출 및 지하침투를 방지하기 위한 설비를 갖추어야 한다.
④ 사용전압이 150,000[V] 이상의 중성점 직접접지식 전로에 접속하는 변압기를 설치하는 곳에는 절연유의 구외유출 및 지하침투를 방지하기 위한 설비를 갖추어야 한다.

해설 38번 해설 참조

41 사용전압이 100[kV] 이상의 변압기를 설치하는 곳의 절연유 유출방지설비의 용량은 변압기 탱크 내장유량의 몇 [%] 이상으로 하여야 하는가?

[2018년 2회 산업기사]

① 25   ② 50

③ 75   ④ 100

해설   사용전압이 100[kV] 이상의 변압기를 설치하는 곳에는 절연유의 구외 유출 및 지하침투를 방지하기 위하여 다음과 같이 절연유 유출방지설비를 하여야 한다.
- 변압기 주변에 집유조 등을 설치할 것
- 절연유 유출방지설비의 용량은 변압기 탱크 내장유량의 50[%] 이상으로 할 것
- 변압기 탱크가 2개 이상일 경우에는 공동의 집유조 등을 설치할 수 있으며 그 용량은 변압기 1 탱크 내장유량이 최대인 것의 50[%] 이상일 것

42 154/22.9[kV]용 변전소의 변압기에 반드시 시설하지 않아도 되는 계측장치는?

[2019년 1회 산업기사]

① 전압계   ② 전류계

③ 역률계   ④ 온도계

해설   **KEC 351.6(계측장치)**
- 계측장치 : 전압계 및 전류계, 전력계
- 발전기의 베어링 및 고정자의 온도
- 특고압용 변압기의 온도
- 정격출력이 10,000[kW]를 초과하는 증기터빈에 접속하는 발전기의 진동의 진폭

43 변전소의 주요 변압기에서 계측하여야 하는 사항 중 계측장치가 꼭 필요하지 않는 것은?(단, 전기철도용 변전소의 주요 변압기는 제외한다) [2017년 1회 산업기사]

① 전 압
② 전 류
③ 전 력
④ 주파수

해설 KEC 351.6(계측장치)
발전기의 전압 및 전류, 전력, 베어링 및 고정자의 온도, 주요 변압기의 전압 및 전력, 특고압용의 온도

44 일반 변전소 또는 이에 준하는 곳의 주요 변압기에 반드시 시설하여야 하는 계측장치가 아닌 것은? [2017년 3회 기사]

① 주파수
② 전 압
③ 전 류
④ 전 력

해설 KEC 351.6(계측장치)
• 계측장치 : 전압계 및 전류계, 전력계
• 발전기의 베어링 및 고정자의 온도
• 특고압용 변압기의 온도
• 정격출력이 10,000[kW]를 초과하는 증기터빈에 접속하는 발전기의 진동의 진폭

45 변전소의 주요 변압기에 계측장치를 시설하여 측정하여야 하는 것이 아닌 것은? [2021년 2회 기사]

① 역 률
② 전 압
③ 전 력
④ 전 류

해설 44번 해설 참조

46 수소냉각식의 발전기·조상기에 부속하는 수소냉각장치에서 필요 없는 장치는?

[2019년 2회 산업기사]

① 수소의 압력을 계측하는 장치
② 수소의 온도를 계측하는 장치
③ 수소의 유량을 계측하는 장치
④ 수소의 순도 저하를 경보하는 장치

해설 KEC 351.10(수소냉각식 발전기 등의 시설)
- 발전기 안 또는 조상기 안의 수소의 순도가 85[%] 이하로 저하한 경우에 이를 경보하는 장치를 시설
- 수소 압력, 온도를 계측하는 장치를 시설할 것(단, 압력이 현저히 변동 시 자동경보장치 시설)

47 수소냉각식 발전기 또는 이에 부속하는 수소냉각장치에 관한 시설기준으로 틀린 것은?

[2016년 3회 기사 / 2017년 2회 산업기사 / 2021년 1회 기사]

① 발전기 안의 수소의 온도를 계측하는 장치를 시설할 것
② 조상기 안의 수소의 압력 계측장치 및 압력 변동에 대한 경보장치를 시설할 것
③ 발전기 안의 수소의 순도가 70[%] 이하로 저하할 경우에 경보하는 장치를 시설할 것
④ 발전기는 기밀구조의 것이고 또한 수소가 대기압에서 폭발하는 경우에 생기는 압력에 견디는 강도를 가지는 것일 것

해설 46번 해설 참조

48 수소냉각식 발전기 및 이에 부속하는 수소냉각장치의 시설에 대한 설명으로 틀린 것은?

[2020년 4회 기사]

① 발전기 안의 수소의 밀도를 계측하는 장치를 시설할 것
② 발전기 안의 수소의 순도가 85[%] 이하로 저하한 경우에 이를 경보하는 장치를 시설할 것
③ 발전기 안의 수소의 압력을 계측하는 장치 및 그 압력이 현저히 변동한 경우에 이를 경보하는 장치를 시설할 것
④ 발전기는 기밀구조의 것이고 또한 수소가 대기압에서 폭발하는 경우에 생기는 압력에 견디는 강도를 가지는 것일 것

해설 **KEC 351.10(수소냉각식 발전기 등의 시설)**
• 발전기 안 또는 조상기 안의 수소의 순도가 85[%] 이하로 저하한 경우에 이를 경보하는 장치를 시설
• 수소 압력, 온도를 계측하는 장치를 시설할 것(단, 압력이 현저히 변동 시 자동경보장치 시설)

49 수소냉각식 발전기·조상기 또는 이에 부속하는 수소냉각장치의 시설방법으로 틀린 것은?

[2018년 3회 산업기사]

① 발전기 안 또는 조상기 안의 수소의 순도가 70[%] 이하로 저하한 경우에 경보장치를 시설할 것
② 발전기 또는 조상기는 기밀구조의 것이고 또한 수소가 대기압에서 폭발하는 경우 생기는 압력에 견디는 강도를 가지는 것일 것
③ 발전기 안 또는 조상기 안의 수소의 압력을 계측하는 장치 및 그 압력이 현저히 변동할 경우에 이를 경보하는 장치를 시설할 것
④ 발전기 축의 밀봉부에는 질소가스를 봉입할 수 있는 장치와 누설한 수소가스를 안전하게 외부에 방출할 수 있는 장치를 설치할 것

해설 48번 해설 참조

50 수소냉각식 발전기 등의 시설기준으로 틀린 것은?

[2017년 1회 기사]

① 발전기 안의 수소의 온도를 계측하는 장치를 시설할 것
② 수소를 통하는 관은 수소가 대기압에서 폭발하는 경우에 생기는 압력에 견디는 강도를 가질 것
③ 발전기 안의 수소의 순도가 95[%] 이하로 저하한 경우에 이를 경보하는 장치를 시설할 것
④ 발전기 안의 수소의 압력을 계측하는 장치 및 그 압력이 현저히 변동한 경우에 이를 경보하는 장치를 시설할 것

> **해설** KEC 351.10(수소냉각식 발전기 등의 시설)
> • 발전기 안 또는 조상기 안의 수소의 순도가 85[%] 이하로 저하한 경우에 이를 경보하는 장치를 시설
> • 수소 압력, 온도를 계측하는 장치를 시설할 것(단, 압력이 현저히 변동 시 자동경보장치 시설)

51 수소냉각식 발전기에서 사용하는 수소 냉각장치에 대한 시설기준으로 틀린 것은?

[2022년 1회 기사]

① 수소를 통하는 관으로 동관을 사용할 수 있다.
② 수소를 통하는 관은 이음매가 있는 강판이어야 한다.
③ 발전기 내부의 수소의 온도를 계측하는 장치를 시설하여야 한다.
④ 발전기 내부의 수소의 순도가 85[%] 이하로 저하한 경우에 이를 경보하는 장치를 시설하여야 한다.

> **해설** 50번 해설 참조

52 발전소·변전소·개폐소 또는 이에 준하는 곳에서 개폐기 또는 차단기에 사용하는 압축공기장치의 공기압축기는 최고사용압력의 1.5배의 수압을 연속하여 몇 분간 가하여 시험을 하였을 때에 이에 견디고 또한 새지 아니하여야 하는가? [2018년 1회 기사]

① 5   ② 10
③ 15   ④ 20

| 해설 | KEC 341.15(압축공기계통) |

- 압축공기장치나 가스절연기기의 탱크나 관은 압력 시험에 견딜 것
  - 수압시험 : 최고사용압력×1.5배를 10분간 가해서 견딜 것
  - 기압시험 : 최고사용압력×1.25배를 10분간 가해서 견딜 것
- 사용압력에서 공기의 보급이 없는 상태로 개폐기 또는 차단기의 투입 및 차단을 연속하여 1회 이상 할 수 있는 용량을 가지는 것일 것
- 주공기탱크에는 사용압력의 1.5배 이상 3배 이하의 최고눈금이 있는 압력계를 시설할 것

53 발전소의 개폐기 또는 차단기에 사용하는 압축공기장치의 주공기탱크에 시설하는 압력계의 최고눈금의 범위로 옳은 것은? [2018년 3회 기사]

① 사용압력의 1배 이상 2배 이하
② 사용압력의 1.15배 이상 2배 이하
③ 사용압력의 1.5배 이상 3배 이하
④ 사용압력의 2배 이상 3배 이하

| 해설 | 52번 해설 참조 |

54 차단기에 사용하는 압축공기장치에 대한 설명 중 틀린 것은? [2016년 1회 산업기사]

① 공기압축기를 통하는 관은 용접에 의한 잔류응력이 생기지 않도록 할 것
② 주공기탱크에는 사용압력 1.5배 이상 3배 이하의 최고눈금이 있는 압력계를 시설할 것
③ 공기압축기는 최고사용압력의 1.5배 수압을 연속하여 10분간 가하여 시험하였을 때 이에 견디고 새지 아니할 것
④ 공기탱크는 사용압력에서 공기의 보급이 없는 상태로 차단기의 투입 및 차단을 연속하여 3회 이상 할 수 있는 용량을 가질 것

| 해설 | 52번 해설 참조 |

55 발전기 · 변압기 · 조상기 · 계기용 변성기 · 모선 또는 이를 지지하는 애자는 어떤 전류에 의하여 생기는 기계적 충격에 견디는 것인가?

[2016년 3회 산업기사]

① 지상전류　　　　　　　　　　② 유도전류

③ 충전전류　　　　　　　　　　④ 단락전류

해설　**기술기준 제23조(발전기 등의 기계적 강도)**
발전기 · 변압기 · 조상기 · 계기용 변성기 · 모선 및 이를 지지하는 애자는 단락전류에 의하여 생기는 기계적 충격에 견디는 것이어야 한다.

56 단락전류에 의하여 생기는 기계적 충격에 견디는 것을 요구하지 않는 것은?

[2016년 1회 산업기사]

① 애 자　　　　　　　　　　　② 변압기

③ 조상기　　　　　　　　　　　④ 접지선

해설　55번 해설 참조

57 발전소 · 변전소 또는 이에 준하는 곳의 특고압전로에 대한 접속상태를 모의모선의 사용 또는 기타의 방법으로 표시하여야 하는데, 그 표시의 의무가 없는 것은? [2016년 2회 기사]

① 전선로의 회선수가 3회선 이하로서 복모선
② 전선로의 회선수가 2회선 이하로서 복모선
③ 전선로의 회선수가 3회선 이하로서 단일모선
④ 전선로의 회선수가 2회선 이하로서 단일모선

해설 KEC 351.2(특고압전로의 상 및 접속상태의 표시)
모의모선이 필요 없는 것은 회선수가 2 이하이고, 단일모선인 경우이다.

58 발전소 · 변전소 또는 이에 준하는 곳의 특고압전로에는 그의 보기 쉬운 곳에 어떤 표시를 반드시 하여야 하는가? [2019년 1회 산업기사]

① 모선표시   ② 상별표시
③ 차단위험표시   ④ 수전위험표시

해설 KEC 351.2(특고압전로의 상 및 접속상태의 표시)
특고압 시설 시 상별표시를 해야 한다.

59 변전소에서 오접속을 방지하기 위하여 특고압전로의 보기 쉬운 곳에 반드시 표시해야 하는 것은?

[2020년 3회 기사]

① 상별표시   ② 위험표시
③ 최대전류   ④ 정격전압

해설 **KEC 351.2(특고압전로의 상 및 접속상태의 표시)**
- 발전소·변전소 또는 이에 준하는 곳의 특고압전로에는 그의 보기 쉬운 곳에 상별표시를 하여야 한다.
- 발전소·변전소 또는 이에 준하는 곳의 특고압전로에 대하여는 그 접속상태를 모의모선의 사용 기타의 방법에 의하여 표시하여야 한다. 다만, 이러한 전로에 접속하는 특고압전선로의 회선수가 2 이하이고 또한 특고압의 모선이 단일모선인 경우에는 그러하지 아니하다.

60 전력계통의 일부가 전력계통의 전원과 전기적으로 분리된 상태에서 분산형전원에 의해서만 운전되는 상태를 무엇이라 하는가?

[2018년 2회 기사]

① 계통연계   ② 접속설비
③ 단독운전   ④ 단순 병렬운전

해설 **KEC 112(용어 정의)**
- 계통연계 : 둘 이상의 전력계통 사이를 전력이 상호 융통될 수 있도록 선로를 통하여 연결하는 것으로 전력계통 상호 간을 송전선, 변압기 또는 직류–교류변환설비 등에 연결하는 것(계통연락이라고도 함)
- 접속설비 : 공용 전력계통으로부터 특정 분산형전원 전기설비에 이르기까지의 전선로와 이에 부속하는 개폐장치, 모선 및 기타 관련 설비
- 단독운전 : 전력계통의 일부가 전력계통의 전원과 전기적으로 분리된 상태에서 분산형전원에 의해서만 운전되는 상태
- 단순 병렬운전 : 자가용 발전설비 또는 저압 소용량 일반용 발전설비를 배전계통에 연계하여 운전하되, 생산한 전력의 전부를 자체적으로 소비하기 위한 것으로서 생산한 전력이 연계계통으로 송전되지 않는 병렬 형태

61 발전소, 변전소, 개폐소의 시설부지조성을 위해 산지를 전용할 경우에 전용하고자 하는 산지의 평균 경사도는 몇 도 이하이어야 하는가? [2016년 3회 기사]

① 10

② 15

③ 20

④ 25

해설 기술기준 제21조의2(발전소 등의 부지 시설조건)
- 부지조성을 위해 산지를 전용할 경우에는 전용하고자 하는 산지의 평균 경사도가 25° 이하여야 하며, 산지전용면적 중 산지전용으로 발생되는 절·성토 경사면의 면적이 100분의 50을 초과해서는 아니 된다.
- 산지전용 후 발생하는 절·성토면의 수직높이는 15[m] 이하로 한다. 다만, 345[kV]급 이상 변전소 또는 전기사업용전기설비인 발전소로서 불가피하게 절·성토면 수직높이가 15[m] 초과되는 장대비탈면이 발생할 경우에는 절·성토면의 안정성에 대한 전문용역기관(토질 및 기초와 구조분야 전문기술사를 보유한 엔지니어링 활동주체로 등록된 업체)의 검토 결과에 따라 용수, 배수, 법면보호 및 낙석방지 등 안전대책을 수립한 후 시행하여야 한다.
- 산지전용 후 발생하는 절토면 최하단부에서 발전 및 변전설비까지의 최소이격거리는 보안울타리, 외곽도로, 수림대 등을 포함하여 6[m] 이상이 되어야 한다. 다만, 옥내변전소와 옹벽, 낙석방지망 등 안전대책을 수립한 시설의 경우에는 예외로 한다.

62 발전용 수력설비에서 필댐의 축제재료로 필댐의 본체에 사용하는 토질재료로 적합하지 않은 것은? [2018년 2회 기사]

① 묽은 진흙으로 되지 않을 것

② 댐의 안정에 필요한 강도 및 수밀성이 있을 것

③ 유기물을 포함하고 있으며 광물성분은 불용성일 것

④ 댐의 안정에 지장을 줄 수 있는 팽창성 또는 수축성이 없을 것

해설 기술기준 제145조(필댐 축제재료)
- 묽은 진흙으로 되지 않을 것
- 댐의 안정에 필요한 강도 및 수밀성이 있을 것
- 유기물을 포함하지 않으며 광물성분은 불용성일 것
- 댐의 안정에 지장을 줄 수 있는 팽창성 또는 수축성이 없을 것

01 고압 또는 특고압 가공전선과 금속제의 울타리가 교차하는 경우 교차점과 좌, 우로 몇 [m] 이내의 개소에 접지공사를 하여야 하는가?(단, 전선에 케이블을 사용하는 경우는 제외한다)

① 25

② 35

③ 45

④ 55

해설 KEC 351.1(발전소 등의 울타리·담 등의 시설)
고압 또는 특고압 가공전선과 금속제의 울타리, 담 등이 교차하는 경우에 금속제의 울타리, 담 등에는 교차점과 좌, 우로 45[m] 이내의 개소에 320(접지설비)의 규정에 의한 접지공사를 하여야 한다.

02 수소냉각식 조상기 안의 수소 순도가 몇 [%] 이하로 저하한 경우에 이를 자동적으로 차단하는 장치를 시설해야 하는가?

① 65

② 75

③ 85

④ 95

해설 KEC 351.9(상주 감시를 하지 아니하는 변전소의 시설)
• 수소냉각식 조상기를 시설하는 변전소는 그 조상기 안의 수소의 순도가 85[%] 이하로 저하한 경우에 그 조상기를 전로로부터 자동적으로 차단하는 장치를 시설할 것
• 수소냉각식조상기는 그 조상기 안의 수소의 순도가 90[%] 이하로 저하한 경우, 수소의 압력이 현저히 변동한 경우 또는 수소의 온도가 현저히 상승한 경우 경보장치를 시설할 것

03 수소냉각식 조상기 안의 수소 순도가 몇 [%] 이하로 저하한 경우에 이를 경보하는 장치를 시설해야 하는가?

① 65

② 75

③ 85

④ 90

해설 2번 해설 참조

04 상시 감시를 하지 아니하는 발전소의 발전기 안에 고장발생 시 발전기를 전로에서 자동적으로 차단하는 장치가 필요한 경우는?

① 1,000[kVA] 이상
② 2,000[kVA] 이상
③ 3,000[kVA] 이상
④ 5,000[kVA] 이상

> 해설 KEC 351.8(상주 감시를 하지 아니하는 발전소의 시설)
> 발전기를 전로에서 자동적으로 차단하는 장치를 시설하는 경우
> • 원동기의 회전속도가 현저히 상승한 경우
> • 발전기에 과전류가 생긴 경우
> • 정격출력이 500[kW] 이상의 원동기 또는 그 발전기의 베어링의 온도가 현저히 상승한 경우
> • 용량이 2,000[kVA] 이상의 발전기의 내부에 고장이 생긴 경우

05 상시 감시를 하지 아니하는 변전소의 특고압 변압기 출력이 얼마 이상 시 그 온도가 현저히 상승하는 경우 기술원 주재소에 경보하는 장치를 시설하여야 하는가?

① 1,000[kVA] 이상
② 2,000[kVA] 이상
③ 3,000[kVA] 이상
④ 5,000[kVA] 이상

> 해설 KEC 351.9(상주 감시를 하지 아니하는 변전소의 시설)
> 변전제어소 또는 기술원이 상주하는 장소에 경보장치를 시설하는 경우
> • 운전조작에 필요한 차단기가 자동적으로 차단한 경우(차단기가 재폐로한 경우 제외)
> • 주요 변압기의 전원 측 전로가 무전압으로 된 경우
> • 제어회로의 전압이 현저히 저하한 경우
> • 옥내변전소에 화재가 발생한 경우
> • 출력 3,000[kVA]를 초과하는 특고압용 변압기는 그 온도가 현저히 상승한 경우
> • 특고압용 타냉식 변압기는 그 냉각장치가 고장난 경우
> • 조상기는 내부에 고장이 생긴 경우
> • 수소냉각식 조상기는 그 조상기 안의 수소의 순도가 90[%] 이하로 저하한 경우, 수소의 압력이 현저히 변동한 경우 또는 수소의 온도가 현저히 상승한 경우
> • 가스절연기기의 절연가스의 압력이 현저히 저하한 경우

전기철도설비

1. 용어 정의

(1) 급전선 : 전기철도차량에 사용할 전기를 변전소로부터 전차선에 공급하는 전선

(2) 급전방식 : 변전소에서 전기철도차량에 전력을 공급하는 방식을 말하며, 급전방식에 따라 직류식, 교류식으로 분류

(3) 가선방식 : 전기철도차량에 전력을 공급하는 전차선의 가선방식으로 가공방식, 강체방식, 제3레일방식으로 분류

(4) 귀선회로 : 전기철도차량에 공급된 전력을 변전소로 되돌리기 위한 귀로

2. 전기철도 전기방식의 일반사항

(1) 전력수급조건

수전선로의 전력수급조건 : 다음의 공칭전압(수전전압)으로 선정하여야 한다.

[공칭전압(수전전압)]

공칭전압(수전전압)[kV]	교류 3상 22.9, 154, 345

(2) 전차선로의 전압

직류방식과 교류방식으로 구분

① **직류방식** : 사용전압과 각 전압별 최고, 최저전압은 다음 표에 따라 선정하여야 한다.

[직류방식의 급전전압]

구 분	지속성 최저전압[V]	공칭전압[V]	지속성 최고전압[V]	비지속성 최고전압[V]	장기 과전압[V]
DC(평균값)	500	750	900	950[1]	1,269
	900	1,500	1,800	1,950	2,538

[1] 회생제동의 경우 1,000[V]의 비지속성 최고전압은 허용 가능하다.

② **교류방식** : 사용전압과 각 전압별 최고, 최저전압은 다음 표에 따라 선정하여야 한다.

[교류방식의 급전전압]

주파수 (실횻값)	비지속성 최저전압[V]	지속성 최저전압[V]	공칭전압[V][2]	지속성 최고전압[V]	비지속성 최고전압[V]	장기 과전압[V]
60[Hz]	17,500	19,000	25,000	27,500	29,000	38,746
	35,000	38,000	50,000	55,000	58,000	77,492

[2] 급전선과 전차선 간의 공칭전압은 단상교류 50[kV](급전선과 레일 및 전차선과 레일 사이의 전압은 25[kV])를 표준으로 한다.

3. 전기철도 변전방식의 일반사항

(1) 변전소의 용량 : 변전소의 용량은 급전구간별 정상적인 열차부하조건에서 1시간 최대출력 또는 순시 최대출력을 기준으로 결정하고, 연장급전 등 부하의 증가를 고려하여야 한다.

(2) 변전소의 설비

① 급전용 변압기는 직류 전기철도의 경우 3상 정류기용 변압기, 교류 전기철도의 경우 3상 스코트결선 변압기의 적용을 원칙으로 하고, 급전계통에 적합하게 선정하여야 한다.

② 제어용 교류전원은 상용과 예비의 2계통으로 구성하여야 한다.

③ 제어반의 경우 디지털계전기방식을 원칙으로 하여야 한다.

4. 전기철도 전차선로의 일반사항

(1) 전차선로의 충전부와 건조물 간의 절연이격

① 건조물과 전차선, 급전선 및 전기철도차량 집전장치의 공기절연 이격거리는 다음 표에
제시되어 있는 정적 및 동적 최소 절연이격거리 이상을 확보하여야 한다. 동적 절연이
격의 경우 팬터그래프가 통과하는 동안의 일시적인 전선의 움직임을 고려하여야 한다.

② 해안 인접지역, 공해지역, 열기관을 포함한 교통량이 과중한 곳, 오염이 심한 곳, 안개
가 자주 끼는 지역, 강풍 또는 강설 지역 등 특정한 위험도가 있는 구역에서는 최소
절연이격거리보다 증가시켜야 한다.

[전차선과 건조물 간의 최소 절연이격거리]

시스템 종류	공칭전압[V]	동적[mm]		정적[mm]	
		비오염	오 염	비오염	오 염
직 류	750	25	25	25	25
	1,500	100	110	150	160
단상 교류	25,000	170	220	270	320

(2) 전차선로의 충전부와 차량 간의 절연이격

① 차량과 전차선로나 충전부 간의 절연이격은 다음 표에 제시되어 있는 정적 및 동적
최소 절연이격거리 이상을 확보하여야 한다. 동적 절연이격의 경우 팬터그래프가 통과
하는 동안의 일시적인 전선의 움직임을 고려하여야 한다.

② 해안 인접지역, 공해지역, 안개가 자주 끼는 지역, 강풍 또는 강설 지역 등 특정한
위험도가 있는 구역에서는 최소 절연이격거리보다 증가시켜야 한다.

[전차선과 차량 간의 최소 절연이격거리]

시스템 종류	공칭전압[V]	동적[mm]	정적[mm]
직 류	750	25	25
	1,500	100	150
단상 교류	25,000	170	270

(3) 전차선 및 급전선의 높이

전차선과 급전선의 최소 높이는 다음 표의 값 이상을 확보하여야 한다. 다만, 전차선 및
급전선의 최소 높이는 최대 대기온도에서 바람이나 팬터그래프의 영향이 없는 안정된 위치
에 놓여 있는 경우 사람의 안전측면에서 건널목, 터널, 교량, 과선교 등을 고려하여 궤도면

상 높이로 정의한다. 전차선의 최소 높이는 항상 열차의 통과 게이지보다 높아야 하며 전기적 이격거리와 팬터그래프의 최소 작동높이를 고려하여야 한다.

[전차선 및 급전선의 최소 높이]

시스템 종류	공칭전압[V]	동적[mm]	정적[mm]
직 류	750	4,800	4,400
	1,500	4,800	4,400
단상 교류	25,000	4,800	4,570

(4) 전차선로 설비의 안전율

하중을 지탱하는 전차선로 설비의 강도는 작용이 예상되는 하중의 최악 조건 조합에 대하여 다음의 최소 안전율이 곱해진 값을 견디어야 한다.

① 합금전차선의 경우 2.0 이상
② 경동선의 경우 2.2 이상
③ 조가선 및 조가선 장력을 지탱하는 부품에 대하여 2.5 이상
④ 지지물 기초에 대하여 2.0 이상

(5) 전차선 등과 식물 사이의 이격거리

교류 전차선 등 충전부와 식물 사이의 이격거리는 5[m] 이상(단, 5[m] 이상 확보하기 곤란한 경우에는 현장여건을 고려하여 방호벽 등 안전조치)

5. 전기철도의 원격감시제어설비

(1) 원격감시제어시스템(SCADA)

① 원격감시제어시스템은 열차의 안전운행과 현장 전철전력설비의 유지보수를 위하여 제어, 감시대상, 수준, 범위 및 확인, 운용방법 등을 고려하여 구성하여야 한다.
② 중앙감시제어반의 구성, 방식, 운용방식 등을 계획하여야 한다.
③ 전철변전소, 배전소 등의 운용을 위한 소규모 제어설비에 대한 위치, 방식 등을 고려하여 구성하여야 한다.

(2) 중앙감시제어장치 및 소규모감시제어장치

① 전철변전소 등의 제어 및 감시는 전기사령실에서 이루어지도록 한다.

② 원격감시제어시스템(SCADA)은 열차집중제어장치(CTC), 통신집중제어장치와 호환
되도록 하여야 한다.

③ 전기사령실과 전철변전소, 급전구분소 또는 그 밖의 관제 업무에 필요한 장소에는 상호
연락할 수 있는 통신설비를 시설하여야 한다.

④ 소규모감시제어장치는 유사시 현지에서 중앙감시제어장치를 대체할 수 있도록 하고,
전원설비 운용에 용이하도록 구성한다.

6. 전기철도의 전기철도차량 설비

(1) 절연구간

① 교류 구간 : 변전소 및 급전구분소 앞에서 서로 다른 위상 또는 공급점이 다른 전원이
인접하게 될 경우 전원이 혼촉되는 것을 방지

② 교류-교류 절연구간을 통과하는 방식
  ㉠ 역행 운전방식
  ㉡ 타행 운전방식
  ㉢ 변압기 무부하 전류방식
  ㉣ 전력소비 없이 통과하는 방식

③ 교류-직류(직류-교류) 절연구간 : 교류 구간과 직류 구간의 경계지점에 시설(이 구간에서
노치 오프(Notch Off) 상태로 주행)

④ 절연구간의 소요길이는 다음에 따라 결정한다.
  ㉠ 아크 시간
  ㉡ 잔류전압의 감쇄시간
  ㉢ 팬터그래프 배치간격
  ㉣ 열차속도

(2) 회생제동

① 전기철도차량은 다음과 같은 경우에 회생제동의 사용을 중단해야 한다.
　㉠ 전차선로 지락이 발생한 경우
　㉡ 전차선로에서 전력을 받을 수 없는 경우
　㉢ 전차선로의 전압에서 규정된 선로전압이 장기 과전압보다 높은 경우
② 회생전력을 다른 전기장치에서 흡수할 수 없는 경우에는 전기철도차량은 다른 제동시스템으로 전환되어야 한다.
③ 전기철도 전력공급시스템은 회생제동이 상용제동으로 사용이 가능하고 다른 전기철도차량과 전력을 지속적으로 주고받을 수 있도록 설계되어야 한다.

(3) 전기위험방지를 위한 보호대책

① 감전을 일으킬 수 있는 충전부는 직접 접촉에 대한 보호가 있어야 한다.
② 간접 접촉에 대한 보호대책은 노출된 도전부는 고장 조건하에서 부근 충전부와의 유도 및 접촉에 의한 감전이 일어나지 않아야 한다.
　㉠ 보호용 본딩
　㉡ 자동급전 차단
③ 주행레일과 분리되어 있거나 또는 공동으로 되어 있는 보호용 도체를 채택한 시스템에서 운행되는 모든 전기철도차량은 차체와 고정 설비의 보호용 도체 사이에는 최소 2개 이상의 보호용 본딩 연결로가 있어야 하며, 한쪽 경로에 고장이 발생하더라도 감전위험이 없어야 한다.
④ 차체와 주행레일과 같은 고정설비의 보호용 도체 간의 임피던스
　㉠ 전기철도차량별 최대 임피던스

차량 종류	최대 임피던스[Ω]
기관차	0.05
객 차	0.15

　㉡ 측정시험
　　• 전압 50[V] 이하
　　• 50[A] 일정 전류

7. 전기철도의 설비를 위한 보호

(1) 피뢰기 설치장소

① 변전소 인입 측 및 급전선 인출 측

② 가공전선과 직접 접속하는 지중케이블에서 낙뢰에 의해 절연파괴의 우려가 있는 케이블 단말

※ 피뢰기는 가능한 한 보호하는 기기와 가깝게 시설하되 누설전류 측정이 용이하도록 지지대와 절연하여 설치한다.

(2) 피뢰기의 선정 : 피뢰기는 밀봉형 사용

8. 전기철도의 안전을 위한 보호

(1) 감전에 대한 보호조치

① 공칭전압이 교류 1[kV] 또는 직류 1.5[kV] 이하인 경우 사람이 접근할 수 있는 보행표면의 경우 가공 전차선의 충전부뿐만 아니라 전기철도차량 외부의 충전부(집전장치, 지붕도체 등)와의 직접 접촉을 방지하기 위한 공간거리 이상을 확보하여야 한다(단, 제3레일방식에는 적용되지 않는다).

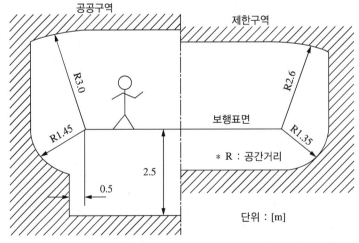

[공칭전압이 교류 1[kV] 또는 직류 1.5[kV] 이하인 경우 사람이 접근할 수 있는 보행표면의 공간거리]

② 공간거리를 유지할 수 없는 경우 장애물을 설치, 충전부가 보행표면과 동일한 높이 또는 낮게 위치한 경우 장애물 높이는 장애물 상단으로부터 1.35[m]의 공간거리를 유지하여야 하며, 장애물과 충전부 사이의 공간거리는 최소한 0.3[m]로 하여야 한다.

③ 공칭전압이 교류 1[kV] 초과 25[kV] 이하인 경우 또는 직류 1.5[kV] 초과 25[kV] 이하인 경우 공간거리 이상을 유지

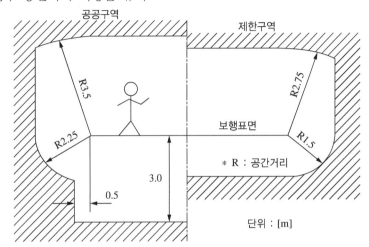

[공칭전압이 교류 1[kV] 초과 25[kV] 이하인 경우 또는 직류 1.5[kV] 초과 25[kV] 이하인 경우 사람이 접근할 수 있는 보행표면의 공간거리]

④ 공간거리를 유지할 수 없는 경우 충전부와의 직접 접촉에 대한 보호를 위해 장애물을 설치

⑤ 장애물 높이는 장애물 상단으로부터 1.5[m]의 공간거리를 유지하여야 하며, 장애물과 충전부 사이의 공간거리는 최소한 0.6[m]로 한다.

(2) 레일 전위의 접촉전압 감소방법

① 교류 전기철도 급전시스템은 다음 방법을 고려하여 접촉전압을 감소시켜야 한다.
   ㉠ 접지극 추가 사용
   ㉡ 등전위본딩
   ㉢ 전자기적 커플링을 고려한 귀선로의 강화
   ㉣ 전압제한소자 적용
   ㉤ 보행표면의 절연
   ㉥ 단락전류를 중단시키는 데 필요한 트래핑 시간의 감소

② 직류 전기철도 급전시스템은 다음 방법을 고려하여 접촉전압을 감소시켜야 한다.
　㉠ 고장조건에서 레일 전위를 감소시키기 위해 전도성 구조물 접지의 보강
　㉡ 전압제한소자 적용
　㉢ 귀선 도체의 보강
　㉣ 보행표면의 절연
　㉤ 단락전류를 중단시키는 데 필요한 트래핑 시간의 감소

(3) 전식방지대책

① **주행레일을 귀선으로 이용하는 경우** : 누설전류에 의하여 케이블, 금속제 지중관로 및 선로 구조물 등에 영향을 미치는 것을 방지하기 위한 적절한 시설을 하여야 한다.
② 전기철도 측 전식방식 또는 전식예방을 위해서는 다음 방법을 고려
　㉠ 변전소 간 간격 축소
　㉡ 레일본드의 양호한 시공
　㉢ 장대레일 채택
　㉣ 절연도상 및 레일과 침목 사이에 절연층의 설치
　㉤ 기 타
③ 매설금속체 측 누설전류에 의한 전식의 피해가 예상되는 곳은 다음 방법을 고려
　㉠ 배류장치 설치
　㉡ 절연코팅
　㉢ 매설금속체 접속부 절연
　㉣ 저준위 금속체를 접속
　㉤ 궤도와의 이격거리 증대
　㉥ 금속판 등의 도체로 차폐
※ 직류 전기철도시스템이 매설 배관 또는 케이블과 인접할 경우 누설전류를 피하기 위해 최대한 이격시켜야 하며, 주행레일과 최소 1[m] 이상의 거리를 유지하여야 한다.

(4) 전자파 장해의 방지

① 전차선로는 무선설비의 기능에 계속적이고 또한 중대한 장해를 주는 전자파가 생길 우려가 있는 경우에는 이를 방지하도록 시설하여야 한다.

② ①의 경우에 전차선로에서 발생하는 전자파 방사성 방해 허용기준은 궤도중심선으로부터 측정안테나까지의 거리 10[m] 떨어진 지점에서 6회 이상 측정하고, 각 회 측정한 첨두값의 평균값이 전자파적합성 기준에 따르도록 한다.

(5) 통신상의 유도 장해방지 시설

교류식 전기철도용 전차선로는 기설 가공약전류전선로에 대하여 유도작용에 의한 통신상의 장해가 생기지 않도록 시설하여야 한다.

핵 / 심 / 예 / 제

01 전기철도차량에 전력을 공급하는 전차선의 가선방식에 포함되지 않는 것은? [2021년 1회 기사]

① 가공방식
② 강체방식
③ 제3레일방식
④ 지중조가선방식

> **해설** KEC 431.1(전차선 가선방식)
> 전차선의 가선방식은 열차의 속도 및 노반의 형태, 부하전류 특성에 따라 적합한 방식을 채택하여야 하며, 가공방식, 강체방식, 제3레일방식을 표준으로 한다.

02 철근 콘크리트주를 사용하는 25[kV] 교류 전차 선로를 도로 등과 제1차 접근상태에 시설하는 경우 경간의 최대한도는 몇 [m] 인가? [2018년 3회 기사]

① 40
② 50
③ 60
④ 70

> **해설** KEC 333.32(25[kV] 이하인 특고압 가공전선로의 시설)
> 25[kV] 교류전차선로를 도로 등과 제1차 접근상태에 시설하는 경우 경간의 최대한도는 60[m]이다.

03 교류 전차선 등 충전부와 식물 사이의 이격거리는 몇 [m] 이상이어야 하는가?(단, 현장여건을 고려한 방호벽 등의 안전조치를 하지 않은 경우이다) [2022년 1회 기사]

① 1
② 3
③ 5
④ 10

> **해설** 전차선 등과 식물 사이의 이격거리
> 교류 전차선 등 충전부와 식물 사이의 이격거리는 5[m] 이상(단, 5[m] 이상 확보하기 곤란한 경우에는 현장여건을 고려하여 방호벽 등 안전조치)

01 ④ 02 ③ 03 ③ **정답**

04 직류귀선은 궤도 근접 부분이 금속제 지중관로와 접근하거나 교차하는 경우에 전기부식방지를 위한 상호 이격거리는 몇 [m] 이상이어야 하는가? [2016년 3회 기사]

① 1.0
② 1.5
③ 2.5
④ 3.0

> **해설** KEC 461.5(누설전류 간섭에 대한 방지)
> 직류 전기철도시스템이 매설 배관 또는 케이블과 인접할 경우 누설전류를 피하기 위해 최대한 이격 시켜야 하며, 주행레일과 최소 1[m] 이상의 거리를 유지하여야 한다.

05 귀선로에 대한 설명으로 틀린 것은? [2021년 3회 기사]

① 나전선을 적용하여 가공식으로 가설을 원칙으로 한다.
② 사고 및 지락 시에도 충분한 허용전류용량을 갖도록 하여야 한다.
③ 비절연보호도체, 매설접지도체, 레일 등으로 구성하여 단권변압기 중성점과 공통접지에 접속한다.
④ 비절연보호도체의 위치는 통신유도장해 및 레일전위의 상승의 경감을 고려하여 결정하여야 한다.

> **해설** 귀선로를 가공식으로 사용 못하며 나전선 사용불가

06 고압 가공전선이 교류전차선과 교차하는 경우, 고압 가공전선으로 케이블을 사용하는 경우 이외에는 단면적 몇 [mm²] 이상의 경동연선(교류전차선 등과 교차하는 부분을 포함하는 경간에 접속점이 없는 것에 한한다)을 사용하여야 하는가? [2020년 1, 2회 산업기사]

① 14
② 22
③ 30
④ 38

> **해설** KEC 332.15(고압 가공전선과 교류전차선 등의 접근 또는 교차)
> 고압 가공전선은 케이블인 경우 이외에는 인장강도 14.51[kN] 이상의 것 또는 단면적 38[mm²] 이상의 경동연선(교류전차선 등과 교차하는 부분을 포함하는 경간에 접속점이 없는 것에 한한다)일 것

07 다음 (   )에 들어갈 내용으로 옳은 것은? [2020년 4회 기사]

> 전차선로는 무선설비의 기능에 계속적이고 또한 중대한 장해를 주는 (   )가 생길 우려가 있는
> 경우에는 이를 방지하도록 시설하여야 한다.

① 전 파   ② 혼 촉
③ 단 락   ④ 정전기

해설   **KEC 461.6(전자파 장해의 방지)**
전차선로는 무선설비의 기능에 계속적이고 또한 중대한 장해를 주는 전파가 생길 우려가 있는 경우
에는 이를 방지하도록 시설하여야 한다.

08 통신상의 유도장해방지시설에 대한 설명이다. 다음 (   )에 들어갈 내용으로 옳은 것은?

[2022년 2회 기사]

> 교류식 전기철도용 전차선로는 기설 가공약전류전선로에 대하여 (   )에 의한 통신상의 장해가
> 생기지 않도록 시설하여야 한다.

① 정전작용   ② 유도작용
③ 가열작용   ④ 산화작용

해설   **통신상의 유도 장해방지 시설**
교류식 전기철도용 전차선로는 기설 가공약전류전선로에 대하여 유도작용에 의한 통신상의 장해가
생기지 않도록 시설하여야 한다.

09 전기철도의 설비를 보호하기 위해 시설하는 피뢰기의 시설기준으로 틀린 것은?

[2021년 1회 기사]

① 피뢰기는 변전소 인입 측 및 급전선 인출 측에 설치하여야 한다.
② 피뢰기는 가능한 한 보호하는 기기와 가깝게 시설하되 누설전류 측정이 용이하도록 지지대와 절연하여 설치한다.
③ 피뢰기는 개방형을 사용하고 유효 보호거리를 증가시키기 위하여 방전개시전압 및 제한전압이 낮은 것을 사용한다.
④ 피뢰기는 가공전선과 직접 접속하는 지중케이블에서 낙뢰에 의해 절연파괴의 우려가 있는 케이블 단말에 설치하여야 한다.

해설 **피뢰기 설치장소**
• 변전소 인입 측 및 급전선 인출 측
• 가공전선과 직접 접속하는 지중케이블에서 낙뢰에 의해 절연파괴의 우려가 있는 케이블 단말
• 가능한 한 보호하는 기기와 가깝게 시설하되 누설전류 측정이 용이하도록 지지대와 절연하여 설치한다.

10 순시조건($t \leq 0.5$초)에서 교류 전기철도 급전시스템에서의 레일 전위의 최대 허용 접촉전압(실횻값)으로 옳은 것은?

[2021년 3회 기사]

① 60[V] ② 65[V]
③ 440[V] ④ 670[V]

해설 **최대 허용 접촉전압(실횻값)**

$0.5 < t \leq 300$	65[V]
$t > 300$	60[V]

※ 순시조건 0.5초 이하인 경우 $V = 670$[V]

11 전식방지대책에서 매설금속체 측의 누설전류에 의한 전식의 피해가 예상되는 곳에 고려하여야
하는 방법으로 틀린 것은?   [2021년 2회 기사]

① 절연코팅
② 배류장치 설치
③ 변전소 간 간격 축소
④ 저준위 금속체를 접속

해설 **매설금속체 측의 누설전류에 의한 전식의 피해가 예상되는 곳의 전식방지대책**
• 배류장치 설치
• 절연코팅
• 매설금속체 접속부 절연
• 저준위 금속체를 접속
• 궤도와의 이격거리 증대
• 금속판 등의 도체로 차폐

01 전차선의 가선방식이 아닌 것은?

① 제3레일방식   ② 강체행거가선방식

③ 가공방식   ④ 강체방식

> **해설** KEC 431.1(전차선 가선방식)
> 전차선의 가선방식은 열차의 속도 및 노반의 형태, 부하전류 특성에 따라 적합한 방식을 채택하여야
> 하며, 가공방식, 강체방식, 제3레일방식을 표준으로 한다.

02 절연구간의 소요길이는 결정 요소에 속하지 않는 것은?

① 아크시간   ② 잔류전압의 감쇄시간

③ 팬터그래프 배치간격   ④ 승강장 간격

> **해설** KEC 441.1(절연구간)
> 절연구간의 소요길이는 구간 진입 시의 아크시간, 잔류전압의 감쇄시간, 팬터그래프 배치간격, 열차
> 속도 등에 따라 결정한다.

03 차체와 주행레일과 같은 고정설비의 보호용 도체 간의 임피던스는 객차인 경우 최대 얼마까지
인가?

① 0.05[Ω]   ② 0.1[Ω]

③ 0.15[Ω]   ④ 0.2[Ω]

> **해설** KEC 441.6(전기철도차량 전기설비의 전기위험방지를 위한 보호대책)
>
> | 차량 종류 | 최대 임피던스[Ω] |
> |:---:|:---:|
> | 기관차 | 0.05 |
> | 객 차 | 0.15 |

04 교류 전기철도 급전시스템은 접촉전압을 감소시키기 위해 고려하여야 하는 방법이 아닌 것은?

① 귀선도체의 보강
② 등전위본딩
③ 전자기적 커플링을 고려한 귀선로의 강화
④ 전압제한소자 적용

> **해설** KEC 461.3(레일 전위의 접촉전압 감소방법)
> 교류 전기철도 급전시스템은 다음 방법을 고려하여 접촉전압을 감소시켜야 한다.
> • 접지극 추가 사용
> • 등전위 본딩
> • 전자기적 커플링을 고려한 귀선로의 강화
> • 전압제한소자 적용
> • 보행표면의 절연
> • 단락전류를 중단시키는 데 필요한 트래핑 시간의 감소

05 전기철도 측 전식방식 또는 전식예방을 위해서 고려하여야 하는 방법이 아닌 것은?

① 변전소 간 간격 축소
② 레일본드의 양호한 시공
③ 배류장치 설치
④ 절연도상 및 레일과 침목 사이에 절연층의 설치

> **해설** KEC 461.4(전식방지대책)
> 전식예방을 위한 방법
> • 변전소 간 간격 축소
> • 레일본드의 양호한 시공
> • 장대레일 채택
> • 절연도상 및 레일과 침목 사이에 절연층의 설치

06 직류전차선의 동적 레일면상의 높이는 몇 [m] 이상이어야 하는가?

① 6.0　　　　　　　　　　　② 5.5

③ 5.0　　　　　　　　　　　④ 4.8

해설　KEC 431.6(전차선 및 급전선의 높이)

시스템 종류	공칭전압[V]	동적[mm]	정적[mm]
직 류	750	4,800	4,400
	1,500	4,800	4,400
단상교류	25,000	4,800	4,570

07 직류전차선의 동적 레일면상의 높이는 일반적인 경우 몇 [m] 이상이어야 하는가?

① 4.3　　　　　　　　　　　② 4.8

③ 5.2　　　　　　　　　　　④ 5.8

해설　6번 해설 참조

정답　06 ④　07 ②

분산형전원설비

1. 전기 공급방식

(1) 분산형전원설비의 전기 공급방식, 측정 장치 등은 다음에 따른다.

① 분산형전원설비의 전기 공급방식은 전력계통과 연계되는 전기 공급방식과 동일할 것
② 분산형전원설비 사업자의 한 사업장의 설비용량 합계가 250[kVA] 이상일 경우에는 송·배전계통과 연계지점의 연결상태를 감시 또는 유효전력, 무효전력 및 전압을 측정할 수 있는 장치를 시설할 것

2. 전기저장장치

(1) 설치장소의 요구사항

① 전기저장장치의 이차전지, 제어반, 배전반의 시설은 기기 등을 조작 또는 보수·점검할 수 있는 충분한 공간을 확보하고 조명설비를 시설하여야 한다.
② 전기저장장치를 시설하는 장소는 폭발성 가스의 축적을 방지하기 위한 환기시설을 갖추고 제조사가 권장하는 온도·습도·수분·분진 등 적정 운영환경을 상시 유지하여야 한다.
③ 침수의 우려가 없도록 시설하여야 한다.
④ 전기저장장치 시설장소에는 "전기저장장치 시설장소" 표지를 하고, 일반인의 출입을 통제하기 위한 잠금장치 등을 설치하여야 한다.

(2) 설비의 안전 요구사항

① 충전 부분은 노출되지 않도록 시설하여야 한다.
② 고장이나 외부 환경요인으로 인하여 비상상황 발생 또는 출력에 문제가 있을 경우 전기저장장치의 비상정지스위치 등 안전하게 작동하기 위한 안전시스템이 있어야 한다.
③ 모든 부품은 충분한 내열성을 확보하여야 한다.

(3) 대지전압 제한

주택의 전기저장장치의 축전지에 접속하는 부하 측 옥내배선을 다음에 따라 시설하는 경우에 주택의 옥내전로의 대지전압은 직류 600[V]까지 적용할 수 있다.

① 전로에 지락이 생겼을 때 자동적으로 전로를 차단하는 장치를 시설할 것

② 사람이 접촉할 우려가 없는 은폐된 장소에 합성수지관배선, 금속관배선 및 케이블배선에 의하여 시설하거나, 사람이 접촉할 우려가 없도록 케이블배선에 의하여 시설하고 전선에 적당한 방호장치를 시설할 것

3. 전기저장장치의 시설

(1) 전기배선의 굵기 : $2.5[\text{mm}^2]$ 이상의 연동선

(2) 충전 및 방전 기능

① 충전기능

㉠ 전기저장장치는 배터리의 SOC특성(충전상태 : State of Charge)에 따라 제조자가 제시한 정격으로 충전할 수 있어야 한다.

㉡ 충전할 때에는 전기저장장치의 충전상태 또는 배터리상태를 시각화하여 정보를 제공해야 한다.

② 방전기능

㉠ 전기저장장치는 배터리의 SOC특성에 따라 제조자가 제시한 정격으로 방전할 수 있어야 한다.

㉡ 방전할 때에는 전기저장장치의 방전상태 또는 배터리상태를 시각화하여 정보를 제공해야 한다.

(3) 전기저장장치의 이차전지는 다음에 따라 자동으로 전로로부터 차단하는 장치를 시설하여야 한다.

① 과전압 또는 과전류가 발생한 경우

② 제어장치에 이상이 발생한 경우

③ 이차전지 모듈의 내부 온도가 급격히 상승할 경우

(4) 계측장치

전기저장장치를 시설하는 곳에는 다음의 사항을 계측하는 장치를 시설하여야 한다.
① 축전지 출력단자의 전압, 전류, 전력 및 충·방전상태
② 주요 변압기의 전압, 전류 및 전력

4. 특정 기술을 이용한 전기저장장치의 시설

(1) 적용범위

20[kWh]를 초과하는 리튬·나트륨·레독스플로 계열의 이차전지를 이용한 전기저장장치의 경우 적절한 보호 및 제어장치를 갖추고 폭발의 우려가 없도록 시설할 것

(2) 시설장소의 요구사항

① 전용건물에 시설하는 경우

　㉠ 전기저장장치 시설장소의 바닥, 천장(지붕), 벽면 재료는 불연재료이어야 한다. 단, 단열재는 준불연재료 또는 이와 동등 이상의 것을 사용

　㉡ 전기저장장치 시설장소는 지표면을 기준으로 높이 22[m] 이내(출구가 있는 바닥면을 기준으로 깊이 9[m] 이내)

　㉢ 이차전지는 전력변환장치(PCS) 등의 다른 전기설비와 분리된 격실에 설치
　　• 이차전지실의 벽면 재료 및 단열재는 준불연재료일 것
　　• 이차전지는 벽면으로부터 1[m] 이상 이격하여 설치할 것
　　• 이차전지와 물리적으로 인접 시설해야 하는 제어장치 및 보조설비(공조설비 및 조명설비 등)는 이차전지실 내에 설치할 것
　　• 이차전지실 내부에는 가연성 물질을 두지 않을 것

　㉣ 인화성 또는 유독성 가스가 축적되지 않는 근거를 제조사에서 제공하는 경우에는 이차전지실에 한하여 환기시설을 생략 가능

　㉤ 전기저장장치가 차량에 의해 충격을 받을 우려가 있는 장소에 시설되는 경우에는 충돌방지장치 등을 설치할 것

　㉥ 전기저장장치 시설장소는 주변 시설(도로, 건물, 가연물질 등)로부터 1.5[m] 이상 이격(다른 건물의 출입구나 피난계단 등 이와 유사한 장소로부터는 3[m] 이상 이격)

② 전용건물 이외의 장소에 시설하는 경우

    ㉠ 전기저장장치를 일반인이 출입하는 건물의 부속공간에 시설(옥상에는 설치할 수 없음)하는 경우에는 ① 및 ②에 따라 시설할 것

    ㉡ 전기저장장치 시설장소는 건축물의 피난・방화구조 등의 기준에 관한 규칙에 따른 내화구조일 것

    ㉢ 이차전지모듈의 직렬 연결체(이차전지랙)의 용량은 50[kWh] 이하로 하고 건물 내 시설 가능한 이차전지의 총용량은 600[kWh] 이하일 것

    ㉣ 이차전지랙과 랙 사이 및 랙과 벽면 사이는 각각 1[m] 이상 이격할 것(단, ㉡에 의한 벽이 삽입된 경우 이차전지랙과 랙 사이의 이격은 예외)

    ㉤ 이차전지실은 건물 내 다른 시설(수전설비, 가연물질 등)로부터 1.5[m] 이상 이격하고 각 실의 출입구나 피난계단 등 이와 유사한 장소로부터 3[m] 이상 이격할 것

    ㉥ 배선설비가 이차전지실 벽면을 관통하는 경우 관통부는 해당 구획부재의 내화성능을 저하시키지 않도록 충전할 것

(3) 제어 및 보호장치 등

① 낙뢰 및 서지 등 과도과전압으로부터 주요 설비를 보호하기 위해 직류 전로에 직류서지보호장치(SPD)를 설치할 것

② 제조사가 정하는 정격 이상의 과충전, 과방전, 과전압, 과전류, 지락전류 및 온도 상승, 냉각장치 고장, 통신 불량 등 긴급상황이 발생한 경우에는 관리자에게 경보하고 즉시 전기저장장치를 자동 및 수동으로 정지시킬 수 있는 비상정지장치를 설치하여야 하며 수동 조작을 위한 비상정지장치는 신속한 접근 및 조작이 가능한 장소에 설치할 것

③ 전기저장장치의 상시 운영정보 및 ②의 긴급상황 관련 계측정보 등은 이차전지실 외부의 안전한 장소에 안전하게 전송되어 최소 1개월 이상 보관될 수 있도록 할 것

④ 전기저장장치의 제어장치를 포함한 주요 설비 사이의 통신장애를 방지하기 위한 보호대책을 고려하여 시설할 것

⑤ 전기저장장치는 정격 이내의 최대 충전범위를 초과하여 충전하지 않도록 하여야 하고 만충전 후 추가 충전은 금지할 것

5. 태양광발전설비

※ 주택의 전기저장장치의 축전지에 접속하는 부하 측 옥내배선을 시설하는 경우에 주택의 옥내전로의 대지전압은 직류 600[V]까지 적용할 수 있다.

(1) 설치장소의 요구사항

① 인버터, 제어반, 배전반 등의 시설은 기기 등을 조작 또는 보수점검할 수 있는 충분한 공간을 확보하고 필요한 조명설비를 시설하여야 한다.

② 인버터 등을 수납하는 공간에는 실내온도의 과열 상승을 방지하기 위한 환기시설을 갖추어야 하며 적정한 온도와 습도를 유지하도록 시설하여야 한다.

③ 배전반, 인버터, 접속장치 등을 옥외에 시설하는 경우 침수의 우려가 없도록 시설하여야 한다.

④ 태양전지모듈을 지붕에 시설하는 경우 취급자에게 추락의 위험이 없도록 점검통로를 안전하게 시설하여야 한다.

⑤ 태양전지모듈의 직렬군 최대개방전압이 직류 750[V] 초과 1,500[V] 이하인 시설장소는 다음에 따라 울타리 등의 안전조치를 하여야 한다.

㉠ 태양전지모듈을 지상에 설치하는 경우는 울타리·담 등을 시설하여야 한다.

㉡ 태양전지모듈을 일반인이 쉽게 출입할 수 있는 옥상 등에 시설하는 경우는 식별이 가능하도록 위험 표시를 하여야 한다.

㉢ 태양전지모듈을 일반인이 쉽게 출입할 수 없는 옥상·지붕에 설치하는 경우는 모듈 프레임 등 쉽게 식별할 수 있는 위치에 위험 표시를 하여야 한다.

㉣ 태양전지모듈을 주차장 상부에 시설하는 경우는 ㉡과 같이 시설하고 차량의 출입 등에 의한 구조물, 모듈 등의 손상이 없도록 하여야 한다.

㉤ 태양전지모듈을 수상에 설치하는 경우는 ㉢과 같이 시설하여야 한다.

(2) 설비의 안전 요구사항

① 태양전지 모듈, 전선, 개폐기 및 기타 기구는 충전 부분이 노출되지 않도록 시설하여야 한다.

② 모든 접속함에는 내부의 충전부가 인버터로부터 분리된 후에도 여전히 충전상태일 수 있음을 나타내는 경고가 붙어 있어야 한다.

③ 태양광설비의 고장이나 외부 환경요인으로 인하여 계통연계에 문제가 있을 경우 회로 분리를 위한 안전시스템이 있어야 한다.

(3) 태양광설비의 시설

① 간선의 시설기준(전기배선)
  ㉠ 모듈 및 기타 기구에 전선을 접속하는 경우는 나사로 조이고, 기타 이와 동등 이상의 효력이 있는 방법으로 기계적·전기적으로 안전하게 접속하고, 접속점에 장력이 가해지지 않도록 할 것
  ㉡ 배선시스템은 바람, 결빙, 온도, 태양방사와 같이 예상되는 외부 영향을 견디도록 시설할 것
  ㉢ 모듈의 출력배선은 극성별로 확인할 수 있도록 표시할 것
  ㉣ 직렬 연결된 태양전지모듈의 배선은 과도과전압의 유도에 의한 영향을 줄이기 위하여 스트링 양극 간의 배선간격이 최소가 되도록 배치할 것
  ㉤ 기타 사항은 512.1.1(전기저장장치의 전기배선)에 따를 것

② **전력변환장치의 시설** : 인버터, 절연변압기 및 계통 연계 보호장치 등 전력변환장치의 시설은 다음에 따라 시설하여야 한다.
  ㉠ 인버터는 실내·실외용을 구분할 것
  ㉡ 각 직렬군의 태양전지 개방전압은 인버터 입력전압 범위 이내일 것
  ㉢ 옥외에 시설하는 경우 방수등급은 IPX4 이상일 것

③ **태양광설비의 계측장치** : 태양광설비에는 전압과 전류 또는 전압과 전력을 계측하는 장치를 시설하여야 한다.

④ **제어 및 보호장치 등**
  ㉠ 어레이 출력 개폐기
   • 태양전지모듈에 접속하는 부하 측의 태양전지 어레이에서 전력변환장치에 이르는 전로(복수의 태양전지모듈을 시설한 경우에는 그 집합체에 접속하는 부하 측의 전로)에는 그 접속점에 근접하여 개폐기 기타 이와 유사한 기구(부하전류를 개폐할 수 있는 것에 한한다)를 시설할 것
   • 어레이 출력개폐기는 점검이나 조작이 가능한 곳에 시설할 것
  ㉡ 과전류 및 지락 보호장치
   • 모듈을 병렬로 접속하는 전로에는 그 전로에 단락전류가 발생할 경우에 전로를 보호하는 과전류차단기 또는 기타 기구를 시설하여야 한다. 단, 그 전로가 단락전류에 견딜 수 있는 경우에는 그러하지 아니하다.
   • 태양전지 발전설비의 직류 전로에 지락이 발생했을 때 자동적으로 전로를 차단하는 장치를 시설하고 그 방법 및 성능은 IEC 60364-7-712(2017) 712.42 또는 712.53에 따를 수 있다.

6. 풍력발전설비

(1) 화재방호설비 시설

500[kW] 이상의 풍력터빈은 나셀 내부의 화재 발생 시, 이를 자동으로 소화할 수 있는 화재방호설비를 시설하여야 한다.

(2) 제어 및 보호장치 시설의 일반 요구사항

① 제어장치는 다음과 같은 기능 등을 보유하여야 한다.
  ㉠ 풍속에 따른 출력 조절
  ㉡ 출력제한
  ㉢ 회전속도제어
  ㉣ 계통과의 연계
  ㉤ 기동 및 정지
  ㉥ 계통 정전 또는 부하의 손실에 의한 정지
  ㉦ 요잉에 의한 케이블 꼬임 제한
② 보호장치는 다음의 조건에서 풍력발전기를 보호하여야 한다.
  ㉠ 과풍속
  ㉡ 발전기의 과출력 또는 고장
  ㉢ 이상진동
  ㉣ 계통 정전 또는 사고
  ㉤ 케이블의 꼬임 한계

(3) 접지설비

접지설비는 풍력발전설비 타워기초를 이용한 통합접지공사를 하여야 하며, 설비 사이의 전위차가 없도록 등전위본딩을 하여야 한다.

(4) 계측장치의 시설

풍력터빈에는 설비의 손상을 방지하기 위하여 운전상태를 계측하는 다음의 계측장치를 시설하여야 한다.

① 회전속도계

② 나셀(Nacelle) 내의 진동을 감시하기 위한 진동계

③ 풍속계

④ 압력계

⑤ 온도계

7. 연료전지설비

(1) 설치장소의 안전 요구사항

① 연료전지를 설치할 주위의 벽 등은 화재에 안전하게 시설하여야 한다.

② 가연성 물질과 안전거리를 충분히 확보하여야 한다.

③ 침수 등의 우려가 없는 곳에 시설하여야 한다.

(2) 연료전지 발전실의 가스 누설 대책(연료가스 누설 시 위험을 방지하기 위한 적절한 조치)

① 연료가스를 통하는 부분은 최고사용압력에 대하여 기밀성을 가지는 것이어야 한다.

② 연료전지설비를 설치하는 장소는 연료가스가 누설되었을 때 체류하지 않는 구조의 것이어야 한다.

③ 연료전지설비로부터 누설되는 가스가 체류할 우려가 있는 장소에 해당 가스의 누설을 감지하고 경보하기 위한 설비를 설치하여야 한다.

(3) 안전밸브(안전밸브의 분출압력 설정)

① 안전밸브가 1개인 경우는 그 배관의 최고사용압력 이하의 압력으로 한다. 다만, 배관의 최고사용압력 이하의 압력에서 자동적으로 가스의 유입을 정지하는 장치가 있는 경우에는 최고사용압력의 1.03배 이하의 압력으로 할 수 있다.

② 안전밸브가 2개 이상인 경우에는 1개는 과압(통상의 상태에서 최고사용압력을 초과하는 압력)에 준하는 압력으로 하고 그 이외의 것은 그 배관의 최고사용압력의 1.03배 이하의 압력이어야 한다.

(4) 연료전지설비의 보호장치

연료전지는 다음의 경우에 자동적으로 이를 전로에서 차단하고 연료전지에 연료가스 공급을 자동적으로 차단하며 연료전지 내의 연료가스를 자동적으로 배제하는 장치를 시설하여야 한다.
① 연료전지에 과전류가 생긴 경우
② 발전요소의 발전전압에 이상이 생겼을 경우 또는 연료가스 출구에서의 산소농도 또는 공기 출구에서의 연료가스 농도가 현저히 상승한 경우
③ 연료전지의 온도가 현저하게 상승한 경우

(5) 접지도체

접지도체는 공칭단면적 16[mm^2] 이상의 연동선 또는 이와 동등 이상의 세기 및 굵기의 쉽게 부식하지 아니하는 금속선(저압전로의 중성점에 시설하는 것은 공칭단면적 6[mm^2] 이상의 연동선 또는 이와 동등 이상의 세기 및 굵기의 쉽게 부식하지 않는 금속선)으로서 고장 시 흐르는 전류가 안전하게 통할 수 있는 것을 사용하고 또한 손상을 받을 우려가 없도록 시설할 것

01 중앙급전 전원과 구분되는 것으로서 전력소비지역 부근에 분산하여 배치 가능한 신·재생에너지 발전설비 등의 전원으로 정의되는 용어는? [2022년 1회 기사]

① 임시전력원   ② 분전반전원
③ 분산형 전원   ④ 계통연계전원

> **해설** 분산형 전원설비의 전기 공급방식, 측정 장치 등은 다음에 따른다.
> • 분산형 전원설비의 전기 공급방식은 전력계통과 연계되는 전기 공급방식과 동일할 것
> • 분산형 전원설비 사업자의 한 사업장의 설비용량 합계가 250[kVA] 이상일 경우에는 송·배전계통과 연계지점의 연결상태를 감시 또는 유효전력, 무효전력 및 전압을 측정할 수 있는 장치를 시설할 것

02 태양전지 모듈의 시설에 대한 설명으로 옳은 것은? [2018년 1회 기사]

① 충전 부분은 노출하여 시설할 것
② 출력배선은 극성별로 확인 가능토록 표시할 것
③ 전선은 공칭단면적 1.5[mm^2] 이상의 연동선을 사용할 것
④ 전선을 옥내에 시설할 경우에는 애자사용공사에 준하여 시설할 것

> **해설** **KEC 520(태양광발전설비)**
> • 태양전지 모듈, 전선, 개폐기 및 기타 기구는 충전 부분이 노출되지 않도록 시설할 것
> • 모든 접속함에는 내부의 충전부가 인버터로부터 분리된 후에도 여전히 충전상태일 수 있음을 나타내는 경고를 붙일 것
> • 주택의 태양전지모듈에 접속하는 부하 측 옥내배선의 대지전압은 직류 600[V]까지 적용
>   – 전로에 지락이 생겼을 때 자동적으로 전로를 차단하는 장치를 시설할 것
>   – 사람이 접촉할 우려가 없는 은폐된 장소에 합성수지관배선, 금속관배선 및 케이블배선에 의하여 시설하거나, 사람이 접촉할 우려가 없도록 케이블배선에 의하여 시설하고 전선에 적당한 방호장치를 시설할 것
> • 모듈의 출력배선은 극성별로 확인할 수 있도록 표시할 것
> • 모듈을 병렬로 접속하는 전로에는 그 전로에 단락전류가 발생할 경우에 전로를 보호하는 과전류차단기 또는 기타 기구를 시설할 것(단, 그 전로가 단락전류에 견딜 수 있는 경우에는 제외)
> • 전선은 공칭단면적 2.5[mm^2] 이상의 연동선 또는 이와 동등 이상의 세기 및 굵기의 것일 것
> • 배선설비공사는 옥내에 시설할 경우에는 합성수지관공사, 금속관공사, 금속제 가요전선관공사, 케이블공사 규정에 준하여 시설할 것
> • 옥측 또는 옥외에 시설할 경우에는 합성수지관공사, 금속관공사, 금속제 가요전선관공사 또는 케이블공사의 규정에 준하여 시설할 것
> • 단자의 접속은 기계적, 전기적 안전성을 확보할 것

03 태양전지발전소에 시설하는 태양전기 모듈, 전선 및 개폐기의 시설에 대한 설명으로 틀린 것은?

[2016년 3회 기사]

① 전선은 공칭단면적 2.5[mm²] 이상의 연동선을 사용할 것
② 태양전지 모듈에 접속하는 부하 측 전로에는 개폐기를 시설할 것
③ 태양전지 모듈을 병렬로 접속하는 전로에 과전류차단기를 시설할 것
④ 옥측에 시설하는 경우 금속관공사, 합성수지관공사, 애자사용공사로 배선할 것

해설 **KEC 520(태양광발전설비)**
• 태양전지 모듈, 전선, 개폐기 및 기타 기구는 충전 부분이 노출되지 않도록 시설할 것
• 모든 접속함에는 내부의 충전부가 인버터로부터 분리된 후에도 여전히 충전상태일 수 있음을 나타내는 경고를 붙일 것
• 주택의 태양전지모듈에 접속하는 부하 측 옥내배선의 대지전압은 직류 600[V]까지 적용
  – 전로에 지락이 생겼을 때 자동적으로 전로를 차단하는 장치를 시설할 것
  – 사람이 접촉할 우려가 없는 은폐된 장소에 합성수지관배선, 금속관배선 및 케이블배선에 의하여 시설하거나, 사람이 접촉할 우려가 없도록 케이블배선에 의하여 시설하고 전선에 적당한 방호장치를 시설할 것
• 모듈의 출력배선은 극성별로 확인할 수 있도록 표시할 것
• 모듈을 병렬로 접속하는 전로에는 그 전로에 단락전류가 발생할 경우에 전로를 보호하는 과전류차단기 또는 기타 기구를 시설할 것(단, 그 전로가 단락전류에 견딜 수 있는 경우에는 제외)
• 전선은 공칭단면적 2.5[mm²] 이상의 연동선 또는 이와 동등 이상의 세기 및 굵기의 것일 것
• 배선설비공사는 옥내에 시설할 경우에는 합성수지관공사, 금속관공사, 금속제 가요전선관공사, 케이블공사 규정에 준하여 시설할 것
• 옥측 또는 옥외에 시설할 경우에는 합성수지관공사, 금속관공사, 금속제 가요전선관공사 또는 케이블공사의 규정에 준하여 시설할 것
• 단자의 접속은 기계적, 전기적 안전성을 확보할 것

04 태양전지발전소에 시설하는 태양전지 모듈, 전선 및 개폐기 기타 기구의 시설기준에 대한 내용으로 틀린 것은?

[2020년 1, 2회 기사]

① 충전 부분은 노출되지 아니하도록 시설할 것
② 옥내에 시설하는 경우에는 전선을 케이블공사로 시설할 수 있다.
③ 태양전지 모듈의 프레임은 지지물과 전기적으로 완전하게 접속하여야 한다.
④ 태양전지 모듈을 병렬로 접속하는 전로에는 과전류차단기를 시설하지 않아도 된다.

해설 3번 해설 참조

03 ④ 04 ④ 정답

05 태양전지발전소에 태양전지 모듈 등을 시설할 경우 사용 전선(연동선)의 공칭단면적은 몇 [mm²] 이상인가? [2018년 1회 산업기사]

① 1.6
② 2.5
③ 5
④ 10

해설 KEC 520(태양광발전설비)
- 태양전지 모듈, 전선, 개폐기 및 기타 기구는 충전 부분이 노출되지 않도록 시설할 것
- 모든 접속함에는 내부의 충전부가 인버터로부터 분리된 후에도 여전히 충전상태일 수 있음을 나타내는 경고를 붙일 것
- 주택의 태양전지모듈에 접속하는 부하 측 옥내배선의 대지전압은 직류 600[V]까지 적용
  - 전로에 지락이 생겼을 때 자동적으로 전로를 차단하는 장치를 시설할 것
  - 사람이 접촉할 우려가 없는 은폐된 장소에 합성수지관배선, 금속관배선 및 케이블배선에 의하여 시설하거나, 사람이 접촉할 우려가 없도록 케이블배선에 의하여 시설하고 전선에 적당한 방호장치를 시설할 것
- 모듈의 출력배선은 극성별로 확인할 수 있도록 표시할 것
- 모듈을 병렬로 접속하는 전로에는 그 전로에 단락전류가 발생할 경우에 전로를 보호하는 과전류차단기 또는 기타 기구를 시설할 것(단, 그 전로가 단락전류에 견딜 수 있는 경우에는 제외)
- 전선은 공칭단면적 2.5[mm²] 이상의 연동선 또는 이와 동등 이상의 세기 및 굵기의 것일 것
- 배선설비공사는 옥내에 시설할 경우에는 합성수지관공사, 금속관공사, 금속제 가요전선관공사, 케이블공사 규정에 준하여 시설할 것
- 옥측 또는 옥외에 시설할 경우에는 합성수지관공사, 금속관공사, 금속제 가요전선관공사 또는 케이블공사의 규정에 준하여 시설할 것
- 단자의 접속은 기계적, 전기적 안전성을 확보할 것

06 태양광설비에 시설하여야 하는 계측기의 계측대상에 해당하는 것은? [2021년 1회 기사]

① 전압과 전류
② 전력과 역률
③ 전류와 역률
④ 역률과 주파수

해설 KEC 522.3(제어 및 보호장치 등)
태양광설비의 계측장치
- 전 압
- 전 류
- 전 력

정답 05 ② 06 ①

07 전기저장장치를 전용건물에 시설하는 경우에 대한 설명이다. 다음 (　)에 들어갈 내용으로 옳은 것은?

[2022년 1회 기사]

> 전기저장장치 시설장소는 주변 시설(도로, 건물, 가연물질 등)로부터 (㉠)[m] 이상 이격하고 다른 건물의 출입구나 피난계단 등 이와 유사한 장소로부터는 (㉡)[m] 이상 이격하여야 한다.

① ㉠ 3, ㉡ 1
② ㉠ 2, ㉡ 1.5
③ ㉠ 1, ㉡ 2
④ ㉠ 1.5, ㉡ 3

해설　전기저장장치 시설장소는 주변 시설(도로, 건물, 가연물질 등)로부터 1.5[m] 이상 이격(다른 건물의 출입구나 피난계단 등 이와 유사한 장소로부터는 3[m] 이상 이격)

08 풍력터빈의 피뢰설비 시설기준에 대한 설명으로 틀린 것은?

[2022년 2회 기사]

① 풍력터빈에 설치한 피뢰설비(리셉터, 인하도선 등)의 기능저하로 인해 다른 기능에 영향을 미치지 않을 것
② 풍력터빈 내부의 계측 센서용 케이블은 금속관 또는 차폐케이블 등을 사용하여 뇌유도과전압으로부터 보호할 것
③ 풍력터빈에 설치하는 인하도선은 쉽게 부식되지 않는 금속선으로서 뇌격전류를 안전하게 흘릴 수 있는 충분한 굵기여야 하며, 가능한 직선으로 시설할 것
④ 수뢰부를 풍력터빈 중앙 부분에 배치하되 뇌격전류에 의한 발열에 용손(溶損)되지 않도록 재질, 크기, 두께 및 형상 등을 고려할 것

해설　④ 수뢰부를 풍력터빈 선단부분 및 가장자리 부분에 배치하되 뇌격전류에 의한 발열에 용손(溶損)되지 않도록 재질, 크기 두께 및 형상 등을 고려할 것

09 풍력터빈에 설비의 손상을 방지하기 위하여 시설하는 운전상태를 계측하는 계측장치로 틀린 것은?

[2021년 2회 기사]

① 조도계　　　　　　　　　　② 압력계
③ 온도계　　　　　　　　　　④ 풍속계

> **해설** KEC 532.3(제어 및 보호장치 등)
> 계측장치의 시설
> • 회전속도계
> • 나셀(Nacelle) 내의 진동을 감시하기 위한 진동계
> • 풍속계
> • 압력계
> • 온도계

10 전기저장장치의 이차전지에 자동으로 전로로부터 차단하는 장치를 시설하여야 하는 경우로 틀린 것은?

[2021년 3회 기사]

① 과저항이 발생한 경우
② 과전압이 발생한 경우
③ 제어장치에 이상이 발생한 경우
④ 이차전지 모듈의 내부 온도가 급격히 상승할 경우

> **해설** KEC 512.2(제어 및 보호장치 등)
> 전기저장장치의 이차전지는 자동으로 전로로부터 차단하는 장치를 시설해야 하는 경우
> • 과전압 또는 과전류가 발생한 경우
> • 제어장치에 이상이 발생한 경우
> • 이차전지 모듈의 내부 온도가 급격히 상승할 경우

11 주택의 전기저장장치의 축전지에 접속하는 부하 측 옥내배선을 사람이 접촉할 우려가 없도록 케이블 배선에 의하여 시설하고 전선에 적당한 방호장치를 시설한 경우 주택의 옥내전로의 대지전압은 직류 몇 [V]까지 적용할 수 있는가?(단, 전로에 지락이 생겼을 때 자동적으로 전로를 차단하는 장치를 시설한 경우이다)

[2022년 2회 기사]

① 150　　　　　　　　　　　　② 300

③ 400　　　　　　　　　　　　④ 600

해설　KEC 511.3(옥내전로의 대지전압 제한)
주택의 전기저장장치의 축전지에 접속하는 부하 측 옥내배선을 시설하는 경우에 주택의 옥내전로의 대지전압은 직류 600[V]까지 적용할 수 있다.

01 분산형전원설비의 전기저장장치 시설 시 전기배선의 굵기는 얼마 이상이어야 하는가?

① 1.5[mm²]

② 2.5[mm²]

③ 4.0[mm²]

④ 10[mm²]

> **해설** KEC 512.1(시설기준)
> 전기저장장치 전기배선의 전선은 공칭단면적 2.5[mm²] 이상의 연동선 또는 이와 동등 이상의 세기 및 굵기의 것일 것

02 전기저장장치를 시설하는 곳에 시설해야 하는 계측하는 장치에 해당되지 않는 것은?

① 축전지를 출력단자의 전압, 전류, 전력

② 축전지 충·방전 상태

③ 주요 변압기 내부 온도

④ 주요 변압기의 전압, 전류 및 전력

> **해설** KEC 512.2(제어 및 보호장치 등)
> 계측장치
> • 축전지 출력 단자의 전압, 전류, 전력 및 충방전 상태
> • 주요 변압기의 전압, 전류 및 전력

03 전기저장장치의 이차전지에 자동으로 전로로부터 차단하는 장치를 시설하지 않아도 되는 경우는?

① 과전압 또는 과전류가 발생한 경우

② 제어장치에 이상이 발생한 경우

③ 이차전지 모듈의 내부 온도가 급격히 상승할 경우

④ 저전압 또는 저전류가 발생한 경우

> **해설** KEC 512.2(제어 및 보호장치 등)
> 전기저장장치의 이차전지는 자동으로 전로로부터 차단하는 장치를 시설해야 하는 경우
> • 과전압 또는 과전류가 발생한 경우
> • 제어장치에 이상이 발생한 경우
> • 이차전지 모듈의 내부 온도가 급격히 상승할 경우

04 주택의 전기저장장치의 축전지에 접속하는 부하 측 옥내배선을 시설하는 경우에 주택의 옥내 전로의 대지전압은 몇 [V]까지 적용할 수 있는가?

① AC 300[V]   ② DC 300[V]

③ AC 600[V]   ④ DC 600[V]

> 해설   **KEC 511.3(옥내전로의 대지전압 제한)**
> 주택의 전기저장장치의 축전지에 접속하는 부하 측 옥내배선을 시설하는 경우에 주택의 옥내전로의 대지전압은 직류 600[V]까지 적용할 수 있다.

05 태양광발전설비의 안전 요구사항이 아닌 것은?

① 태양전지 모듈, 전선, 개폐기 및 기타 기구는 충전 부분이 노출되지 않도록 시설하여야 한다.

② 모든 접속함에는 내부의 충전부가 인버터로부터 분리된 후에도 여전히 충전상태일 수 있음을 나타내는 경고가 붙어 있어야 한다.

③ 태양광설비의 고장이나 외부 환경요인으로 인하여 계통연계에 문제가 있을 경우 회로분리를 위한 안전시스템이 있어야 한다.

④ 모든 접속함에는 내부의 충전부가 인버터로부터 연결되어 있는 경우에 충전상태일 수 있음을 나타내는 경고가 붙어 있어야 한다.

> 해설   **KEC 521.2(설비의 안전 요구사항)**
> • 태양전지 모듈, 전선, 개폐기 및 기타 기구는 충전 부분이 노출되지 않도록 시설하여야 한다.
> • 모든 접속함에는 내부의 충전부가 인버터로부터 분리된 후에도 여전히 충전상태일 수 있음을 나타내는 경고가 붙어 있어야 한다.
> • 태양광설비의 고장이나 외부 환경요인으로 인하여 계통연계에 문제가 있을 경우 회로분리를 위한 안전시스템이 있어야 한다.

06 태양광설비의 계측장치에 속하지 않는 것은?

① 전 압　　　　　　　　　② 전 류
③ 전 력　　　　　　　　　④ 역 률

> 해설　KEC 522.2(태양광설비의 시설기준)
> 태양광설비의 계측장치
> • 전 압
> • 전 류
> • 전 력

07 풍력발전설비 중 몇 [kW] 이상의 풍력터빈은 나셀 내부의 화재 발생 시, 이를 자동으로 소화할 수 있는 화재방호설비를 시설하여야 하는가?

① 200　　　　　　　　　② 400
③ 500　　　　　　　　　④ 600

> 해설　KEC 531.3(화재방호설비 시설)
> 500[kW] 이상의 풍력터빈은 나셀 내부의 화재 발생 시, 이를 자동으로 소화할 수 있는 화재방호설비를 시설하여야 한다.

08 연료전지설비 설치장소의 안전 요구사항에 해당하지 않는 것은?

① 연료전지를 설치할 주위의 벽 등은 화재에 안전하게 시설하여야 한다.
② 가연성 물질과 안전거리를 충분히 확보하여야 한다.
③ 침수 등의 우려가 없는 곳에 시설하여야 한다.
④ 옥외개방형 장소인 경우 냉각설비에 대해 고려하여 시설하여야 한다.

> 해설　KEC 541.1(설치장소의 안전 요구사항)
> • 연료전지를 설치할 주위의 벽 등은 화재에 안전하게 시설하여야 한다.
> • 가연성물질과 안전거리를 충분히 확보하여야 한다.
> • 침수 등의 우려가 없는 곳에 시설하여야 한다.

09 안전밸브가 1개인 경우는 그 배관의 최고사용압력 이하의 압력으로 한다. 단, 배관의 최고사용
압력 이하의 압력에서 자동적으로 가스의 유입을 정지하는 장치가 있는 경우에는 최고사용압
력의 몇 배 이하의 압력으로 할 수 있는가?

① 1배

② 1.03배

③ 1.1배

④ 1.25배

해설 KEC 542.1(시설기준)

안전밸브의 분출압력

- 안전밸브가 1개인 경우는 그 배관의 최고사용압력 이하의 압력으로 한다. 단, 배관의 최고사용압력
이하의 압력에서 자동적으로 가스의 유입을 정지하는 장치가 있는 경우에는 최고사용압력의 1.03
배 이하의 압력으로 할 수 있다.
- 안전밸브가 2개 이상인 경우에는 1개는 위의 규정에 준하는 압력으로 하고 그 이외의 것은 그
배관의 최고사용압력의 1.03배 이하의 압력이어야 한다.

10 연료전지설비의 접지도체의 굵기는 얼마 이상의 연동선을 사용하여야 하는가?

① 2.5[mm²]

② 6[mm²]

③ 10[mm²]

④ 16[mm²]

해설 KEC 542.2(제어 및 보호장치 등)

접지설비

- 접지극은 고장 시 그 근처의 대지 사이에 생기는 전위차에 의하여 사람이나 가축 또는 다른 시설물
에 위험을 줄 우려가 없도록 시설할 것
- 접지도체는 공칭단면적 16[mm²] 이상의 연동선 또는 이와 동등 이상의 세기 및 굵기의 쉽게 부식하
지 아니하는 금속선(저압전로의 중성점에 시설하는 것은 공칭단면적 6[mm²] 이상의 연동선 또는
이와 동등 이상의 세기 및 굵기의 쉽게 부식하지 않는 금속선)으로서 고장 시 흐르는 전류가 안전하
게 통할 수 있는 것을 사용하고 또한 손상을 받을 우려가 없도록 시설할 것
- 접지도체에 접속하는 저항기·리액터 등은 고장 시 흐르는 전류를 안전하게 통할 수 있는 것을
사용할 것
- 접지도체·저항기·리액터 등은 취급자 이외의 자가 출입하지 아니하도록 설비한 곳에 시설하는
경우 이외에는 사람이 접촉할 우려가 없도록 시설할 것

전기공사기사 · 산업기사 기본서 시리즈

전기공사

기사 · 산업기사 필기

SERIES **5**

전기설비기술기준

최근 기출복원문제

전기공사
기사 · 산업기사

필기   SERIES **5**

전기설비
기술기준

합격의 공식
온라인 강의

잠깐!

혼자 공부하기 힘드시다면 방법이 있습니다.
SD에듀의 동영상강의를 이용하시면 됩니다.
www.sdedu.co.kr ➜ 회원가입(로그인) ➜ 강의 살펴보기

전기공사기사 최근 기출복원문제

01 동기발전기를 사용하는 전력계통에 시설하여야 하는 장치는?

① 비상조속기
② 동기검정장치
③ 분로리액터
④ 절연유 유출방지설비

02 발열선을 도로, 주차장 또는 조영물의 조영재에 고정시켜 시설하는 경우 발열선에 전기를 공급하는 전로의 대지전압을 몇 [V] 이하이어야 하는가?

① 100
② 150
③ 200
④ 300

03 고압 가공전선로에 시설하는 피뢰기의 접지공사의 접지선이 그 접지공사 전용의 것인 경우에 접지저항값은 몇 [Ω]까지 허용되는가?

① 20
② 30
③ 50
④ 75

04 저압전로에 사용하는 정격전류 20[A]인 전로는 몇 배인 경우 불용단되어야 하는가?

① 1.5배
② 1.25배
③ 1.1배
④ 1배

05 어떤 공장에서 케이블을 사용하는 사용전압이 22[kV]인 가공전선을 건물 옆쪽에서 1차 접근상
태로 시설하는 경우, 케이블과 건물의 조영재 이격거리는 몇 [cm] 이상이어야 하는가?

① 50 ② 80
③ 100 ④ 120

06 전로의 사용전압이 500[V] 이하인 옥내전로에서 분기회로의 절연저항값은 몇 [MΩ] 이상이
어야 하는가?

① 0.1 ② 0.5
③ 1 ④ 1.5

07 사용전압 66[kV] 가공전선과 6[kV] 가공전선을 동일 지지물에 시설하는 경우, 특고압 가공전
선은 케이블인 경우를 제외하고는 단면적이 몇 [mm²]인 경동연선 또는 이와 동등 이상의 세기
및 굵기의 연선이어야 하는가?

① 22 ② 38
③ 50 ④ 100

08 건조한 장소로서 전개된 장소에 한하여 고압 옥내배선을 할 수 있는 것은?

① 금속관공사 ② 애자사용공사
③ 합성수지관공사 ④ 가요전선관공사

09 석유류를 저장하는 장소의 전등배선에 사용하지 않는 공사방법은?

① 케이블공사
② 금속관공사
③ 애자사용공사
④ 합성수지관공사

10 변압기에 의하여 특고압전로에 결합되는 고압전로에는 사용전압의 몇 배 이하인 전압이 가하여진 경우에 방전하는 장치를 그 변압기의 단자에 가까운 1극에 설치하여야 하는가?

① 3
② 4
③ 5
④ 6

11 사용전압 66[kV]의 가공전선을 시가지에 시설할 경우 전선의 지표상 최소높이는 몇 [m]인가?

① 6.48
② 8.36
③ 10.48
④ 12.36

12 외부피뢰시스템에 해당하지 않는 것은?

① 수뢰부시스템
② 인하도선시스템
③ 접지극시스템
④ 서지보호시스템

13 시가지에 시설하는 사용전압 170[kV] 이하인 특고압 가공전선로의 지지물이 철탑이고 전선이 수평으로 2 이상 있는 경우에 전선 상호 간의 간격이 4[m] 미만인 때에는 특고압 가공전선로의 경간은 몇 [m] 이하이어야 하는가?

① 100　　　　　　　　　　　② 150
③ 200　　　　　　　　　　　④ 250

14 금속관공사에 대한 기준으로 틀린 것은?

① 저압 옥내배선에 사용하는 전선으로 옥외용 비닐절연전선을 사용하였다.
② 저압 옥내배선의 금속관 안에는 전선에 접속점이 없도록 하였다.
③ 콘크리트에 매설하는 금속관의 두께는 1.2[mm]를 사용하였다.
④ 저압 옥내배선의 사용접압이 400[V] 이하로 사용전압이 직류 300[V] 또는 교류 대지전압 150[V] 이하로서 그 전선을 넣는 관의 길이가 8[m] 이하인 것을 사람이 쉽게 접촉할 우려가 없도록 시설하는 경우 접지공사를 생략하였다.

15 분산형전원설비의 전기저장장치 시설 시 전기배선의 굵기는 얼마 이상이어야 하는가?

① 1.5[mm^2]　　　　　　　② 2.5[mm^2]
③ 4.0[mm^2]　　　　　　　④ 10[mm^2]

16 합성수지관공사 시 관 상호 간 및 박스와의 접속은 관에 삽입하는 깊이를 관 바깥지름의 몇 배 이상으로 하여야 하는가?(단, 접착제를 사용하지 않는 경우이다)

① 0.5　　　　　　　　　　　② 0.8
③ 1.2　　　　　　　　　　　④ 1.5

17 고압 인입선을 다음과 같이 시설하였다. 기술기준에 맞지 않는 것은?

① 고압 가공인입선 아래에 위험표시를 하고 지표상 3.5[m]의 높이에 설치하였다.

② 15[m] 떨어진 다른 수용가에 고압 연접인입선을 시설하였다.

③ 횡단보도교 위에 시설하는 경우 케이블을 사용하여 노면상에서 3.5[m]의 높이에 시설하였다.

④ 전선은 5[mm] 경동선과 동등한 세기의 고압 절연전선을 사용하였다.

18 고압 가공전선로의 경간은 B종 철근 콘크리트주로 시설하는 경우 몇 [m] 이하로 하여야 하는가?

① 100

② 150

③ 200

④ 250

19 다음의 ⓐ, ⓑ에 들어갈 내용으로 옳은 것은?

> 과전류차단기로 시설하는 퓨즈 중 고압전로에 사용하는 비포장 퓨즈는 정격전류의 (ⓐ)배의 전류에 견디고 또한 2배의 전류로 (ⓑ)분 안에 용단되는 것이어야 한다.

① ⓐ 1.1, ⓑ 1

② ⓐ 1.2, ⓑ 1

③ ⓐ 1.25, ⓑ 2

④ ⓐ 1.3, ⓑ 2

20 교통이 번잡한 도로를 횡단하여 저압 가공전선을 시설하는 경우 지표상 높이는 몇 [m] 이상으로 하여야 하는가?

① 4.0

② 5.0

③ 6.0

④ 6.5

01 345[kV] 변전소의 충전 부분에서 울타리의 높이가 2.5[m]일 때, 울타리로부터 충전 부분까지의 거리는 몇 [m]인가?

① 5.78

② 5.66

③ 5

④ 4

02 사용전압이 22.9[kV]인 특고압 가공전선이 건조물 등과 접근 상태로 시설되는 경우 지지물로 A종 철근 콘크리트주를 사용하면 그 경간은 몇 [m] 이하이어야 하는가?(단, 중성선 다중접지 방식의 것으로서 전로의 지락이 생겼을 때에 2초 이내에 자동적으로 전로로부터 차단하는 장치가 되어 있는 것에 한한다)

① 100

② 150

③ 250

④ 400

03 전선의 식별에 따른 중성선(N)의 색깔은?

① 갈 색

② 흑 색

③ 녹색-노란색

④ 청 색

04 저압 옥내전로의 인입구에 가까운 곳으로서 쉽게 개폐할 수 있는 곳에 개폐기를 시설하여야 한다. 그러나 사용전압이 400[V] 이하인 옥내전로로서 다른 옥내전로에 접속하는 길이가 몇 [m] 이하인 경우는 개폐기를 생략할 수 있는가?(단, 정격전류가 16[A] 이하인 과전류차단기 또는 정격전류가 16[A]를 초과하고 20[A] 이하인 배선차단기로 보호되고 있는 것에 한한다)

① 15

② 20

③ 25

④ 30

05 사용전압이 22.9[kV]인 특고압 가공전선이 도로를 횡단하는 경우, 지표상 높이는 최소 몇 [m] 이상인가?

① 4.5 ② 5

③ 5.5 ④ 6

06 전력보안통신 설비인 무선통신용 안테나를 지지하는 목주는 풍압하중에 대한 안전율이 얼마 이상이어야 하는가?

① 1.0 ② 1.2

③ 1.5 ④ 2.0

07 가공전선로 지지물 기초의 안전율은 일반적으로 얼마 이상인가?

① 1.5 ② 2.0

③ 2.2 ④ 2.5

08 최대사용전압이 154[kV]인 중성점 직접접지식 전로의 절연내력시험전압은 몇 [V]인가?

① 110,880 ② 141,680

③ 169,400 ④ 192,500

09 호텔 또는 여관 각 객실의 입구등을 설치할 경우 몇 분 이내에 소등되는 타임스위치를 시설해야 하는가?

① 1 ② 2

③ 3 ④ 10

10 옥내의 네온방전등공사 방법으로 옳은 것은?

① 방전등용 변압기는 절연변압기일 것
② 관등회로의 배선은 점검할 수 없는 은폐장소에 시설할 것
③ 관등회로의 배선은 애자공사에 의할 것
④ 전선이 지지점 간의 거리는 2[m] 이하일 것

11 발전소, 변전소, 개폐소 또는 이에 준하는 곳 이외에 시설하는 특고압 옥외배전용 변압기를 시가지 외에서 옥외에 시설하는 경우 변압기의 1차 전압은 몇 [kV] 이하이어야 하는가?

① 10
② 25
③ 35
④ 50

12 전기철도의 변전방식 중 변전소 설비에 대한 내용 중 옳지 않은 것은?

① 급전용 변압기에서 직류 전기철도는 3상 정류기용 변압기를 사용한다.
② 제어용 교류전원은 상용과 예비의 2계통으로 구성한다.
③ 제어반의 경우 디지털계전기방식을 원칙으로 한다.
④ 제어반의 경우 아날로그계전기방식을 원칙으로 한다.

13 연료전지설비 설치장소의 안전 요구사항에 해당하지 않는 것은?

① 연료전지를 설치할 주위의 벽 등은 화재에 안전하게 시설하여야 한다.
② 가연성 물질과 안전거리를 충분히 확보하여야 한다.
③ 침수 등의 우려가 없는 곳에 시설하여야 한다.
④ 옥외개방형 장소인 경우 냉각설비에 대해 고려하여 시설하여야 한다.

14 급전용 변압기는 교류 전기철도의 경우 어떤 것을 적용하는가?

① 단상 정류기용 변압기
② 3상 정류기용 변압기
③ 단상 스코트 결선 변압기
④ 3상 스코트 결선 변압기

15 저압 가공전선이 건조물의 상부 조영재 옆쪽으로 접근하는 경우 저압 가공전선과 건조물의 조영재 사이의 이격거리는 몇 [m] 이상이어야 하는가?(단, 전선에 사람이 쉽게 접촉할 우려가 없도록 시설한 경우와 전선이 고압 절연전선, 특고압 절연전선 또는 케이블인 경우는 제외한다)

① 0.6   ② 0.8
③ 1.2   ④ 2.0

16 전기 울타리의 시설에 관한 내용 중 틀린 것은?

① 수목과의 이격거리는 0.5[m] 이상일 것
② 전선은 지름이 2[mm] 이상의 경동선일 것
③ 전선과 이를 지지하는 기둥 사이의 이격거리는 25[mm] 이상
④ 전기 울타리용 전원장치에 전기를 공급하는 전로의 사용전압은 250[V] 이하일 것

17 터널 안의 전선로의 저압전선이 그 터널 안의 다른 저압전선(관등회로의 배선은 제외한다) · 약전류전선 등 또는 수관 · 가스관이나 이와 유사한 것과 접근하거나 교차하는 경우, 저압전선을 애자공사에 의하여 시설하는 때에는 이격거리가 몇 [m] 이상이어야 하는가?(단, 전선이 나전선이 아닌 경우이다)

① 0.1   ② 0.15
③ 0.2   ④ 0.25

18 옥내배선의 사용전압이 400[V] 이하일 때 전광표시장치 기타 이와 유사한 장치 또는 제어회로 등의 배선에 다심케이블을 시설하는 경우 배선의 단면적은 몇 [mm²] 이상인가?

① 0.75 ② 1.5

③ 1.0 ④ 2.5

19 태양광설비에서 전력변환장치의 시설부분에 대한 설명 중 잘못된 것은?

① 옥외에 시설하는 경우 방수등급은 IPX4 이상으로 할 것
② 인버터는 실내·실외용을 구분할 것
③ 각 직렬군의 태양전지 개방전압은 인버터 입력전압 범위 이내일 것
④ 태양광설비에는 외부피뢰시스템을 설치하지 않을 것

20 지중전선로를 관로식에 의하여 시설하는 경우에는 매설 깊이를 몇 [m] 이상으로 하여야 하는가?

① 0.6 ② 1.0

③ 1.2 ④ 1.5

01 사용전압이 22.9[kV]인 특고압 가공전선이 도로를 횡단하는 경우, 지표상 높이는 최소 몇 [m] 이상인가?

① 4.5

② 5

③ 5.5

④ 6

02 저압 옥측전선로에서 목조의 조영물에 시설할 수 있는 공사방법은?

① 금속관공사

② 버스덕트공사

③ 합성수지관공사

④ 케이블공사(무기물절연(MI) 케이블을 사용하는 경우)

03 주택의 전기저장장치의 축전지에 접속하는 부하 측 옥내배선을 사람이 접촉할 우려가 없도록 케이블 배선에 의하여 시설하고 전선에 적당한 방호장치를 시설한 경우 주택의 옥내전로의 대지전압은 직류 몇 [V]까지 적용할 수 있는가?(단, 전로에 지락이 생겼을 때 자동적으로 전로를 차단하는 장치를 시설한 경우이다)

① 150

② 300

③ 400

④ 600

04 직류 전기철도시스템이 매설 배관 또는 케이블과 인접할 경우 누설전류를 피하기 위해 최대한 이격시켜야 하며, 주행레일과 최소 몇 [m] 이상의 거리를 유지하여야 하는가?

① 0.5

② 1.0

③ 2.0

④ 3.0

05 배전선로에 전력보안통신설비를 시설하지 않아도 되는 곳은?

① 22.9[kV]계통 배전선로 구간(가공, 지중, 해저)
② 154[kV]계통에 연결되는 분산전원형 발전소
③ 폐회로 배전 등 신 배전방식 도입 개소
④ 배전자동화, 원격검침, 부하감시 등 지능형전력망 구현을 위해 필요한 구간

06 금속덕트공사에 의한 저압 옥내배선공사 시설기준으로 적합하지 않은 것은?

① 금속덕트에 넣은 전선의 단면적(절연피복의 단면적을 포함한다)의 합계는 덕트의 내부 단면적의 5[%](전광표시장치 기타 이와 유사한 장치 또는 제어회로 등의 배선만을 넣는 경우에는 15[%]) 이하일 것
② 덕트 상호 간은 견고하고 또한 전기적으로 완전하게 접속할 것
③ 덕트를 조영재에 붙이는 경우에는 덕트의 지지점 간의 거리를 3[m](취급자 이외의 자가 출입할 수 없도록 설비한 곳에서 수직으로 붙이는 경우에는 6[m]) 이하로 하고 또한 견고하게 붙일 것
④ 덕트에는 접지공사를 할 것

07 일반주택 및 아파트 각 호실의 현관등은 몇 분 이내에 소등되는 타임스위치를 시설하여야 하는가?

① 1분
③ 5분
② 3분
④ 10분

08 중성점 직접접지식으로서 최대사용전압이 66[kV]인 변압기 권선의 절연내력 시험은 최대사용 전압 몇 배의 전압에서 10분간 견디어야 하는가?

① 0.72
③ 1.25
② 0.92
④ 1.50

09 이동하여 사용하는 전기기계기구의 금속제 외함 등의 접지시스템의 경우 저압 전기설비용 접지도체는 다심 코드 또는 다심 캡타이어케이블의 1개 도체의 단면적이 몇 [mm²] 이상인 것을 사용하여야 하는가?

① 0.75

② 1.0

③ 1.5

④ 2.5

10 조상기의 보호장치로서 내부고장 시에 자동적으로 전로로부터 차단되는 장치를 설치하여야 하는 조상기 용량은 몇 [kVA] 이상인가?

① 5,000

② 7,500

③ 10,000

④ 15,000

11 가공전선로의 지지물에 하중이 가해지는 경우에 그 하중을 받는 지지물의 기초 안전율은 몇 이상이어야 하는가?

① 0.5

② 1

③ 1.5

④ 2

12 지중전선로를 관로식에 의하여 시설하는 경우에는 매설 깊이를 몇 [m] 이상으로 하여야 하는가?

① 0.6

② 1.0

③ 1.2

④ 1.5

13 괄호 안에 들어갈 내용으로 옳은 것은?

> 유희용 전차에 전기를 공급하는 전로의 사용전압은 직류의 경우는 (Ⓐ)[V] 이하, 교류의 경우는 (Ⓑ)[V] 이하이어야 한다.

① Ⓐ 60, Ⓑ 40

② Ⓐ 40, Ⓑ 60

③ Ⓐ 30, Ⓑ 60

④ Ⓐ 60, Ⓑ 30

14 한 경간을 기준으로 해당 구간의 설계속도가 300< V ≤350[km/h]일 때, 전차선의 기울기 [‰]는?

① 0   ② 1

③ 2   ④ 4

15 고압 및 특고압 가공전선로로부터 공급을 받는 수용장소의 인입구에 반드시 시설해야 하는 것은?

① 댐 퍼   ② 아킹혼

③ 조상기   ④ 피뢰기

16 그림은 전력선 반송통신용 결합장치의 보안장치이다. 다음 설명 중 틀린 것은?

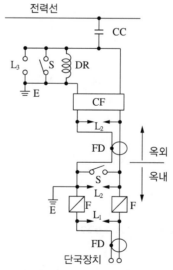

① F : 정격전류 10[A] 이하의 포장 퓨즈

② DR : 전류용량 2[A] 이상의 배류 선륜

③ L_1 : 교류 1[kV] 이하에서 동작하는 피뢰기

④ L_2 : 동작전압이 교류 1.3[kV]를 초과하고 1.6[kV] 이하로 조정된 방전 갭

17 통신용 조가선의 시설기준으로 잘못된 것은?

① 조가선은 38[mm²] 이상의 아연도금 강연선을 사용한다.

② 조가선은 2조까지만 시설한다.

③ 조가선 간 이격거리는 조가선 2개가 시설되는 경우 0.3[m]를 유지한다.

④ 조가선은 설비 안전을 위하여 전주와 전주 경간 중에 접속한다.

18 고압 가공전선과 금속제의 울타리가 교차하는 경우 울타리에는 교차점과 좌, 우로 접지공사를 하여야 한다. 그 접지공사의 방법으로 옳은 것은?

① 좌우로 30[m] 이내의 개소에 한다.

② 좌우로 35[m] 이내의 개소에 한다.

③ 좌우로 40[m] 이내의 개소에 한다.

④ 좌우로 45[m] 이내의 개소에 한다.

19 전기철도의 차량설비에서 회생제동의 사용을 중단해야 하는 경우가 아닌 것은?

① 전차선로 지락이 발생한 경우

② 전차선로에서 전력을 받을 수 없는 경우

③ 규정된 선로전압이 장기 과전압보다 높은 경우

④ 통신유도장해가 생긴 경우

20 진열장 안의 내부 관등회로의 배선을 외부로부터 보기 쉬운 곳의 조영재에 접촉하여 시설하는 경우 전선의 부착점 간의 거리는 몇 [m] 이하로 하여야 하는가?

① 0.5   ② 1.0

③ 1.5   ④ 2.0

01 변압기 1차 측 3,300[V], 2차 측 220[V]의 변압기 전로의 절연내력 시험전압은 각각 몇 [V]에서 10분간 견디어야 하는가?

① 1차 측 4,950[V], 2차 측 500[V]

② 1차 측 4,500[V], 2차 측 400[V]

③ 1차 측 4,125[V], 2차 측 500[V]

④ 1차 측 3,300[V], 2차 측 400[V]

02 가공전선로의 지지물에 취급자가 오르고 내리는 데 사용하는 발판 볼트 등은 지표상 몇 [m] 미만에 시설하여서는 아니 되는가?

① 1.2

② 1.8

③ 2.2

④ 2.5

03 기계적 손상에 대한 보호가 되지 않는 경우 보호등전위본딩 도체의 굵기[mm²]는?

① 2.5

② 3.2

③ 4

④ 6

04 전선의 접속법으로 틀린 것은?

① 절연전선 상호 간을 접속하는 경우에는 접속 부분을 절연효력이 있는 것으로 충분히 피복해야 한다.

② 나전선 상호 간의 접속인 경우에는 전선의 세기를 20[%] 이상 감소시키지 않아야 한다.

③ 병렬로 사용하는 전선 각각에 퓨즈를 설치해야 한다.

④ 알루미늄과 동을 사용하는 전선을 접속하는 경우에는 접속 부분에 전기적 부식이 생기지 않아야 한다.

05 가공전선로의 지지물에 지선을 시설하려고 한다. 이 지선의 기준으로 옳은 것은?

① 소선지름 : 2.0[mm], 안전율 : 2.5, 허용인장하중 : 2.11[kN]
② 소선지름 : 2.6[mm], 안전율 : 2.5, 허용인장하중 : 4.31[kN]
③ 소선지름 : 1.6[mm], 안전율 : 2.0, 허용인장하중 : 4.31[kN]
④ 소선지름 : 2.6[mm], 안전율 : 1.5, 허용인장하중 : 3.21[kN]

06 특고압 가공전선로 중 지지물로서 직선형의 철탑을 연속하여 10기 이상 사용하는 부분에는 몇 기 이하마다 내장 애자장치가 되어 있는 철탑 또는 이와 동등 이상의 강도를 가지는 철탑 1기를 시설하여야 하는가?

① 3 ② 5
③ 7 ④ 10

07 특고압 가공전선로에 사용하는 철탑 중에서 전선로의 지지물 양쪽의 경간의 차가 큰 곳에 사용하는 철탑의 종류는?

① 각도형 ② 인류형
③ 보강형 ④ 내장형

08 진열장 내의 배선으로 사용전압 400[V] 이하에 사용하는 코드 또는 캡타이어케이블의 최소 단면적은 몇 [mm²]인가?

① 1.25 ② 1.0
③ 0.75 ④ 0.5

09 철도 또는 궤도를 횡단하는 저·고압 가공전선의 높이는 레일면상 몇 [m] 이상이어야 하는가?

① 5.5   ② 6.5

③ 7.5   ④ 8.5

10 과전류차단기로 저압전로에 사용하는 주택용 배선차단기를 조명, 콘센트, 소형 전동기 등에 설치할 때 차단기 정격전류에 대해서 순시트립전류의 범위가 $10I_n$ 초과 $20I_n$ 이하이면 어떤 유형의 차단기를 시설해야 하는가?

① A형   ② B형

③ C형   ④ D형

11 전기욕기에 전기를 공급하기 위한 전원장치에 내장되어 있는 절연변압기의 2차 측 전로의 사용전압은 몇 [V] 이하인 것을 사용해야 하는가?

① 5   ② 10

③ 25   ④ 35

12 중성점을 다중접지한 22.9[kV] 3상 4선식 가공전선로를 건조물의 위쪽에서 접근상태로 시설하는 경우, 가공전선과 건조물과의 최소 이격거리는 몇 [m] 이상이어야 하는가?

① 1.2   ② 2.0

③ 2.5   ④ 3.0

13 전광표시장치 기타 이와 유사한 장치 또는 제어회로 등의 배선에 사용되는 다심케이블 또는 다심 캡타이어케이블의 굵기는 몇 [mm²] 이상이어야 하는가?(단, 옥내배선의 사용전압은 400[V] 이하이다)

① 0.5
② 0.75
③ 1.0
④ 1.25

14 저압 옥상전선로에 사용되는 전선의 굵기는 몇 [mm] 이상이어야 하는가?(단, 전선은 경동선이다)

① 1.5
② 2.0
③ 2.6
④ 3.2

15 배전선로에 전력보안통신용 전화설비를 시설하지 않아도 되는 곳은?

① 154[kV]계통 배전선로 구간(가공, 지중, 해저)
② 22.9[kV]통에 연결되는 분산전원형 발전소
③ 폐회로 배전 등 신 배전방식 도입 개소
④ 배전자동화, 원격검침, 부하감시 등 지능형전력망 구현을 위해 필요한 구간

16 전기 울타리의 접지전극과 다른 접지계통의 접지전극의 거리는 몇 [m] 이상이어야 하는가? (단, 충분한 접지망을 가진 경우가 아니다)

① 1.0
② 1.5
③ 2.0
④ 2.5

17 다음과 같은 부하에 전원을 공급하는 회로에 대해서는 과부하 보호장치를 생략할 수 있는 경우가 아닌 것은?(단, 안전을 위한 시설에 한한다)

① 회전기의 여자회로
② 소방설비의 전원회로
③ 안전설비(주거침입경보, 가스누출경보 등)의 전원회로
④ 급수설비 전동기회로

18 제2종 특고압 보안공사 시 B종 철주를 지지물로 사용하는 경우 경간은 몇 [m] 이하인가?

① 100
② 200
③ 400
④ 500

19 풍력터빈의 피뢰설비 시설기준으로 틀린 것은?

① 풍력터빈에 설치한 피뢰설비(리셉터, 인하도선 등)의 기능저하로 인해 다른 기능에 영향을 미치지 않을 것
② 풍력터빈 내부의 계측 센서용 케이블은 금속관 또는 차폐케이블 등을 사용하여 뇌유도과전압으로부터 보호할 것
③ 풍력터빈에 설치하는 인하도선은 쉽게 부식되지 않는 금속선으로서 뇌격전류를 안전하게 흘릴 수 있는 충분한 굵기여야 하며, 가능한 직선으로 시설할 것
④ 수뢰부를 풍력터빈 중앙부분에 배치하되 뇌격전류에 의한 발열에 용손(溶損)되지 않도록 재질, 크기, 두께 및 형상 등을 고려할 것

20 이차전지를 전용건물 이외의 장소에 시설하는 경우 이차전지랙과 랙 사이, 랙과 벽면 사이는 몇 [m] 이상 이격해야 하는가?(단, 「건축물의 피난·방화구조 등의 기준에 관한 규칙」에 따른 내화구조의 벽이 삽입된 경우는 예외로 한다)

① 1
② 2
③ 3
④ 4

01 특고압 가공전선로의 지지물 양측의 경간의 차가 큰 곳에 사용하는 철탑의 종류는?

① 내장형

② 보강형

③ 직선형

④ 인류형

02 전원의 한 점을 직접 접지하고 설비의 노출도 전부는 전원의 접지전극과 전기적으로 독립적인 접지극에 접속시키고 배전계통에서 PE도체를 추가로 접지할 수 있는 계통은?

① TN

② TT

③ IT

④ TN-C

03 전기온상 등의 시설에서 전기온상 등에 전기를 공급하는 전로의 대지전압은 몇 [V] 이하인가?

① 300

② 500

③ 600

④ 700

04 최대사용전압이 1차 22,000[V], 2차 6,600[V]의 권선으로서 중성점 비접지식 전로에 접속하는 변압기의 특고압 측 절연내력 시험전압은?

① 24,000[V]

② 27,500[V]

③ 33,000[V]

④ 44,000[V]

05 스러스트 베어링의 온도가 현저히 상승하는 경우 자동적으로 이를 전로로부터 차단하는 장치
를 시설하여야 하는 수차발전기의 용량은 최소 몇 [kVA] 이상인 것인가?

① 500 ② 1,000

③ 1,500 ④ 2,000

06 154[kV] 가공전선로를 제1종 특고압 보안공사에 의하여 시설하는 경우 사용전선은 인장강도
58.84[kN] 이상의 연선 또는 단면적 몇 [mm²] 이상의 경동연선이어야 하는가?

① 100 ② 125

③ 150 ④ 200

07 금속관공사를 콘크리트에 매설하여 시행하는 경우 관의 두께는 몇 [mm] 이상이어야 하는가?

① 1.0 ② 1.2

③ 1.4 ④ 1.6

08 피뢰레벨을 선정하는 과정에서 위험물의 제조소·저장소 및 처리장의 피뢰시스템은 몇 등급
이상으로 해야 하는가?

① Ⅰ등급 ② Ⅱ등급

③ Ⅲ등급 ④ Ⅳ등급

09 저압의 전선로 중 절연부분의 전선과 대지 간의 절연저항은 사용전압에 대한 누설전류가 최대
공급전류의 얼마를 넘지 않도록 유지하여야 하는가?

① $\dfrac{1}{1,000}$ ② $\dfrac{1}{2,000}$

③ $\dfrac{1}{3,000}$ ④ $\dfrac{1}{4,000}$

10 애자공사에 의한 고압 옥내배선을 시설하고자 할 경우 전선과 조영재 사이의 이격거리는 몇 [m] 이상인가?

① 0.03   ② 0.05

③ 0.06   ④ 0.08

11 가공전선으로의 지지물에 시설하는 지선의 시방세목으로 옳은 것은?

① 안전율은 1.2일 것

② 소선은 3가닥 이상의 연선일 것

③ 소선은 지름 2.0[mm] 이상인 금속선을 사용할 것

④ 허용 인장하중의 최저는 3.2[kN]으로 할 것

12 발전소에서 계측장치를 시설하지 않아도 되는 것은?

① 발전기의 전압, 전류 또는 전력

② 발전기의 베어링 및 고정자의 온도

③ 특고압 모선의 전압 및 전류 또는 전력

④ 특고압용 변압기의 온도

13 다음 중 옥내에 시설하는 고압용 이동전선의 종류는?

① 150[mm^2] 연동선

② 비닐 캡타이어케이블

③ 고압용 캡타이어케이블

④ 강심 알루미늄 연선

14 전압을 구분하는 경우 교류에서 저압은 몇 [kV] 이하인가?

① 0.5   ② 1

③ 1.5   ④ 7

15 사용전압이 400[V] 이하인 저압 가공전선은 케이블이나 절연전선인 경우를 제외하고 인장강도가 3.43[kN] 이상인 것 또는 지름 몇 [mm] 이상의 경동선이어야 하는가?

① 1.2   ② 2.6

③ 3.2   ④ 4.0

16 저압 연접인입선은 인입선에서 분기하는 점으로부터 몇 [m]를 초과하는 지역에 미치지 아니하도록 시설하여야 하는가?

① 10   ② 20

③ 100   ④ 200

17 전기철도차량에 사용할 전기를 변전소로부터 전차선에 공급하는 전선은 어느 것인가?

① 급전선   ② 중성선

③ 분기선   ④ 배전선

18 계통접지에 사용되는 문자 중 제1문자의 정의로 맞게 설명한 것은?

① 전원계통과 대지의 관계
② 전기설비의 노출도전부와 대지의 관계
③ 중성선과 보호도체의 배치
④ 노출도전부와 보호도체의 배치

19 가공약전류전선을 사용전압이 22.9[kV]인 특고압 가공전선과 동일 지지물에 공가하고자 할 때 가공전선으로 경동연선을 사용한다면 단면적이 몇 [mm²] 이상인가?

① 22
② 38
③ 50
④ 55

20 연료전지설비의 접지도체의 굵기는 얼마 이상의 연동선을 사용하여야 하는가?

① 2.5[mm²]
② 6[mm²]
③ 10[mm²]
④ 16[mm²]

01 건조한 장소로서 전개된 장소에 한하여 시설할 수 있는 고압 옥내배선의 방법은?

① 금속관공사

② 애자사용공사

③ 가요전선관공사

④ 합성수지관공사

02 터널 안 전선로의 시설방법으로 옳은 것은?

① 저압 전선은 지름 2.6[mm]의 경동선의 절연전선을 사용하였다.

② 고압 전선은 절연전선을 사용하여 합성수지관공사로 하였다.

③ 저압 전선을 애자사용공사에 의하여 시설하고 이를 레일면상 또는 노면상 2.2[m]의 높이로 시설하였다.

④ 고압 전선을 금속관공사에 의하여 시설하고 이를 레일면상 또는 노면상 2.4[m]의 높이로 시설하였다.

03 케이블트레이공사에 사용되는 케이블트레이가 수용된 모든 전선을 지지할 수 있는 적합한 강도의 것일 경우 케이블트레이의 안전율은 얼마 이상으로 하여야 하는가?

① 1.1

② 1.2

③ 1.3

④ 1.5

04 태양전지 모듈의 시설에 대한 설명으로 옳은 것은?

① 충전 부분은 노출하여 시설할 것

② 출력배선은 극성별로 확인 가능토록 표시할 것

③ 전선은 공칭단면적 1.5[mm²] 이상의 연동선을 사용할 것

④ 전선을 옥내에 시설할 경우에는 애자사용공사에 준하여 시설할 것

05 지지물이 A종 철근 콘크리트주일 때 고압 가공전선로의 경간은 몇 [m] 이하인가?

① 150　　　　　　　　　　　② 250

③ 400　　　　　　　　　　　④ 600

06 전력보안 가공통신선을 횡단보도교 위에 시설하는 경우 그 노면상 높이는 몇 [m] 이상인가?
(단, 가공전선로의 지지물에 시설하는 통신선 또는 이에 직접 접속하는 가공통신선은 제외한다)

① 3　　　　　　　　　　　　② 4

③ 5　　　　　　　　　　　　④ 6

07 의료장소의 안전을 위한 보호설비에서 누전차단기를 설치할 경우 기준으로 적합한 것은?

① 정격감도전류 30[mA] 이하, 동작시간 0.03초 이내

② 정격감도전류 30[mA] 이하, 동작시간 0.3초 이내

③ 정격감도전류 50[mA] 이하, 동작시간 0.03초 이내

④ 정격감도전류 50[mA] 이하, 동작시간 0.3초 이내

08 제어회로에 사용하는 배선을 금속덕트공사로 할 경우 금속덕트에 넣는 전선의 단면적(절연피복의 단면적 포함)의 합계는 덕트의 내부 단면적의 몇 [%]까지 할 수 있는가?

① 20　　　　　　　　　　　② 30

③ 40　　　　　　　　　　　④ 50

09 옥내에 시설하는 저압전선으로 나전선을 사용해서는 안 되는 경우는?

① 금속덕트공사에 의한 전선
② 버스덕트공사에 의한 전선
③ 이동기중기에 사용되는 접촉전선
④ 전개된 곳의 애자공사에 의한 전기로용 전선

10 지중전선로를 관로식에 의하여 시설하는 경우에는 매설 깊이를 몇 [m] 이상으로 하여야 하는가?

① 0.6
② 1.0
③ 1.2
④ 1.5

11 저압 가공전선이 가공약전류전선과 접근하여 시설될 때, 저압 가공전선과 가공약전류전선 사이의 이격거리는 몇 [cm] 이상이어야 하는가?

① 40
② 50
③ 60
④ 80

12 저압전로의 절연성능에서 전로의 사용전압이 500[V] 초과 시 절연저항은 몇 [MΩ] 이상인가?

① 0.1
② 0.2
③ 0.5
④ 1.0

13 뱅크용량이 20,000[kVA]인 전력용 콘덴서에 자동적으로 이를 전로로부터 차단하는 보호장치를 하려고 한다. 다음 중 반드시 시설하여야 할 보호장치가 아닌 것은?

① 내부에 고장이 생긴 경우에 동작하는 장치
② 절연유의 압력이 변화할 때 동작하는 장치
③ 과전류가 생긴 경우에 동작하는 장치
④ 과전압이 생긴 경우에 동작하는 장치

14 전기온상용 발열선은 그 온도가 몇 [℃]를 넘지 않도록 시설하여야 하는가?

① 50

② 60

③ 80

④ 100

15 피뢰시스템을 적용해야 하는 건축물의 최소 높이는 지상으로부터 몇 [m] 이상인가?

① 10

② 20

③ 30

④ 40

16 감전에 대한 보호에서 설비의 각 부분에 하나 이상의 보호대책을 적용해야 하는데 이에 해당하지 않는 것은?

① 전원의 자동차단

② 단절연 및 저감절연

③ 한 개의 전기사용기기에 전기를 공급하기 위한 전기적 분리

④ SELV와 PELV를 적용한 특별저압

17 풍력발전설비의 접지설비에서 고려해야 할 것은?

① 타워기초를 이용한 통합접지공사를 할 것

② 공통접지를 할 것

③ IT접지계통을 적용하여 인체에 감전사고가 없도록 할 것

④ 단독접지를 적용하여 전위차가 없도록 할 것

18 특고압 가공전선로의 지지물로 사용하는 B종 철주에서 각도형은 전선로 중 몇 도를 넘는 수평 각도를 이루는 곳에 사용되는가?

① 1 　　　　　　　　　　　② 2

③ 3 　　　　　　　　　　　④ 5

19 다음 중 제1종 특고압 보안공사를 필요로 하는 가공전선로에 지지물로 사용할 수 있는 것은?

① A종 철근콘크리트주

② B종 철근콘크리트주

③ A종 철주

④ 목 주

20 가요전선관공사에 의한 저압 옥내배선시설에 대한 설명으로 옳지 않은 것은?

① 옥외용 비닐전선을 제외한 절연전선을 사용한다.

② 제1종 금속제가요전선관의 두께는 0.8[mm] 이상으로 한다.

③ 중량물의 압력 또는 기계적 충격을 받을 우려가 없도록 시설한다.

④ 전선은 연선을 사용하나 단면적 10[mm^2] 이상인 경우에는 단선을 사용한다.

01 가공전선로의 지지물에 취급자가 오르고 내리는 데 사용하는 발판 볼트 등은 지표상 몇 [m] 미만에 시설하여서는 아니 되는가?

① 1.2
② 1.8
③ 2.2
④ 2.5

02 전력보안통신 설비인 무선통신용 안테나를 지지하는 목주는 풍압하중에 대한 안전율이 얼마 이상이어야 하는가?

① 1.0
② 1.2
③ 1.5
④ 2.0

03 교통신호등 회로의 사용전압은 몇 [V] 이하여야 하는가?

① 110
② 200
③ 220
④ 300

04 전력보안통신용 전화설비를 시설하지 않아도 되는 것은?

① 원격감시제어가 되지 아니하는 발전소
② 원격감시제어가 되지 아니하는 변전소
③ 2개 이상의 급전소 상호 간과 이들을 통합 운용하는 급전소 간
④ 발전소로서 전기공급에 지장을 미치지 않고, 휴대용 전력보안통신 전화설비에 의하여 연락이 확보된 경우

05 온도가 낮고 눈이 적은 지방이면서 인가가 많이 연접되어 있는 곳에 가공전선로를 시설하는 경우 어떤 풍압하중을 적용하는가?

① 갑종 풍압하중
② 을종 풍압하중
③ 병종 풍압하중
④ 갑종 풍압하중의 30[%]

06 전기철도와 전차선로의 충전부 건조물과의 동적 최소 절연이격거리는 몇 [mm] 이상이어야 하는가?(단, 단상 교류식(AC 25,000[V])이며, 비오염 지역이다)

① 150　　　　　　　　　　② 170
③ 220　　　　　　　　　　④ 270

07 태양광발전설비에 관한 내용으로 틀린 것은?

① 태양전지 모듈, 전선 및 기타 기구는 충전 부분이 노출되지 않도록 시설할 것
② 옥외에 시설하는 경우 방수등급은 IPX4 이상일 것
③ 옥외에 시설하는 경우 방수등급은 IPX5 이상일 것
④ 주택 옥내전로의 대지전압은 직류 600[V] 이하일 것

08 방전등용 안정기로부터 방전관까지의 전로를 무엇이라 하는가?

① 가섭선　　　　　　　　　② 가공인입선
③ 관등회로　　　　　　　　④ 지중관로

09 전력계통의 일부가 전력계통의 전원과 전기적으로 분리된 상태에서 분산형전원에 의해서만 가압되는 상태를 무엇이라 하는가?

① 단독운전   ② 계통연계

③ 급전회로   ④ 리플프리

10 최대사용전압이 69[kV]인 정류기의 절연내력 시험전압은 교류 측 최대사용전압의 몇 배인가?

① 1.0   ② 1.1

③ 1.25   ④ 1.5

11 금속관공사에서 절연부싱을 사용하는 가장 주된 목적은?

① 관의 끝이 터지는 것을 방지

② 관 내 해충 및 이물질 출입 방지

③ 관의 단구에서 조영재의 접촉 방지

④ 관의 단구에서 전선 피복의 손상 방지

12 전기온상용 발열선은 그 온도가 몇 [℃]를 넘지 않도록 시설하여야 하는가?

① 50   ② 60

③ 80   ④ 100

13 사용전압 22.9[kV]의 가공전선이 철도를 횡단하는 경우, 전선의 레일면상의 높이는 몇 [m] 이상인가?

① 5   ② 5.5

③ 6   ④ 6.5

14 저압 및 고압 가공전선의 최소 높이는 도로를 횡단하는 경우와 철도를 횡단하는 경우에 각각 몇 [m] 이상이어야 하는가?

① 도로 : 지표상 6[m], 철도 : 레일면상 6.5[m]

② 도로 : 지표상 6[m], 철도 : 레일면상 6[m]

③ 도로 : 지표상 5[m], 철도 : 레일면상 6.5[m]

④ 도로 : 지표상 5[m], 철도 : 레일면상 6[m]

15 저압 가공전선이 가공약전류전선과 접근하여 시설될 때, 저압 가공전선과 가공약전류전선 사이의 이격거리는 몇 [cm] 이상이어야 하는가?

① 40   ② 50

③ 60   ④ 80

16 주택용 배선차단기는 B형인 경우 순시트립범위는 얼마인가?

① $3I_n$ 초과 $5I_n$ 이하   ② $5I_n$ 초과 $10I_n$ 이하

③ $10I_n$ 초과 $20I_n$ 이하   ④ $3I_n$ 초과 $10I_n$ 이하

17 사용전압이 22.9[kV]인 가공전선로를 시가지에 시설하는 경우 전선의 지표상 높이는 몇 [m] 이상인가?(단, 전선은 특고압 절연전선을 사용한다)

① 6   ② 7

③ 8   ④ 10

18 전기저장장치를 전용건물에 시설하는 경우에 대한 설명이다. 다음 ( )에 들어갈 내용으로 옳은 것은?

> 전기저장장치 시설장소는 주변 시설(도로, 건물, 가연물질 등)로부터 (㉠)[m] 이상 이격하고 다른 건물의 출입구나 피난계단 등 이와 유사한 장소로부터는 (㉡)[m] 이상 이격하여야 한다.

① ㉠ 3, ㉡ 1
② ㉠ 2, ㉡ 1.5
③ ㉠ 1, ㉡ 2
④ ㉠ 1.5, ㉡ 3

19 고압 보안공사 시에 지지물로 A종 철근 콘크리트주를 사용할 경우 경간은 몇 [m] 이하이어야 하는가?

① 50
② 100
③ 150
④ 400

20 전기적 접속방법 중 고려해야 할 사항에 속하지 않는 것은?

① 도체와 절연재료
② 도체를 구성하는 소선의 가닥수와 형상
③ 도체의 단면적
④ 도체의 허용전류

전기공사기사		**2022년 제4회 정답 및 해설**							
01	02	03	04	05	06	07	08	09	10
②	④	②	②	①	③	③	②	③	①
11	12	13	14	15	16	17	18	19	20
③	④	④	①	②	③	②	④	③	③

01 KEC 351.6(감시 및 계측장치 등)
- 계측장치 : 전압계 및 전류계, 전력계
- 발전기의 베어링 및 고정자의 온도
- 특고압용 변압기의 온도
- 정격출력이 10,000[kW]를 초과하는 증기터빈에 접속하는 발전기의 진동의 진폭
- 동기발전기, 무효 전력 보상 장치는 반드시 동기검정장치가 있어야 하나 용량이 현저히 작은 경우 생략 가능

02 KEC 241.12(도로 등의 전열장치)
- 발열선에 전기를 공급하는 전로의 대지전압은 300[V] 이하일 것
- 발열선의 온도는 80[℃]를 넘지 않도록 시설할 것

03 KEC 341.15(피뢰기의 접지)
- 고압 및 특고압의 전로에 시설하는 피뢰기의 접지저항값은 10[Ω] 이하로 하여야 한다.
- 단, 고압 가공전선로에 시설하는 피뢰기의 접지공사의 접지도체가 전용의 것인 경우에는 접지저항값이 30[Ω]까지 허용된다.

04 KEC 212.3(보호장치의 종류 및 특성)
퓨즈(gG)의 용단특성

정격전류의 구분	시 간	정격전류의 배수	
		불용단전류	용단전류
4[A] 이하	60분	1.5배	2.1배
4[A] 초과 16[A] 미만	60분	1.5배	1.9배
16[A] 이상 63[A] 이하	60분	1.25배	1.6배
63[A] 초과 160[A] 이하	120분	1.25배	1.6배
160[A] 초과 400[A] 이하	180분	1.25배	1.6배
400[A] 초과	240분	1.25배	1.6배

05 KEC 333.23(특고압 가공전선과 건조물의 접근)

구 분			35[kV] 이하의 가공전선			35[kV] 초과의 가공전선
			일 반	특고압 절연	케이블	
건조물	상부 조영재	상 방	3[m]	2.5[m]	1.2[m]	표준 + N = 표준 + (35[kV] 초과분 / 10[kV]) × 0.15[m]
		측·하방 기타 조영재	3[m]	1.5[m]	0.5[m]	

06 기술기준 제52조(저압전로의 절연성능)

전로의 사용전압[V]	DC시험전압[V]	절연저항[MΩ]
SELV 및 PELV	250	0.5
FELV, 500[V] 이하	500	1.0
500[V] 초과	1,000	1.0

[주] 특별저압(Extra Law Voltage : 2차 전압이 AC 50[V], DC 120[V] 이하)으로 SELV(비접지회로 구성) 및 PELV(접지회로 구성)은 1차와 2차가 전기적으로 절연된 회로, FELV는 1차와 2차가 전기적으로 절연되지 않은 회로

07 KEC 222.9/332.8(저·고압 가공전선 등의 병행설치), 333.17(특고압 가공전선과 저·고압 가공전선의 병행설치)

구 분	고 압	35[kV] 이하	35[kV] 초과 60[kV] 이하	60[kV] 초과
저압·고압 (케이블)	0.5[m] 이상 (0.3[m])	1.2[m] 이상 (0.5[m])	2[m] 이상 (1[m])	2[m](1[m]) + 단수 × 0.12[m]
기 타	• 35[kV] 이하 – 상부에 고압 측을 시설하며 별도의 완금류에 시설할 것 • 35[kV] 초과 100[kV] 미만의 특고압 – 단수 = $\dfrac{60[kV] 초과}{10[kV]}$(반드시 절상하여 계산) – 21.67[kN] 금속선, 50[mm²] 이상의 경동연선			

08 KEC 342.1(고압 옥내배선 등의 시설)

고압 옥내배선은 케이블배선, 케이블트레이배선에 의한다. 다만, 건조하고 전개된 곳에 한하여 애자사용공사를 할 수 있다.

09 KEC 242.4(위험물 등이 존재하는 장소)

금속관공사	폭연성 먼지에 준함
케이블공사	
합성수지관공사	부식 방지, 먼지 침투 방지

10 KEC 322.3(특고압과 고압의 혼촉 등에 의한 위험방지 시설)

변압기에 의하여 특고압전로에 결합되는 고압전로에는 사용전압의 3배 이하인 전압이 가하여진 경우에 방전하는 장치를 그 변압기의 단자에 가까운 1극에 설치하여야 한다(단, 사용전압의 3배 이하인 전압이 가하여진 경우에 방전하는 피뢰기를 고압전로의 모선의 각 상에 시설하거나 특고압권선과 고압권선 간에 혼촉방지판을 시설하여 접지저항값이 10[Ω] 이하 또는 접지공사를 한 경우에는 그러하지 아니하다).

11 KEC 333.1(시가지 등에서 특고압 가공전선로의 시설)

사용전압의 구분	지표상의 높이
35[kV] 이하	10[m](전선이 특고압 절연전선인 경우에는 8[m])
35[kV] 초과	10[m]에 35[kV] 초과하는 10[kV] 또는 그 단수마다 0.12[m]를 더한 값

단수 $=\dfrac{66-35}{10}=3.1 \fallingdotseq 4$

∴ 높이 $=(4\times0.12)+10=10.48$

12 KEC 152(외부피뢰시스템)
- 수뢰부시스템
- 인하도선시스템
- 접지극시스템

13 KEC 222.10/332.9/332.10/333.1/333.21/333.22(가공전선로 및 보안공사 지지물 간 거리)

구 분	표 준	특고압 시가지	보안공사		
			저·고압	제1종 특고압	제2, 3종 특고압
목주 / A종	150[m]	75[m](목주 ×)	100[m]	목주 불가	100[m]
B종	250[m]	150[m]	150[m]	150[m]	200[m]
철 탑	600[m]	400[m]	400[m]	400[m], 단주 300[m]	

14 KEC 232.12(금속관공사)
- 전선은 절연전선(옥외용 비닐절연전선을 제외한다)일 것
- 연선일 것(단, 전선관이 짧거나 10[mm²] 이하(알루미늄은 16[mm²])일 때 예외)
- 관의 두께 : 콘크리트에 매입하는 것은 1.2[mm] 이상(노출공사 1.0 [mm] 이상. 단, 길이 4[m] 이하이고 건조한 노출된 공사 : 0.5[mm] 이상)
- 폭발방지형 부속품 : 전선관과의 접속 부분 나사는 5턱 이상 완전히 나사결합
- 관의 끝부분에는 전선의 피복을 손상하지 아니하도록 부싱을 사용할 것
- 접지공사 생략(400[V] 이하)
  - 건조하고 총길이 4[m] 이하인 곳
  - 8[m] 이하, DC 300[V], AC 150[V] 이하인 사람 접촉이 없는 경우

15 KEC 512.1(시설기준)
전기저장장치 전기배선의 전선은 공칭단면적 2.5[mm²] 이상의 연동선 또는 이와 동등 이상의 세기 및 굵기의 것일 것

16 KEC 232.11(합성수지관공사)
- 전선은 절연전선(옥외용 비닐절연전선을 제외한다)일 것
- 연선일 것(단, 전선관이 짧거나 10[mm²](알루미늄은 16[mm²]) 이하일 때 예외)
- 관의 두께는 2[mm] 이상일 것
- 지지점 간의 거리 : 1.5[m] 이하
- 전선관 상호 간 삽입 깊이 : 관 바깥지름의 1.2배(접착제 0.8배)
- 습기가 많거나 물기가 있는 장소는 방습장치를 할 것

17 KEC 331.12(구내인입선)

고압 가공인입선

- 최저높이 5[m](위험표시 3.5[m])
- 8.01[kN], 5[mm] 이상 경동선, 케이블
- 이웃 연결 인입선 불가

18 KEC 222.10/332.9/332.10/333.1/333.21/333.22(가공전선로 및 보안공사 지지물 간 거리)

구 분	표 준	특고압 시가지	보안공사		
			저 · 고압	제1종 특고압	제2, 3종 특고압
목주 / A종	150[m]	75[m](목주 X)	100[m]	목주 불가	100[m]
B종	250[m]	150[m]	150[m]	150[m]	200[m]
철 탑	600[m]	400[m]	400[m]	400[m], 단주 300[m]	

19 KEC 341.10(고압 및 특고압전로 중의 과전류차단기의 시설)

고압 또는 특고압전로 중 기계기구 및 전선을 보호하기 위하여 필요한 곳에 시설

구 분	견디는 시간	용단시간
포장 퓨즈	1.3배	2배 전류 – 120분
비포장 퓨즈	1.25배	2배 전류 – 2분

20 KEC 222.7/332.5(저 · 고압 가공전선의 높이)

설치장소		가공전선의 높이
도로횡단		지표상 6[m] 이상
철도 또는 궤도 횡단		레일면상 6.5[m] 이상
횡단보도교 위	저 압	노면상 3.5[m] 이상(단, 절연전선의 경우 3[m] 이상)
	고 압	노면상 3.5[m] 이상

01	02	03	04	05	06	07	08	09	10
①	①	④	①	④	③	②	①	①	③
11	12	13	14	15	16	17	18	19	20
③	④	④	④	③	①	①	①	④	②

01 KEC 351.1(발전소 등의 울타리 · 담 등의 시설)

160[kV] 초과 : 6[m]에 160[kV]를 초과하는 10[kV] 또는 그 단수마다 0.12[m]를 더한 값으로 한다.

- 단수 $= \dfrac{345-160}{10} = 18.5 \rightarrow$ 19단
- 충전 부분까지의 거리[m] $= 6 + 19 \times 0.12 = 8.28$[m]

이므로 울타리로부터 충전 부분까지 거리는 $8.28 - 2.5 = 5.78$[m]

02 사용전압이 15[kV]를 초과하고 25[kV] 이하인 특고압 가공전선로(중성선 다중접지 방식의 것으로서 전로에 지락이 생겼을 때에 2초 이내에 자동적으로 이를 전로로부터 차단하는 장치가 되어 있는 것에 한한다)를 다음에 따라 시설한다.

KEC 333.32-2(15[kV] 초과 25[kV] 이하인 특고압 가공전선로 지지물 간 거리 제한)

지지물의 종류	지지물 간 거리
목주 · A종 철주 또는 A종 철근 콘크리트주	100[m]
B종 철주 또는 B종 철근 콘크리트주	150[m]
철 탑	400[m]

03 KEC 121.2(전선의 식별)

상(문자)	색 상
L1	갈 색
L2	검은색
L3	회 색
N	파란색
보호도체	녹색-노란색

04 KEC 212.6(저압전로 중의 개폐기 및 과전류차단장치의 시설)

사용전압이 400[V] 이하인 옥내전로로서 다른 옥내전로(정격전류가 16[A] 이하인 과전류차단기 또는 정격전류가 16[A]를 초과하고 20[A] 이하인 배선차단기 보호되고 있는 것에 한한다)에 접속하는 길이 15[m] 이하의 전로에서 전기의 공급을 받는 것은 저압 옥내전로의 인입구에 가까운 곳으로서 쉽게 개폐할 수 있는 곳에 개폐기를 시설하지 아니할 수 있다.

05 KEC 333.7(특고압 가공전선의 높이)

사용전압의 구분	지표상의 높이
35[kV] 이하	5[m] (철도 또는 궤도를 횡단하는 경우에는 6.5[m], 도로를 횡단하는 경우에는 6[m], 횡단보도교의 위에 시설하는 경우로서 전선이 특고압 절연전선 또는 케이블인 경우에는 4[m])
35[kV] 초과 160[kV] 이하	6[m] (철도 또는 궤도를 횡단하는 경우에는 6.5[m], 산지 등에서 사람이 쉽게 들어갈 수 없는 장소에 시설하는 경우에는 5[m], 횡단보도교의 위에 시설하는 경우 전선이 케이블인 때는 5[m])
160[kV] 초과	6[m] (철도 또는 궤도를 횡단하는 경우에는 6.5[m], 산지 등에서 사람이 쉽게 들어갈 수 없는 장소를 시설하는 경우에는 5[m])에 160[kV]를 초과하는 10[kV] 또는 그 단수마다 0.12[m]를 더한 값

06 KEC 364.1(무선용 안테나 등을 지지하는 철탑 등의 시설)
무선통신용 안테나나 반사판을 지지하는 지지물들의 안전율 : 1.5 이상

07 KEC 331.7(가공전선로 지지물의 기초의 안전율)
• 지지물의 기초 안전율 2 이상
• 상정하중에 대한 철탑의 기초 안전율 1.33 이상

08 KEC 132(전로의 절연저항 및 절연내력)

접지방식	최대사용전압	시험전압(최대사용전압 배수)	최저시험전압
비접지	7[kV] 이하	1.5배	
	7[kV] 초과	1.25배	10.5[kV]
중성점 접지	60[kV] 초과	1.1배	75[kV]
중성점 직접접지	60[kV] 초과 170[kV] 이하	0.72배	
	170[kV] 초과	0.64배	
중성점 다중접지	25[kV] 이하	0.92배	

∴ 154 × 0.72 = 110.88[kV]

09 KEC 234.6(점멸기의 시설)
자동 소등 시간
• 관광숙박업 또는 숙박업 객실 입구등 : 1분 이내
• 일반주택 및 아파트 각 호실의 현관등 : 3분 이내

10 KEC 234.12(네온방전등)
• 전선 상호 간의 간격은 60[mm] 이상일 것
• 관등회로의 배선은 애자공사에 의할 것
• 전선 지지점 간의 거리는 1[m] 이하로 할 것
• 관등회로의 배선은 외상을 받을 우려가 없고 사람이 접촉될 우려가 없는 노출장소에 시설할 것

11   KEC 341.2(특고압 배전용 변압기의 시설)

특고압 배전용 변압기의 1차 전압은 35[kV] 이하이고, 2차 측은 저압 또는 고압이어야 한다.

12   KEC 421.4(변전소의 설비)

- 변전소 등의 계통을 구성하는 각종 기기는 운용 및 유지보수성, 시공성, 내구성, 효율성, 친환경성, 안전성 및 경제성 등을 종합적으로 고려하여 선정하여야 한다.
- 급전용 변압기는 직류 전기철도의 경우 3상 정류기용 변압기, 교류 전기철도의 경우 3상 스코트 결선 변압기의 적용을 원칙으로 하고, 급전계통에 적합하게 선정하여야 한다.
- 차단기는 계통의 장래계획을 고려하여 용량을 결정하고, 회로의 특성에 따라 기종과 동작책무 및 차단시간을 선정하여야 한다.
- 개폐기는 선로 중 중요한 분기점, 고장발견이 필요한 장소, 빈번한 개폐를 필요로 하는 곳에 설치하며, 개폐상태의 표시, 잠금장치 등을 설치하여야 한다.
- 제어용 교류전원은 상용과 예비의 2계통으로 구성하여야 한다.
- 제어반의 경우 디지털계전기방식을 원칙으로 하여야 한다.

13   KEC 541.1(설치장소의 안전 요구사항)

- 연료전지를 설치할 주위의 벽 등은 화재에 안전하게 시설하여야 한다.
- 가연성물질과 안전거리를 확보하여야 한다.
- 침수 등의 우려가 없는 곳에 시설하여야 한다.

14   KEC 421.4(변전소의 설비)

- 변전소 등의 계통을 구성하는 각종 기기는 운용 및 유지보수성, 시공성, 내구성, 효율성, 친환경성, 안전성 및 경제성 등을 종합적으로 고려하여 선정하여야 한다.
- 급전용 변압기는 직류 전기철도의 경우 3상 정류기용 변압기, 교류 전기철도의 경우 3상 스코트 결선 변압기의 적용을 원칙으로 하고, 급전계통에 적합하게 선정하여야 한다.

15   KEC 222.11/332.11(저·고압 가공전선과 건조물의 접근)

구 분		저압 가공전선			고압 가공전선		
		일 반	절 연	케이블	일 반	절 연	케이블
상부 조영재	상 방	2[m]	1[m]	1[m]	2[m]	−	1[m]
	측·하방	1.2[m]	0.4[m]	0.4[m]	1.2[m]	−	0.4[m]
	기타 조영재	인체 비접촉 시 0.8[m]					

16   KEC 241.1(전기울타리)

- 사용전압 : 250[V] 이하
- 전선 굵기 : 인장강도 1.38[kN], 지름 2.0[mm] 이상 경동선
- 간 격
  - 전선과 기둥 사이 : 25[mm] 이상
  - 전선과 수목 사이 : 0.3[m] 이상

17 애자사용배선

약전류전선, 수관, 가스관, 다른 옥내배선과의 간격 0.1[m](나전선일 때는 0.3[m])

18 KEC 231.3.1(저압 옥내배선의 사용전선)

㉠ 저압 옥내배선의 전선은 단면적 2.5[mm²] 이상의 연동선 또는 이와 동등 이상의 강도 및 굵기의 것

㉡ 옥내배선의 사용 전압이 400[V] 이하인 경우로 다음 중 어느 하나에 해당하는 경우에는 ㉠을 적용하지 않는다.

- 전광표시장치 기타 이와 유사한 장치 또는 제어 회로 등에 사용하는 배선에 단면적 1.5[mm²] 이상의 연동선을 사용하고 이를 합성수지관공사·금속관공사·금속몰드공사·금속덕트공사·플로어덕트공사 또는 셀룰러덕트공사에 의하여 시설하는 경우
- 전광표시장치 기타 이와 유사한 장치 또는 제어회로 등의 배선에 단면적 0.75[mm²] 이상인 다심케이블 또는 다심 캡타이어케이블을 사용하고 또한 과전류가 생겼을 때에 자동적으로 전로에서 차단하는 장치를 시설하는 경우

19 KEC 522.2.2(전력변환장치의 시설)

인버터, 절연변압기 및 계통 연계 보호장치 등 전력변환장치의 시설은 다음에 따라 시설하여야 한다.

- 인버터는 실내·실외용을 구분할 것
- 각 직렬군의 태양전지 개방전압은 인버터 입력전압 범위 이내일 것
- 옥외에 시설하는 경우 방수등급은 IPX4 이상일 것

20 KEC 223.1/334.1(지중전선로의 시설)

지중전선로를 관로식에 의하여 시설하는 경우 관로식에 의하여 시설하는 경우에는 매설 깊이를 1.0[m] 이상으로 한다. 단, 중량물의 압력을 받을 우려가 없는 곳은 0.6[m] 이상으로 한다.

전기공사기사	2023년 제2회 정답 및 해설								
01	02	03	04	05	06	07	08	09	10
④	③	④	②	②	①	②	①	①	④
11	12	13	14	15	16	17	18	19	20
④	②	①	①	④	③	④	④	④	②

01 KEC 333.7(특고압 가공전선의 높이)

사용전압의 구분	지표상의 높이
35[kV] 이하	5[m] (철도 또는 궤도를 횡단하는 경우에는 6.5[m], 도로를 횡단하는 경우에는 6[m], 횡단보도교의 위에 시설하는 경우로서 전선이 특고압 절연전선 또는 케이블인 경우에는 4[m])
35[kV] 초과 160[kV] 이하	6[m] (철도 또는 궤도를 횡단하는 경우에는 6.5[m], 산지 등에서 사람이 쉽게 들어갈 수 없는 장소에 시설하는 경우에는 5[m], 횡단보도교의 위에 시설하는 경우 전선이 케이블인 때는 5[m])
160[kV] 초과	6[m] (철도 또는 궤도를 횡단하는 경우에는 6.5[m], 산지 등에서 사람이 쉽게 들어갈 수 없는 장소를 시설하는 경우에는 5[m])에 160[kV]를 초과하는 10[kV] 또는 그 단수마다 0.12[m]를 더한 값

02 KEC 221.2(옥측전선로)
- 저압 옥측전선로 공사방법
  - 애자공사(전개된 장소)
  - 합성수지관공사
  - 금속관공사(목조 이외의 조영물에 시설하는 경우에 한한다)
  - 버스덕트공사[목조 이외의 조영물(점검할 수 없는 은폐된 장소는 제외한다)에 시설하는 경우에 한한다]
  - 케이블공사(연피케이블·알루미늄피케이블 또는 무기물절연(MI)케이블을 사용하는 경우에는 목조 이외의 조영물에 시설하는 경우에 한한다)

03 KEC 511.3(옥내전로의 대지전압 제한)
주택의 전기저장장치의 축전지에 접속하는 부하 측 옥내배선을 시설하는 경우에 주택의 옥내전로의 대지전압은 직류 600[V]까지 적용할 수 있다.

04 KEC 461.5(누설전류 간섭에 대한 방지)
직류 전기철도시스템이 매설 배관 또는 케이블과 인접할 경우 누설전류를 피하기 위해 최대한 이격시켜야 하며, 주행레일과 최소 1[m] 이상의 거리를 유지하여야 한다.

05 KEC 362.1(전력보안통신설비의 시설 요구사항)

전력보안통신설비의 시설 장소는 다음에 따른다.

- **배전선로**
  - 22.9[kV]계통 배전선로 구간(가공, 지중, 해저)
  - 22.9[kV]계통에 연결되는 분산전원형 발전소
  - 폐회로 배전 등 신 배전방식 도입 개소
  - 배전자동화, 원격검침, 부하감시 등 지능형전력망 구현을 위해 필요한 구간

06 KEC 232.31(금속덕트공사)

- 전선은 절연전선(옥외용 비닐절연전선을 제외한다)일 것
- 전선 단면적 : 덕트 내부 단면적의 20[%] 이하(제어회로 등 50[%] 이하)
- 지지점 간의 거리 : 3[m] 이하(취급자 외 출입 없고 수직인 경우 : 6[m] 이하)
- 폭 40[mm] 이상, 두께 1.2[mm] 이상인 철판 또는 동등 이상의 기계적 강도를 가지는 금속제의 것으로 제작한 것

07 KEC 234.6(점멸기의 시설)

- 자동 소등 시간
  - 관광숙박업 또는 숙박업 객실 입구등 : 1분 이내
  - 일반주택 및 아파트 각 호실의 현관등 : 3분 이내

08 KEC 132(전로의 절연저항 및 절연내력)

종 류	비접지	중성점 접지	중성점 직접접지
170[kV]	× 1.25	× 1.1	× 0.64
60[kV]	(최저시험전압 10.5[kV])	(최저시험전압 75[kV])	× 0.72
7[kV]	× 1.5	25[kV] 이하 중성점 다중접지 × 0.92	

09 저압 전기설비용 접지도체

- 다심 코드 또는 다심 캡타이어케이블 : 0.75[mm^2]
- 유연성이 있는 연동연선 : 1.5[mm^2]

10 KEC 351.5(조상설비의 보호장치)

설비종별	뱅크용량의 구분	자동적으로 전로로부터 차단하는 장치
전력용 커패시터 및 분로리액터	500[kVA] 초과 15,000[kVA] 미만	내부고장이나 과전류가 생긴 경우에 동작하는 장치
	15,000[kVA] 이상	내부고장이나 과전류 및 과전압이 생긴 경우에 동작하는 장치
무효 전력 보상 장치	15,000[kVA] 이상	내부고장이 생긴 경우에 동작하는 장치

11 KEC 331.7(가공전선로 지지물의 기초의 안전율)

- 지지물의 기초 안전율 2 이상
- 상정하중에 대한 철탑의 기초 안전율 1.33 이상

12 KEC 223.1/334.1(지중전선로의 시설)

지중전선로를 관로식에 의하여 시설하는 경우 관로식에 의하여 시설하는 경우에는 매설 깊이를 1.0[m] 이상으로 한다. 단, 중량물의 압력을 받을 우려가 없는 곳은 0.6[m] 이상으로 한다.

13 KEC 241.8(놀이용 전차)

• 사용전압 AC : 40[V] 이하, DC : 60[V] 이하
• 접촉전선은 제3레일 방식으로 시설
• 누설전류 : AC 100[mA/km], $\dfrac{\text{최대공급전류}}{5,000}$ 이하
• 변압기의 1차 전압은 400[V] 이하일 것
• 변압기의 2차 전압은 150[V] 이하일 것

14 전차선의 기울기

설계속도 V[km/h]	속도등급	기울기(천분율)
300< V ≤350	350킬로급	0
250< V ≤300	300킬로급	0
200< V ≤250	250킬로급	1
150< V ≤200	200킬로급	2
120< V ≤150	150킬로급	3
70< V ≤120	120킬로급	4
V ≤70	70킬로급	10

15 KEC 341.13(피뢰기의 시설)

고압 및 특고압의 전로 중 다음에 열거하는 곳 또는 이에 근접한 곳에는 피뢰기를 시설하여야 한다.
• 발전소·변전소 또는 이에 준하는 장소의 가공전선 인입구 및 인출구
• 특고압 가공전선로에 접속하는 배전용 변압기의 고압 측 및 특고압 측
• 고압 및 특고압 가공전선로로부터 공급을 받는 수용장소의 인입구
• 가공전선로와 지중전선로가 접속되는 곳

16 **KEC 362.11(전력선 반송통신용 결합장치의 보안장치)**
전력선 반송통신용 결합 커패시터(고장위치 표시장치 기타 이와 유사한 보호장치에 병용하는 것을 제외한다)에 접속하는 회로에는 다음 그림의 보안장치 또는 이에 준하는 보안장치를 시설하여야 한다.

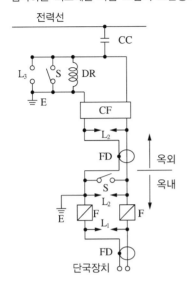

FD : 동축케이블
F : 정격전류 10[A] 이하의 포장 퓨즈
DR : 전류용량 2[A] 이상의 배류 선륜
L₁ : 교류 300[V] 이하에서 동작하는 피뢰기
L₂ : 동작전압이 교류 1.3[kV]를 초과하고 1.6[kV] 이하로 조정된 방전 갭
L₃ : 동작전압이 교류 2[kV]를 초과하고 3[kV] 이하로 조정된 구상 방전 갭
S : 접지용 개폐기
CF : 결합 필터
CC : 결합 커패시터(결합 안테나를 포함한다)
E : 접지

17 조가선은 설비 안전을 위하여 전주와 전주 사이에서 접속하지 말 것

18 고압 또는 특고압 가공전선(전선에 케이블을 사용하는 경우는 제외함)과 금속제의 울타리·담 등이 교차하는 경우에 금속제의 울타리·담 등에는 교차점과 좌, 우로 45[m] 이내의 개소에 320(접지공사)에 의한 접지공사를 하여야 한다.

19 **KEC 441.5(회생제동)**
전기철도차량은 다음과 같은 경우에 회생제동의 사용을 중단해야 한다.
• 전차선로 지락이 발생한 경우
• 전차선로에서 전력을 받을 수 없는 경우
• 규정된 선로전압이 장기 과전압보다 높은 경우

20 **KEC 234.11.5(진열장 또는 이와 유사한 것의 내부 관등회로 배선)**
진열장 안의 관등회로의 배선을 외부로부터 보기 쉬운 곳의 조영재에 접촉하여 시설하는 경우에는 다음에 의하여야 한다.
• 전선의 사용은 규정을 따를 것
• 전선에는 방전등용 안정기의 연결선 또는 방전등용 소켓 연결선과의 접속점 이외에는 접속점을 만들지 말 것
• 전선의 접속점은 조영재에서 이격하여 시설할 것
• 전선은 건조한 목재·석재 등 기타 이와 유사한 절연성이 있는 조영재에 그 피복을 손상하지 아니하도록 적당한 기구로 붙일 것
• 전선의 부착점 간의 거리는 1[m] 이하로 하고 배선에는 전구 또는 기구의 중량을 지지하지 않도록 할 것

01 KEC 132(전로의 절연저항 및 절연내력)

종 류	비접지	중성점 접지	중성점 직접접지
170[kV]	×1.25	×1.1	×0.64
60[kV]	(최저시험전압 10.5[kV])	(최저시험전압 75[kV])	×0.72
7[kV]	×1.5	25[kV] 이하 중성점 다중접지×0.92	

∴ 1차 측 시험전압 = 3,300 × 1.5 = 4,950[V]

2차 측 시험전압 = 220 × 1.5 = 330[V]에서 500[V] 미만이므로 500[V]가 된다.

02 KEC 331.4(가공전선로 지지물의 철탑오름 및 전주오름 방지)

가공전선로 지지물에 취급자가 오르고 내리는 데 사용하는 발판 볼트 등 : 지지물의 발판 볼트는 특별한 경우를 제외하고 지표상 1.8[m] 미만에 시설하여서는 아니 된다.

03

	구 리	알루미늄
기계적 보호가 된 것	2.5[mm²]	16[mm²]
기계적 보호가 없는 것	4[mm²]	16[mm²]

04 KEC 123(전선의 접속)

- 전선의 전기저항을 증가시키지 아니하도록 접속
- 전선의 세기(인장하중)를 20[%] 이상 감소시키지 아니할 것
- 도체에 알루미늄 전선과 동 전선을 접속하는 경우에는 접속 부분에 전기적 부식이 생기지 아니하도록 할 것
- 접속 부분을 그 부분의 절연전선 절연물과 동등 이상의 절연성능이 있는 것으로 피복할 것
- 병렬로 사용하는 전선에는 각각에 퓨즈를 설치하지 말 것

05 KEC 222.2/331.11(지지선의 시설)

안전율	2.5 이상(목주나 A종 : 1.5 이상)	아연도금철봉	지중 및 지표상 0.3[m]까지
구 조	4.31[kN] 이상, 3가닥 이상의 연선	도로횡단	5[m] 이상 (교통 지장 없는 장소 : 4.5[m])
금속선	2.6[mm] 이상 (아연도강연선 2.0[mm] 이상)	기 타	철탑은 지지선으로 그 강도를 분담 시키지 않을 것

06 KEC 333.16(특고압 가공전선로의 내장형 등의 지지물 시설)

특고압 가공전선로 중 지지물로 직선형의 철탑을 연속하여 10기 이상 사용하는 부분에는 10기 이하마다 장력에 견디는 애자장치가 되어 있는 철탑 또는 이와 동등 이상의 강도를 가지는 철탑 1기를 시설하여야 한다.

07 KEC 333.11(특고압 가공전선로의 철주·철근 콘크리트주 또는 철탑의 종류)
- 직선형 : 전선로의 직선 부분(3° 이하인 수평각도를 이루는 곳을 포함)
- 각도형 : 전선로 중 3°를 초과하는 수평각도를 이루는 곳
- 잡아당김형 : 전가섭선을 잡아당기는 곳에 사용하는 것
- 내장형 : 전선로의 지지물 양쪽의 지지물 간 거리의 차가 큰 곳에 사용하는 것
- 보강형 : 전선로의 직선 부분에 그 보강을 위하여 사용하는 것

08 KEC 234.8(진열장 또는 이와 유사한 것의 내부 배선)
건조한 장소에 시설하고 또한 내부를 건조한 상태로 사용하는 진열장 또는 이와 유사한 것의 내부에 사용전압이 400[V] 이하의 배선을 외부에서 잘 보이는 장소에 한하여 단면적 0.75[mm²] 이상의 코드 또는 캡타이어케이블로 직접 조영재에 밀착하여 배선할 수 있다.

09 KEC 222.7/332.5(저·고압 가공전선의 높이)

설치장소		가공전선의 높이
도로횡단		지표상 6[m] 이상
철도 또는 궤도 횡단		레일면상 6.5[m] 이상
횡단보도교 위	저 압	노면상 3.5[m] 이상(단, 절연전선의 경우 3[m] 이상)
	고 압	노면상 3.5[m] 이상

10 KEC 212.3(보호장치의 종류 및 특성)
순시트립에 따른 구분(주택용 배선차단기)

형	순시트립범위
B	$3I_n$ 초과 $5I_n$ 이하
C	$5I_n$ 초과 $10I_n$ 이하
D	$10I_n$ 초과 $20I_n$ 이하

- B, C, D : 순시트립전류에 따른 차단기 분류
- I_n : 차단기 정격전류

11 KEC 241.2(전기욕기)
- 변압기의 2차 측 전로의 사용전압이 10[V] 이하(유도코일 파고값 30[V] 이하)
- 전극 간의 간격 : 1[m] 이상
- 절연저항 : 0.5[MΩ] 이상
※ 은이온 살균장치

12 KEC 333.23(특고압 가공전선과 건조물의 접근)

구 분			35[kV] 이하의 가공전선			35[kV] 초과의 가공전선
			일 반	특고압 절연	케이블	
건조물	상부 조영재	상 방	3[m]	2.5[m]	1.2[m]	표준 + N =표준 + (35[kV] 초과분 / 10[kV]) × 0.15[m]
		측·하방 기타 조영재	3[m]	1.5[m]	0.5[m]	

13 KEC 231.3(저압 옥내배선의 사용전선 및 중성선의 굵기)
- 단면적이 2.5[mm²] 이상의 연동선
- 사용전압 400[V] 이하인 경우 전광표시장치에 사용한 단면적 0.75[mm²] 이상의 다심케이블
- 사용전압 400[V] 이하인 경우 전광표시장치에 사용한 단면적 1.5[mm²] 이상의 연동선

14 KEC 221.3(옥상전선로)
- 전선과 그 저압 옥상전선로를 시설하는 조영재와의 간격은 2[m](전선이 고압 절연전선, 특고압 절연전선 또는 케이블인 경우에는 1[m]) 이상일 것
- 전선은 인장강도 2.30[kN] 이상의 것 또는 지름 2.6[mm] 이상의 경동선일 것
- 전선은 절연전선일 것
- 애자를 사용하여 지지하고 또한 그 지지점 간의 거리는 15[m] 이하일 것
- 전선은 상시 부는 바람 등에 의하여 식물에 접촉하지 않도록 시설

15 KEC 362.1(전력보안통신설비의 시설 요구사항)
전력보안통신설비의 시설 장소는 다음에 따른다.
배전선로
- 22.9[kV]계통 배전선로 구간(가공, 지중, 해저)
- 22.9[kV]계통에 연결되는 분산전원형 발전소
- 폐회로 배전 등 신 배전방식 도입 개소
- 배전자동화, 원격검침, 부하감시 등 지능형전력망 구현을 위해 필요한 구간

16 KEC 241.1(전기울타리)
접 지
- 전기울타리 전원장치의 외함 및 변압기의 철심은 규정에 준하여 접지공사를 하여야 한다.
- 전기울타리의 접지전극과 다른 접지 계통의 접지전극의 거리는 2[m] 이상이어야 한다. 다만, 접지계통 간 접지망을 가진 경우에는 그러하지 아니하다.
- 가공전선로의 아래를 통과하는 전기울타리의 금속부분은 교차지점의 양쪽으로부터 5[m] 이상의 간격을 두고 접지하여야 한다.

17 KEC 212.4(과부하전류에 대한 보호)
과부하 보호장치의 생략(안전을 위해 과부하 보호장치를 생략할 수 있는 경우)
- 회전기의 여자회로
- 전자석 크레인의 전원회로
- 전류변성기의 2차회로
- 소방설비의 전원회로
- 안전설비(주거침입경보, 가스누출경보 등)의 전원회로

18   KEC 222.10/332.9/332.10/333.1/333.21/333.22(가공전선로 및 보안공사 지지물 간 거리)

구 분	표 준	특고압 시가지	보안공사		
			저 · 고압	제1종 특고압	제2, 3종 특고압
목주 / A종	150[m]	75[m](목주 X)	100[m]	목주 불가	100[m]
B종	250[m]	150[m]	150[m]	150[m]	200[m]
철 탑	600[m]	400[m]	400[m]	400[m], 단주 300[m]	

19   KEC 532.3.5(피뢰설비)
풍력터빈의 피뢰설비는 다음에 따라 시설하여야 한다.
- 수뢰부를 풍력터빈 선단부분 및 가장자리 부분에 배치하되 뇌격전류에 의한 발열에 의해 녹아서 손상되지 않도록 재질, 크기, 두께 및 형상 등을 고려할 것
- 풍력터빈에 설치하는 인하도선은 쉽게 부식되지 않는 금속선으로서 뇌격전류를 안전하게 흘릴 수 있는 충분한 굵기여야 하며, 가능한 직선으로 시설할 것
- 풍력터빈 내부의 계측 센서용 케이블은 금속관 또는 차폐케이블 등을 사용하여 뇌유도과전압으로부터 보호할 것
- 풍력터빈에 설치한 피뢰설비(리셉터, 인하도선 등)의 기능저하로 인해 다른 기능에 영향을 미치지 않을 것

20   KEC 512.1.6(전용건물 이외의 장소에 시설하는 경우)
전기저장장치를 일반인이 출입하는 건물의 부속공간에 시설(옥상에는 설치할 수 없다)하는 경우에는 다음에 따라 시설하여야 한다.
가. 전기저장장치 시설장소는 「건축물의 피난·방화구조 등의 기준에 관한 규칙」에 따른 내화구조이어야 한다.
나. 이차전지모듈의 직렬 연결체(이하 '이차전지랙')의 용량은 50[kWh] 이하로 하고 건물 내 시설 가능한 이차전지의 총 용량은 600[kWh] 이하이어야 한다.
다. 이차전지랙과 랙 사이는 1[m] 이상 이격하고, 랙과 벽면 사이는 전면부의 경우 1[m] 이상, 측면과 후면부의 경우 0.8[m] 이상 이격하여야 한다. 다만, "가"에 의한 벽이 삽입된 경우 이차전지랙과 랙 사이의 이격은 예외로 할 수 있다.
라. 이차전지실은 건물 내 다른 시설(수전설비, 가연물질 등)로부터 1.5[m] 이상 이격하고 각 실의 출입구나 피난계단 등 이와 유사한 장소로부터 3[m] 이상 이격하여야 한다.

전기공사산업기사	2023년 제1회 정답 및 해설								
01	02	03	04	05	06	07	08	09	10
①	②	①	②	④	③	②	②	②	②
11	12	13	14	15	16	17	18	19	20
②	③	③	②	③	③	①	①	③	④

01 KEC 333.11(특고압 가공전선로의 철주·철근 콘크리트주 또는 철탑의 종류)
- 직선형 : 전선로의 직선 부분(3° 이하인 수평각도를 이루는 곳을 포함)
- 각도형 : 전선로 중 3°를 초과하는 수평각도를 이루는 곳
- 잡아당김형 : 전가섭선을 잡아당기는 곳에 사용하는 것
- 내장형 : 전선로의 지지물 양쪽의 지지물 간 거리의 차가 큰 곳에 사용하는 것
- 보강형 : 전선로의 직선 부분에 그 보강을 위하여 사용하는 것

02 KEC 203.3(TT계통)
전원의 한 점을 직접 접지하고 설비의 노출도전부는 전원의 접지전극과 전기적으로 독립적인 접지극에 접속시킨다. 배전계통에서 PE도체를 추가로 접지할 수 있다.

03 KEC 241.5(전기온상 등)
- 대지전압 : 300[V] 이하, 발열선 온도 : 80[℃]를 넘지 않도록 시설
- 발열선의 지지점 간 거리는 1.0[m] 이하
- 발열선과 조영재 사이의 간격은 0.025[m] 이상

04 KEC 132(전로의 절연저항 및 절연내력)

종 류	비접지	중성점 접지	중성점 직접접지
170[kV]	×1.25	×1.1	×0.64
60[kV]	(최저시험전압 10.5[kV])	(최저시험전압 75[kV])	×0.72
7[kV]	×1.5	25[kV] 이하 중성점 다중접지×0.92	

∴ 절연내력 시험전압 = $22,000 \times 1.25 = 27,500$[V]

05 KEC 351.3(발전기 등의 보호장치)
- 발전기에 과전류나 과전압이 생긴 경우
- 압유장치 유압이 현저히 저하된 경우
  - 수차발전기 : 500[kVA] 이상
  - 풍차발전기 : 100[kVA] 이상
- 스러스트 베어링의 온도가 현저히 상승한 경우 : 2,000[kVA] 이상
- 내부고장이 발생한 경우 : 10,000[kVA] 이상

06 KEC 333.22(특고압 보안공사)

제1종 특고압 보안공사의 전선 굵기

사용전압	전 선
100[kV] 미만	인장강도 21.67[kN] 이상의 연선 또는 단면적 55[mm^2] 이상의 경동연선
100[kV] 이상 300[kV] 미만	인장강도 58.84[kN] 이상의 연선 또는 단면적 150[mm^2] 이상의 경동연선
300[kV] 이상	인장강도 77.47[kN] 이상의 연선 또는 단면적 200[mm^2] 이상의 경동연선

07 KEC 232.12(금속관공사)
- 전선은 절연전선(옥외용 비닐절연전선을 제외한다)일 것
- 연선일 것(단, 전선관이 짧거나 10[mm^2] 이하(알루미늄은 16[mm^2])일 때 예외)
- 관의 두께 : 콘크리트에 매입하는 것은 1.2[mm] 이상(노출공사 1.0 [mm] 이상. 단, 길이 4[m] 이하이고 건조한 노출된 공사 : 0.5[mm] 이상)
- 폭발방지형 부속품 : 전선관과의 접속부분 나사는 5턱 이상 완전히 나사결합
- 관의 끝부분에는 전선의 피복을 손상하지 아니하도록 부싱을 사용할 것
- 접지공사 생략(400[V] 이하)
  - 건조하고 총길이 4[m] 이하인 곳(400[V] 이하)
  - 8[m] 이하, DC 300[V], AC 150[V] 이하인 사람 접촉이 없는 경우

08 KEC 151.3(피뢰시스템 등급선정)

피뢰시스템 등급은 대상물의 특성에 따라 KS C IEC 62305-1(피뢰시스템-제1부 : 일반원칙)의 "8.2 피뢰레벨", KS C IEC 62305-2(피뢰시스템-제2부 : 리스크관리), KS C IEC 62305-3(피뢰시스템-제3부 : 구조물의 물리적 손상 및 인명위험)의 "4.1 피뢰시스템의 등급"에 의한 피뢰레벨 따라 선정한다. 다만, 위험물의 제조소 등에 설치하는 피뢰시스템은 II 등급 이상으로 하여야 한다.

09 기술기준 제27조(전선로의 전선 및 절연성능)

저압 전선로 중 절연 부분의 전선과 대지 간 및 전선의 심선 상호 간의 절연저항은 사용전압에 대한 누설전류가 최대공급전류의 1/2,000을 넘지 않도록 하여야 한다(단상 2선식인 경우 1/1,000).

10 KEC 232.56(애자공사), 342.1(고압 옥내배선 등의 시설)
- 전선의 종류 : 절연전선, 단, 옥외용 비닐절연전선(OW) 및 인입용 비닐절연전선(DV)은 제외한다.
- 간 격

구 분		전선과 조영재 간격	전선 상호 간의 간격	전선 지지점 간의 거리	
				조영재 상면 또는 측면	조영재 따라 시설 않는 경우
저 압	400[V] 이하	25[mm] 이상	0.06[m] 이상	2[m] 이하	−
	400[V] 초과 건 조	25[mm] 이상			6[m] 이하
	400[V] 초과 기 타	45[mm] 이상			
고 압		0.05[m] 이상	0.08[m] 이상		

11 KEC 222.2/331.11(지지선의 시설)

안전율	2.5 이상(목주나 A종 : 1.5 이상)	아연도금철봉	지중 및 지표상 0.3[m]까지
구 조	4.31[kN] 이상, 3가닥 이상의 연선	도로횡단	5[m] 이상 (교통 지장 없는 장소 : 4.5[m])
금속선	2.6[mm] 이상 (아연도강연선 2.0[mm] 이상)	기 타	철탑은 지지선으로 그 강도를 분담 시키지 않을 것

12 KEC 351.6(감시 및 계측장치 등)
• 계측장치 : 전압계 및 전류계, 전력계
• 발전기의 베어링 및 고정자의 온도
• 특고압용 변압기의 온도
• 정격출력이 10,000[kW]를 초과하는 증기터빈에 접속하는 발전기의 진동의 진폭

13 KEC 342.2(옥내 고압용 이동전선의 시설)
옥내에 시설하는 고압의 이동전선은 다음에 따라 시설하여야 한다.
• 전선은 고압용의 캡타이어케이블일 것
• 이동전선과 전기사용기계기구와는 볼트 조임 기타의 방법에 의하여 견고하게 접속할 것
• 이동전선에 전기를 공급하는 전로(유도 전동기의 2차측 전로를 제외한다)에는 전용 개폐기 및 과전류 차단기를 각극(과전류 차단기는 다선식 전로의 중성극을 제외한다)에 시설하고, 또한 전로에 지락이 생겼을 때에 자동적으로 전로를 차단하는 장치를 시설할 것

14 KEC 111(통칙)

크 기 \ 종 류	교 류	직 류
저 압	1[kV] 이하	1.5[kV] 이하
고 압	1[kV] 초과 7[kV] 이하	1.5[kV] 초과 7[kV] 이하
특고압	7[kV] 초과	7[kV] 초과

15 KEC 222.5(저압 가공전선의 굵기 및 종류), 333.4(특고압 가공전선의 굵기 및 종류)

전 압		조 건	인장강도	경동선의 굵기
저 압	400[V] 이하	절연전선	2.3[kN] 이상	2.6[mm] 이상
		나전선	3.43[kN] 이상	3.2[mm] 이상
	400[V] 초과	시가지	8.01[kN] 이상	5.0[mm] 이상
		시가지 외	5.26[kN] 이상	4.0[mm] 이상
특고압		일 반	8.71[kN] 이상	22[mm^2] 이상

16 KEC 221.1(구내인입선)
이웃 연결 인입선의 시설
• 인입선에서 분기하는 점으로부터 100[m]를 초과하는 지역에 미치지 아니할 것
• 폭 5[m]를 초과하는 도로를 횡단하지 아니할 것
• 옥내를 통과하지 아니할 것

17 KEC 112(용어 정의)

전기철도용 급전선이란 전기철도용 변전소로부터 다른 전기철도용 변전소 또는 전차선에 이르는 전선을 말한다.

18 KEC 203.1(계통접지 구성)

- 저압전로의 보호도체 및 중성선의 접속 방식에 따라 접지계통은 다음과 같이 분류한다.
  - TN 계통
  - TT 계통
  - IT 계통
- 계통접지에서 사용되는 문자의 정의는 다음과 같다.
  - 제1문자 – 전원계통과 대지의 관계
    T : 한 점을 대지에 직접 접속
    I : 모든 충전부를 대지와 절연시키거나 높은 임피던스를 통하여 한 점을 대지에 직접 접속
  - 제2문자 – 전기설비의 노출도전부와 대지의 관계
    T : 노출도전부를 대지로 직접 접속. 전원계통의 접지와는 무관
    N : 노출도전부를 전원계통의 접지점(교류 계통에서는 통상적으로 중성점, 중성점이 없을 경우는 선도체)에 직접 접속
  - 그 다음 문자(문자가 있을 경우) – 중성선과 보호도체의 배치
    S : 중성선 또는 접지된 선도체 외에 별도의 도체에 의해 제공되는 보호 기능
    C : 중성선과 보호 기능을 한 개의 도체로 겸용(PEN 도체)

19 KEC 222.21/332.21(저·고압 가공전선과 가공약전류전선 등의 공용설치), 333.19(저·고압 가공전선과 가공약전류전선 등의 공용설치)

구 분	저 압	고 압	특고압
약전선(케이블)	0.75[m] 이상(0.3[m])	1.5[m] 이상(0.5[m])	2[m] 이상(0.5[m])
기 타	• 저·고압 　– 전선로의 지지물로서 사용하는 목주의 풍압하중에 대한 안전율은 1.5 이상일 것 　– 상부에 가공전선을 시설하며 별도의 완금류에 시설할 것 • 특고압 　– 제2종 특고압 보안공사에 의할 것 　– 사용전압 35[kV] 이하에서만 시설 　– 21.67[kN] 이상의 연선, 50[mm²] 이상인 경동연선 사용		

20 KEC 542.2(제어 및 보호장치 등)

접지설비

- 접지극은 고장 시 그 근처의 대지 사이에 생기는 전위차에 의하여 사람이나 가축 또는 다른 시설물에 위험을 줄 우려가 없도록 시설할 것
- 접지도체는 공칭단면적 16[mm²] 이상의 연동선 또는 이와 동등 이상의 세기 및 굵기의 쉽게 부식하지 아니하는 금속선(저압전로의 중성점에 시설하는 것은 공칭단면적 6[mm²] 이상의 연동선 또는 이와 동등 이상의 세기 및 굵기의 쉽게 부식하지 않는 금속선)으로서 고장 시 흐르는 전류가 안전하게 통할 수 있는 것을 사용하고 또한 손상을 받을 우려가 없도록 시설할 것
- 접지도체에 접속하는 저항기·리액터 등은 고장 시 흐르는 전류를 안전하게 통할 수 있는 것을 사용할 것
- 접지도체·저항기·리액터 등은 취급자 이외의 자가 출입하지 아니하도록 설비한 곳에 시설하는 경우 이외에는 사람이 접촉할 우려가 없도록 시설할 것

전기공사산업기사	2023년 제2회 정답 및 해설								
01	02	03	04	05	06	07	08	09	10
②	①	④	②	①	①	①	④	①	②
11	12	13	14	15	16	17	18	19	20
③	④	②	③	②	②	①	③	②	④

01 KEC 342.1(고압 옥내배선 등의 시설)
- 애자사용공사(건조한 장소로서 전개된 장소에 한한다)
- 케이블공사
- 케이블트레이공사

02 KEC 224.1/335.1(터널 안 전선로의 시설)

구 분	사람 통행이 없는 경우		사람 상시 통행
	저 압	고 압	저압과 동일
공사 방법	합성수지관, 금속관, 가요관, 애자, 케이블	케이블, 애자	케이블
전 선	2.30[kN] 이상 절연전선, 2.6[mm] 이상 경동선	5.26[kN] 이상 절연전선, 4.0[mm] 이상 경동선	특고압 시설 불가
높 이	노면·레일면 위		
	2.5[m] 이상	3[m] 이상	

03 KEC 232.41(케이블트레이공사)
- 금속재의 것은 내식성 재료의 것이어야 한다.
- 케이블트레이의 안전율은 1.5 이상이어야 한다.
- 비금속제 케이블트레이는 난연성 재료의 것이어야 한다.
- 전선의 피복 등을 손상시킬 돌기 등이 없이 매끈하여야 한다.

04 KEC 520(태양광발전설비)
- 태양전지 모듈, 전선, 개폐기 및 기타 기구는 충전 부분이 노출되지 않도록 시설할 것
- 모든 접속함에는 내부의 충전부가 인버터로부터 분리된 후에도 여전히 충전상태일 수 있음을 나타내는 경고를 붙일 것
- 주택의 태양전지모듈에 접속하는 부하 측 옥내배선의 대지전압은 직류 600[V]까지 적용
  - 전로에 지락이 생겼을 때 자동적으로 전로를 차단하는 장치를 시설할 것
  - 사람이 접촉할 우려가 없는 은폐된 장소에 합성수지관배선, 금속관배선 및 케이블배선에 의하여 시설하거나, 사람이 접촉할 우려가 없도록 케이블배선에 의하여 시설하고 전선에 방호장치를 시설할 것
- 모듈의 출력배선은 극성별로 확인할 수 있도록 표시할 것
- 모듈을 병렬로 접속하는 전로에는 그 전로에 단락전류가 발생할 경우에 전로를 보호하는 과전류차단기 또는 기타 기구를 시설할 것(단, 그 전로가 단락전류에 견딜 수 있는 경우에는 제외)
- 전선은 공칭단면적 2.5[mm²] 이상의 연선 또는 이와 동등 이상의 세기 및 굵기의 것일 것
- 배선설비공사는 옥내에 시설할 경우에는 합성수지관공사, 금속관공사, 금속제 가요전선관공사, 케이블공사 규정에 준하여 시설할 것

- 옥측 또는 옥외에 시설할 경우에는 합성수지관공사, 금속관공사, 금속제 가요전선관공사 또는 케이블공사의 규정에 준하여 시설할 것
- 단자의 접속은 기계적, 전기적 안전성을 확보할 것

05 KEC 222.10/332.9/332.10/333.1/333.21/333.22(가공전선로 및 보안공사 지지물 간 거리)

구 분	표 준	특고압 시가지	보안공사		
			저 · 고압	제1종 특고압	제2, 3종 특고압
목주 / A종	150[m]	75[m](목주 X)	100[m]	목주 불가	100[m]
B종	250[m]	150[m]	150[m]	150[m]	200[m]
철 탑	600[m]	400[m]	400[m]	400[m], 단주 300[m]	

06 KEC 222.7/332.5(저 · 고압 가공전선의 높이), 333.7(특고압 가공전선의 높이)

시설 장소	가공통신선	가공전선로 지지물에 시설	
		저 · 고압	특고압
일 반	3.5[m]	5[m]	5[m]
도로횡단(교통지장 없음)	5[m](4.5[m])	6[m](5[m])	6[m]
철도, 궤도횡단	6.5[m]	6.5[m]	6.5[m]
횡단보도교 위(절연전선(고 · 저압), 광섬유케이블(특고압) 사용 시)	3[m]	3.5(3)[m]	5(4)[m]

07 의료장소의 전로에는 정격감도전류 30[mA] 이하, 동작시간 0.03초 이내의 누전차단기를 설치할 것

08 KEC 232.31(금속덕트공사)
- 전선은 절연전선(옥외용 비닐절연전선을 제외한다)일 것
- 전선 단면적 : 덕트 내부 단면적의 20[%] 이하(제어회로 등 50[%] 이하)
- 지지점 간의 거리 : 3[m] 이하(취급자 외 출입 없고 수직인 경우 : 6[m] 이하)
- 폭 40[mm] 이상, 두께 1.2[mm] 이상인 철판 또는 동등 이상의 기계적 강도를 가지는 금속제의 것으로 제작한 것

09 KEC 231.4(나전선의 사용 제한)
옥내에 시설하는 저압전선은 나전선 사용을 제한(다음의 경우는 예외)
- 애자공사의 경우로 전기로용 전선, 절연물이 부식하는 장소에 시설하는 전선, 취급자 이외의 자가 출입할 수 없도록 설비한 장소에 시설하는 전선
- 버스덕트 또는 라이팅덕트공사에 의하는 경우
- 이동기중기, 놀이용 전차선 등의 접촉전선을 시설하는 경우

10 KEC 223.1/334.1(지중전선로의 시설)
지중전선로를 관로식에 의하여 시설하는 경우 관로식에 의하여 시설하는 경우에는 매설 깊이를 1.0[m] 이상으로 한다. 단, 중량물의 압력을 받을 우려가 없는 곳은 0.6[m] 이상으로 한다.

11 KEC 222.13/332.13(저·고압 가공전선과 가공약전류전선 등의 접근 또는 교차), 222.14/332.14(저·고압 가공전선과 안테나의 접근 또는 교차), 222.19/332.19(저·고압 가공전선과 식물의 간격)

구 분	저압 가공전선			고압 가공전선		
	일 반	절 연	케이블	일 반	절 연	케이블
가공약전류전선	0.6[m](고압, 케이블 0.3[m])			0.8[m](케이블 0.4[m])		
가공약전선(케이블)	위 값의 0.5배					
안테나	0.6[m]	0.3[m]	0.3[m]	0.8[m]	–	0.4[m]
식 물	접촉하지 않으면 된다.					

12 기술기준 제52조(저압전로의 절연성능)

전로의 사용전압[V]	DC시험전압[V]	절연저항[MΩ]
SELV 및 PELV	250	0.5
FELV, 500[V] 이하	500	1.0
500[V] 초과	1,000	1.0

[주] 특별저압(Extra Law Voltage : 2차 전압이 AC 50[V], DC 120[V] 이하)으로 SELV(비접지회로 구성) 및 PELV(접지회로 구성)은 1차와 2차가 전기적으로 절연된 회로, FELV는 1차와 2차가 전기적으로 절연되지 않은 회로

13 KEC 351.5(조상설비의 보호장치)

설비종별	뱅크용량의 구분	자동적으로 전로로부터 차단하는 장치
전력용 커패시터 및 분로리액터	500[kVA] 초과 15,000[kVA] 미만	내부고장이나 과전류가 생긴 경우에 동작하는 장치
	15,000[kVA] 이상	내부고장이나 과전류 및 과전압이 생긴 경우에 동작하는 장치
무효 전력 보상 장치	15,000[kVA] 이상	내부고장이 생긴 경우에 동작하는 장치

14 KEC 241.5(전기온상 등)
- 대지전압 : 300[V] 이하, 발열선 온도 : 80[℃]를 넘지 않도록 시설
- 발열선의 지지점 간 거리는 1.0[m] 이하
- 발열선과 조영재 사이의 간격은 0.025[m] 이상

15 KEC 151(피뢰시스템의 적용범위 및 구성)
적용범위
- 전기전자설비가 설치된 건축물·구조물로서 낙뢰로부터 보호가 필요한 것 또는 지상으로부터 높이가 20[m] 이상인 것
- 전기설비 및 전자설비 중 낙뢰로부터 보호가 필요한 설비

16 **고장보호**

기본절연의 고장에 의한 간접 접촉을 방지(노출도전부에 인축이 접촉하여 일어날 수 있는 위험으로부터 보호)
- 전원의 자동차단에 의한 보호
- 이중절연 또는 강화절연에 의한 보호
- 전기적 분리에 의한 보호
- SELV와 PELV를 적용한 특별저압에 의한 보호
- 숙련자와 기능자의 통제 또는 감독이 있는 설비에 적용 가능한 보호대책
- 인축의 몸을 통해 고장전류가 흐르는 것을 방지
- 인축의 몸에 흐르는 고장전류를 위험하지 않는 값 이하로 제한
- 인축의 몸에 흐르는 고장전류의 지속시간을 위험하지 않은 시간까지로 제한

17 풍력발전설비의 접지설비는 풍력발전설비 타워기초를 이용한 통합접지공사를 하며, 설비 사이에는 등전위본딩을 해야 한다.

18 **KEC 333.11(특고압 가공전선로의 철주 · 철근 콘크리트주 또는 철탑의 종류)**
- 직선형 : 전선로의 직선 부분(3° 이하인 수평각도를 이루는 곳을 포함)
- 각도형 : 전선로 중 3°를 초과하는 수평각도를 이루는 곳
- 잡아당김형 : 전가섭선을 잡아당기는 곳에 사용하는 것
- 내장형 : 전선로의 지지물 양쪽의 지지물 간 거리의 차가 큰 곳에 사용하는 것
- 보강형 : 전선로의 직선 부분에 그 보강을 위하여 사용하는 것

19 **KEC 333.22(특고압 보안공사)**

제1종 특고압 보안공사
- 전선로의 지지물에는 B종 철주 · B종 철근 콘크리트주 또는 철탑을 사용할 것
- 전선에는 압축 접속에 의한 경우 이외에는 지지물과 지지물 중간에 접속점을 시설하지 아니할 것
- 지락 또는 단락 시 3초(100[kV] 이상 2초) 이내 차단하는 장치를 시설
- 애자는 1련으로 하는 경우는 50[%] 충격 불꽃 방전 전압이 타 부분의 110[%] 이상일 것(사용전압 130[kV]를 넘는 경우 105[%] 이상이거나, 아크혼 붙은 2련 이상)

20 **KEC 232.13(금속제 가요전선관공사)**
- 전선은 절연전선(옥외용 비닐절연전선을 제외한다)일 것
- 전선은 연선일 것. 단, 단면적 10[mm²] 이하(알루미늄은 16[mm²]) 이하인 것은 그러하지 아니하다.
- 가요전선관 안에는 전선에 접속점이 없도록 할 것
- 가요전선관은 2종 금속제 가요전선관일 것. 다만, 전개된 장소이거나 점검할 수 있는 은폐된 장소(옥내배선의 사용전압이 400[V] 초과인 경우에는 전동기에 접속하는 부분으로서 가요성을 필요로 하는 부분에 사용하는 것에 한한다) 또는 점검 불가능한 은폐장소에 기계적 충격을 받을 우려가 없는 조건일 경우에는 1종 가요전선관(습기가 많은 장소 또는 물기가 있는 장소에는 비닐 피복 1종 가요전선관에 한한다)을 사용할 수 있다.

전기공사산업기사	2023년 제4회 정답 및 해설								
01	02	03	04	05	06	07	08	09	10
②	③	④	④	③	②	③	③	①	②
11	12	13	14	15	16	17	18	19	20
④	③	④	①	③	①	③	④	②	④

01 **KEC 331.4(가공전선로 지지물의 철탑오름 및 전주오름 방지)**

가공전선로 지지물에 취급자가 오르고 내리는 데 사용하는 발판 볼트 등 : 지지물의 발판 볼트는 특별한 경우를 제외하고 지표상 1.8[m] 미만에 시설하여서는 아니 된다.

02 **KEC 364.1(무선용 안테나 등을 지지하는 철탑 등의 시설)**

무선통신용 안테나나 반사판을 지지하는 지지물들의 안전율 : 1.5 이상

03 **KEC 234.15(교통신호등)**

- 사용전압 : 300[V] 이하(단, 150[V] 초과 시 누전차단기 시설)
- 공칭단면적 2.5[mm²] 연동선, 450/750[V] 일반용 단심 비닐절연전선(내열성 에틸렌아세테이트 고무절연전선)
- 인하선의 지표상의 높이는 2.5[m] 이상일 것
- 전원 측에는 전용개폐기 및 과전류차단기를 각 극에 시설

04 **KEC 362.1(전력보안통신설비의 시설 요구사항)**

- 원격감시제어가 되지 아니하는 발전소·변전소·개폐소, 전선로 및 이를 운용하는 급전소 및 급전분소 간
- 2개 이상의 급전소(분소) 상호 간과 이들을 통합 운용하는 급전소(분소) 간
- 수력설비 중 필요한 곳, 수력설비의 안전상 필요한 양수소 및 강수량 관측소와 수력발전소 간
- 동일 수계에 속하고 안전상 긴급연락의 필요가 있는 수력발전소 상호 간
- 동일 전력계통에 속하고 또한 안전상 긴급연락의 필요가 있는 발전소·변전소 및 개폐소 상호 간
- 발전소·변전소 및 개폐소와 기술원 주재소 간
- 발전소·변전소·개폐소·급전소 및 기술원 주재소와 전기설비의 안전상 긴급연락의 필요가 있는 기상대·측후소·소방서 및 방사선 감시계측 시설물 등의 사이

05 **KEC 331.6(풍압하중의 종별과 적용)**

- 갑종 : 고온계에서의 구성재의 수직 투영면적 1[m²]에 대한 풍압을 기초로 계산
- 을종 : 빙설이 많은 지역(비중 0.9의 빙설이 두께 6[mm] 얼어붙어 있을 경우), 갑종 풍압하중의 $\frac{1}{2}$을 기초
- 병종 : 빙설이 적은 지역(인가 밀집한 도시, 35[kV] 이하의 가공전선로), 갑종 풍압하중의 $\frac{1}{2}$을 기초

지 역		고온계절	저온계절
빙설이 많은 지방 이외의 지방		갑 종	병 종
빙설이 많은 지방	일반지역	갑 종	을 종
	해안지방, 기타 저온의 계절에 최대풍압이 생기는 지역	갑 종	갑종과 을종 중 큰 값 선정
인가가 많이 이웃 연결되어 있는 장소		병 종	병 종

06 전차선과 건조물 간의 최소 절연 간격

시스템 종류	공칭전압[V]	동적[mm]		정적[mm]	
		비오염	오 염	비오염	오 염
직 류	750	25	25	25	25
	1,500	100	110	150	160
단상 교류	25,000	170	220	270	320

07 전력변환장치의 시설

인버터, 절연변압기 및 계통 연계 보호장치 등 전력변환장치의 시설은 다음에 따라 시설하여야 한다.
- 인버터는 실내·실외용을 구분할 것
- 각 직렬군의 태양전지 개방전압은 인버터 입력전압 범위 이내일 것
- 옥외에 시설하는 경우 방수등급은 IPX4 이상일 것

08 KEC 112(용어 정의)

관등회로란 방전등용 안정기 또는 방전등용 변압기로부터 방전관까지의 전로를 말한다.

09 KEC 112(용어 정의)

단독운전이란 전력계통의 일부가 전력계통의 전원과 전기적으로 분리된 상태에서 분산형전원에 의해서만 운전되는 상태를 말한다.

10 KEC 133(회전기 및 정류기의 절연내력)

종 류			시험전압	시험방법
회전기	발전기·전동기·무효 전력 보상 장치·기타회전기(회전변류기를 제외한다)	최대사용전압 7[kV] 이하	최대사용전압의 1.5배의 전압(500[V] 미만으로 되는 경우에는 500[V])	권선과 대지 사이에 연속하여 10분간 가한다.
		최대사용전압 7[kV] 초과	최대사용전압의 1.25배의 전압(10.5[kV] 미만으로 되는 경우에는 10.5[kV])	
	회전변류기		직류 측의 최대사용전압의 1배의 교류전압(500[V] 미만으로 되는 경우에는 500[V])	
정류기	최대사용전압이 60[kV] 이하		직류 측의 최대사용전압의 1배의 교류전압(500[V] 미만으로 되는 경우에는 500[V])	충전 부분과 외함 간에 연속하여 10분간 가한다.
	최대사용전압 60[kV] 초과		교류 측의 최대사용전압의 1.1배의 교류전압 또는 직류 측의 최대사용전압의 1.1배의 직류전압	교류 측 및 직류고전압 측 단자와 대지 사이에 연속하여 10분간 가한다.

11 KEC 232.12(금속관공사)

관의 끝부분에는 전선의 피복을 손상하지 아니하도록 부싱을 사용할 것

12 KEC 241.5(전기온상 등)

• 대지전압 : 300[V] 이하, 발열선 온도 : 80[℃]를 넘지 않도록 시설
• 발열선의 지지점 간 거리는 1.0[m] 이하
• 발열선과 조영재 사이의 간격은 0.025[m] 이상

13 KEC 333.7(특고압 가공전선의 높이)

사용전압의 구분	지표상의 높이
35[kV] 이하	5[m] (철도 또는 궤도를 횡단하는 경우에는 6.5[m], 도로를 횡단하는 경우에는 6[m], 횡단보도교의 위에 시설하는 경우로서 전선이 특고압 절연전선 또는 케이블인 경우에는 4[m])
35[kV] 초과 160[kV] 이하	6[m] (철도 또는 궤도를 횡단하는 경우에는 6.5[m], 산지 등에서 사람이 쉽게 들어갈 수 없는 장소에 시설하는 경우에는 5[m], 횡단보도교의 위에 시설하는 경우 전선이 케이블인 때는 5[m])
160[kV] 초과	6[m] (철도 또는 궤도를 횡단하는 경우에는 6.5[m], 산지 등에서 사람이 쉽게 들어갈 수 없는 장소를 시설하는 경우에는 5[m])에 160[kV]를 초과하는 10[kV] 또는 그 단수마다 0.12[m]를 더한 값

14 KEC 222.7/332.5(저·고압 가공전선의 높이)

설치장소		가공전선의 높이
도로횡단		지표상 6[m] 이상
철도 또는 궤도 횡단		레일면상 6.5[m] 이상
횡단보도교 위	저 압	노면상 3.5[m] 이상(단, 절연전선의 경우 3[m] 이상)
	고 압	노면상 3.5[m] 이상

15 KEC 222.13/332.13(저·고압 가공전선과 가공약전류전선 등의 접근 또는 교차), 222.14/332.14(저·고압 가공전선과 안테나의 접근 또는 교차), 222.19/332.19(저·고압 가공전선과 식물의 간격)

구 분	저압 가공전선			고압 가공전선		
	일 반	절 연	케이블	일 반	절 연	케이블
가공약전류전선	0.6[m](고압, 케이블 0.3[m])			0.8[m](케이블 0.4[m])		
가공약전선(케이블)	위 값의 0.5배					
안테나	0.6[m]	0.3[m]	0.3[m]	0.8[m]	–	0.4[m]
식 물	접촉하지 않으면 된다.					

16 KEC 212.3(보호장치의 종류 및 특성)

순시트립에 따른 구분(주택용 배선차단기)

형	순시트립범위
B	$3I_n$ 초과 $5I_n$ 이하
C	$5I_n$ 초과 $10I_n$ 이하
D	$10I_n$ 초과 $20I_n$ 이하

• B, C, D : 순시트립전류에 따른 차단기 분류
• I_n : 차단기 정격전류

17 KEC 333.1(시가지 등에서 특고압 가공전선로의 시설)

종 류	특 성		
지지물 (목주 불가)	A종	B종	철 탑
지지물 간 거리	75[m] 이하	150[m] 이하	400[m] 이하(도체 수평 간격 4[m] 미만 : 250[m])
사용전선	100[kV] 미만		100[kV] 이상
	55[mm²] 이상		150[mm²] 이상
전선로의 높이	35[kV] 이하		35[kV] 초과
	10[m] 이상(특고압절연전선 8[m] 이상)		10[m] + 단수 × 12[cm]
애자장치	애자는 50[%] 충격 불꽃 방전 전압이 타 부분의 110[%] 이상일 것(130[kV]를 초과하는 경우 105[%] 이상), 아크혼 붙은 2련 이상		
보호장치	지기발생 시 100[kV] 초과의 경우 1초 이내에 자동 차단하는 장치를 시설할 것		

18 전기저장장치 시설장소는 주변 시설(도로, 건물, 가연물질 등)로부터 1.5[m] 이상 이격(다른 건물의 출입구나 피난계단 등 이와 유사한 장소로부터는 3[m] 이상 이격)

19 KEC 222.10/332.9/332.10/333.1/333.21/333.22(가공전선로 및 보안공사 지지물 간 거리)

구 분	표 준	특고압 시가지	보안공사		
			저·고압	제1종 특고압	제2, 3종 특고압
목주 / A종	150[m]	75[m](목주 X)	100[m]	목주 불가	100[m]
B종	250[m]	150[m]	150[m]	150[m]	200[m]
철 탑	600[m]	400[m]	400[m]	400[m], 단주 300[m]	

20 KEC 232.3(배선설비 적용 시 고려사항)

전기적 접속방법은 다음 사항을 고려하여 선정한다.

• 도체와 절연재료
• 도체를 구성하는 소선의 가닥수와 형상
• 도체의 단면적
• 함께 접속되는 도체의 수

한국전기설비규정 일부 개정

◉ 산업통상자원부 공고 제2023-768호

「전기사업법」 제67조 및 같은법 시행령 제43조, '전기설비기술기준'(산업통상자원부 고시) 제4조에 따라 '한국전기설비규정'(산업통상자원부 공고 제2023-563호, 2023. 7. 11.) 중 일부를 다음과 같이 개정·공고합니다.

2023년 10월 12일
산업통상자원부장관

한국전기설비규정 일부 개정

1. 개정이유

- 전기설비기술기준에서 사용하고 있는 용어 중 어려운 전문용어를 쉬운 우리말로 바꿔야 할 필요성 제기
- 이에, 관행적으로 쓰여 온 외래어, 어려운 전문용어, 일본식 한자어 등을 국민의 눈높이에 맞는 용어로 순화 및 표준화하고,
- '충분', '적절', '적당' 등 정성적, 모호한 문구를 수정 또는 삭제하여 현장 적용성 제고

2. 주요내용

- 일본식 한자어, 어려운 전문용어 등은 이해하기 쉬운 용어로 순화
- 외래어와 관련된 용어는 한글화 또는 외래어 표기법에 맞게 변경
- 여러 용어로 혼용 중인 것은 대표용어로 통일 및 표준화
- 충분한, 적절한, 적당한 등 정성적, 모호한 문구를 수정 또는 삭제

3. 기대효과

- 교과용 도서 제작, 공문서 작성 및 국가 주관의 시험 출제에 적극 활용
- 국민의 알 권리를 보장하고 기준에 대한 접근성 및 신뢰성 제고

부칙(제2023-768호, 2023. 10. 12.)

제1조(시행일) 이 공고는 공고한 날부터 시행한다.

제2조(경과조치) 이 공고 시행 전에 전기설비 공사계획 인가(신고), 사업승인, 건축허가(신고) 등을 신청하거나 신고한 것에 대해서는 종전의 기준을 따른다.

개정 예)

현 행	개정안
112 용어 정의 이 규정에서 사용하는 용어의 정의는 다음과 같다. (중략) "수뢰부시스템(Air-termination System)"이란 낙뢰를 포착할 목적으로 돌침, 수평도체, 메시도체 등과 같은 금속 물체를 이용한 외부피뢰시스템의 일부를 말한다. (중략) "유압장치"란 조속기, 입구밸브, 제압기, 운전제어장치 등의 조작에 필요한 압유를 공급하는 장치를 말하며 유압펌프, 유압탱크, 집유탱크 냉각장치, 유관 등을 포함한다. (중략) "이격거리"란 떨어져야할 물체의 표면간의 최단거리를 말한다.	112 용어 정의 이 규정에서 사용하는 용어의 정의는 다음과 같다. (중략) "수뢰부시스템(Air-termination System)"이란 낙뢰를 포착할 목적으로 돌침, 수평도체, 그물망도체 등과 같은 금속 물체를 이용한 외부피뢰시스템의 일부를 말한다. (중략) "유압장치"란 속도조절기, 입구밸브, 제압기, 운전제어장치 등의 조작에 필요한 압유를 공급하는 장치를 말하며 유압펌프, 유압탱크, 집유탱크 냉각장치, 유관 등을 포함한다. (중략) "간격"이란 떨어져야할 물체의 표면간의 최단거리를 말한다.

용어 변경사항

현 행	개정안	현 행	개정안
조속기	속도조절기	직매용	직접매설용
메시도체	그물망도체	조가용선	조가선
이격거리	간격	인류	잡아당김
도괴	넘어지거나 무너짐	조사용	빛을 쬐는 용도
내성	견디는 성질	유희용	놀이용
L1(갈색)	L1(갈색)	제진장치	먼지제거장치
L2(흑색)	L2(검은색)	덤웨이터	소형물품 운반용 승강기
L3(회색)	L3(회색)	유수	흐르는 물
N(청색)	N(파란색)	치환	바꿔놓음
외경/내경	바깥지름/안지름	근가(根架)	전주 버팀대
동선	구리선	자중	자체중량
조상기	무효 전력 보상 장치	이도(弛度)	처짐 정도
결선	전선연결	장간 애자	긴 애자
섬락(충격섬락전압)	불꽃방전(충격 불꽃 방전 전압)	장방형	직사각형
전식	전기부식	조하하는	매다는
압착	눌러 붙임	망상장치	그물형장치
분말/분진	가루/먼지	외주(外周)	바깥둘레
재폐로/폐로/개로	재연결/닫힌 회로/열린 회로	금구류	금속 부속품
종방향/횡	세로 방향/가로	부대(浮臺)	부유식 구조물
공차	허용오차	개거(開渠)	개방 수로
배기/배기구	공기배출구	최종단	맨끝
경간	지지물 간 거리	공작물	인공구조물
연접	이웃 연결	응동	따라 움직임
지지주	지지기둥	변대주	변압기 전주
지선	지지선	국부적	부분적
말구	위쪽 끝	원추	원뿔
교량	다리	노멀라이징	풀림
키	스위치	직관	직선관
리드선	연결선	차륜	차바퀴
말단	끝부분	가선방식	전선 설치방식
자소성	자기소화성	쇄정장치	잠금장치
커넥터	접속기	만곡	굽힘
방폭형	폭발방지형	블레이드	날개
굴곡부/곡률 반경	굽은 부분/굽은 부분 반지름	용손(溶損)	녹아서 손상
방청/방식	녹방지/부식방지	충분/적절/적당	삭제

좋은 책을 만드는 길, 독자님과 함께하겠습니다.

전기설비기술기준

개정 2판1쇄 발행	2024년 01월 05일 (인쇄 2023년 11월 29일)
초 판 발 행	2022년 01월 05일 (인쇄 2021년 11월 16일)
발 행 인	박영일
책 임 편 집	이해욱
편 저	류승헌
편 집 진 행	윤진영 · 김경숙
표 지 디 자 인	권은경 · 길전홍선
편 집 디 자 인	정경일 · 심혜림
발 행 처	(주)시대고시기획
출 판 등 록	제10-1521호
주 소	서울시 마포구 큰우물로 75 [도화동 538 성지 B/D] 9F
전 화	1600-3600
팩 스	02-701-8823
홈 페 이 지	www.sdedu.co.kr

I S B N	979-11-383-6370-9(14560)
	979-11-383-6365-5(세트)
정 가	18,000원